Евгений Сухов

Я-ВОР
в законе

ПОБЕГ

АСТпресс

Евгений Сухов

Я-ВОР
в законе

ПОБЕГ

Москва
«АСТ-ПРЕСС»
2001

УДК 882
ББК 84(2Рос-Рус)6-44
С 91

Сухов Е. Е.

С 91   Я — вор в законе: Побег. — М.: АСТ-ПРЕСС, 2001. —
544 с.

ISBN 5-7805-0314-1

По сфабрикованному приговору смотрящий России, вор в законе Варяг отбывает срок на зоне в глухих северных краях. Начавшийся на воле беспредел и жажда мести заставляют его решиться на отчаянный шаг и, преодолевая суровые испытания, совершить побег. Добрые люди помогают Варягу выжить в критической ситуации, спасая ему жизнь после тяжелых ранений. Поправившись, Варяг возвращается в Санкт-Петербург, где освобождает свою жену и сына, наказывает предателей и начинает устанавливать жесткий, но справедливый порядок в России.

УДК 882
ББК 84(2Рос-Рус)6-44

ISBN 5-7805-0314-1   © «КОМПАНИЯ «АСТ-ПРЕСС», 1998

ЧАСТЬ I

ГЛАВА 1

Черный «джип-чероки» с тонированными стеклами мчался от Финского залива к Васильевскому острову. Сегодня Шрам вел «джип» сам. Левая рука небрежно лежала на руле, а стрелка спидометра моталась у отметки 160. Вообще-то Шрам не любил глупого лихачества и, когда изредка садился за руль, отпуская личного шофера, предпочитал езду спокойную и уверенную. Но сейчас он устроил эту лихую гонку, потому что очень спешил.

Его правая рука была занята — в ней он сжимал трубку мобильного телефона «Эрикссон», по которому минуту назад ему позвонил Моня и сообщил, что все готово для штурма. Бригада Мони в эту самую секунду готовилась ломануть обменный пункт на проспекте Металлистов.

Этот обменный пункт давно уже приглянулся Шраму. Пункт располагался в полуподвале жилой девятиэтажки и формально был Петербургским филиалом Нижневартовского коммерческого банка «Беркут». Заправляли делами там почему-то афганцы. Не российские ветераны войны в Афганистане, а самые что ни на есть черноглазые и смуглые усачи-афганцы, которые неведомо как встряли в нижневартовский бизнес и крутили в Питере поступавшие оттуда бабки. Филиал на Металлистов появился с полгода назад, и Шрам, ясное дело, тут же послал к афганцам своих гонцов со стандартным деловым предложением. Афганцы повели себя нагло — от «крыши» отказались, сославшись на уже имеющуюся защиту. Шрам удивился. Он приказал последить за строптивыми «духами». Через неделю разведка донесла, что к афганцам каждый вечер приезжает инкассаторский броневичок банка «Сокол», принадлежащего питерскому УВД. Тут Шрам смекнул, что означает вся эта «птичья» терминология. Он послал запрос в Москву нужному человеку, и тот быстро отсигналил ему, что в «Беркут» лучше не соваться, потому что там идут сложные многоходовые аферы с нефтяными деньгами и деньгами от афганской наркоты, и что курируют эту шайку-лейку «многозвездные погоны» из Москвы. Теперь стало понятно, отчего это афганцы не только не наложили в штаны, но даже и внаглую отказались от его, Шрама, «охранных услуг». Но Шрам не внял совету: Москва Москвой, погоны погонами, но кто в Питере хозяин? Черномазые банкиры ударили по его, Шрама, самолюбию. И он решил действовать напролом. Вот тогда-то и родилась идея грабануть этот обменный пункт.

Шрам дал отмашку, и бригада Мони обычным порядком начала готовить операцию по «выемке денег». Для начала у пункта выставили наружное наблюдение. В соседнем подъезде сняли однокомнатную квартиру, поселили туда Чушпана, поручив ему заняться во дворе починкой своего «Жигуля». И вот каждый день, часиков с семи утра, Чушпан с Моней в замасленной одежонке лениво выходили во двор и неспешно ковырялись в прогнившем движке, изображая капитальный ремонт.

Через три дня ребята представили Шраму полный график движения людей и техсредств вокруг бронированной двери филиала банка «Беркут». Обменный пункт посещали в среднем человек сто в день — по местным меркам немного, но и немало. Значит, средний дневной оборот в «обменке» был порядка пятидесяти — ста тысяч баксов. Но не случайные прохожие делали в

6

«обменке» погоду. Ближе к концу дня, часов в пять, банк закрывался на «технический перерыв», и вот тут-то начиналось самое любопытное. С пяти до восьми к запертой двери подкатывали иномарки, из которых выходили плотные ребята с кейсами, и после недолгих переговоров через домофон их впускали внутрь. Из «Беркута» ребята выходили уже без кейсов. Ясно, что никакого обмена они не производили, а, скорее всего, свозили сюда наличность. Ровно в восемь к банку подваливал инкассаторский «фордик» с опознавательными знаками банка «Сокол», загружался мешками и уезжал.

Моня и Чушпан получили команду, сменив дислокацию, понаблюдать еще недельку, проконтролировать график приезда ребят с кейсами и броневичка, а потом готовить операцию.

... Но сейчас, когда все было готово к началу выемки денег, Шрам рвал на Васильевский, потому что у него была намечена там важная встреча. Очень важная. И хотя он сгорал от желания держать на контроле события в обменном пункте на Металлистов, ему пришлось воспользоваться преимуществом сотового телефона и соврать Моне, притаившемуся на пятом этаже дома по проспекту Металлистов, что он находится в районе Летнего сада и, если надо, прибудет на место вмиг. И пусть Моня не ссыт, а начинает действовать, как задумывалось, без него.

* * *

Моня отключил свою «Нокию» и сунул черный прямоугольничек телефона в нагрудный карман. Он стоял в подъезде у окна пятого этажа и наблюдал за двором. Двор был проездным и соединял два переулка, выходивших на проспект. Перед подъездом стоял синий «джиптойота» с водителем. Пассажир «джипа» — здоровенный амбал в сером костюме — минут десять назад вошел в дверь и пока что-то не торопился оттуда выходить.

Вдруг Моня заметил, как со стороны футбольной площадки во двор въехал белый «Москвич». За неделю он успел приметить всех автовладельцев этого дома. Такого «Москвича» ни у кого из местных не было. Значит, машина приехала в гости. Или случайно забрела. Моня глянул на часы. Семь сорок. В их распоряжении двадцать минут. Не спуская глаз с белого «Москвича», Моня вытащил из заднего кармана миниатюрный радиопереговорник и вызвал сидящего во дворе у «Жигуля» Чушпана.

— Чушка, что за гости? — коротко поинтересовался Моня.

— Не знаю.

— Сколько там?

— Четверо. Отсюда не вижу, но вроде как черные.

— Негры? — усмехнулся Моня.

— Кавказцы.

— Где наши ребята?

— Кузя и Филин в подъезде под лестницей. Ром и Петря кучкуются у подъезда под козырьком — тебе оттуда не видать.

— Гонца с кейсом не видно?

— Там сидит, в обменке.

— Ну что, будем ждать?

— Да как бы не опоздать — до восьми пятнадцать минут осталось, скоро инкассаторы пригонят!

— Ну тогда через две минуты двинулись?

— Поехали!

Моня убрал переговорник в карман и, выудив из-за пазухи «беретту», стал сбегать по лестнице вниз. Кузя и Филин уже стояли перед запертой металлической дверью обменного пункта. Моня кивнул, и Кузя позвонил.

8

Домофон зашипел, и голос с сильным азиатским акцентом произнес:

— Я вас слюшаю?

— Пятдесят одын! — бодро отозвался Кузя тоже с акцентом. Как они давно уже выяснили, отзывы «своих» посетителей — от пятидесяти одного до пятидесяти пяти — служили паролем для охраны пункта. Лязгнул замок — и Кузя нетерпеливо толкнул тяжелую дверь. Все трое ввалились в тесный предбанник. За крохотным столиком с телефоном сидел охранник — щуплый афганец. Увидев грозного вида посетителей, он вскочил, но тут же повалился под столик, оглушенный ударом «беретты». Моня поднял телефонный аппарат и грохнул его о цементный пол, потом молча кивнул на занавешенное окошко кассы. Кузя тут же накинул на окошко заготовленный черный плащ. Филин ткнул кулаком в дверь с надписью: «Посторонним вход воспрещен». Дверь распахнулась, налетчики ворвались в помещение банка и с ходу выбили дверь, ведущую в кабинет управляющего.

Их взору предстала заманчивая картина. На столе для переговоров лежали аккуратные пачки долларов, видно только что вынутые из черного «дипломата». Хозяин «дипломата» — бугай в сером костюме — с недоумением смотрел на ворвавшихся налетчиков. Все трое были в черных горнолыжных масках и держали наготове три ствола: Моня — свою «беретту», Чушпан — автомат «узи», а Филин — китайский ПМ. Два низких черноволосых мужика — по виду афганцы — как сидели за столом, так и замерли с перепуганными рожами.

— Одно движение — и всех к е...ной матери перестреляю! — гаркнул Моня. — Первый — проверь остальные комнаты, я держу их на мушке, второй — собирай «зелень»!

Моня грозно повел стволом «узи», Чушпан рванул в коридор, а Филин бросился сгребать «зелень» в раскрытый рюкзак.

— Сейф! Где ключи от сейфа? — Моня резко развернулся в сторону смуглолицего управляющего. Тот, не раздумывая, вынул из стола небольшую связку ключей и нервно стал открывать стоящий за его столом сейф. В сейфе оказалась внушительная стопка рублей и долларов.

Филин быстро перегрузил содержимое сейфа в уже наполовину заполненный рюкзак и восторженно поднял вверх большой палец.

Моня достал переговорник и вызвал оставшегося на улице Петрю.

— Третий, что там гости? Стоят?

— Стоят.

— Все на месте?

— Все.'

— Что происходит?

— Ничего. Пусто. Дети в футбол гоняют.

Моня отключил переговорник.

Чушпан, запыхавшись, вернулся в комнату:

— Все в порядке. Девицу в расчетном я закрыл на ключ, а мужика в соседней оглушил, до ночи не очухается.

Филин уже собрал оставшиеся пачки долларов со стола и завязывал рюкзак. Все это заняло минуты три-четыре.

Держа на прицеле перепуганных насмерть афганцев, Моня, не повышая голоса, сурово выдохнул:

— Так, черномазые, всем замереть! На улице мои бойцы стоят, прикрывают дверь в сраный банк. Телефоны я все вырубил. Так что если жить хотите — без глупостей.

В эту секунду с улицы раздались одиночные пистолетные выстрелы. Моня выматерился и машинально взглянул на часы — без пяти восемь. Для инкассаторов еще рановато. Что там, блин, происходит?

— Первый — если что, мочи их на хер, этих усачей! — приказал Моня Чушпану и бросил Филину: — Второй, иди за мной. Рюкзак береги.

Моня раскрыл бронированную дверь в «обменку» и столкнулся нос к носу со здоровенным черноглазым парнем в тренировочном костюме. В руке у парня был ствол — но Моня его опередил: приставил «беретту» почти вплотную ко лбу и всадил три пули. На лицо Моне брызнула кровь и какие-то слизистые плюхи — наверное, мозги, успел подумать налетчик и, поднявшись по лестнице, выскочил на улицу.

Его встретил шквал огня. Стреляли с двух сторон — справа и слева. Краем глаза он заметил белый «Москвич» — все двери у него были распахнуты. Значит, пальбу вели пассажиры «Москвича». Мимо совсем рядом просвистели пули. Они впивались в кирпичную стену, металлическую дверь, входили в дверной косяк подъезда, откалывая от стены планок веер осколков и щепок. Моня успел только скользнуть взглядом по асфальту и увидел лежащих без признаков жизни Петрю и Рома. Под Ромом разлилась громадная лужа крови.

Моня вбежал в подъезд и бросился по лестнце вниз к двери обменного пункта. Впереди с рюкзаком бежал Филин. За спиной уже гулко топали бегущие ноги. Моня вслед за Филином юркнул в «обменку» и закрыл дверь. Выпущенные ему вслед пули звонко зацокали по стальной обшивке. Он лязгнул задвижкой.

— Что там? — услышал Моня тревожный крик Чушпана.

— Хер его знает. Какие-то орлы налетели. Наших замочили.

Моня вбежал в помещение, где Чушка держал под прицелом афганцев и гонца, находившихся все в тех же позах. Моня оглядел помещение. В дальнем углу под самым потолком виднелось занавешенное окно.

— Вон то окно куда выходит? — спросил он у пожилого афганца.

— Тот окно на проспек выходыт! — с готовностью ответил азиат.

11

— Первый, второй — уходим через окно! — И с этими словами Моня побежал было вперед, но вдруг, снова вспомнив про афганцев, обернулся и свирепо гаркнул: — Всем на пол! И руки за голову! Кто поднимется — будет покойником.

На улице у входа затарахтел автомат. Там уже шел настоящий бой. Моня посмотрел на часы: ровно восемь. Это, должно быть, подъехал инкассаторский броневик. Значит, кавказцы на белом «Москвиче» не охрана, а наезд на банковских — кто же они? Неужели тоже налетчики? Ну, блин, вы даете! Моня ударил рукояткой «беретты» по стеклу, порезался о разбитый край, но, не обращая внимания на порезы и кровь, остервенело стал выламывать осколки из рамы. Окно было вполовину обычного, но пролезть в него можно было даже здоровяку Филину.

И вдруг лежащий банковский гонец в сером костюме резко развернулся и, лежа, выхватил из-под мышки пистолет. Раздался выстрел, потом еще и еще. Филин покачнулся, схватился за грудь и стал медленно оседать вниз. Моня, почти не целясь, трижды выстрелил в гонца. Тот вскрикнул, дернулся и затих, неловко ткнувшись лицом в кафельный пол. Филин лежал на полу, все еще сжимая в руках рюкзак с «зеленью» и рублями.

— Чушка! — забыв о конспирации рявкнул Моня. — Бери рюкзак и дуй сюда! Этих мудаков положи — всех!

Чушпан, бледный как полотно, передернул затвор «узи» и открыл огонь. Низкое помещение наполнилось оглушительным грохотом и пороховой гарью. Оба оставшихся в живых афганца, как ошалелые марионетки, задергались, прошитые горячими стальными нитками. Чушпан подхватил туго набитый рюкзак и ринулся к выбитому окну. Но в этот момент со стороны бронированной двери, ведущей в «обменку», раздался чудовищный взрыв, так что, похоже, стены и потолок подвального помещения зашатались.

— Дверь взорвали! — крикнул Моня, уже успевший вылезти на улицу. — Давай, Чушка, бросай мне рюкзак и лезь быстрее!

Но его последние слова потонули в автоматных очередях. Он видел, как Чушпан уже схватился за оконную раму, подтянулся — и тут его настигли огненные плевки. Чушпан поморщился, пальцы его разжались. Рюкзак с «зеленью» покатился на пол.

Моня огляделся по сторонам и сразу поймал взглядом предусмотрительно оставленный ими на проспекте заляпанный грязью «форд-сиерра». Он бросился к машине, рванул дверцу водителя и, сев за руль, включил зажигание. Слава Богу, Петря оставил ключ в замке. «Форд», взвизгнув шинами, рванул с места. Моня тяжело дышал. Машину он вел точно на автопилоте. Руки дрожали. Он так и не понял, кто это испортил им «песню», кто сорвал тщательно и, можно сказать, идеально подготовленную «выемку денег».

Но одно он знал наверняка: Шрам обязательно выяснит кто. И объявит сукам войну. Он вытащил из кармана телефон и, не попадая пальцами по кнопкам, стал было набирать мобильный номер Шрама. И только спустя минуту заметил, что его «Нокия» приказала долго жить — в суматохе бегства под шквальным огнем он раздавил хрупкую игрушку...

ГЛАВА 2

Снайпер с силой втянул в себя зябкий ночной воздух и задержал дыхание. Он припал правым глазом к прицелу ночного видения. Редкие огни сторожевых вышек вдали рассекали черноту нависшей над колонией ночи. Но там, куда он направил лазерное око своей винтовки, вдруг по прихоти чудной военной оптики образовалась розовая лужайка, на которой мельтешили темные силуэты взбунтовавшихся заключенных. А среди них снайпер угадал того, которому предназначалась его пуля. Только одна. Пятнышко лазерного луча заплясало на бритом затылке зека. Снайпер не нервничал. Теперь, когда до выстрела остался миг, он точно окаменел. Казалось, даже сердце перестало биться.

Парень в прицеле повернулся в профиль. Отлично! Хотя жаль, что зек не развернулся к нему лицом, он бы смог разглядеть его получше. Пятнышко лазерного луча нашло бледный висок. Живая мишень замерла — как будто нарочно подставившись под снайперский выстрел. Пора! Указательный палец привычно нажал на серповидный спусковой крючок. И в ту же секунду, не обращая внимания на сильный толчок в плечо, снайпер через оптический прицел увидел, как голова зека лопнула и взорвалась, точно разбитая булыжником пивная бутылка, и лишь его руки судорожно подбросило к тому месту, где мгновение назад было лицо. Покачнувшись, зек рухнул на груду ржавых труб и искромсанной арматуры.

Старший лейтенант Голубок только теперь позволил себе выдохнуть. И снова глубоко вздохнул. Он прицелился еще раз, решив, как обычно, сделать контрольный выстрел, чтобы с «чистой совестью» доложить начальнику колонии подполковнику Беспалому, к которому лейтенант был экстренно прикомандирован и доставлен вертолетом сегодня ночью, о выполнении задания. Но то, что он рассмотрел в окуляр, едва не заставило его сблевать. Нелепо скрючившись, раскинув по сторонам руки, на груде строительного мусора, как манекен, лежало неподвижное тело «бритоголового». Крупнокалиберная пуля снесла верхнюю часть черепа вместе с мозгами, и теперь у «бритоголового» вместо головы страшно чернело кровавое месиво с торчащими осколками черепных костей.

Снайпер оторвал глаз от окуляра и закашлялся. Он присел и стал быстро отвинчивать лазерный осветитель. Потом убрал прицел в специальный чехол на ремне. Теперь его винтовка выглядела вполне невинно, как невеста перед дверями загса. Самое главное, чтобы солдаты не заметили его выстрела. Беспалый ничего ему не объяснил, даже не сказал, кто является жертвой, лишь показал фотографию обреченного.

Но Голубок и сам был не лыком шит — понимал, что начальнику дело потом все равно надо будет представить так, будто заключенный, кто бы он ни был, погиб от шальной пули, а вовсе не от выстрела профессионального снайпера.

Упаковав прицел, Голубок высунулся из своего укрытия и осмотрелся. Над лагерем висела тяжелая ночная мгла. Лучи прожекторов на сторожевых вышках вспарывали плотную тьму, рыская по зоне. Выхваченные из темноты слепящими лезвиями люди в робах, боясь, что солдаты откроют по ним огонь, бросались врассыпную, прятались в баррикадах за грудами строительного мусора. Но там, где несколько мгновений назад маячила фигура застреленного, было подозрительно тихо. Точно никто и не услышал одиночного выстрела, не заметил потери своего предводителя. Голубок внимательно всматривался в темноту. Только через минуту он увидел, что первая цепь вызванных из райцентра омоновцев сумела подобраться почти к самой баррикаде и уже собралась с духом, чтобы в следующую секунду перемахнуть через нее, рассекая взбунтовавшуюся колонию протяжным победным криком. Но неожиданно со всех сторон в солдат полетели камни, обломки железа, прутья. И несколько десятков «быков» с устрашающими криками, как это делают камикадзе в последние мгновения жизни, бросились на солдат и потеснили их назад, за территорию зоны. Те, не выдержав такого яростного, отчаянного напора, отступали, прикрываясь щитами, защищаясь изо всех сил.

А сил было явно недостаточно, чтобы усмирить мятежников. Тем более что в руках зеков находилось с десяток единиц огнестрельного оружия. Баталия грозила затянуться надолго. Голубок вспомнил известный случай, когда заключенные держали в своей власти сибирскую колонию почти два месяца. В духе воровских традиций обитатели той колонии в течение считанных дней расправились со всеми ссученными и установили суровую диктатуру блатных. С заключенными удалось справиться, только когда снайперы одного за другим убрали четверых основных зачинщиков бунта и когда к лагерю военные подвезли несколько минометов и открыли по зекам предупредительный огонь.

Так и сейчас, видимо, придется начальнику вызывать подкрепление внутренних войск из краевого центра — бунт заключенных перешел в ту кульминационную неуправляемую стадию, когда ярость, животный азарт и жажда крови полностью завладели ожесточившимися душами замордованных, готовых на все людей и когда остановить их сможет только слепая, неумолимая сила железа и огня. Да, без смертоносной техники Беспалому теперь ни за что не обойтись. Ничего другого, кроме как вызвать БТРы, подполковнику теперь не остается — это точно. Теперь ему обратной дороги нет. Бунт он должен подавить любой ценой.

* * *

Начальник колонии подполковник Беспалый бросил взгляд на часы. Скоро полночь. Его приказ о ликвидации Варяга Голубок выполнил. Пора связаться и сообщить об этом в Москву... Едва он дотронулся до прохладной трубки, как телефон сам неожиданно зазвонил. Александр Тимофеевич нахмурился и сорвал трубку с рычага.

— Подполковник Беспалый у аппарата!

— Слушай, Беспалый, чем ты, мать твою, там занимаешься?!

Голос генерала Калистратова зычно бил в мембрану, отчего она вибрировала на высокой ноте. В такие минуты служивому полагалось вытянуться в струнку и преданно, по-собачьи во всем поддакивать начальству. Однако Александр Тимофеевич Беспалый никогда не относился к слепым исполнителям чужой воли. «Да пошел ты на х..., пень старый! — подумал он про себя. — Да пошли они все, эти московские чинуши... генералы долбанные!..» Беспалый откинулся на спинку кресла, резко выдохнул воздух и положил ногу на ногу. Стараясь говорить как можно спокойнее, он тихо, с расстановкой ответил раздраженному генералу:

— Я занимаюсь тем, чем и положено, товарищ генерал. Бунтовщики взяты в кольцо. Завтра ко мне прибывает еще одна рота ОМОНа. С их помощью я наведу порядок.

Сейчас Александр Беспалый напоминал дремлющий вулкан. Внутри у него все клокотало, и достаточно было всего лишь одного небольшого толчка, чтобы огнедышащая лава возмущения и раздражения прорвалась наружу. Беспалый опасался этого своего состояния. В такие минуты он мог наделать глупостей. Оставалось единственное — невероятным усилием воли подавлять в себе закипающую ярость.

— Что у тебя там с Варягом?

— А что должно с ним быть?

— Ты не дури, Беспалый. Я тебе уже говорил, отвечаешь за него лично! Чтобы волос с его головы не упал. Понял? Смотри мне. Если выйдет что не так, будешь долгие годы любоваться своей собственной зоной из окна тюремной камеры!

Слушал Калистратова Беспалый сцепив зубы. У него вертелась на языке острая фраза по поводу того, что компромата вполне достаточно, чтобы им вместе полюбоваться свободой через решетку, и что лучше поберечь голосовые связки для разбирательства с вышестоящим начальством. Но понимая, что с Варягом уже все кончено, он переборол в себе дерзость и отозвался вполне примирительно:

— Я все понял, товарищ генерал.

— Вот и отлично! Что бы у тебя там ни происходило, Варяг должен оставаться в безопасности. Иначе нас там, «наверху», не поймут.

«Как же, как же, не поймут. Там-то «наверху» все и заварили *по-новому*», — подумал Беспалый и подался вперед, крепко прижимая трубку к уху. Ситуация была не из простых. Калистратов, видимо, совершенно не был в курсе *новых* веяний. А что, если он вообще играет за *другую* команду?

Александр Тимофеевич лихорадочно обдумывал ответ. Пауза затягивалась. И он решил идти ва-банк, будь что будет.

— Товарищ генерал, я, конечно, все понял, кроме одного: именно вы прошлый раз в разговоре давали мне прямо противоположные инструкции. Разве не так? ... И я очень опасаюсь, что с Варягом уже может быть поздно. Приказ отдан два часа назад.

На другом конце провода раздался страшный мат и проклятия:

— Придурок лагерный! Сволочь! Пойдешь под трибунал!.. Сгною по тюрьмам!..

Возмущению генерала не было предела. Подполковнику Беспалому в конце концов надоело слушать истерические вопли генерала, и он молча положил трубку на рычаг, мрачно задумавшись над сложившимися обстоятельствами.

Подполковник Беспалый слукавил — по поводу Варяга у него не могло быть никаких *сомнений* или *опасений:* он совершенно точно знал, что единственный выстрел снайпера бесповоротно определил законного вора в покойники. Варяг для российских зеков был символом воровской идеи, а в данной ситуации на зоне — своего рода боевым знаменем бунта. А когда знамя исчезает, то воинскую часть расформировывают. Так будет и тут — это подполковник отлично понимал. Пройдет три, максимум шесть часов, и вместе с вновь прибывшими омоновцами и БТРами он вобьет смутьянов в тюремную грязь, подобно тому как поступали рекруты Александра Суворова с мятежными казачками Емельки Пугачева.

Снова раздался телефонный звонок. Это опять звонил Калистратов.

— Слушаю вас, товарищ генерал. Что-то связь прервалась, — солгал Александр Тимофеевич, сняв трубку.

— Повтори, Беспалый, что ты сказал насчет моего приказа об уничтожении Варяга! — В голосе московского генерала слышался не просто ужас. Такое придыхание могло вырываться разве что у пассажиров крохотной лодчонки, неумолимо несущейся к обрыву Ниагарского водопада. — О чем ты говорил? Какой приказ? Ты что, спятил?

— Вы мне сами намекнули, товарищ генерал, чтобы я «все уладил» с Варягом — вот я и отдал приказ снайперу... Боюсь, приказ уже приведен в исполнение и «все улажено», как вы и приказали.

— Идиот!.. И-ди-от!..

В трубке замолчали. Повисла гнетущая тишина. Пауза была долгой. Потом, видимо собравшись с мыслями, Калистратов сказал:

— Вот что, подполковник, срочно давай ищи своего снайпера, если он еще не выстрелил, останови его во что бы то ни стало. Варяг не должен погибнуть. Что хочешь делай. Но даже если снайпер его застрелил, найди тело. Вдруг он живой? Не такой Варяг человек, чтобы загнуться от одной паршивой пули. Я не верю, что он погиб. К тому же твой снайпер сраный мог и промахнуться.

Беспалый хотел было возразить, что его снайпер не мог промахнуться, но неожиданно промелькнувшее сомнение, смутная догадка, за которой стояли огромный опыт и знание воровских и генеральских повадок, вдруг подсказали ему не делать поспешных выводов. В его практике случалось и не такое — в холщовых мешках хоронили померших зеков, а потом эти «жмурики» каким-то чудом оказывались на свободе.

— Завтра же утром мы все проверим, товарищ генерал.

— Какое утро? До утра нельзя ждать. Немедленно отправь кого-нибудь на территорию и все выясни! — раздраженно прокричал в трубку Калистратов.

— Это невозможно. Зеки контролируют всю зону. Пока не подтянутся омоновцы, я ничего не смогу сделать, — твердо сказал Беспалый.

На другом конце провода вновь повисла тяжелая тишина. Беспалый напряженно вслушивался в тишину, понимая, что сейчас, в эти секунды, решается и его даль-

20

нейшая судьба. Ему показалось, что там, за тысячи километров отсюда, в Москве, генерал Калистратов с кем-то тихо переговаривается. Голоса звучали глухо, как сквозь вату, но он различал отдельные звуки. Похоже, Калистратов зажал микрофон ладонью и передавал невидимому собеседнику свой разговор с Беспалым.

— Слушай меня, Александр Тимофеич, — раздался через две минуты в трубке голос генерала. — Слушай внимательно! У меня есть большие возможности, чтобы кардинально изменить твою судьбу. Хочешь, обеспечу тебе резкий рост по службе: завтра же присвоим тебе очередное звание, а потом возьмем тебя на повышение в Москву. Но сейчас, Александр Тимофеич, ты должен немедленно выяснить, что с Варягом: жив он или нет... Сделай вот что... — Генерал, глубоко вздохнув, снова надолго замолчал.

— Что я должен сделать? — не выдержал Беспалый.

— Ты пойдешь сейчас к своим зекам и лично — понимаешь, ли-и-чно! — удостоверишься, что с ним. Ты понял?!

— Но заключенные разорвут меня на части! Товари...

— Не посмеют, — резко прервал его Калистратов, — все-таки ты *кум, хозяин*! У них тоже есть кое-какие понятия. А потом, тронуть тебя — дело очень серьезное, оно запросто потянет на «вышку».

— Хорошо, но даже если они и не решатся на самосуд, в любом случае они могут взять меня в заложники. И что тогда? Кто будет командовать операцией?

— Не переживай, этот вариант мы тоже отработаем. И в случае чего, вытащим тебя. Твоя задача заключается в том, чтобы ты срочно разыскал мне Варяга! Сейчас, немедленно. Мертвого — или живого! Кроме тебя, зеки ни с кем другим разговаривать не станут.

— Это верно, товарищ генерал. Но не слишком ли это будет жирно — менять начальника колонии на труп пусть даже и законного вора?

— Послушай, подполковник! Не утомляй меня. — Голос генерала мгновенно набрал былую мощь. — Если, не дай Бог, под шумок Варяг окажется на свободе, то здесь тебе и мне устроят такой фейерверк, что мама дорогая! В общем, это приказ, и давай не жевать сопли. Выполняй!

— Хорошо, вас понял, — глухо отозвался Беспалый. — Сделаю все, как нужно.

— О результатах докладывай мне в любое время. Выполняй!

Положив трубку телефона, подполковник Беспалый снова поймал себя на мысли, что где-то в глубине души разделяет опасения генерала, сюда примешивалось выработанное годами службы на зоне это чертово предчувствие, интуиция, которые практически никогда его не обманывали. Зеки — народ на редкость изобретательный, они способны устраивать такие фокусы, что даже известных иллюзионистов завидки берут.

* * *

— Ты уверен, что пристрелил его? — спросил подполковник старшего лейтенанта Голубка, едва тот переступил его кабинет.

— Товарищ подполковник, я же вам уже говорил, что сам видел: его голова разлетелась, как тыква от удара молотом.

— Я у тебя спрашиваю: ты уверен, что это был именно он?

— Это был он, я его сразу узнал. То есть сверил его с фотографией, которую вы мне дали. Но признаюсь, что видел в основном его затылок, — невесело отозвался старший лейтенант. — Да и расстояние было довольно большим. — Голубок явно сник, предчувствуя возможные неприятности. — Перед выстрелом я был уверен, что взял в прицел именно его. Когда он повернулся в профиль, я очень, очень хорошо его рассмотрел. Фигура, одежда та же. Да, товарищ подполковник, это был именно он. Точно он... Хотя...

— Хотя что?

— Хотел я дождаться, когда он мордой ко мне обернется, но не вытерпел.

— Понятно, — задумчиво протянул Беспалый. — В общем так, старлей, ты свое дело выполнил, к тебе у меня претензий нет, можешь идти и успокоиться. Но чует мое сердце, что мозги неспроста зеки крутили и не только таким, как ты. Интуиция, понимаешь, мне подсказывает, что зона была разморожена. Для чего? Слишком как-то все это с бунтом неожиданно произошло. Мои стукачи даже не успели сообщить о его подготовке. Знаешь, ты давай шагай, мне нужно самому увидеть труп. Говоришь, прямо в голову саданул? Ну-ну. Хочу, очень хочу посмотреть на твою работу.

Снайпер задумчиво и даже как-то сердобольно взглянул на Беспалого:

— Вы собираетесь идти к ним? Туда? Товарищ подполковник! Они же вас ни за что живым не отпустят!

Беспалый грустно посмотрел на старшего лейтенанта:

— Возможно, но у меня нет другого выхода. — И зачем-то, точно оправдываясь, кивнул на телефон: — Из Москвы, понимаешь, звонили. Там такой хипеш поднялся.

Голубок вскинул голову. В его глазах блеснуло удивление. Только теперь он начал кое-что соображать.

— Скажите, а что это за важная птица такая, что с ним такой «хоровод»?

Беспалый тяжело вздохнул, на секунду задумался.

— Это, да будет тебе известно, голубок ты мой сизый, известный вор в законе, держатель российского воровского общака, Игнатов Владислав Геннадьевич по кличке Варяг.

У Голубка округлились глаза.

— Так я ухлопал Варяга? — хриплым шепотом спросил он.

Беспалый горько усмехнулся, видя, какое впечатление это известие произвело на старлея.

— Варяга, Варяга ухлопал, голуба ты моя. Так что тебе, браток, лучше об этом помалкивать. Теперь в каком бы уголке нашей матушки-России ты ни оказался, воры с тебя скальп снимут как пить дать! Так что советую: держи язык за зубами! О том, что ты его ухлопал, знаю только я... И ты. Смекаешь? Хотя я с уверенностью о его смерти сказать не смогу до тех пор, пока не увижу его труп лично. Вот потому-то я к ним и пойду в пекло.

— Они вас убьют, товарищ подполковник! Ей-богу убьют.

— Это вряд ли. Не божись раньше времени. Блатные тоже понимают, что каждый из нас выполняет свою работу. Они воруют, а я их стерегу. Они бунтовать вздумали, а я усмирять их должен. Не бзди. Не решатся они меня тронуть.

— А если все-таки решатся? — переспросил Голубок, во все глаза глядя на начальника.

— Ну что же, может, судьба такая. Но я вот что хочу тебе сказать: если они меня задержат, то на всякий случай нужно будет пустить по лесу собак. Ты хорошо меня понял, старший лейтенант Голубок? Пустить собак. Так и передашь моему заместителю... Но не сразу, а этак через час-полтора.

— Так точно, понял, — отрапортовал старлей. — Неужели, думаете, побег?

— Думаю, думаю. Кстати, как тебя зовут? А то фамилия у тебя уж какая-то несерьезная.

— Семеном меня зовут.

— Вот такие пироги, Семен. Знаешь что? Посиди-ка ты в моем кабинете на телефоне. Если будут звонить из центра или из Москвы, скажешь, что Беспалый ведет переговоры с заключенными, подробностей никаких не знаешь.

— Есть, товарищ подполковник.

ГЛАВА 3

Блатные даже не сразу поверили словам парламентера — прапорщика Елисеева, без пяти минут пенсионера, трижды «деда», — что на переговоры с ними собирается выйти сам хозяин колонии подполковник Беспалый. Причем, как передал прапорщик, он согласился практически на все условия зеков, кроме одного — своих «сексотов», то бишь стукачей, сдавать не собирался. В ответ Беспалый выдвинул свое требование — вести переговоры только с Варягом и Муллой.

Зеки совещались минут десять, после чего сообщили старому прапору свое решение — Беспалого они ждут с нетерпением.

Подполковник Беспалый условия соглашения выполнял четко. Вертухаев, вооруженных автоматами, оставил в двадцати метрах от поломанных ограждений и, громко чеканя шаг, словно курсант в сержантской школе, пересек простреливаемую территорию, на несколько секунд задержался у заграждений, перекрывших тротуар, а потом, царапая яловые сапоги, стал перебираться через баррикаду. За ней его терпеливо ожидало две сотни зеков. Их глаза говорили красноречиво: «Вот ты и в нашей власти, начальник!» Беспалый спускался прямо на их кривые взгляды, как на выставленные штыки. Но

25

страха и боязни у него не было. Толпа блатных — не свора беспризорных псов, а данное слово — не пустой базар. Опытный тюремщик знал воров — уж они-то приучены держать слово.

— Послушай, кум, вот и пересеклись наши дорожки. Может, ты сразу свои портки скинешь? Мы ведь здесь все волшебники, способны даже из мужика состряпать Марью-царевну, — нехорошо оскалился молодой вор с похабной кличкой Умывальник.

Беспалый ухмыльнулся и зорким взглядом вырвал из толпы бунтовщиков сухощавого старика — самого авторитетного на зоне вора-рецидивиста Заки Зайдуллу по кличке Мулла. Беспалый знал, что Мулла в колонии был и судьей, и советчиком, и главным заводилой — все тайные замыслы и дела зеков вершились с ведома и одобрения Муллы. И Беспалый не сомневался, что если действительно-таки заключенные подстроили ему «шутку» с Варягом, то не обошлось тут без содействия старейшего уркагана, отмотавшего на зонах несколько десятилетий.

Беспалый слегка повернул голову в сторону Умывальника и вопросительно поглядел Мулле в глаза.

— Закрой хлебало, Умывальник! — одернул беспредельщика Мулла. — Не по чину вякаешь!

— Мулла, да что ты? Я же его на понт брал, — пристыженно отбрехался Умывальник.

— Сиди на жердочке и не чирикай! — грозно гаркнул Мулла и, повернувшись к Беспалому, печально посетовал: — Не та пошла молодежь, не уважают старших. Ты уж извини нахала, Александр Тимофеевич, он свое схлопочет. Ничего, что я к тебе по имени?

— Ничего, Заки Юсупович, ты человек почтенного возраста, тебе можно.

— Вот и ладненько. А блатные ведь — это та же самая волчья стая, а в стае подрастающая молодежь должна уважать вожаков.

Беспалый не торопил события — чувствовалось, что Заки Зайдулла настроен на душевную волну. Мулла осторожно взял подполковника под локоть и повел прочь от баррикадных нагромождений, в сторону бараков.

— Так вот что я хотел сказать, Александр Тимофеевич. Мы все хищные, зубастые рыбы. И мы, как положено в стае, придерживаемся традиций. Ты знаешь, как охотятся хищные рыбы хариусы?

— Нет, Заки Юсупович, не знаю. Расскажи.

— Первой на добычу набрасывается самая крупная рыба, так сказать, в авторитете, потом идет рыба поменьше и только в последнюю очередь — мелочь.

Подполковник Беспалый не отдергивал руку — странный все-таки этот старик Мулла.

— Не хочешь ли ты сказать, Заки, что будешь лапать меня первым?

Неожиданно Мулла рассмеялся. Смех у старика оказался звонким, почти юношеским.

— А ты остряк, Александр Тимофеевич!

— Возможно. И все-таки, Мулла, я бы хотел поговорить о деле.

— Александр Тимофеевич, ты хочешь сорвать торжественный прием. Конечно, мы, зеки, не так богаты, как Министерство внутренних дел. Конечно, я не смогу угостить тебя отменным коньячком, но зековский чафирек ты можешь отведать сполна!

Подполковник Беспалый начал слегка раздражаться. Он высвободил локоть и, повернувшись лицом к старому зеку, сказал:

— Мулла, зачем терять драгоценное время. До рассвета осталось не так много. Давай перейдем к делу, Мулла.

— О каком деле ты говоришь, Александр Тимофеевич? Что может быть важнее человеческого общения?

Беспалый занервничал и спросил в лоб:

— Короче, Мулла, где Варяг?

27

— О Аллах! — старый зек поднял глаза к небу. — Как же ты нетерпелив, начальник. Неужели тебе не о чем поговорить со стариком?

— Как-нибудь в следующий раз.

— Не обижайся на откровенные слова, Александр Тимофеевич, но он не желает к тебе выходить. Так что я говорю от его имени.

— С чего бы такое пренебрежение?

— Да уж и не знаю. Может, есть за что?

— А мне, Мулла, думается, что причина здесь совсем в другом, — со значением протянул Беспалый.

Мулла в свою очередь многозначительно посмотрел на подполковника и задумчиво произнес:

— Причин всегда много, хозяин...

— Ну да ладно, Мулла, хватит философствовать... Сколько у вас убитых? Как-никак, я отвечаю не только за то, чтобы вы от звонка до звонка тянули свой срок, но еще и чтобы каждый из вас остался целехонек. Что молчишь, Мулла, неужели ты мне в таком пустячке откажешь? Показал бы покойничков — ведь потом же все равно придется их хоронить. Считать вместе придется.

Мулла печально похлопал начальника колонии по плечу.

— Зачем отдавал приказ стрелять? Неужели ты решил, что мы сможем снести заграждения? Илиломануть в тайгу. Ты же опытный человек, начальник со стажем, и понимаешь: так ребята ведь просто куражатся, пар выпускают. На твоей зоне уж почитай годков пять не бузили, а то и шесть. Просто пора пришла — душу отвести, плечи расправить. А ты ОМОН вызвал, начальник... И всяких других специалистов. — Последнее слово Мулла произнес с нажимом, даже как-то скорбно.

— Вот-вот, и я про то же, — подхватил невозмутимо Беспалый. — Хочу взглянуть, все ли снайперские пули попали в цель.

— Ага, ну тогда пойдем, — неожиданно быстро согласился Заки и неторопливым шагом повел Беспалого к бараку, где под грязной простыней покоились усопшие.

Начальник колонии подошел к временно сложенным в углу трупам.

— Четверо, — бесцветно и даже как-то немного разочарованно прозвучал его голос.

Ноги убитых невинно выглядывали из-под серого савана.

— Взглянуть желаешь?

Беспалый кивнул и, взяв в костистую горсть грубую ткань, осторожно, как будто опасаясь, что курносая и на него обронит свой невеселый взгляд, стал стаскивать его с убитых.

Застывшие, осунувшиеся и как-то сразу постаревшие лица. Венька Ежов, Сергей Прохоров — этих Беспалый хорошо помнил живыми; старшему из них минуло всего-то тридцать лет. Третьего он не узнал — видно, сидел в зоне недавно, не высовываясь, а тут на́ тебе, угораздило высунуться. Так, а вот этого, должно быть, и положил Голубок. Лицо разворочено, полчерепа снесено, как топором оттяпано, — кошмар... Беспалый невольно поморщился. Действительно, вроде как Игнатов. Рост — под метр восемьдесят, крепкое сложение, широкие плечи. Вроде он. Да-да, точно, его одежда. И... тапки. Эти дурацкие тапки, в которых он вечно ходил по бараку и по лагерю. Да, сомнений нет — это Варяг. Владислав Геннадьевич Игнатов. Смотрящий по России. Хранитель воровского общака, бывший, правда. Теперь уже бывший.

Беспалый аккуратно накрыл трупы простыней.

— Что скажешь, начальник? — участливо поинтересовался Заки. — Уж не Варяга ли ты высматривал?

— Ты всегда был очень неглупым вором, Мулла. Варяга в числе жмуриков нет... Что и требовалось доказать.

Некоторое время они внимательно разглядывали друг друга.

Мулла вдруг посерьезнел и почти вплотную подошел к Беспалому:

— А этот, последний, кого ты так внимательно рассматривал, разве тебе он не показался знакомым?

Беспалый устремил тяжелый взгляд на старика:

— Это?.. Он?.. Ты-то в этом уверен?

Мулла помолчал и глухо ответил:

— Он, Александр Тимофеевич. Кому же еще быть, как не ему. *Твой* снайпер убил Варяга, — напирая на слова, тихо, как отрезал старый вор.

Беспалый почувствовал, как по его спине пробежал холодок. Опытный старик все заметил, все знает.

Оба помолчали.

— Ну и что теперь? — не выдержал начальник колонии.

— А что теперь? Трупы сожжем и похороним.

— Прямо сейчас?

Мулла кивнул.

— Сжигать-то зачем?

Мулла усмехнулся.

— Береженого Бог бережет, Александр Тимофеевич. На пожар всегда легче сослаться, сам знаешь.

Беспалый про себя только подивился дьявольской хитрости старого зека, который, по-видимому, тоже имел свой глубокий интерес в смерти смотрящего по России. Коварный старик. Если этот обезображенный труп и вправду Варяг, то этим сразу разрубается гордиев узел всех внутренних проблем в колонии и, главное, кладется конец почти полугодовой схватке с упрямым вором, из которой победителем вышел все-таки он, Александр Тимофеевич.

Стоящий рядом с ним Мулла думал о своем, и его губы кривились в загадочной гримасе — то ли лукавой улыбке, то ли скорбном оскале.

Беспалый на всякий случай заметил:

— Но ведь так и доказать, что это труп того, кого ищешь, тоже непросто.

Мулла покачал головой:

— Свидетели есть. Их слов достаточно — тем, кому надо знать. Ты видел труп Варяга. Я видел труп Варяга. Снайпер твой видел, в кого стрелял. Этого достаточно, чтобы рапорт составить. А теперь зачем тебе этот труп — заспиртовать и тихим ходом на экспертизу в Москву отправить? Нет, Александр Тимофеевич, я этого не позволю. Эти трое несчастных никому не нужны — их тут в перелеске закопают, а его под охраной в стеклянной банке повезут? Так нечестно. Все четверо были убиты на одной баррикаде. Вместе и в землю лягут.

Мулла говорил неторопливо, но горячо, даже зло. А у Беспалого от его слов на душе стало легко. Старик убедил начальника колонии в том, что Варяг убит. Последние сомнения развеялись. Сжечь — и концы в воду: был снайпер, не был — кого волнует?

Он весело посмотрел на Муллу:

— Ну а что же ты думаешь делать дальше со мной? Надеюсь, наш разговор окончен и ты меня отпустишь?

Мулла отрицательно покачал головой, — он явно сожалел, что вынужден отказать начальнику колонии.

— Нет, Александр Тимофеевич, ты — гарантия нашей безопасности. Можешь не переживать, тебя здесь никто не тронет. Все-таки слово Муллы в этом мире еще кое-что значит. Я вырву кадык любому, кто попытается даже замахнуться на тебя.

— И до каких же пор ты меня собираешься держать, Мулла? — спросил Беспалый.

— Подумай сам, Александр Тимофеевич. Может, до тех самых, пока БТРы не раздавят наши баррикады? — И Заки Зайдулла расплылся милой улыбкой доброго дедушки.

— Какие БТРы, Заки Юсупович?

— Ох, неужто я ошибаюсь? Хорошо бы, чтоб я ошибался. И все же побудь пока с нами, начальник.

— Смотри, Мулла, как бы потом жалеть не пришлось.

— Аллах свидетель, ты меня забавляешь, Александр Тимофеевич. Правильнее сказать, что тебе бы жалеть не пришлось. К тому же это мы здесь срок мотаем у тебя под замком, а сейчас вот ты нас всех держишь под прицелами.

— Мулла, а ты уверен, что действуешь по понятиям? Я ведь пришел к тебе по своей воле. Я ведь посол! Твои предки за бесчестье своих посыльных сжигали целые города вместе с жителями.

— Ты на мораль не дави, гражданин начальник, насмотрелся я за свою жизнь и не на таких моралистов. А если глубже вникнуть, так какие такие обязательства у меня могут быть перед тобой, начальником «сучьей» зоны? Если что случится, то меня братва особенно за это не осудит. Поймет, знаешь ли... А потом, тебя ведь никто не обижает. Сидим вот с тобой, курим... Как два старых кореша. Разговор у нас может быть долгий, есть что обсудить.

В этот момент по лагерю через «матюгальник» раздалось грозное требование дежурного офицера о немедленном освобождении подполковника Беспалого. Зек с автоматом пальнул в ответ коротенькую очередь, и радиоголос мгновенно умолк.

— Ты совершаешь глупость, Мулла, не жалеешь ты братков, как будто каждый из них бессмертный, — в свою очередь всерьез опечалился Беспалый.

— Ну-ну, —хмыкнул Мулла. — Печешься ты о нас, ни дать ни взять, точно волчара об овечьем стаде.

— Ошибаешься, Заки, — ответил Беспалый, напустив на себя наигранную озабоченность. — Просто ты ведь кое-чего не знаешь: я еще с вечера вызвал из центра роту особого назначения. Неужели тебе нужны лишние жертвы? Ты же должен понимать, что БТРы всех вас к едрене фене передавят. Ты можешь меня тут держать до посинения — даже на куски порвать, но все равно ведь плетью обуха не перешибешь. К утру всему этому безобразию придет конец. А уж коли ты меня погубишь — омоновцы тут всю зону превратят в кровавое месиво. А самое главное, зачем? Я ведь тебе здесь не нужен. Ты правильно сказал: я гарантия вашей безопасности — только не тут, а там. Не пойму, чего ты от меня хочешь?

— Я ж тебе втолковываю, начальник, поговорить с тобой, с умным человеком, желаю. Вот как раз до прихода БТРов, — видишь, сам подтверждаешь, что я не ошибся.

— Хорошо, Мулла, поговорим. А дальше что?

— А дальше отдай нам Стаську Щеголя — главного твоего стукача, — неожиданно выпалил старый вор.

Беспалый удивленно взглянул на Муллу:

— При чем тут Щеголь, Заки Юсупович?

— Не лукавь, не лукавь, Александр Тимофеевич. Что ж ты думаешь, старый Мулла не знает все про этого продажного гада? Так отдашь нам Стаську или нет?

— Ты что, старик, в своем уме, как же я тебе отдам своего лучшего агента? — признал слова старого зека Беспалый.

— Но ведь ему теперь все равно не жить — ты хоть это понимаешь? — злобно бросил Заки.

— Я переведу его в другую зону, — скривился подполковник.

Глаза Муллы сверкнули.

— Врешь, начальник? — неестественно удивился старый зек.

— Слово офицера даю! — не заметив фальши, отозвался Беспалый и даже сам удивился наглости этой лжи. — И к тому же мое московское начальство ждет моего сообщения. Я должен сейчас же доложиться.

Беспалый посмотрел на часы. По его прикидке, минут через пятнадцать на территорию колонии должны войти моторизованные части внутренних войск на БТРах и БМПешках. Ему надо спешить. Он с нетерпением смотрел на Муллу.

— Ну ладно, — махнул рукой старик. — Слово офицера — так слово офицера. Только дай мне еще одно слово — отведи своих омоновцев и «вэвэшников». Дай нам миром закончить бузу. Покуражились ребята, кровь по жилам погоняли. Малость воздуху свободы глотнули — и по камерам. Не трави братву за удаль и молодецкую забаву. Через два-три часа на зоне будет полная тишина. Даю слово. Ну как? Лады?

— Лады! — не задумываясь, согласился Беспалый.

Они вдвоем вышли из барака к братве.

— Проводите Александра Тимофеича! — тихо и веско приказал Мулла. — Переговоры окончились миром. Отбой!

Зеки удивленно загалдели. Но никто не посмел осуждать решение старейшего из воров.

ГЛАВА 4

Примерно через час после того как подполковник Беспалый, покинув лагерь бунтовщиков, скрылся за ограждением локальной зоны и после того как Мулла отдал приказ на сожжение трупов, из-за угла барака, с грозным урчанием, показались три бронетранспортера. Две машины сразу же остановились метрах в двухстах, а третья продолжала зловещее движение, развернув в сторону баррикад пушку и спаренные крупнокалиберные пулеметы. Бронетранспортер напоминал хищного холеного зверя, угодившего в тесную клетку. Его широкие гусеницы со страшным скрежетом уверенно подминали под себя все, что попадалось на пути; железный зверь явно нервничал, ему не хватало простора. Вот сейчас он обрушит всю свою злобу на взбунтовавшихся зеков, начнет крушить бараки, бороздя зону из конца в конец.

— Не ссать! — прозвучал рассерженный голос Муллы. — Палить не станут. У них приказа такого нет! Сашка Беспалый отбой скомандовал!

Но будто бы в опровержение его успокаивающих слов с БТРа грозно охнула пушка, разметав самую вершину баррикады. Восставшие зеки, отчаянно матерясь и проклиная свою доверчивость, поспешно рассыпались по сторонам, стараясь укрыться подальше от надвигающегося темно-зеленого железного чудища.

«Опять Беспалый, падла, обманул, — подумал про себя Мулла,— хотя, конечно, этого и стоило ждать от скурвившегося надсмотрщика.

Не мешало бы все-таки Беспалого, суку поганую, прирезать, но теперь поздно, поезд ушел... Хотя, может, оно и к лучшему, лишнюю кровь на себя брать. Гада и так настигнет Божья кара. Аллах, он все видит. Нам же сейчас важно до рассвета продержаться, а там...»

— Ну что стелетесь по земле, блатные?! Что жопы попрятали по углам? Или вы железяки испугались?! — проорал Мулла и первым бросился в сторону выстрелов.

За ним к БТРу рванули десятка три самых отчаянных зеков.

Тут же им навстречу забили в истерике пулеметы — хрипло, злобно, выхаркивая из раскаленных стволов свинцовую смерть. На бегу, как бы споткнувшись, неестественно дернулся и, нелепо подломив ноги, завалился на бок молодой заключенный по кличке Умывальник. Бронетранспортер, расстреливая боеприпасы, продолжал наползать на баррикаду, расщепляя широкими гусеницами доски, подвигая многотонную преграду, подобно сказочному исполинскому витязю, способному одним движением могучей длани смести любую, даже самую непреодолимую преграду. Уже через минуту дотоле «неприступная» крепость, сооруженная зеками из обломков строительного мусора, готова была обрушиться с трехметровой высоты прямо на головы ее бритоголовым защитникам — бунтовщикам зоны.

Но неожиданно громадная машина забуксовала, выбрасывая вверх комья земли, куски кирпича, щебенку, щепки. Потом она развернулась, зацепила гусеницами колючую проволоку и, намотав ее на колеса, подергавшись с минуту, заглохла.

— Остановилась, стерва! — послышались с баррикады злорадные выкрики. — Теперь отсюда только на металлолом!

Бронетранспортер, спутанный колючей проволокой, выглядел очень уныло, точно так же нелепо хищный и опасный зверь смотрится из-под густой охотничьей сети.

— Ну чего замерли?! Братки! — прикрикнул Мулла, сосредоточенно поглядывая на остановившийся БТР; ему было понятно, что бронетранспортер еще способен показать свою звериную сущность, особенно если опомнятся сидящие в нем бойцы, которые надолго не смирятся с таким положением вещей, когда их пушки и пулеметы торчат в небо.

— Выпотрошите эту консервную банку, пацаны! — истерично завопил блатной по кличке Лысый. — Коли прутами металлическими всех козлов, сидящих в БТРе.

И, показывая пример, он первым взобрался на машину, беспомощно задравшую нос и воткнувшуюся гусеницами в баррикаду.

Сбегаясь со всех сторон, они старались атаковать бока бронетранспортера. Кое-кто из них даже взобрался на броню. Сталь тревожно ухала под каблуками их башмаков. Озверевшая от возбуждения и страха толпа просовывала в смотровые щели ножи, палки. Точно так же, скопом, первобытные люди добивали раненого мамонта, провалившегося в яму-западню.

— Не постреляют они нас всех?!

— Теперь не постреляют: по своим палить не станут! — подбадривали друг друга.

— Да теперь мы из этой черепахи все мясо повыковыриваем, — разгоряченно орал молодой зек по кличке Маэстро. В его руке сверкала огромная пика из арматуры, он размахнулся и что есть силы метнул ее в распахнувшийся на какое-то мгновение люк. Внутри машины что-то глухо брякнуло, послышалась злобная ругань, и тотчас люк намертво захлопнулся.

Прошло минут пять, пока братки безуспешно копошились вокруг металлического зверя.

Неожиданно все люки БТР одновременно отворились, и бронетранспортер ощетинился стволами автоматов. Зеки в ужасе отпрянули; кто-то кубарем покатился с брони. Среди дикого мата и истошных перепуганных выкриков раздался звонкий юношеский голос, уверенно скомандовавший:

— Огонь!

Затарахтели АКМы.

Взметнув руками, упала первая цепочка нападающих. Мулла увидел, как схватился за окровавленное плечо Лысый, как скрючился, сжимая простреленный живот, Маэстро: он любил играть роль первой скрипки — похоже, это был последний концерт в жизни блатного «музыканта».

— Назад! Отходи! — срываясь на хрип, торопил Мулла.

Приказ был излишним — зеки разбегались во все стороны.

Через минуту по соседней баррикаде глухо пальнула пушка со второго бронетранспортера. Там, где секунду назад была навалена огромная гора из железобетонных панелей, образовалась глубокая яма, а железобетон взрывной волной разбросало на десятки метров вокруг. Снова застрекотали тяжелые пулеметы. Невыносимо громко заскрежетали вращающиеся гусеницы, и БТРы, находящиеся в прикрытии, уверенно поползли через образовавшийся проход на территорию зоны, на которой сейчас хозяйничали зеки. Следом за бронетранспортерами, с пуленепробиваемыми забралами на лицах, в бронежилетах, со щитами, вооруженные автоматами, бежало не менее роты спецназовцев. Они что-то яростно выкрикивали и палили поверх голов разбегающихся зеков.

Многочисленная толпа заключенных была рассечена на несколько групп, и спецназовцы прикладами автоматов вколачивали в асфальт особенно неторопливых.

Только в одном месте заключенные продолжали оказывать сопротивление. Это был завал, отделяющий промышленную зону от жилого сектора. Здесь собрались самые непримиримые отрицалы, которым, как и нищему пролетариату, терять больше было нечего. Среди них выделялся высокий сухощавый старик. Невзирая на свой почтенный возраст, он размахивал над головой длинной арматуриной, к которой был приварен тяжелый металлический брусок; если бы не щупловатое телосложение старика, то можно было бы подумать, что среди бунтарей оказался былинный герой, вооруженный богатырской палицей.

— Не бойсь, братва! — орал Мулла, а это был именно он, собравший все свои силы, возмущенный обманом Беспалого, вкладывающий в битву всю накопившуюся за долгую жизнь ненависть к власти, к вертухаям, ко всему миру.

Подбежавший к завалу бритоголовый молодой омоновец вскинул автомат и нажал на спусковой крючок. АКМ отрывисто затараторил, но вдруг закашлялся и умолк.

— Блин! Сука! Опять перекосило! — хрипло самому себе прошептал автоматчик. Он пригнулся, поставил автомат на предохранитель и лихорадочно выдернул рожок. — Так и есть — патрон перекосило. — Сухими пальцами он поставил горячий металлический цилиндр на место и вставил магазин. Но в этот момент почувствовал, как ему на плечо легла чья-то рука. Он резко обернулся и увидел прямо за своей спиной подполковника Беспалого.

— Что, сынок, с дефектом личное оружие попалось? Заклинило? Досадно! — подполковник мягко выдернул АКМ из рук омоновца. — Дай-ка я попробую!

Беспалый не отрываясь смотрел на высокую фигуру Муллы. Она отчетливо высвечивалась на фоне освещенного прожекторами промышленного барака. Беспалый увидел, как разгоряченный старик с размаху опустил металлический прут на голову солдатика, пытавшегося достать его прикладом, и пожалел о том, что только что отдал приказ взять группу зачинщиков обязательно живыми. Хватит! Пора кончать с этим шухером, и Беспалый, прицелившись, дал очередь.

Звонкий автоматный треск растаял в воздухе. Чаще всего такой звук бывает, когда пальба происходит на огромных пространствах.

Прежде чем упасть, Мулла как-то странно откинулся назад, а выпавшая из его рук арматура бухнулась к ногам подбежавшего к нему омоновца.

Беспалый довольно хмыкнул — вот он и поставил последнюю точку в деле Заки Зайдуллы по кличке Мулла. За дальнейшее можно не переживать. Варяг убит. Теперь, узнав о гибели старика, зеки надолго превратятся в безголосое стадо и будут вздрагивать, едва услышав фамилию начальника колонии.

— Товарищ подполковник! — услышал Беспалый за спиной голос замначальника колонии майора Кротова. — Еле вас нашел! Слава Богу, что вы живы. Они вас отпустили?

— Как видишь, — самодовольно заметил Беспалый и улыбнулся, вспомнив конец своего разговора с Муллой.

— В нашем деле, Кротов, главное — хитрость. Военная хитрость. И смекалка. Что у тебя? — с этими словами Беспалый, с уверенностью человека, привыкшего к оружию, небрежно перебросил автомат омоновцу.

— Из Москвы звонил генерал-лейтенант Калистратов. Спрашивал обстановку. Просил срочно перезвонить.

— Ладно, теперь можно и позвонить, — кивнул Беспалый, весьма довольный собой. — И вот что, майор, передай нашим и прибывшему подкреплению мою команду — всех зеков бросить мордами на плац, продержать их так до самого утра. А затем я сам побеседую с самыми непримиримыми: у меня свои методы.

— А что делать с покойниками, товарищ подполковник?

— Со жмуриками у нас никогда проблем не было. Эти-то уж бунтовать не станут! Перетащите их в покойницкий барак и сегодня же к вечеру закопать на зековском кладбище.

— Слушаюсь, товарищ подполковник!

Беспалый двинулся было прочь, но остановился и, строго поглядев на Кротова, добавил:

— И вот что. Среди наших есть потери. Срочно раненых к Ветлугину, и тех, кому не повезло, будем завтра хоронить с почестями.

Майор вздохнул и понимающе кивнул подполковнику Беспалому. Потом, опомнившись, вытянулся, козырнул:

— Так точно. Вас понял. Все сделаю!

Беспалый криво улыбнулся и про себя сказал:

«Я бы на твоем месте сделал! Это точно!»

* * *

Оказавшись у себя в кабинете, Беспалый плотно затворил дверь и рухнул в кресло перед письменным столом. Только теперь он понял, что жизнь его висела на волоске. Он почувствовал, как взмокла спина от холодного пота. Даже ладони вспотели, что бывало с ним крайне редко. Последний раз года два назад — когда ему устроил выволочку генерал Сазонов из краевого УВД. Грозил под трибунал отдать. А делов-то всего было — какой-то ихний важный древний зек помер. Старик сел в середине 80-х, проходил по узбекскому делу о взяточничестве. Потом, когда кремлевская машина потихоньку стала давать задний ход, дело его пересмотрели и вроде как готовили выпускать условно досрочно. Но чинуши из краевого управления, суки паршивые, до последнего момента играли в молчанку, боялись, видно, напортачить, никаких указивок не давали, дескать, поступай сам как знаешь, а старик-то возьми и заболей пневмонией. И в три дня окочурился. Генерал Сазонов, блядь трусливая, визжал да слюни пускал. Ногой топал... Кулаки до крови об стол поразбивал. Ситуация тогда была нешуточная: запросто могли Беспалому срок за халатность припаять, и сидел бы как миленький.

Да, интересно, что сейчас выкинет Калистратов?.. Разговор предстоял тяжелый. Не прошло и пяти часов после их последней беседы. И теперь подполковнику Беспалому придется докладывать в Москву, что Владислав Игнатов, законный вор и хранитель всероссийского бандитского общака, убит в перестрелке во время бунта на зоне. Так или примерно так он это сформулирует. Что также погиб еще один старейший вор в законе по кличке Мулла, отмотавший по зонам всю свою сознательную жизнь. Беспалый снял трубку, вышел на межгород, набрал московский код, потом служебный номер Калистратова.

Генерал ответил на втором звонке.

— Товарищ генерал! — Беспалый почувствовал, как подрагивает трубка в вспотевшей ладони. Нервы, нервишки... — Это подполковник Беспалый из...

— Слушаю, Александр Тимофеич! Что там у тебя?

Беспалый уловил незаметную перемену в тоне и голосе Калистратова. Видно, за эти пять часов в Москве что-то произошло. Что-то, малость осадившее горячего генерала. Может, все переигралось? Может, смерть Варяга теперь им даже на руку?

— Товарищ генерал. Я лично сам проверил. Объект... заключенный Игнатов убит в перестрелке, завязавшейся в ходе бунта заключенных. Убит Мулла... — Беспалый сделал паузу. — Бунт подавлен, — зачем-то добавил он. Видно, дало о себе знать инстинктивное чувство самосохранения. Успокоил начальство на всякий случай. — Ситуация нормализуется.

Он замолчал в тревожном ожидании. Калистратов, вопреки его предчувствию, заговорил спокойным ровным голосом.

— Значит, так, Александр Тимофеич. Напишешь подробный рапорт о случившемся. Да, но снач   проведи служебное расследование. Установи, если сможешь, из какого оружия произведены выстрелы. И после этого пиши рапорт. На имя начальника управления исполнения наказаний.

— То есть не на ваше? — уточнил Беспалый.

— Нет. На мое теперь будешь писать разве что новогодние открытки.

Беспалый заволновался. Он почуял что-то неладное. И, набравшись смелости — или наглости, спросил напрямик:

— У вас неприятности, товарищ генерал-лейтенант?

Калистратов ответил не сразу.

— Да, теперь это так называется. Вспомнили, родные, вдруг, среди ночи, что мне шестьдесят в марте исполнилось. Предложили подать рапорт об увольнении. По выслуге лет. К осени сдам дела. Если только теперь с твоим Варягом катавасия не начнется.

С «твоим Варягом» — нет, ну каков прохвост! Сам мне его сунул «на сохранение», под контролем содержать, а теперь «твой». Нет, товарищ генерал, это не мой, а «ваш Варяг»! Хотя, конечно, теперь и мой.

— Значит, гарантию даешь? — донесся до его слуха неуверенный голос московского генерала.

— Простите, товарищ генерал. Связь прервалась. Что вы сказали?

— Говорю, даешь гарантию, что Варяг убит?

— Даю, товарищ генерал. Сам лично видел труп.

— Ладно, — и Калистратов, не прощаясь, повесил трубку.

Беспалый долго сидел набычившись и думал. Думать было о чем. Теперь его служебная карьера, а по сути и вся жизнь, обещала круто измениться. Он чувствовал, что смерть Варяга еще должна была сыграть с ним ох недобрую шутку...

ГЛАВА 5

Шрам посмотрел в окно. Мимо пролетели ростральные колонны. Сейчас он рванет на Васильевский остров, намеренно поплутает по Василеостровским линиям и остановится у невзрачного ветхого домишки с вывеской «Леноблкнига». Там и состоится его очередная встреча с генералом МВД Калистратовым, курирующим Северо-Западный регион.

Шрам усмехнулся. Чудно устроена жизнь, он, законный вор, уже около года являющийся «папой» северной столицы, встречается с эмвэдэшником, да еще с каким! Знал бы кто из его ближайших корешей, какую опасную игру он ведет... Даже дух захватывает при мысли об этом. Но игра стоит свеч. Риск оправдан — если знаешь, какой куш на кону.

Задумавшись, он едва не проскочил на красный свет. Но, вовремя спохватившись, ударил по тормозам, и его «джип-чероки», взвизгнув, как вкопанный остановился посередине пешеходного перехода.

С недавних пор Шрам не любил «джипы», считая их дешевым шиком, фенькой шантрапы. Хотя сам последние несколько лет раскатывал именно на «джипах» — у него их было штук шесть, и все черного цвета. Но когда в Москве, а за ней и в Питере всякая шелупонь сменила «восьмерки» и «девятки» на «мицубиси» и «паджеро», он понял, что теперь ему городской вездеход не по рангу. Он заказал себе в Германии сначала «мерс», а потом «бэ-эм-вэ». Он уважал немецкие автомобили — надежные, солидные, быстроходные. Существенные тачки. Жаль, что в России такие не выпускают.

Этот дурацкий черный «джип-чероки» ему пригнал Гоша Грунт. Грунт был мелким импортером бразильского кофе, а по совместительству «крот» МВД. Он тихо собирал материал обо всех, кто был связан с продовольственным бизнесом. Импорт продовольствия в Питере, как и везде по России, представлял собой сложную пирамиду, в которой были повязаны таможня, налоговики, местные властные структуры, торговцы. И все были подконтрольны бандитам. То есть фактически ему, Шраму. Грунт вел «учет» импортных операций, и в его картотеке фигурировали все — от рядовых пограничников и таможенников на российско-польской и российско-финской границе, которые лепили печати на заведомо липовые накладные, до обитателей высоких кабинетов в Смольном, дававших устные указания на ввоз тех или иных контрабандных товаров. Мало кто догадывался, что именно картотека Грунта являлась источником сведений о коррупции в Петербурге, которые накапливались в спецпапках МВД. Спецпапки хранились в сейфах долгие годы, чтобы в нужный момент их можно было извлечь на свет и «слить» в очередном разоблачительном репортаже бойкого журналиста...

Всю необходимую информацию о продовольственном деле в Питере Гоша регулярно, за бабки, предоставлял и Шраму.

Параллельно выполняя для него целый ряд других заданий.

Именно Гоша Грунт сыграл историческую роль, совершенно случайно оказавшись посредником в знакомстве Александра с генералом Калистратовым.

...Это случилось ровно год назад. Как раз тогда убили Стреляного, крупного питерского бандита, не подчинившегося решению сходняка положить конец беспределу в Питере. Через несколько дней у Шрама в офисе раздался странный звонок. Он тогда снимал этаж в старинном доме на Невском, ближе к Адмиралтейству. Его легальная фирма (одна из десятка, ему принадлежавших) занималась экспортно-импортными контрактными поставками продовольствия, и он был, как всегда, совершенно чист перед властями. И вдруг тот звонок — разговаривала Леночка, секретарша. Позвонивший назвался Золотовым и уверял ее, что данный телефон ему дал лично Георгий Сергеевич Грунтов и что господину Степанову будет очень интересно с ним встретиться, чтобы обсудить возможности для делового сотрудничества. Шраму фамилия «Золотов» ничего не говорила. Может, из области? А поскольку Гошки тогда в Питере не оказалось, он самостоятельно навел справки — никакого Золотова в питерских торговых кругах не знали. Был Петька Золотников — держал под собой всю обувную торговлю в городе и области, был еще Золотин Вовка — этот колготки итальянские контролировал. О Золотове никто не слышал. Но Шрам был не из пугливых — решил на встречу пойти, посмотреть, что это за фрукт. Когда Калистратов позвонил второй раз, с ним разговаривал сам Шрам. Стрелку забили в ресторане «Юнона» — новом заведении с австралийской кухней. Шрам пришел на встречу с тремя «партнерами». Калистратов явился один. Это Шраму сразу понравилось. И еще понравилось, что незнакомец не опоздал — пришел точно, как договаривались, в семь. Сели за столик, заказали какую-то мелочевку — салат из морепродуктов, гусиный паштет, зелень. Без спиртного. Шрам «партнеров» попросил пересесть за дальний столик в углу, чтобы поговорить с гостем с глазу на глаз. И тут его ожидал самый главный сюрприз.

Не успел он поинтересоваться у господина Золотова, в какой области у него бизнес, как тот сразу раскрыл все карты. Он просто достал красное удостоверение и раскрыл его. Шрам прочитал фамилию «Калистратов» и увидел, что перед ним сидит генерал-лейтенант МВД. Псевдо-Золотов, видя его мгновенное замешательство, поспешил заметить:

— Александр Алексеевич, я вам сейчас в двух-трех словах обрисую ситуацию, которая вынудила меня — я подчеркиваю слово «вынудила» — обратиться к вам в такой неофициальной форме, а дальше сами решайте, как поступить. Итак, вы Александр Алексеевич Степанов, воровская кличка Шрам. Первый срок получили в 1985 году за грабеж и разбой. Дали вам пять лет. Отбывали наказание в Пермском лагере общего режима. Там, судя по некоторым данным, вы сошлись с авторитетными ворами, те вас приветили, и с их благословения потом вас короновали. Здесь, в Ленинграде... то есть в Петербурге... — Калистратов улыбнулся. — Все никак не могу привыкнуть к этой новой моде. Для меня город на Неве как был Ленинградом, так и останется... Да, так вернемся к нашим баранам. Здесь, в Петербурге, вы стали фактическим лидером криминального сообщества. У вас свои карательные бригады. У вас разветвленная сеть осведомителей и гонцов. Вы безжалостно карате беспредельщиков и «крысятников»...

— Откуда?.. — вырвался хриплый вопрос из горла Шрама. — Ты... Вы из Большого дома?

— Да, я из «большого дома» — но не из того, о котором вы подумали, Александр Алексеевич. Я не комитетчик, я именно генерал МВД, приехал из Москвы специально, чтобы с вами познакомиться и решить кое-какие важные вопросы.

47

До этого Шраму приходилось, и не раз, разговаривать с высокопоставленными чинами из МВД, но с генералом МВД только один раз в жизни — когда на тюремной пересылке в Ульяновске (ему тогда только что вынесли очередной приговор и этапировали в Пермь) его вызвал к себе начальник краевого УВД генерал Михайлов и без обиняков предложил сотрудничество. Двадцатидвухлетний Шрам рассмеялся ему в лицо. Он был тогда еще совсем зеленый бандит-беспредельщик и люто ненавидел ментов.

С тех пор он повидал их немало, особенно в последние годы, когда власть в России сменилась и он, с подачи Варяга, стал законным вором, живущим по понятиям (так, по крайней мере, о нем говорили). За это время Александр Степанов свел близкое знакомство со многими высокими чинами правоохранительных органов. Ему понравилось заводить дружбу с ментовским руководством, беззастенчиво покупать начальников райотделов и облуправлений МВД и ГАИ, подмазывая их так щедро, что они ему служили верой и правдой.

Но с московским генералом такого ранга Сашка Степанов беседовал впервые.

Поэтому, услышав, с кем имеет дело, он дернулся и инстинктивно повернул голову в сторону так называемых «партнеров». Генерал Калистратов нахмурился.

— Не надо. Вам не грозит опасность. Я же пришел к вам один, без охраны, без ордера, без группы захвата. Повторяю: нам надо поговорить. Спокойно. Так вот, вы самый авторитетный и самый могущественный человек в Петербурге. Особенно сейчас, когда убили Тарасова — Стреляного.

— Ваша работа? — перебил собеседника Шрам, решив проверить генерала на вшивость: он блефовал, поскольку прекрасно знал, что Стреляного убили по приказу Варяга. Стреляный не подчинился воле смотрящего по России, проигнорировал решение сходняка, продолжал беспредельничать — вот и поплатился.

Услышав вопрос, Калистратов, глядя прямо в глаза Шраму, отрицательно помотал головой:

— Нет. А если вы спросите меня чья, я вам откровенно отвечу: знаю, но доказать никто не может. Но как раз не в этом суть дела. Суть дела в том, что здесь, а скоро, я подозреваю, и у нас в Москве начнет разваливаться старый, неплохо отлаженный порядок, который строился в течение многих лет, многими авторитетами. Более того, в свете некоторых внешних событий ситуация и в *вашем* сообществе может измениться в нежелательную сторону. В нежелательную — для *вас*, Александр Алексеевич, и для... *нас.*

— Что вы имеете в виду? — спросил тихо Шрам.

— Я имею в виду разброд и шатания. Хаос. Собственно говоря, хаос уже начался. Есть признаки того, что появляется некая сила — люди, которые хотят дестабилизировать обстановку в Ленин... Петербурге. Вам так не кажется?

Шрам задумался и некоторое время сидел молча, ковыряя вилкой салат из морепродуктов.

— Пожалуй, — наконец выдавил он. — Но какие-то предположения у вас есть?

— А у вас? — быстро спросил Калистратов.

— Теряюсь в догадках, — уклончиво сказал Шрам.

— Я могу дать вам одну наводку, — улыбнулся Калистратов. — Мы предполагаем, что убийство Стреляного могло произойти по указанию... Варяга! — И увидев, как напряглось лицо Шрама, генерал добавил уже без улыбки. — Владислава Геннадьевича Щербатова — Игнатова (называйте как угодно).

— Зачем ему это? — продолжал валять дурака Шрам.

— Зачем это ему, можно только догадываться — возможно, в интересах укрепления своей власти в России. Тарасов был сильный лидер. Его знали не только здесь, но и в Красноярском крае, и на Урале, не говоря уж о Европейской России. Конечно, методы Тарасова были скорее бандитские, а не воровские, но такой человек был необходим очень серьезным людям. Варягу такой сосед вряд ли был нужен. Но дело не в этом — самым невероятным образом убийство Тарасова оказалось выгодным *вам*.

— Мне? — удивился Шрам.

— Ну да. Что ни говори, а положение хозяина Санкт-Петербурга и области после этого убийства укрепилось. Улавливаете?

Шрам свирепо отодвинул тарелку. Калистратов поднял вверх указательный палец и улыбнулся:

— Кстати, вне зависимости от исхода нашей беседы, хочу вас предупредить: молодые люди, что с такими напряженными лицами посматривают в нашу сторону, буквально не отрываясь, в принципе представляют теперь для вас опасность. Встреча с генерал-лейтенантом МВД... Сами понимаете, Александр Алексеевич!

— Пугать решили, гражданин начальник? Так имейте в виду — я перед законом чист. На меня у вас ничего нет. Три года назад я вышел на свободу с чистой совестью. Это раз. А два — у меня такой авторитет здесь, что я хоть с министром внутренних дел, хоть с генеральным секретарем ЦК КПСС, если таковые еще в силе, встречусь — и никто, не то что «пехота», слова не пикнет и косо не посмотрит. Все знают: раз Шрам встречается — значит, это для дела надо. И точка.

Калистратов опять улыбнулся:

— Молодец, Александр Алексеевич, я вас себе именно таким и представлял. Но вы недослушали. Я вас не испугать хочу, а предупредить. Так как интуиция подсказывает мне, что встанем мы с вами из-за этого стола хорошими друзьями. Я вам сейчас кое-что скажу, а вы слушайте, пожалуйста, внимательно. Мне поручено очень влиятельными людьми наладить контакты в криминальном сообществе России с молодыми авторитетными людьми, которые могли бы стать мягкой альтернативой ныне существующей власти в вашем сообществе и которые могли бы с течением времени взять это сообщество под свой контроль.

— Что значит «мягкая альтернатива»? — перебил Шрам.

— Хороший вопрос. Это значит люди из того же круга, не чужаки, к которым естественным образом может перейти власть. Без тотального кровопролития. Без, как говорят американские бандиты, войны в мафии. Я не случайно упомянул имя Варяга. Варяг является ставленником тех людей в системе, которые не сегодня завтра могут исчезнуть. Я не буду сейчас вдаваться в политические подробности, но скажу одно: в стране скоро будут большие изменения. Эти изменения затронут все слои власти — как политической, так и криминальной. У нас же не зря пишут о сращивании криминала и власти. Да, да, срослись, и еще как срослись, — к тому же с незапамятных времен. Но ведь всякий слом в политической машине неизбежно влечет за собой слом и в связанной с ней криминальной машине. Новые люди в Кремле, новые люди в Госдуме — и пиши пропало. Опять начнется передел сфер влияния в воровских и бандитских кругах, передел собственности, дележка общака. Начнутся массовые отстрелы. Так было всегда — при Андропове после Брежнева, при Горбачеве после Черненко. Так будет и после нынешнего нашего вождя...

— Ну нынешний-то еще ого-го какой! — возразил Шрам.

— У меня на этот счет иные сведения, — серьезно заметил Калистратов.— Словом, я предлагаю вам совместное дело. На взаимовыгодных условиях. Вы же легальный бизнесмен. Считайте это деловым предложением. Нам — мне и вам — нужно убрать кое-кого в криминальном воровском кругу. Нет, нет — речь не идет о

51

физическом устранении. Речь идет о физическом удалении. Ссылка, дальше зоны, подставы, вплоть до лишения гражданства и права на въезд в Россию. Улавливаете?

— Вы имеете в виду и Варяга?

— И его, конечно.

— Но он же сейчас где-то в Америке!

— Александр Алексеевич, — развел руками генерал Калистратов, — меня настораживает ваша неосведомленность. Формально Владислав Геннадьевич Игнатов числится в Америке, но в данный момент пребывает в России. И если мне не изменяет память, с неделю тому назад он был здесь, в Питере, и даже встречался с покойным Тарасовым, бывшим главарем питерской братвы. Давайте о другом, Александр Алексеевич. Если мы с вами сейчас договоримся, то может так случиться, что в России обнаружится одна интересная вакансия — место смотрящего всея Руси. Хе-хе-хе. Это вам не питерский пахан, это...

Шрам от услышанных слов даже похолодел. Японский бог! Стать смотрящим по России — вот на что намекал генерал! У Шрама даже слегка закружилась голова.

— А вам-то это зачем?

Калистратов скроил обиженную мину.

— Александр Алексеевич, голубчик! Я готов повторить: с учетом новых политических веяний нам надо на корню пресечь возможный хаос — вы в своей сфере, мы — в своей. А вместе мы будем делать прежнее дело — держать в узде толпу. Попомните мое слово — грядут большие перемены. Вы даже себе представить не можете какие. Вся вертикаль государственной власти и параллельная ей вертикаль криминальной власти в Росси может в одночасье рухнуть — разве это можно допустить? Поймите, при том крутом повороте политического флюгера, который не за горами, все эти *варяги* и те, кто за ними стоит, сгинут! А кто придет им на смену? Выскочки, у которых за душой ничего, кроме кабаков с голыми бабами, нет! Шантрапа в «джипах»?

Шрам тогда усмехнулся: верно вякает эмвэдэшный генерал. «Шантрапа в «джипах» — надо запомнить эту фразу. Сказанная год назад, сейчас она как нельзя более точно отражает точку зрения самого Александра Степанова.

Собеседники помолчали. Генерал закурил, уверенно делая глубокие затяжки.

— Сейчас я приехал сюда в связи со следствием, которое ведется по делу об убийстве Тарасова—Стреляного, — продолжал Калистратов. — Собранные улики косвенно показывают, что в убийстве были заинтересованы как московские криминальные боссы, так и... местные, ленин... питерские. Учтите, то, что я вам сейчас говорю, оперативная секретная информация и я сильно рискую — погонами, если не головой. Но я все же вам скажу. Улик мало. Арестовать мы кого-то можем, но потом всех придется отпустить. До суда дело явно не дойдет. Но по городу может — я подчеркиваю, *может* — пойти слух, что в убийстве Стреляного был заинтересован некто, кто метит на его место. Улавливаете? Я уверен, Александр Алексеевич, что вы заинтересованный человек. Не сомневаюсь, что именно вам в ближайшие дни будет предложено стать смотрящим по Санкт-Петербургу. Но даже если авторитетные люди проголосуют за вас, то слух о какой-то вашей причастности к убийству в низах будет иметь весьма и весьма серьезное значение и последствия. Это не угроза, Александр Алексеевич, это реальность, которая не зависит от моего или вашего желания. Это я передаю вам мнение моих московских... коллег. Если вы откажетесь с нами сотрудничать, слух о вашей причастности к убийству Стреляного из Москвы будет невозможно остановить. И у вас здесь возникнут очень крупные неприятности. Вы это и без меня хорошо знаете.

Калистратов помолчал, раскурил еще одну сигарету и продолжил:

— И последнее. О ваших трех партнерах, которые сидят там, в углу. Я достаточно хорошо изучил ваше дело и имею представление о вашем психологическом складе. Я почти убежден, что вы примете мое предложение. Не сразу. Вы подумаете над ним, поразмышляете — и согласитесь. Вот тогда-то вам надо будет позаботиться об этих трех ребятах. Потому что, кроме них, насколько я понимаю, нас с вами вдвоем больше никто не видел. Вы меня поняли? — Калистратов говорил быстро, почти скороговоркой. Он приподнялся: — Я уйду первым. Искать меня не надо. Я пробуду в городе еще два дня. В пятницу утром, часов в десять, я вам позвоню на работу. Надеюсь, к тому времени у вас созреет решение.

* * *

Он позвонил в пятницу ровно в десять утра. Шрам снял трубку и, услышав знакомый голос, без долгих раздумий выдохнул:

— По рукам, генерал!

Калистратов не стал комментировать тон Александра Степанова и быстро назвал адрес на Васильевском острове, добавив:

— Приедете туда к вечеру с теми тремя «партнерами». Но чтоб об этом, кроме вас, уж точно никто не знал.

Шрам, не прощаясь, положил трубку.

Он взял их на Васильевский с собой в свою машину, ничего заранее не объяснив. Толик Ильин, Лешка Пузанов и Костя Шустов. Этих ребят он знал давно — ходил с ними не на одно толковище. Они были его личными телохранителями. Бывшие спецназовцы, которые после дембеля помотались-помотались без дела и без денег да и прибились к одной областной бригаде. На них Шраму в свое время указал Витька Косой — молодые, здоровые, ловкие ребята, стреляют без промаха, кулаки стальные, нетрепливые. Шрам взял их однажды на беседу с мурманскими щипачами, которые повадились в пассажирский порт бомбить интуристов. Разговор был короткий — мурманчане поначалу пытались гонор показать, но шрамовские бойцы их маленько тряханули — без лишних слов, без шума, — и пришлые убрались восвояси. С тех пор Шрам всегда брал свою «тройку» на переговоры. Не то что он любил этих ребят, но привязаться — привязался, и расставаться с ними ему было жаль.

Шрам не знал, как Калистратов распорядится ими, но понимал, что назад с Васильевского ему, видимо, придется ехать одному. Так и получилось. Вернее, получилось хуже.

Когда они вчетвером зашли в кабинет номер «9» на третьем этаже, Калистратов попросил троих пройти в смежную комнату и пока подождать там. В комнату вела внутренняя дверь. Шрамовы телохранители вопросительно глянули на хозяина, но тот спокойно кивнул: мол, вперед, ребята. Те послушно скрылись за дверью, и там тотчас раздались сухие хлопки — три. По звуку Шрам понял: пистолет с глушителем.

Калистратов молча мотнул головой: мол, пойди, взгляни. Шрам неохотно вошел. Он успел заметить, что окон в помещении нет, а все четыре стены обиты толстыми, звуконепроницаемыми мягкими панелями. В дальнем углу стояла темная фигура. Лица было не разглядеть, но в опущенной руке человек держал пистолет. На полу перед дверью неподвижно лежали три трупа. Крови не было. Все трое были убиты наповал выстрелом в голову. Шраму стало страшно. Но Калистратов молча тронул его за плечо и вывел обратно. Плотно затворив дверь в смежный кабинет, Калистратов впервые со времени встречи внимательно посмотрел на гостя и заговорил с ним:

— Александр Алексеевич, то, что произошло сейчас, произойти должно было — в наших с вами интересах. Этих бойцов вы сами подставили во время нашей первой встречи, так что винить вам некого. Их найдут сегодня ночью за городом. Будет следствие, выяснится, что они стали жертвами криминальной разборки.

— А как же тот, кто стрелял? — хрипло спросил Шрам.

— За него не беспокойтесь. На нем уже столько крови, что ему для собственной же пользы лучше держать язык за зубами...

* * *

И вот спустя год Шрам снова ехал туда же, на Васильевский остров. На их с Калистратовым тайную явку. Он понимал: случилось что-то важное, иначе генерал не стал бы вызывать его лично, а позвонил бы по мобильному телефону. Что же могло произойти? — недоумевал Шрам. Он взглянул на часы: 18.55. Чуть выше над цифрами чернела дата: 30 мая.

«Джип» мчался по Василеостровскому проспекту. Шрам думал о генерале Калистратове. Тогда, в их первую встречу, Калистратов обронил что-то о том, что изучил его досье и знал его, Шрама, психологический склад. Что он имел в виду? Что Шрам болезненно властолюбив? Что после коронации он вдруг ощутил сладкий вкус власти, который позволял утолять самолюбие и жажду подчинять себе других. Сладкий вкус власти... Да, кому-то нравится убивать. Кто-то — самые дикие, примитивные, бойцы-гладиаторы — обожает терпкий вкус крови. Тех хлебом не корми — дай насладиться предсмертным ужасом, застывшим в глазах беззащитной жертвы. Таких Шрам не любил, питал к ним отвращение: подонки, мразь. Другие испытывали страсть к деньгам. К роскоши. Их пьянил сладкий вкус богатства. Эти воровали, грабили, убивали только ради одного — чтобы заграбастать побольше бабок. Чтобы накупить себе импортных шмоток, ездить по пять раз в году на Средиземное море греть пузо. Чтобы купить под Питером дачу и чтоб это был непременно особняк какого-нибудь партийного пенсионера, с резной мебелью, с телефонами во всех комнатах, с участком в два-три гектара. Такие начинали с того, что в 1991 году за бешеные бабки приобретали в обкомовском гараже списанные ЗИЛы-«членовозы», потом меняли их на подержанные белые «линкольны», а потом вместо них покупали новенькие «роллс-ройсы». Они жрали за троих, пили за пятерых, словно торопились компенсировать голодные годы сидения на скудном совковом продпайке. Но мало кто из его ближних знал этот сладкий вкус власти.

Да, Калистратов оказался тонким психологом. Он был прав — Шрам готов пожертвовать многим, очень многим, даже переступить через воровские понятия, чтобы обрести как можно больше власти. Когда полгода назад Шрам сдал Варяга и организовал похищение его жены с сыном из Америки, он знал, что совершает тягчайший грех. Знал, что за такое вся воровская Россия, если тайное станет явным, дружно поднимет его на «перья», разорвет в клочья, заживо сварит в кипящем масле. Но он шел напролом. Его манила жажда власти. Он верил генералу Калистратову. И надеялся с его помощью и при его поддержке в скором времени занять место смотрящего по России.

«Джип», резко затормозив, остановился перед дверью трехэтажного дощатого домика. Покрытые пылью окошки были занавешены грязными шторками. Шрам вышел из машины и глянул вверх. Угловое окно на третьем этаже было не занавешено. Значит, Калистратов уже там. Шрам толкнул дверь с пузырящейся краской и вошел в темный вестибюль. За столом сидел дед-вахтер. Он читал журнал при ярком свете крохотной настольной лампы.

— Вы к кому? — привычно проскрипел дед, даже не отрывая глаз от страницы.

— В отдел распространения, — ответил Шрам и, не глядя на деда, прошел к лестнице.

Он поднялся на третий этаж, дошел до конца длинного коридора, без стука открыл обитую дерматином дверь с номером «9».

За письменным столом сидел Калистратов. Перед ним стоял навытяжку плотный приземистый господин в сером костюме. Господин обернулся на вошедшего.

Калистратов хмуро кивнул Шраму и обратился к господину в сером костюме:

— Ладно, Васильич, ты пока иди, мы тут потолкуем, обсудим ситуацию, я тебя после вызову. Свяжись с Москвой — узнай, нет ли чего нового оттуда.

Васильич, весь красный как рак, не отрывая от пола глаз, прошмыгнул мимо Шрама в дверь.

— Присаживайся, Саша, — пригласил Калистратов. — Ты понял, что я тебя вызвал по срочному делу?

— Просто так не стали бы, понятно.

— Так вот. У нас проблема, — Калистратов помотал головой, точно его внезапно пронзила сильная боль в шейном позвонке, и поправился: — У меня проблема. Мне вчера сообщили, что Варяг убит в зоне.

У Шрама как-то разом пересохло во рту. Он сухим языком облизнул губы.

— Как, убит?

— Как-как... Кверху каком. Этот мудак-выскочка, начальник лагеря, недоглядел... Словом, в лагере начался бунт. Не знаю уж, что там случилось, но зеки забузили. Начальник лагеря вызвал ОМОН, внутренние войска с бронетехникой. Началась стрельба. Варяга уложил снайпер.

— Зачем? — Шрам от волнения даже вскочил со стула.

— Как я понимаю, начальник колонии в штаны наложил и решил избавить себя от возможных хлопот с Варягом. В любом случае кум, этот сукин сын, спасал свою шкуру, а меня подставил. Ну да ладно, это мои проблемы — мне их и решать. Я тебя не за тем позвал. Что бы там ни было, наш план продолжает работать. Хотя было бы намного лучше и вернее, если бы это случилось месяцев на четыре-пять позднее. Но ты, парень, можешь праздновать победу. Для тебя теперь дорога открыта. Я уже доложил наверх о смерти Варяга. Через день-два весть разойдется по России. Но пусть твоя братва узнает об этом не от тебя, а из «Московского комсомольца» или через зоны. Когда всем станет известно, что Варяга нет, на очередном сходе будут выбирать нового смотрящего по России, — Калистратов улыбнулся и добавил, напирая на каждое слово: — Надеюсь, у тебя есть подходящая кандидатура?

Шрам не смог сдержать улыбки. У него бешено колотилось сердце.

— Имеется.

— Так вот, дальше. Это наша с тобой последняя встреча. Здесь. Сегодня я возвращаюсь в Москву. Там мне предстоит очень непростой разговор. За смерть Варяга меня по головке не погладят. А ты действуй. С тобой я свяжусь сам. Через Грунта. Сюда больше не приезжай — я явку временно снимаю: не нравятся мне кое-какие моменты. Этот мужик, которого ты только что видел, мой личный агент. Работает в «Облкниге», но к МВД никакого отношения не имеет — я его когда-то из-под серьезной статьи вывел, вот он мне иногда и помогает по старой дружбе. Но на прошлой неделе он вляпался в одну историю и привел сюда непрошеных гостей. Так что адрес этот пока забудь. Ну прощай,

Александр Алексеевич. Удачи тебе, — Калистратов горько усмехнулся: — И ты мне удачи пожелай.

Шрам вдруг почувствовал невероятное облегчение — точно гора с плеч упала. Вот это пруха! Мало того что Варяг гикнулся, дак еще и Калистратов сматывает удочки. Теперь у него, у Шрама, развязаны руки. «Папа» Санкт-петербургский, хозяин Северо-Западного региона, имеет все основания захватить власть над всероссийским общаком... Шрам пожелал генералу «ни пуха ни пера» и вышел из кабинета. Он шел по темному коридору точно во сне. Он не помнил, как спустился по лестнице, как вышел мимо старика вахтера на улицу, как сел в свой черный «джип».

Мысли путались. Он ощущал такую радость, какая никогда еще не посещала его закаленную в воровских боях душу. Разве только он так же радовался в день своего освобождения из пермского лагеря, когда вместе с лагерными воротами перед ним распахнулись ворота в новую, «правильную» для молодого законного вора жизнь...

ГЛАВА 6

Мать твою! Ну надо же — Варяга хлопнули! Варяга — всесильного и властного смотрящего — втоптали-таки в лагерную пыль... Осуществилась, видать, чья-то заветная мечта. Вот уж правильно говорится: гора с плеч!

Только выйдя на улицу после разговора с Калистратовым, Шрам стал осознавать смысл услышанного. Его сердце бешено колотилось. Сев за руль, он резко повернул ключ зажигания, врубил передачу и, особо не разбирая дороги, рванул свой «джип» в поток мчащихся мимо автомашин.

Шрам явно был обескуражен полученной информацией. И даже будучи человеком весьма хладнокровным, он никак не мог прийти в себя и переварить услышанное. Чтобы окончательно не «закипеть», Сашка попытался переключиться на другую тему и заставил себя думать о неотложных делах. Дел было, как всегда, по горло. Требовалось срочно послать на Выборгскую таможню нового человека на замену внезапно переведенному в Карелию Давыдову. Потом предстояла долгая и нервная разборка с пограничниками на эстонской границе, которые уже неделю мурыжили трейлеры с очень ценным грузом, придравшись к неправильно оформленным накладным, — ясно, что выбивали взятку, суки! И еще надо как-то приструнить Пыжова, одного из ближайших помощников губернатора области — мужик вдруг заартачился и не стал подписывать разрешение на землеотвод под коттеджное строительство в Гатчине, потребовал себе изрядную долю... Дубина, так ведь и без головы недолго остаться... Однажды его люди уже чуть было не открутили этому мудаку башку... Сашка пытался вспомнить, как это случилось, но его мысли все равно вертелись вокруг Варяга. Ведь и он, Шрам, тоже приложил руку к его гибели. Никто иной, как Шрам, по «тонкому намеку» генерала Калистратова, организовал прошлой зимой убийство доверенных людей Варяга — Ангела, Пузыря, Графа, а попутно еще целый ряд близких Варягу людей. Никто иной, как Шрам, провернул головокружительную операцию по похищению семьи Варяга в Америке и их переброске в Россию. При этом выстрелом в голову убили ближайшего помощника Варяга по делам в Америке. Кажется, кличка у него была не то Седой, не то Сивый. Да, да — Сивый. Тогда же зимой Шрам мог бы и самого смотрящего пришить — дали бы добро. Но добро не дали, а жаль, руки сильно чесались. Варяг им, видите ли, нужен был для каких-то шибко тайных гешефтов, в которых смерть не была предусмотрена...

Да впрочем, может быть, они и правы: ведь Варяг до последнего момента оставался единственным хранителем всероссийского воровского общака. Только он знал, где хранятся общие деньги, куда они вложены, как их при необходимости вынуть из дела, кто за какой кусок отвечает. Кроме Варяга, только Ангел и этот самый покойник Сивый имели доступ к общаковской кассе. Но Ангел и Сивый были убиты. Убит был и Граф, который хранил документацию на воровскую собственность.

Получалось так, что тогда без Варяга эти денежки можно было потерять безвозвратно. Попробуй потом их снова заработай. И тут у Шрама в голове промелькнула страшная догадка: «Может, кто-то смог прояснить местонахождение общака и Варяг стал не нужен? Но тогда кто эти люди? И кому достанутся воровские бабки?»

— Ах, козлы вонючие! Суки! Дебилы! — прохрипел Сашка, резко вывернув руль влево, и по встречной полосе на огромной скорости обогнал старенький «Жигуленок», движущийся в крайнем левом ряду по перегруженному транспортом Василеостровскому проспекту. — Разъездились тут каракатицы ржавые! Совки! Твари! Придурки сраные!

Сашка был возбужден невероятно. Его нога непроизвольно давила на газ, и «джип», как взбешенный конь, рвал с места, визжал всеми четырьмя колесами, пугал прохожих, несся с запредельной скоростью по вечернему Питеру, заставляя и встречный, и попутный транспорт шарахаться в стороны. Только выехав на Невский, Шрам сумел взять себя в руки, сбавил скорость и стал сосредоточенно думать о том, как ему лучше разыграть карту с выборами нового смотрящего. Денежки могли уплыть, но тогда как можно быстрее нужно решать вопрос, кому достанется воровская власть, корона смотрящего. Хорошо бы сход собрать осенью — где-нибудь в сентябре — октябре. Но пока неизвестно, как карты лягут: с одной стороны, тянуть нельзя, а с другой — поторопишься и суетой все дело испортишь, воры — народ подозрительный, осторожный, проницательный.

Притормозив на светофоре, он достал сигарету, прикурил ее от прикуривателя и глубоко, жадно затянулся.

Организацией сходов Шрам занимался не раз и знал многие тонкости этого непростого события. Тут главное все продумать до мелочей, ничего не упустить, взвесить все «за» и «против», переговорить с нужными людьми, попить водочки с заинтересованными лицами, будущими участниками сходняка. И к тому же столь «знаменательное событие» лучше всего обставить как прием по случаю, скажем, юбилея или свадьбы крупного авторитета. Нужно очень точно, грамотно выбрать место. Времена, когда воровские сходки российских законных проводились в Европе, кажется, прошли. Полиция европейских городов последнее время стала относиться к крупным сборищам русских с особой настороженностью — газетная шумиха, поднявшаяся на Западе по поводу «русской мафии», сделала свое дело. На Западе сейчас уже не разгуляешься. Теперь любое появление в Брюсселе или Вене команды более чем из трех-четырех человек русских, а тем более на «мерседесах», «бэ-эм-вэшках», вызывало просто панический страх у местных обывателей, автоматически ставило местных легавых на уши — все небезосновательно ждали какого-нибудь очередного подвоха от «новых русских». Поэтому, думал Шрам, сходняк надо на этот раз делать где-то в России, в хорошо проверенном месте — скажем, в Большом Сочи, в каком-нибудь тихом курортном поселочке, где есть приличная гостиница или пансионат. Снять заведение с потрохами, на корню, дать хозяину бабки в зубы, чтоб закрыл его и повесил на дверь табличку «спецобслуживание» — как когда-то в добрые «совковые» времена. Мало кто мог тогда предположить, что привычное для всесоюзных здравниц «спецобслуживание» означало не прием иностранных туристов и не съезд мелиораторов, а очередной воровской сходняк... Вот и теперь можно было вернуться к старому опыту «нарушителей советской социалистической законности». С организацией схода более-менее понятно.

Беспокоило же Шрама, скорей, другое — как воспримут люди известие о смерти Варяга. Ладно свои, питерские. Эти за него встанут горой. Как поведут себя московские, Шрам не знал, но надеялся, что его поддержат. Братва в обеих столицах в последнее время старалась не конфликтовать, улаживать дела полюбовно, «консенсусом», как выражался, царствие ему небесное, Стреляный. Нижегородские и казанские всегда старались сделать все по-своему. Они считали, что Москва и Питер далеко и у себя на территориях они «княжат», ни у кого ничего не спрашивая; курские, ставропольские, краснодарские шли за ними. Забайкальцы и дальневосточные вообще в последние годы вели себя отвязанно. Скатились к беспределу полному. Но этих и не слушали особо. Главное, как выскажутся сибиряки и уральцы. С ними возникнет проблема. Хотя именно то, что Варяг сгинул в северной зоне, давало Шраму лишний козырь — всегда можно было свалить это убийство на недогляд местных авторитетов, которые не сумели спасти смотрящего. На этом можно было сыграть. Но только осторожно, тонко. Главное тут было не перегнуть палку — потому что, как только зайдет речь о недогляде, уральские сразу же вспомнят, что взяли-то Варяга в Питере... А разборки, отчего да почему Варяг подсел в Питере, ему были совершенно не нужны. Пока вроде никто не догадывался о том, что Варяга ментам сдал именно он, Шрам. Быки, участвовавшие в той операции, погибли. Пузыря не стало. Варяга убили. Теперь свидетелей нет. Один Калистратов?..

Размышляя над всем этим, Шрам подъехал к Пионерской площади и припарковал «джип» рядом с синим «бэ-эм-вэ», из которой тотчас выскочил Грунт. Шрам пересел за руль «бэ-эм-вэшки» и передал Грунту ключи от своего «чероки». Ни слова не говоря, он дернул с места. На душе у него было неспокойно. Теперь он не знал, радоваться ему или печалиться. Казалось бы, Варяга нет...

Но почему-то по коже ползли предательские мурашки... Да, дела...

* * *

Шрам отключил сотовый, еще когда направлялся на Васильевский остров. Теперь он хотел связаться с Моней и выяснить, как прошла операция. Но механический женский голос вежливо сообщил, что абонент временно недоступен. Шрам удивился: Моня никогда не отключал свой мобильник в рабочее время.

Ну-да х...р с ним и с этим е...м Варягом! Потом разберемся. А сейчас нужно отвлечься, как следует встряхнуться, снять усталость. Шрам вспомнил про Ирку и, повеселев, направил «бэ-эм-вуху» к ее дому на Литейном.

Через двадцать минут он был у ее квартиры. Позвонил условным звонком, но ему никто не открыл. Шрам отпер замок своим ключом и вошел.

Сразу двинул на кухню, к холодильнику. Достал с верхней полки холодную бутылочку пива «Хайнекен» и открыл, привычно сдернув крышечку толстым золотым кольцом с рубином. Этому трюку он научился еще пацаненком в школе. Однажды он увидал, как его тогдашний кумир, второгодник и пофигист пятнадцатилетний Генка Мякиш, откупоривает «Жигулевское», поддевая зазубренный край крышки стальным кольцом, которое носил на среднем пальце...

С тех пор утекло много воды. И пива. И крови. Теперь, двадцать лет спустя, его называли уважительно: либо Александром Алексеевичем, либо господином Степановым. Либо совсем просто — Шрам. Но такое обращение могли себе позволить только свои. Те, кто знал, что, едва окончив десятилетку, он стал одним из самых отчаянных и крутых бандитских вожаков северной столицы, участвовал в десятках разборок и в одной из них его полоснули пером по щеке, оставив навсегда несмываемый след боевой доблести, за что и получил он свою грозную кликуху. А после первой отсидки Шрам заделался авторитетом Выборга, перестал беспредельничать и, как всем казалось, стал жить по понятиям. Он упорно везде и всюду распространялся о том, что сила воровского сообщества России — в единстве, жестко пресекал любые поползновения к раздорам в своем хозяйстве, сам безжалостно отстреливал непокорных и упрямых, завозя их в лес и там кончая на глазах у притихшей братвы, но притом неизменно го́тов был выступать посредником на мирных переговорах по урегулированию междоусобиц, вспыхивавших между региональными группировками.

Постепенно влияние Сашки Степанова стало распространяться не только на его родной Санкт-Петербург, но и далеко за его пределами, и за ним даже стала закрепляться почетная кликуха Папа, хотя он предпочитал старую, привычную — Шрам...

Он жадно высосал «Хайнекен» до дна, аккуратно поставил пустую бутылку на стол и пошел в спальню. Так и есть — Ирка тихо спала, разметавшись по широченной кровати. Любила девка поспать — ничего не скажешь. Поспать и потрахаться. Потрахаться и поспать. Она, кажется, никогда не застилала постель, чтобы иметь возможность в любой момент юркнуть под одеяло и соснуть часок-другой... или отдаться — по полной программе.

Ночная рубашка на тонюсеньких бретельках сбилась книзу, обнажив белую и пухлую, как калач, грудь. Шрам сел на край кровати и протянул руку к молочной коже. В постели с Иркой Шрам больше всего любил ласкать ее груди. Он обожал их упругую округлость и наливную тяжесть. За два года его пальцы уже давно привыкли к каждому изгибу и каждой впадинке, каждой родинке на Иркиных дивных сиськах. Они приводили его в неистовство. Когда он познакомился с ней как-то пару лет назад на пляже в Ларнаке, то его сразу поразили именно колоссальные буфера стройной смазливой девчонки, которая загорала лежа на спине, и ее узенький лифчик едва не лопался под напором юной плоти. Девчонка оказалась питерская. В Питере Шрам нашел Ирку, сводил ее пару раз в кабак, потом снял ей квартиру на Лиговке и стал у нее частенько ночевать...

— Может, ты для начала пожелаешь мне доброго утра, Сашок? — промурлыкала Ирка, схватив его за руку. — Доставь мне приятность!

Шрам поморщился.

— А я же тебя просил: не говори так. Терпеть не могу этого дурацкого словечка. К тому же уже давно не утро, а вечер. Сейчас я тебя накажу... — Он сорвал с нее ночную рубашку, сам быстро разделся и, опустившись на кровать, стал жарко сжимать обеими руками упруго стоящие груди, а потом присосался к правому соску, сильно втянув его в рот, так что девица даже ойкнула. Он уткнулся носом в ложбину между грудями и стал водить там кончиком языка вниз и вверх.

— Здорово! — прошептала, задохнувшись, Ирка. — Как же это здорово у тебя получается! Ой, еще хочу, Сашок. Давай-ка распали меня как следует!

Шрам почувствовал, как ее тело затрепетало в его объятиях и стало непроизвольно подниматься и опускаться. То был верный знак того, что еще немного — и она будет готова к «официальному приему».

— Зубками, зубками! — подстегивала его Ирка.

Но Шрам оторвался от ее грудей, разжал объятия и сильно раздвинул ей ноги. Потом, опустив голову, вдвинул ее между Иркиных ляжек и впился губами в клитор. Он сосал сладковатый отросточек, истекая слюной. На губах и языке он ощущал клейкую влагу. Из горячего Иркиного жерла извергались липкие соки. Он убыстрил движения, и теперь его язык, точно юркий поршенек, сновал взад-вперед по скользкому набухшему лазу.

— Так слишком быстро, — прошептала Ирка. — Помедленнее! А то кончу в момент, Сашок, ты же знаешь, мне нравится, когда ты выходишь совсем и потом входишь снова...

И чем дольше он насасывал ее клитор, тем сильнее извивалось над ним ее тело. Ирка вся дрожала в такт его движениям и едва слышно шептала:

— Сашка, Сашенька, что ты со мной делаешь? Это просто невыносимо! Это чудо! Теперь не замедляй! Сейчас кончу, вот сейчас уже! А-а-а!..

Через минуту Шрам перевернул ее на живот — он знал, что Ирка любит, когда он делал ей «ягодичный массаж». Иркин зад был похож на две пухлые щечки, крепкие и упругие. Шрам припал к этим нежным «щечкам» языком и стал их медленно-медленно лизать, присасываясь к коже, точно улитка к ветке.

— Кусай! — требовательно простонала Ирка, уткнув лицо в подушку.

Шрам начал слегка покусывать ее зад, постепенно перемещаясь вниз, к ляжке. В этот момент Ирка приподняла таз и призывно раздвинула ягодицы руками. Сашка увидел темную пещерку ануса, с готовностью втиснул голову между белыми «щечками» и дотянулся языком до воронки, поросшей жесткими курчавыми волосками. Он лизнул воронку раз, другой. И точно вспомнив что-то, нащупал пальцем правой руки разверстое пылающее влагалище, омытое горячим соком страсти. Он засунул палец поглубже и стал вращать им, слегка согнув крючком. Он боялся причинить подруге случайную боль, но в то же время понимал, что она на седьмом небе от счастья. Иркино тело опять начало мелко вибрировать. Дрожь усиливалась, и скоро она стала рывками, прогибаясь всем телом, извиваться на сбитой постели.

— Не останавливайся! — кричала Ирка охрипшим голосом. — Умоляю, только не останавливайся! Осталось еще чуть-чуть! Ну-ну!

И вдруг она замерла, резко выгнув спину назад. Ее пальцы с длинными ногтями впились в простыню и стали царапать ткань, грозя разорвать ее. Ирка громко застонала, потом ее стон перешел в высокий отчаянный крик — она завизжала так истошно, что Шрам даже испугался — не поранил ли он ей там чего. Ирка рухнула всем телом на простыню и забилась в конвульсиях мощного оргазма.

Шрам быстро перевернул Ирку на спину. Она лежала неподвижно, закинув руки за голову, и на ее губах блуждала довольная улыбка. Он встал над ней, как собака, отставив зад, и, помогая себе рукой, направил член по нужному маршруту. Проникнув в раскаленное жерло, упругий толстый шомпол несколько раз проехался взад-вперед, и Сашку захлестнула бурная волна запоздалого оргазма. Причем в самый последний момент он слишком сильно дернулся назад — член выскользнул из влагалища, фонтан спермы ударил в воздух, и горячая липкая клякса растеклась по Иркиной ляжке. Она расхохоталась.

— Здорово, Сашенька! Ох, как здорово!

— Это точно. И вот теперь самое время сказать: добрый вечер! — осклабился Шрам, одним прыжком спрыгнув с кровати на пол.

— Ты уже уходишь?

— Да нет, я только пришел. — И вдруг он снова вспомнил про Моню и про то, что так ему и не дозвонился. — Погоди, сейчас один звоночек сделаю — и вернусь.

Он подошел к аппарату на столе у окна и набрал номер.

— Моня не звонил? — спросил он без приветствия. — Что??? — Шрам перешел на крик, так что Ирка даже подскочила в кровати. — Это точно? Ну, е...ный в рот, я этих мудаков раком поставлю! Появится Моня — скажи, чтоб брал ноги в руки и рвал в «Прибалтийскую». Я буду там поопоздна. И еще скажи этому мудохвосту, чтобы писал завещание, урод!

Он глухо матерился сквозь зубы, натягивая штаны и рубашку.

— Денег оставишь? — капризно спросила Ирка как ни в чем не бывало, лежа обнаженная на кровати.

Шрам свирепо посмотрел на нее и зло ответил:

— А не захлебнешься, милая? Вчера косарик дал, позавчера — два. У тебя расходы, блин, как у принцессы Дианы.

— Принцесса Диана погибла, а я живая еще! — капризно скривив губки, возразила Ирка. — Хочу новую куртку кожаную купить. В «Гостином» вчера Ольга видала — немецкие. Фирма «Кайзер». Клевейшие!

Шрам уже застегнул брюки. Нравилась ему эта девица, не мог Сашка отказать ей в тысченке-другой вонючих долларов. Он нашарил в заднем кармане пухлый бумажник и вынул пачку зеленых сотен. Отсчитал десять, положил на стол и криво улыбнулся Ирке.

— Вот тебе папа Франклин в десяти лицах. Но больше не проси — хватит тебе.

— Спасибо, Папик! — отозвалась Ирка и завернулась в одеяло. — Дуй к своим бритоголовым. Я, пожалуй, еще немножко посплю.

Шрам пулей вылетел из квартиры и, не дождавшись лифта, побежал вниз по лестнице. Вот сучка, думал он об Ирке, просто маленькая пиявка какая-то! Ну-да ладно, Ирка хоть девка и жадная, но надежная. Не из болтливых, неглупая. Надо ее при себе держать. И на сходняк с собой прихватить не мешало бы. В случае чего ее можно нужному человечку в койку сунуть — живой взяткой! Полный кайф, особенно накануне решающего голосования. А там, глядишь, нужный человек и сам проголосует как требуется и еще десяток голосов притянет за собой...

Шрам выскочил на улицу. Если он правильно понял Калистратова, то пресс-служба МВД уже дала в прессу утечку информации о гибели Варяга — и завтра-послезавтра в газетах появятся сенсационные статьи...

И тут Шрам вспомнил о Варяговой семье — о Светлане и мальчишке, которые вот уже полгода как сидели под замком у него на даче. С ними-то что делать? Калистратов ничего не сказал, хотя ведь помнит, собака, что по его указке их из Калифорнии вывозили, ховали. Раньше нужны были. Куда же их теперь? В расход? Ведь после гибели Варяга всякая нужда в них отпала. Надо было их раньше шлепнуть, когда эта сучка побег устроила. Одной проблемой было бы меньше.

Ладно, об этом после. Сейчас надо разобраться с Моней. Столько трупов!.. Атас! Почему прокололся Моня?.. Подстава? Или случайность? Все одно к одному сегодня, целый букет...

ГЛАВА 7

День был ясный. Над городом высоко в небе сияло майское солнце. Отсюда, с крыши, отлично просматривалась вся улица — от площади Вашингтона до стеклянной коробки универмага «Вулворт». В общей сложности километра полтора, по-ихнему миля. Сержант осторожно перевернулся на левый бок.

Он лежал на шершавых стальных листах, спрятавшись за колоссальными стеклянными буквами световой рекламы, уже целый час, поджидая «клиента». Его «клиент» — Пит Смайли, крупный наркоторговец из Филадельфии, который наезжал в Калифорнию раз в месяц и нагло ломал бизнес здешним барыгам, — должен был встретиться со своим связником ровно в час дня в угловом ресторанчике неподалеку от площади Вашингтона. Ресторанчик назывался «У Долли». На витрине была намалевана сама Долли — улыбающаяся грудастая девка с рыжими всклокоченными волосами.

В последнее время Сержант — Степан Юрьев, профессионал-снайпер с двадцатилетним стажем, повоевавший, кажется, на всех широтах и меридианах, — практически отошел от дел. Когда-то Сержант, эмигрировавший из Советского Союза, инструктировал снайперские спецгруппы в Латинской Америке, Африке, Западной Европе и сам частенько выполнял особо ответственные задания по ликвидации. Его высочайшее мастерство принесло Сержанту, в определенных кругах, уважение и немалые деньги, но в последние несколько лет эта бесконечная жизнь, как говорится, на нелегальном положении ему вконец опротивела. И даже солидный номерной счет в небольшом цюрихском банке не доставлял ему былого удовлетворения. Сержант имел все, о чем можно было только мечтать бывшему советскому милиционеру: он мог запросто поехать в любую страну мира, мог купить любую клевую тачку, трахнуть любую приглянувшуюся ему телку...

Но ему все это наскучило, надоело. Его стала раздражать сама мысль, что за ним по всему миру ведется неусыпная слежка и его рано или поздно обязательно выследят. В последние два-три года ему пришлось буквально залечь на дно — слишком плотно наследил он в Европе, где ему приходилось дырявить лбы мэрам, сенаторам, банкирам, прокурорам. Они все были, конечно, суки порядочные, продажные твари, мразь, но какая разница. Европейскому правосудию на это было наплевать. И за Сержантом велась самая настоящая охота...

В конце концов Интерпол объявил его в международный розыск. Но интерполовцев Сержант не боялся. Он вообще никого не боялся, потому что все, чем располагали эти горе-охотники, — старые фотографии, на которых он представал в образе плотного световолосого, с большой залысиной, мужчины лет сорока; а мужчина этот уже давно привык легко менять свою внешность, одежду, походку и паспорт.

Осев пару лет назад в Лос-Анджелесе, он, как всегда, когда менял местожительство, был вынужден обрубить все старые связи и завязать новые, обратившись к одному старому корешу, который, не задавая лишних вопросов, «зафрахтовал» его в калифорнийскую мафию вольным стрелком. Итальяшки платили ему неплохо — и он не жаловался. Но время от времени его охватывала такая тоска, что хоть в петлю...

Он вздохнул и потрогал лежащий рядом карабин с оптическим прицелом. Этот карабин ему достался в прошлом году. Как раз перед катавасией с Варягом. Пощадив в тот раз российского смотрящего и дав ему уйти от его мстительной пули, Сержант тем не менее не простил его. Он не мог забыть, как по случайности ли или по Варягову злому умыслу угрохал собственного брата, обознавшись в сумерках...

Но в глубине души Сержант с большим почтением относился к Варягу, он, кажется, даже уважал его: волевой, настойчивый, умный, отчаянный мужик. Вылез, можно сказать, из грязи в князи, и не по блату, а самостоятельно, помогая себе зубами и когтями лезть вверх. Он нередко сравнивал себя и Варяга — и не мог не видеть существенной разницы между ними: он, великий бесстрашный Сержант, который мог сшибить муху влет, вынужден мочить каких-то мерзавцев из-за угла, а Варяг решает тысячи проблем, управляет десятками предприятий, командует бесчисленной армией блатных, при этом преспокойно разгуливает по всему свету с гордо поднятой головой, и ему море по колено!..

Вот и сейчас Сержант валяется на этой гребаной крыше, прячась за исполинской надписью «CINZANO», а Варяг... Интересно, где-то он нынче? Куда запропастился? Весной в какой-то газетенке Сержант читал, что Варяга выпустили из сан-францисской тюрьмы и сдали российским ментам, но в Москве его след потерялся...

Внизу по улице изредка проносились автомобили. Пешеходов — раз-два и обчелся. Улица тихая, на самой окраине делового района, да и время еще не пришло: народ высыпет из офисов на обеденный перерыв примерно в полпервого, а к часу дня вся улица будет запружена суетливыми клерками, которым надо успеть за сорок минут запихнуть в себя пару гамбургеров и запить их отвратительным американским кофе. Ровно в час дня на углу перед входом в ресторанчик «У Долли» ему предстоит выудить из толпы парня в синем блейзере и белых слаксах, в руках у парня будет серый дипломат «Самсонайт». Темный шатен в очках. Под носом дурацкие усики а-ля фюрер. Сержант в который уже раз глянул на фотографию, лежащую под левым локтем. Он презрительно скривил губы. Потом нежно провел ладонью по длинному холодному стволу карабина. Нащупал цилиндр оптического прицела. Ну вот, малыш, подумал Сержант, снова нам с тобой предстоит грязная работа. Снова мы с тобой отправим на тот свет очередного грешника. А сами мы с тобой не грешники разве?

Он посмотрел на часы. Двадцать пять минут первого. Время еще есть. Он огляделся по сторонам. Крыша десятиэтажного жилого дома, на котором он лежал, возвышалась над соседними стоящими перед ним пяти- и шестиэтажками. Видно, построили его не так давно вместе с несколькими такими же домами, связанными между собой единой крышей и переходами.

Лежу тут прямо как Ли Харви Освальд в ожидании президентского кортежа, подумал с усмешкой Сержант. Во, блин, дожил — снайпер-профессионал международного класса, сто сорок два задания, сто сорок два жмурика, практически все с одного выстрела. Как опытный турист разжигает костер под дождем с одной спички, так и Сержант одним выстрелом с двухсот—трехсот метров «снимал» мэров и министров, крупных банкиров и торговцев, политических и религиозных лидеров. И вот докатился — теперь барыг-торговцев наркотой щелкаю, едрена мать!

Внизу улица стала заметно оживляться. Заспешили мужчины и женщины в темных деловых костюмах, с папками под мышкой, с кейсами в руках. Начинался обеденный перерыв. У входа в «Долли» вырос долговязый хмырь в яркой ковбойской рубашке. Сержант подобрался. Что-то рановато, подумал он тревожно. Неужели они изменили время встречи. Он схватил карабин, передернул затвор и ощупью проверил навинченный на конец ствола глушитель. Только без паники, приказал он себе. Лег на живот и, вскинув карабин, прижал приклад к плечу. Локти привычно уперлись в стальные листы крыши, плечи расслабились, правый глаз прильнул к окуляру.

Крестик прицела заплясал на мгновенно приблизившейся пышной груди рыжей девки, изображенной на витрине. Сержант плавно перевел прицел левее — на хмыря в ковбойке. Поймав его лицо, Сержант хмыкнул. Так и есть — Билли Шорт, который работает на местных мексиканских барыг. Именно Билли Шорт навел Сержанта на своих мексиканских боссов, конкретно на Пита Смайли. Билли торговал с мексикашками в обход итальянских ребят. Это продолжалось уже месяца четыре, и итальянцы решили наказать своих конкурентов, нарушивших договоренности и вторгшихся не на свою территорию. Вернее, итальянцы решили пока ограничиться предупреждением и ухлопать одного лишь Пита Смайли. Кому нужен Пит Смайли?! Тем более чужак, с Востока. Итальяшки хоть и чувствовали себя тут хозяевами, с мексиканцами разборку по-серьезному учинять пока не хотели. Хотели решить проблему по-мирному. Тем более что у мексиканских парней в Калифорнии издавна имелся свой интерес — контрабанда живым товаром, рабочими-нелегалами из Латинской Америки. И чего это их понесло в наркобизнес? Хотя понятно: жадность, извечная человеческая жадность, зависть, желание зашибить большие бабки. Наркота — всегда большие бабки. Особенно когда налажены каналы доставки и сбыта, да и местные легавые подмазаны. Тогда все идет как по маслу. Примерно как у нас в России. Сержант невесело усмехнулся. Да, Россия-матушка, что-то там сейчас творится, что поделывается?

Он вспомнил, как пару месяцев назад наткнулся в «Лос-Анджелес таймс» на статью о российской мафии.

Статья, как и все, что писалось о России в американской прессе, была туфтовая, но его внимание привлек там один любопытный абзац, где говорилось, что зимой будто бы в России прокатилась волна загадочных убийств и исчезновений законных воров. И что будто бы эти события являлись частью коварного плана властей по уничтожению верхушки русского криминального айсберга.

О Варяге, впрочем, в той статье не было ни слова, но автор репортажа вспомнил о странном освобождении из калифорнийской тюрьмы перед самым Новым годом русского бизнесмена Игнатковича (так было, видимо ошибочно, написано в этой сраной газетенке!). Умник-репортер делал предположение, что «мистер Игнаткович» на самом деле был тесно связан с криминальным миром...

Вдруг Сержант заметил, что ситуация перед рестораном на углу улицы изменилась. Рядом со Билли Шортом в прицеле появился второй. Усики под Гитлера, светло-каштановые волосы. Синий блейзер, в руках «Самсонайт». «Клиент» прибыл! Сержант машинально глянул на часы. Двенадцать сорок пять. На четверть часа раньше встретились, суки...

Сержант сглотнул слюну. Сейчас они зайдут в ресторан, сядут за столик у огромного, во всю стену окна. Вот тогда-то... Сержант почувствовал, как заколотилось сердце. Мандраж, ну надо же! Черт, старею, что ли. Он осторожно перевел ствол карабина правее. Крестик прицела заплясал на лицах вновь прибывших посетителей «У Долли». Вот они! Билли и гость из Филадельфии продефилировали мимо стойки бара. Подошли к свободному столику, сели друг против друга. Пит Смайли положил «дипломат» на столик перед Билли. Стали разговаривать. Сержант сильнее прижал глаз к окуляру, точно надеялся разобрать по губам, о чем там беседуют...

Вдруг за спиной он услышал легкий шум. Послышались шаги. Один-два-три. Стоп. По спине Сержанта пробежал холодок. Он замер, лихорадочно соображая, кто это мог быть. Неужели его накрыли? Неужели за ним следили от самого автовокзала с утра? Он прибыл сюда из Лос-Анджелеса в восемь. Неужели не заметил хвоста. У автовокзала хвоста не было — он проверил. Потом он поехал в центр позавтракать. Зашел в «Макдональдс». Хвоста не было. Вышел из «Макдональдса»... Все было чисто.

Все эти мысли заняли считанные секунды. Сержант лежал не оборачиваясь. Он незаметно сунул левую руку за пазуху, нащупал под мышкой рукоятку «смит-энд-вессона» 38-го калибра. Тихонько взвел курок. Глушитель? Да, глушитель, как обычно, на месте. Он всегда работал только с глушителями. Теперь главное внезапность. А если он пришел не один, если их двое, трое? Если они рассыпались по этой долбаной крыше? Тогда каюк тебе, приятель, горестно подумал Сержант.

— Эй, мистер, ты чего тут лежишь?

Уже после того, как Сержант резко обернулся, одновременно выхватив из подмышечной кобуры «смит-энд-вессон», уже после того, как сухо, словно раздавленная ореховая скорлупа, щелкнули два выстрела, до его слуха донесся этот детский голос. Светловолосый мальчик лет десяти с удивленно-испуганным личиком беззвучно рухнул на стальные листы крыши. Он упал ничком, и из-под его серой курточки сразу же расползлось темно-бурое пятно.

Сержант обомлел. Он быстро метнул взгляд вправо и влево. Никого. Взгляд уперся в откинутую дверь на чердак. Так и есть — мальчишка попал сюда совершенно случайно. Бродил по чердаку, увидел, что дверь на крышу не заперта, и вылез на воздух. Сержант даже застонал от нахлынувшего ужаса. Что же я наделал? Как же это?

Сержант знал, что мальчик мертв. Он ведь никогда не промахивался. Особенно в минуту опасности, когда на волоске висит его жизнь и раздумывать некогда — вот как сейчас, как минуту назад — в такие мгновения он собирался в комок и стрелял без промаха. Убивал наверняка. Что же я наделал! Ему захотелось вскочить, подбежать к мальчику, перевернуть на спину, заглянуть в глаза, потрясти за плечико, позвать...

Но времени у него не было. Время бежало неумолимо, его еще ждала работа. Он с трудом оторвал взгляд от мертвого мальчика и прильнул к оптическому прицелу. Билли сидел перед раскрытым «Самсонайтом» и перебирал лежащие в нем желтые конверты. Сержант знал, что в этих конвертах. Он сдвинул прицел на лицо Пита Смайли и прижал согнутый указательный палец к спусковому крючку. Крестик прицела замер на левом виске «клиента». Сержант затаил дыхание и нежно оттянул спусковой крючок назад. Хлопнул выстрел. Приклад резко ткнул его в плечо. Прицел дернулся вверх. Сержант тут же чуть опустил ствол и всмотрелся в окуляр.

В оконном стекле появилось круглое отверстие, от которого лучиками разбежались тонкие трещинки. Голова Пита Смайли лежала на столике. Из аккуратной дырочки в левом виске сочилась кровь. Контрольный выстрел не понадобится. Сидевший напротив убитого Билли вскочил на ноги — лицо его перекосилось от ужаса. Он ринулся к выходу, не забыв подхватить «Самсонайт» с товаром. В ресторане началась суматоха. Посетители валом повалили на улицу, толкаясь и опрокидывая друг друга.

И только тут Сержант позволил себе вспомнить о втором — вернее, первом — трупе, лежащем у него за спиной. Он привстал на четвереньки, развернулся и приблизился к мальчику. Тронул его за руку. Ладошка была холодная. Потом по привычке приложил палец к артерии на шее. Пульса не было.

Глупыш маленький, ну какого хрена тебя сюда занесло в неурочный час! На улице тебе мало забав было? Сержант вернулся к карабину, нашел стреляную гильзу и положил ее себе в карман. Потом бегом, на полусогнутых, стараясь на светить спиной из-за стеклянных букв рекламной надписи, рванул по крыше к дальнему переходу на соседний дом...

Междугородний автобус мягко бежал по шоссе, выбеленному океанскими ветрами и миллионами автопокрышек. Сержант сидел у окна и хмуро глядел на мелькающие мимо поселки, автозаправочные станции, придорожные рестораны. Он думал об оставшемся лежать на крыше мальчике. На душе было муторно. Никогда еще после удачно выполненного задания ему не было так хреново. Сердце не грела даже мысль о том, что в следующий понедельник он получит двадцать пять тысяч «зеленых», на карманные расходы...

Из головы не шел лежащий ничком на стальных листах мальчонка в серой курточке. И кровь... кровь, бурым озерцом расползающаяся вокруг трупа. Этот мальчик оказался непредвиденной неожиданностью, вторгшейся в тщательно разработанный план операции. Этот мальчик не имел никакого касательства ни к Билли Шорту, ни к Питу Смайли, ни к итальянским наркоторговцам, ни к их мексиканским конкурентам. Этот мальчик был сам по себе. И его убил он, Сержант. По ошибке. По воле слепого случая. И Сержант, может быть впервые в жизни, ощутил себя убийцей...

Автобус легко покрывал милю за милей, приближаясь к Лос-Анджелесу. Скоро далеко на горизонте, в мареве, подернутом багрянцем закатного солнца, показались первые небоскребы. Если бы Сержант был верующим, он бы постарался замолить свой грех. Поставил бы свечку в русском православном храме — не поленился бы, сгонял в Сан-Франциско. Он бы каждый вечер бил земные поклоны суроволикому Николаю Угоднику — он помнил, что такая икона была у его бабки Шуры в Угличе, у которой он в далеком детстве проводил летние каникулы. Если бы... Но Сержант не верил в Бога. И в черта он не верил. Он всегда верил лишь в свою удачу, в свои здоровенные кулаки да зоркие глаза. И никогда не спотыкался. А теперь вот споткнулся. Да так, что изведал неведомую до сих пор страшную непроходящую боль в душе. А может, и впрямь старею? — подумал он горестно. Может, пришла пора завязывать?

Его мысли внезапно вернулись к Варягу. Он вспомнил, как полгода назад стоял на Скалистом пляже за валуном, поджидая Владислава, чтобы исполнить давно уже вынесенный ему приговор. И как дрогнуло что-то в его душе, и как отвел он руку с винтовкой и прострелил башку старому, мерзкому, подлому итальяшке Монтиссори... Пожалел старинного кореша, проглотив давнюю обиду и жажду мести. Нет, видать, подлая жизнь не дотла выжгла душу Степана Юрьева. Что-то человеческое в ней еще оставалось, теплилось. Вот и теперь, нещадно коря себя за смерть невинного мальчика, Сержант понимал, что дошел в этой проклятой жизни до точки.

Надо было что-то делать. Надо что-то менять.

Сержант выскочил из автобуса в душный лос-анджелесский вечер. Он крепко сжимал в руке чемоданчик, где таился разобранный карабин. Взять бы этот чертов чемодан да и зашвырнуть в первый попавшийся мусорный бак. Но ведь от этого легче не станет. Сержант махнул проезжающему мимо такси. Машина остановилась. Он молча залез на заднее сиденье и, назвав район, уставился в окно, про себя отчаянно матерясь.

— Из наших, что ли? Из эмигрантов? — неожиданно по-русски спросил таксист. Сержант удивленно вскинулся.

— Это что же, у меня на физиономии написано? — злобно бросил он.

— Да нет, в глазах, — улыбнулся таксист. — Во взгляде. У наших, советских, особенный взгляд.

— И какой же? — поинтересовался Сержант, рассматривая регистрационную карточку водителя. Эндрю Шевченко. Андрей, что ли, Шевченко.

— Какой? Виноватый. У наших здесь всегда взгляд виноватый.

— Да? И почему же?

– – А хрен его знает. Такое впечатление, что русские здесь оказались не по делу. Потому и боятся, что их в любой момент вытурят. Вот и виноватятся. Ты сам-то небось по гостевой визе въехал — да и связался с какой-нибудь брайтонской американской евреечкой с «зеленой картой». Пообвыкся, расписался с ней, а потом, когда все устаканилось, смылся сюда. Вот отчего у тебя взгляд виноватый. Ну что, угадал?

Сержант хмыкнул.

— Почти. Только я связался с хохлушкой.

Таксист захохотал.

— В мой огород камушек, земляк! А я тебе так скажу: мы, хохлы, тут лучше приживаемся, чем русские. Почти у каждого, кто сюда рвет з Украйны, родственники найдутся в Канаде. Так они помогают. А русские тут чужие. То есть настоящие русские — а не представители многонационального советского народа, которых в Америке называют «русскими». Русским тут делать нечего. И бульбашам тут не жизнь. Разве что за самую грязную работу браться. Вот армяне да грузины — те себя находят!

— А у тебя что ж, работа чистая? — разозлился Сержант. — Ты что, працюешь за баранкой с большой радости?

Таксист снова весело рассмеялся.

— А что. Я в Харькове пять лет в такси, и тут сразу получил работу по специальности. — Таксист обернулся. — А сам-то работу имеешь? В России чем занимался? Давно тут?

Сержант ответил не сразу. Его снова одолели мрачные мысли. Скажи он этому говоруну, что в эмигрантах ходит уже лет двадцать — тот не поверит. Да и с чего ему верить? Сержанту уже доводилось слышать, что хоть он в Америке давно «свой», все равно что-то неуловимо российское, если не сказать советское, в нем все равно угадывалось. Не вышиблось. Закостенело.

— Так, случайными деньгами перебиваюсь... Мелкий ремонт помещений. Года три уж.

Машина резко затормозила, взвизгнули шины.

— Приехали! — Эндрю Шевченко высунул голову из окна и пробежал взглядом по фасаду дома. — Я только не пойму, неужели на мелком ремонте помещений можно себе дом купить в таком шикарном квартале?

Сержант молча протянул таксисту две двадцатки.

— А если еще малярить да слесарить, можно и в Голливуде хату отстроить. Учись, студент!

Он махнул отъехавшему Эндрю Шевченко. Ишь ты, сучонок, по взгляду меня вычислил. Что же во взгляде появилось такое виноватое? Он зашагал к своему дому, до которого предусмотрительно не доехал на такси метров восемьсот: мало ли что...

ГЛАВА 8

Интересно, Лидка дома или опять шляется где-то? — подумал Сержант, нажимая на звонок входной двери. Через пару минут далеко за дверью послышалось шарканье. Дома красотка, удовлетворенно подумал Сержант.

Лидка открыла дверь и пропустила своего не вполне законного мужа внутрь дома.

— Ну что, Леша, все хорошо? — пропела она. Лидка знала его как Алексея Пирогова.

— Я же дома, значит, все отлично, детка, — бросил Сержант. Он быстро прошел по коридору к себе в комнату, открыл стенной шкаф и поставил чемодан в дальний угол. Лидка зашла за ним следом.

— Хочешь принять душ?

— Хорошо бы.

— Сейчас приготовлю выпить. Тебе как всегда?

— Как всегда. И побольше льда.

Сержант стал раздеваться. Он стянул джинсы, скинул рубаху. Портупею с подмышечной кобурой тихо убрал в нижний ящик комода и запер ящик на ключик. Оставшись в одних трусах, подошел к зеркалу. Ну и видок. Животик уже наметился, складки по бокам. В это мгновение он ненавидел свое тело. Во что я превратился, кем я стал? Мне сорок шесть лет. А чего я добился? Ну, деньги, ну, дом в престижном квартале. Ну, баба есть. А дальше что? Зачем все это? Зачем я здесь — в этой чужой, непонятной, мерзкой стране? Прав был Эндрю Шевченко, сука! Глаза виноватые — потому что живу хрен знает как, точно уркаган в бегах... Тут он снова вспомнил Варяга. Владислав даже если сидит сейчас — то хоть знает, за что. А я что тут делаю?

Из зеркала на него печально смотрели его глаза. Виноватые, во всем виноватые глаза...

Вошла Лидка с широким, толстого стекла стаканом в руке. В стакане весело бултыхался виски. На поверхности коричневой жидкости звякали кубики льда. Сержант взял стакан и жадно припал к краю губами. Высосал почти половину.

— Ты пьешь виски как водку, — насмешливо заметила Лидка. — Не отвык?

— Не привык, — поправил ее Сержант.

Он отдал Лидке стакан и двинулся к ванной.

— Никто не звонил?

— Звонил дядя Арик из Нью-Йорка. У них там какой-то хипеш. На бензоколонках.

— Что, сломался их гешефт? Взял их дядя Сэм за жопу?

— Не знаю, — Лидка поджала губы. — А твой-то гешефт не сломался? Что-то, я смотрю, на тебе лица нет. Случилось чего?

Сержант резко обернулся.

— Слушай, детка, не лезь, а? Надо будет, скажу. Все у меня нормалек.

— Ну так ладно, ладно, — насмешливо протянула Лидка с нарочитым одесским акцентом. Она так делала всегда, когда хотела подколоть Лешку.

Сержант повернулся к ней спиной, снял трусы и залез в ванну. Ванна была треугольной формы с новомодными итальянскими прибамбасами — электродвижком для джакузи, направленным душем и водным массажем. В этой ванне было классно трахаться. Сержант включил душ. Когда он повернулся к Лидке лицом, она тут же перевела взгляд вниз. Улыбка тронула ее полные влажные губы.

— Все на месте, — сказала она, игриво подняв левую бровь.

Сержант впервые за вечер улыбнулся. Он заметил, что Лидка смотрит на него глазами оголодавшего ребенка. Черт, не виделись всего сутки, а она уже хочет — горит вся. Нет, точно говорят: одесские — самые е...учие телки на свете. Сколько их ни трахай, им все мало. А Лидка — телка высший класс. Тело у нее — зае...ись. Жопа, бедра, буфера... Да и личиком вышла. Кожа гладкая, а глазищи какие — угольки! Он почувствовал, как под животом у него пробежал огонек, дернулся член.

Лидка тут же отозвалась:

— Просыпается Змей Горыныч! — Она передала Сержанту стакан виски. — Глотни, сладкий мой. Раскочегарь свой локомотив!

Только торопиться не надо, подумал Сержант. Главное не торопиться, растянуть удовольствие. Он смыл с себя дневной пот и заткнул сливное отверстие. Надо наполнить ванну водой.

— Хочешь устроить групповое купание в бассейне? — догадалась Лидка.

— Какая ты у меня проницательная! — снова улыбнулся Сержант. На душе у него вдруг стало совсем легко. Он отогнал неприятные болезненные мысли и, предвкушая головокружительный секс со своей любвеобильной подругой, сел на дно ванны. Его бравый «Змей Горыныч» уже стоял торчком, гордо неся налитую красную голову.

Ванна быстро наполнилась почти до самых краев. Сержант завернул краны и включил джакузи на малый ход. Под водой забурлили воздушные потоки. Сержант блаженно откинулся на стенку и вытянул ноги. Лидка стояла над ним и улыбалась.

— Да поставь ты этот стакан, Лидка! — приказал Сержант. — И давай ко мне!

Ее не надо было просить дважды. Она скинула халат, под которым ничего не было. Сержант как завороженный смотрел на ее тело, которое знал уже давно наизусть. Упругая белая кожа, красивые изгибы широких бедер и тонкой, в буквальном смысле осиной, талии, полушария высоких белых грудей, туго сведенных вместе, длинная шея... Он перевел взгляд ниже и впился в треугольник черных курчавых волос в паху. Там, за этим леском, таилось ее главное сокровище — манящий, горячий тайник, бездна, неиссякаемый источник сладострастия... Сержант протянул к ней руки. Лидка царственно подняла белую стройную ногу и шагнула в воду. Потом перебросила вторую ногу и села, обвив его тело руками. Он прильнул губами к ее грудям, жарко всосавшись в мягкую кожу. Потом захватил коричневый сосок и стал облизывать его кончиком языка. Он знал, что это ее сильно возбуждает. Ее руки скользнули под воду, пальцы нащупали его «Змея Горыныча» и стали проводить по его толстому стволу вверх-вниз.

— Возьми в рот! — тихо попросил Сержант.

— Не все сразу! — прошептала она лукаво. — Я сначала тебя помучаю.

Лидка встала во весь рост и широко расставила ноги, так что ее промежность оказалась вблизи его губ. Он ощутил, как жесткие курчавые волосы защекотали ему кончик носа. Сержант поднял руку и погрузил пальцы в разверзшуюся горячую щель. Лидка застонала. Он притянул ее к себе. Вокруг них бурлила, клокотала прохладная водяная магма «джакузи» и возбуждала обоих еще сильнее. Женщина, закрыв глаза, нашла под водой его восставший член и опустилась на него, рукой направив себе в раскаленные страстью недра, — точно на кол села. Сержант стиснул зубы от охватившей его сладостной похоти. Лидка начала осторожно подниматься и опускаться, держась за края ванны. Сколько это продолжалось, он не помнил — может, минут пять, может, полчаса.

— Давай, милая, еще, насядь на меня! — хрипло шептал Сержант. — Выдои меня, доярушка, до капли!

Он частенько называл ее «доярушкой» за то, что она доводила его до полного изнеможения, выжимала из него все соки — в прямом и переносном смысле. Вот и сейчас он изверг в нее струю спермы, потом еще раз и еще раз. Все тело сжала приятная, томительная, тягучая боль.

— Ох, елки, хорошо-то как, — проскрежетал Сержант сквозь крепко сжатые зубы.

— Как всегда? — томным шепотом спросила Лидка, прикоснувшись полными влажными губами к его уху.

— Как никогда, доярушка, — ответил Сержант. Он потянулся к стоящему на краю ванны стакану, подцепил его двумя пальцами и, быстро поднеся ко рту, одним глотком осушил. После секса спиртное подействовало острее. Лидка осторожно приподнялась над водой и выскользнула на пол.

— Отдыхай, труженик, — чуть насмешливо сказала она и, накинув халат на влажное тело, двинулась к двери. Выходя, она обернулась и бросила через плечо:

— Есть будешь?

Сержант кивнул. Оставшись один, он снова помрачнел. Вырубил джакузи и включил водный массаж. Струи воды начали медленно и нежно полоскать его тело. Он оглядел себя. Надо бы пресс подкачать — обмяк. Да и бицепсы одрябли. Что-то ты на американских сытных харчах сдавать начал, братец.

Он полежал немного в приятной теплой воде, потом вылез, растерся махровой простыней и вышел в гостиную. Под креслом у камина он увидел ворох давно не читанных газет. Сел в кресло, взял одну наугад — оказалась русскоязычная «Панорама», которую издавал какой-то лос-анджелесский еврей-эмигрант. Он лениво пролистал первые страницы, нашел раздел новостей из России, заскользил взглядом по колонкам. Вдруг знакомое имя приковало его внимание: «Владислав Игнатов». То, что он прочитал, нимало его удивило:

«Москва. По сообщению радиостанции «Свобода», со ссылкой на источники, близкие к МВД России, пропал известный российский бизнесмен Владислав Игнатов, арестованный в конце прошлого года в Сан-Франциско по обвинению в убийстве. Предъявленное ему тогда обвинение доказать не удалось, и Игнатов был выдворен из США в Россию. Едва прибыв в московский аэропорт «Шереметьево», Игнатов был задержан милицией, но бежал, убив двух милиционеров. Затем его след затерялся. Высказывается предположение, что Игнатов был тесно связан с криминальными кругами как в Соединенных Штатах, так и в России. Пресс-служба МВД России отказалась комментировать исчезновение Игнатова».

Сержант так и ахнул, швырнув газету на пол. Если это не деза, если Варяга и впрямь арестовали в аэропорту и он вынужден был бежать да еще и наследить — это дурной знак. Очень дурной знак. Ясно, что в России делается что-то несусветное, коли законного вора, да что там законного — смотрящего по России — так запросто решились упечь за решетку. Выходит, у ментов насчет Варяга сложилась какая-то своя сволочная задумка. А может, не только против Варяга...

И тут он вспомнил о странной гибели французского самолета, на котором вроде летела российская делегация в Европу. Сержант задумался о загадочном совпадении авиакатастрофы с калифорнийским делом Варяга. Вернее, с тем, что самолет взорвался в воздухе аккурат в тот самый день, когда Варяга под конвоем выпустили из тюрьмы и вывезли в Москву. Из американской тюрьмы так за здорово живешь не выпускают. Уж коли попал в нее — да еще русский с сомнительной репутацией — изволь сидеть-посиживать, пока следствие вкупе с прокурорами будет разбираться. А тут не прошло и двух недель, как господина Игнатова «за недостаточностью улик» отпустили на все четыре стороны. К тому же его освобождение совпало с еще одним странным происшествием — самоубийством окружного прокурора, который вроде как лепил Варягу дело. Вот это да! У Сержанта вдруг словно пелена с глаз упала, и он быстро связал все события последних нескольких месяцев.

Итак, Варяга взяли по обвинению в убийстве Монтиссори. Монтиссори — крупнейший мафиозо на Западном побережье США. Вряд ли в ФБР так уж сильно убивались по поводу его безвременной кончины. Варягу стали шить дело явно по чьей-то наводке. Из очень высоких сфер. Хотя, спрашивается, какое дело ФБР до русского бизнесмена, у которого в Штатах вполне легальная компания, который платит налоги, тихо-мирно живет с семьей в собственном доме? Он же, в самом деле, не бензин водой разбавляет, как Лидкины одесские родственнички в Нью-Йорке. Так, ладно. Теперь его вдруг выпускают. Тоже удивительное дело — то засадили непонятно за что, то вдруг выпускают. Кончает с собой прокурор, который его, можно сказать, и засадил. Очень интересно. В тот же день, когда Варяг отправляется в Москву, потерпел катастрофу самолет, вылетевший сразу за московским рейсом. Может, хотели взорвать самолет с Варягом, да лопухнулись? Варяга—Игнатова в последний раз видели в «Шереметьево» — в газетах были фотографии, — а потом он сгинул. Как не было человека. И вот нá тебе — обнаружился. Двух ментов угрохал. Смех да и только! На хер Варягу лезть на ментов — мало у него верных киллеров, что ли? И тут Сержанта точно кольнуло: он ведь и сам когда-то был Варяговым стрелком...

Сержант был так поражен прочитанным, что опять схватил «Панораму» и еще раз пробежал глазами заметку. Ой, что-то тут нечисто! Бред какой-то. Хотя... Сержант вскочил и нервно заходил по комнате. Нет, не бред.

Даже здесь, в Лос-Анджелесе, находясь в тысячах километров от России, он внимательно следил за происходящими «там» делами. Над ним даже Лидка посмеивалась: ей этот его интерес к России был непонятен. Сама она, прибывшая шесть лет назад на Брайтон-Бич с мамой-папой-братьями-племяшами, давно уже забыла родную Одессу. И ее родственнички, оборотистые одесские умники, тоже вроде бы не особенно тосковали по родине. Сержант умом понимал, что она права: в самом деле, чего уж там — Россия далеко, он тут пустил корни, вон дом приобрел — хоть и куплен в рассрочку на двадцать лет, но все равно — своя недвижимость, тут по этому признаку людей уважают, за своих считают. Есть «риэл истейт» — значит, настоящий американец, нет — значит, пока что перекати-поле без роду без племени.

Но душой Сержант был по-прежнему «там» — в России. Он завидовал корешам, которые запросто могли взять за тысячу баксов билет Нью-Йорк — Москва — Нью-Йорк, смотаться в белокаменную на недельку-другую, кутнуть по кабакам, благо их там, говорят, море развелось, потрахать любвеобильных московских телок, попить родную водяру, даже побалагурить с ментами — и те ведь тоже родные, не то что здешние, мать их в душу, «сфинксы». С этими не побалагуришь — глаза стеклянные, рожа каменная. Чуть что — «ваши права» и — руки за спину заламывают... Сержант подошел к окну и выглянул на улицу. Да, Степан Юрьев! А тебе в Россию путь заказан — слишком много крови на тебе да соплей всяких шлейф. Менты не поймают — так братва найдет. Все припомнят тебе, Степушка.

Сержант вздохнул. Да, вроде недавно был там, а опять тянет. Без малого год назад побывал. Со своей верной спутницей — снайперской винтовочкой. А что, неплохо бы туда снова рвануть. Заодно, может, и про Варяга что узнаю. Узнаю, что там вообще творится, что за шухер с законными учинили товарищи в лампасах... Да вот только как? По американскому паспорту въезжать никак нельзя — после его прошлогодних похождений в Питере. Наверняка засекут въезд. Можно только по красному. Придется опять новый выправлять, все старые засвечены.

Он почувствовал возбуждение. Он и не подозревал, насколько сильно захватит его эта дикая, дурацкая, опасная затея — поездка в Россию. Москва, Санкт-Петербург и так далее, со всеми остановками. Сержант поднялся и решительно прошел в коридор к телефону. Сняв трубку, он набрал знакомый номер, по которому вот уже полгода регулярно звонил раз в неделю. На другом конце провода раздался знакомый механический голос автоответчика: «Это, к сожалению, не совсем я, но вы можете оставить свое сообщение...»

— Малыш, а это я, Алекс! — по-английски произнес Сержант, не обращая внимания на автоответчик. — Сними трубку, надо поговорить!

Механический голос оборвался на полуслове.

— Привет, Алекс! Как успехи? Хотя зачем я спрашиваю — у тебя не бывает сбоев. Клиент остался доволен?

— Клиент остался очень доволен, — глухо произнес Сержант. — Но у меня возникла непредвиденная проблема.

— Какая? — с тревогой поинтересовался «Малыш».

— Сегодня в новостях услышишь. К нам это не имеет отношения. Это моя проблема. Слушай, ты можешь... — Сержант запнулся, раздумывая, как бы закодировать свой вопрос, потому что он не доверял телефонам и никогда не говорил открытым текстом самые важные вещи. — Ты можешь свой подарок, который ты для меня приготовил, передать мне завтра же и не дожидаться моего дня рождения?

На линии повисла тишина. Видно, его собеседник что-то соображал.

— Ну, это, конечно, неожиданная просьба. Я-то рассчитывал вручить тебе подарочек как раз в памятную дату — через неделю. Ну да ладно, по старой дружбе не буду тебя долго томить. Ты, наверное, об этом давно мечтал, дружище. Уверен, тебе понравится. А почему такая спешка? Ты, никак, собрался уехать отдохнуть?

— Догадался, Малыш, — ответил Сержант. — Хочу на недельку сгонять в... Лас-Вегас. — Это было первое, что ему пришло в голову.

— В Лас-Вегас? Но ты же не азартный, ты же не играешь. На хрена тебе Лас-Вегас? Телок пощупать — так для этого незачем ехать в такую даль. Выходи вечерком на Голливудский бульвар — и щупай всех подряд!

— Ну, не знаю, — Сержант решил не спорить с тем, кого он назвал «Малышом». — Я еще не решил. Может быть, в Сан-Диего. Не знаю.

— Ладно, завтра увидимся. Захвати с собой большой мешок — подарок громоздкий!

Повесив трубку, Сержант задумался. Так, теперь новый «серпастый и молоткастый» паспорт. Чистый. Не чеченский фальшак, а выданный честь по чести каким-нибудь воронежским УВД. Егерь должен помочь. Егерь всегда делал ему паспорта. Может, попросить его на этот раз выправить на какого-нибудь Михаила Самуиловича Кацнельсона... Хотя нет, рожа не та: русак типичный. Сержант усмехнулся.

Он прошел в кухню. Лидка стояла у плиты и что-то жарила. Наверное, вырезку с грибами, как всегда. Она не обернулась. Заметив, что круглые часы на стене показывают ровно восемь, Сержант включил радиоприемник. Передавали новости. «Сегодня в ресторане в Санта-Барбаре около часу дня убит некий Питер Смайли, коммивояжер из Филадельфии. По словам местной полиции, выстрел был произведен из армейской винтовки

93

с крыши соседнего десятиэтажного здания. Очевидно, стрелял снайпер-профессионал. На крыше также найден труп одиннадцатилетнего Виктора Волкова, единственного сына недавних эмигрантов из России, проживавших в том же доме. Мальчик был убит наповал выстрелом из револьвера 38-го калибра. Вероятно, он оказался случайным свидетелем убийства Питера Смайли. Скорее всего, в него стрелял напарник снайпера. Никаких иных следов на месте преступления полиция не обнаружила».

Лидка резко выключила радио и всплеснула руками.

— Ну какие же гады, какие гады паршивые! За что нашего мальчишку русского убили? Представляешь, сами, сволочи американские, свои грязные делишки обделывают, друг дружку подкарауливают, подстреливают. Ну и черт ними. Но детишек-то за что? Да еще нашего... Каково его матери, а! Ух, нашла бы этого гада — зенки бы ему выцарапала... — Она с удивлением посмотрела на него. — Что с тобой, Лешечка?

— А что? — пробурчал он.

— Глаза какие-то...

— Какие?

— Как у загнанного зверя...

Сержант сглотнул слюну.

— Да ну тебя...

Больше не сказав ни слова, Сержант вышел в коридор и посмотрел в настенное зеркало. Долго изучал свои глаза. Ему вспомнился хохол-таксист, сказавший обидные слова про «виноватый взгляд». Сержант мотнул головой. Врешь, хохол, никакой не виноватый взгляд. Взгляд загнанного зверя. В этом все и дело...

Засиделся ты в Штатах, Сержант, на грязной работе. И пришла пора действовать!

ГЛАВА 9

Охранник грубо, с силой толкнул Светлану в спину, так что она, влетев в комнату, чуть не упала. Громко лязгнул задвигаемый засов.

— И чтоб сидела тихо, тварь! — рявкнул из-за двери раздраженный голос охранника. — Теперь в сортир пойдешь только вечером, поняла? И не зови больше! Достала!

Она уже привыкла к подобной грубости и не испытывала, как раньше, острого чувства унижения. Единственное, что постоянно мучило ее в эти последние дни, опасение за Олежку. После неудавшегося побега у нее отняли без всяких разговоров сына, перевели в отдельную комнату, и она постоянно терзалась страхом за него...

Светлана часто возвращалась мыслями в тот черный для нее день прошлого месяца. Боже мой, думала она, как же глупо все тогда получилось. Какая же я была дура! Ведь спасение было так близко! По собственной глупости все испортила!

Еще с зимы Светлана вынашивала мысль о побеге. Хотя и понимала, что в таких условиях побег — чистой воды безумие. Дверь в их комнате была дубовая, с прочным засовом снаружи. Когда ее выводили в туалет, она всегда внимательно украдкой осматривала засов — мощный стальной рельс! Единственное окно снаружи закрывалось массивными ставнями, а изнутри прочной стальной решеткой. Отсюда просто так не убежишь. Вырваться можно разве что хитростью.

И она в конце концов придумала как.

...В то утро с дачи неожиданно сняли охрану. Вернее, сняли двоих парней и оставили одного. Опять приехал тот, со шрамом во все лицо. Она его рассмотрела сквозь щель в ставне. Он походил по двору, даже в дом не зашел, потом переговорил с охранниками, забрал с собой двоих, сел и уехал. В доме остался один Павел: она поняла это по его характерным мягким, как у кошки, шагам.

За долгие недели сидения под арестом Светлана до мелочей изучила повадки всех, кто находился на территории огромной загородной дачи, и прежде всего охраны. Батон — этот всегда гулко топал, громко разговаривал, шепелявил. Второй, Родик, каждое утро занимался на улице зарядкой, кажется, поднимал какие-то тяжести, потом обливался холодной водой из шланга. А третий, Павел, был из всех, похоже, самый приличный. Она даже иногда через дверь заводила с ним беседы — беседы ни о чем. Ей просто хотелось поговорить хоть с кем-то. Не все же общаться с пятилетним сынишкой. От нехватки общения можно было сойти с ума... Ей как раз и требовалось, чтобы в доме остался один Павел. Этого увальня она смогла бы провести.

В тот день все случилось именно так, как она хотела. Черный «джип» увез двоих охранников. Остался Павел. Через час она постучала в дверь и сказала, что сын захотел в туалет. Павел открыл замок и отодвинул засов. Когда он вошел в комнату, Светлана выскочила из-за двери и изо всех сил ударила его по голове деревянным мольбертом. Парень от неожиданности закрыл лицо руками, и тут она нанесла ему второй удар — по затылку. Павел упал без сознания.

Светлана схватила сына за руку. У мальчика от ужаса были широко раскрыты глаза, но он молчал, заранее предупрежденный матерью. Они побежали по коридору мимо двери в туалет на веранду. Там она осмотрелась — никого. Правда, во дворе находилась здоровенная овчарка, но собака уже привыкла к постояльцам и давно их не облаивала... Светлана несколько раз, под охраной, гуляла по двору и надеялась, что собака признает ее и Олежку... Сейчас овчарка мирно лежала у будки. При виде женщины и мальчика она лишь подняла голову. Делая вид, что не обращает никакого внимания на сторожевого пса, стараясь вести себя естественно, без суеты, чтобы, не дай Бог, не передать собаке своего нервного возбуждения, Светлана двинулась к воротам.

Теперь ей надо преодолеть всего лишь тридцать метров. Там за спасительной калиткой, которую она тщательно осматривала во время последней прогулки, за забором в лесу шла грунтовая, хорошо укатанная дорога. Судя по тому, что по этой дороге сюда приезжали люди на дорогих машинах, дорога вела на автостраду, возможно, где-то совсем рядом находился хоть какой-то населенный пункт. Только бы добраться до этого населенного пункта...

Она замерла на мгновение. Все тихо. С бешено бьющимся сердцем, заставляя себя идти как можно медленнее, Светлана прошла через двор к закрытым воротам.

Оказавшись у калитки, она также с преувеличенным спокойствием, не глядя на оставшуюся за спиной собаку, отодвинула щеколду и тихонько толкнула калитку. Калитка мягко поддалась. Светлана крепко сжала руку сына и выскользнула наружу. Закрыв за собой калитку, она просунула руку сквозь тонкие планки, исхитрилась закрыть щеколду изнутри, и беглецы скрылись в лесу. Там, подхватив сына на руки, она побежала по густой мокрой траве. Сквозь листву деревьев слева виднелась грунтовая дорога, которая была пока ее единственным ориентиром.

Сердце колотилось так, что едва не вырывалось из груди. Ей не верилось, что они свободны. Хотя нет — какое там свободны, пропасть неизвестности. Сколько им предстоит еще пройти по лесному бездорожью, по оврагам и болотам, она даже представить себе не могла.

Светлана бежала, стараясь не упускать из виду дорогу. Она несла сына на закорках, потому что он быстро устал и захныкал. Через полчаса справа вдалеке послышался перестук колес поезда. Железная дорога. Местонахождение дачи ей было неизвестно, но она понимала, что это где-то под Петербургом. Вот только в какой стороне? Если они доберутся до железной дороги, можно по путям дойти до станции, сесть на электричку — а там...

Светлана опустила глаза и с тоской посмотрела на свои ноги: обувь явно была не приспособлена для прогулок по болотистой, лесной, плохо проходимой местности. Но выбора не оставалось, и она снова тронулась в путь.

Вдруг Светлана споткнулась и кубарем покатилась в овраг. Мальчик упал на землю и громко заплакал. Поднявшись, она тщетно пыталась его успокоить, закрывая ему рот ладонью.

Голеностоп у мальчика на глазах посинел и распух. Неужели вывих? Только этого еще не хватало.

— Болит сильно? — шепотом спросила она сына.

С глазами, полными слез, мальчик молча кивнул.

— Потерпи, милый, надо потерпеть, — умоляла она малыша. — Еще немного — и мы будем свободны.

Она снова подхватила сына на руки и, держа его перед собой, понесла. Тяжелый! Метров через триста она уже сильно запыхалась. Надо бы переложить ношу на спину — так будет легче. Но Олежка с вывихом ножки теперь не мог держаться за ее бока, как раньше. Вот беда...

Вдруг ей послышались голоса. Голоса доносились со стороны грунтовки. Вообразив себе, что это какие-то местные жители, она резко рванула на дорогу, но как только выскочила на проезжую часть, сердце ее упало.

Посреди дороги стоял синий «бэ-эм-вэ» с распахнутыми дверцами. У машины копошились трое — два охранника дачи и еще один, незнакомый. Мужчины тотчас увидели женщину с ребенком на руках и бросились к ней. Она, как испуганное животное, метнулась в лес, перескочила через овраг, устремилась в заросли дикого крыжовника, но ее уже настигли, схватили за руки, вырвали Олежку... Мальчик закричал, отбиваясь ручками и ножками, плача от боли. Силы были неравны.

Ее быстро скрутили и, заткнув рот тряпкой, поволокли к машине...

Вечером приехал человек со шрамом и о чем-то долго говорил с Павлом. О чем, она не слышала, но разговор шел на повышенных тонах. Павла увезли, и с тех пор он в доме больше не появлялся. Вместо него приехал тощий хмурый парень. А их с Олежкой перевели на «строгий режим», как выразился Батон. Ее оставили в той же комнате, а вот Олежку забрали и посадили в соседнюю. И как она ни умоляла своих мучителей оставить ей сына, все было напрасно. На прогулки их больше не выпускали, в туалет выводили строго по часам: ее утром и вечером в сопровождении двух охранников, Олежку — отдельно от нее, тоже под присмотром охранников.

Батон тогда пригрозил ей:

— Еще выкинешь фортель, сука, я твоему мальцу башку отверну и тебе под дверь подброшу, ясно? Шеф дал указание: чуть что — мочить. Буду стрелять на поражение! Учти.

Впрочем, Светлана не поверила ему. Она не сомневалась, что она нужна Шраму живой. Ей давно стало ясно, что похитили их из-за Владислава. И что держат их тут тоже из-за него. Неясно только зачем, с какой целью. Скорее всего, для какого-то торга, который мог состояться между ее похитителями и... неужели Владиком? Но зная мужа, она понимала, что Владислав никогда ни с кем не станет торговаться. Утешала Светлану прежде всего мысль о том, что Владик жив: раз их здесь держат, значит, он жив.

Но где же он сейчас, она даже и предположить не могла. Последний раз они виделись полгода назад в Америке, когда после инцидента с Монтиссори за ним пришла полиция...

Она много раз за эти томительные месяцы прокручивала в памяти тот страшный вечер, последний вечер в мирном тихом Дейли-Сити, пригороде Сан-Франциско, пытаясь восстановить всю картину загадочных и страшных событий и понять, что же за ними скрывалось.

Сын не знал, что папу арестовали и посадили в тюрьму. Она не осмелилась ему сказать. Наверное, еще надеялась, что ошибка быстро вскроется и Владика отпустят. У него и раньше были трения с американским законом. Однажды ему едва не запретили въезд в страну. В ФБР поступил сигнал из Москвы о том, что якобы бизнесмен Владислав Геннадьевич Игнатов задолжал российскому правительству колоссальную сумму налогов. Но это была явная провокация: Владик очень щепетильно относился к внешней благопристойности своего бизнеса и своей репутации. К тому же он не хотел по-глупому рисковать и подставлять себя под удар. Поэтому все финансовые документы у него всегда были в порядке, а налоги — разумеется, с той прибыли, которую его бухгалтерия показывала по документам, — платил исправно.

Она хорошо помнила, как утром в тот день в теленовостях сообщили о предстоящей российскому президенту сложной операции. Владик весь день ходил хмурый, несколько раз звонил кому-то в Вашингтон, потом в Москву. А когда она спросила, чем он так обеспокоен, муж уклончиво сказал про возможные осложнения с поставками. Хотя она поняла, что просто не хочет ей ничего объяснять. И буквально в тот же вечер его вызвали в ФБР и долго, почти до полуночи, выясняли его «налоговую историю». Вернувшись домой, Владик только и сказал, что на него стукнули из Москвы. Это было предупреждение. Недвусмысленное, коварное предупреждение — как пять апельсиновых косточек в рассказе Конан-Дойля. И как показали последующие события, предупреждение не пустое.

Когда Владика посадили в тюрьму Сан-Франциско, она продолжала жить так, как и раньше, точно ничего не произошло. Соседям она ничего не сказала. Исчезновение мужа объяснила его внезапной командировкой в Европу. А потом...

Светлана тот страшный вечер помнила так отчетливо, словно все произошло только вчера. Поужинав, она уложила Олежку спать, сама села смотреть телевизор. Потом неожиданно нагрянул Сивый, верный друг Владика, с букетом чудесных желтых тюльпанов и известием о том, что Владислава освободили и отправили в Москву. А через несколько минут он лежал с кровоточащей дырой в голове — она даже не услышала выстрела с улицы. Потом ее схватили, ударили по голове, и она провалилась в черную мглу... Потом ей в руку чуть повыше локтя впилась игла, и по телу побежала расслабляющая теплая истома. Перед глазами все поплыло. Ее потащили на улицу. В последний миг, перед тем как сознание покинуло ее, она успела заметить, что оба фонаря на лужайке перед домом не горят.

Светлану подхватили под локти и поволокли. Очнулась она в каком-то доме. Там ее встретил мужчина лет сорока с очень знакомым, как ей показалось, лицом. Но в голове у нее мутилось, и она никак не могла припомнить, где видела его. Мужчина злобно взглянул на нее и кивком головы приказал отодрать клейкую ленту с ее губ. Его слова, сказанные на чистом русском языке, прорезали гнетущую тишину, точно удары молотка.

— Если тебе дорога жизнь сына — молчи. И слушай. Завтра утром тебя повезут в аэропорт. Потом будет долгий перелет. Потом... ну, там сама все увидишь. Сын будет все время с нашими людьми. Если пикнешь — его убьют. Будешь молчать — останется жив.

Ей достало мужества — или безрассудства? — спросить:

— Куда вы меня везете?

— Далеко, крошка, — с усмешкой бросил мужчина. — На родину.

Потом был аэропорт. Светлана сделала все так, как ей приказали: молча прошла паспортный контроль, молча села в самолет. Уже в самолете она попыталась было обратиться к соседке через проход, узнать, куда та летит, но сидящие спереди и сзади сопровождающие грубо одернули ее и сразу пересадили к иллюминатору. Парень со спящим Олежкой сел рядом. И тут же она почувствовала, как сзади в спину впилась уже знакомая игла и в считанные секунды опрокинула ее в сон.

Она смутно припоминала — или ей это только казалось, — что из Лос-Анджелеса они летели через Хельсинки в Москву, а уж из Москвы их перевезли в Питер... И вот уже несколько месяцев они с сыном были заложниками у человека со шрамом на лице.

Шрам... Некоторое время назад, снова и снова восстанавливая в голове всю последовательность страшных событий, она вдруг вспомнила, что в каком-то телефонном разговоре Владика, еще в Америке, она услышала так поразившее ее слово «шрам». Причем Владик произнес это слово так, словно речь шла не об увечье, а о фамилии. Фамилия. Немецкая? Австрийская? Американская? Русская? Или это... кличка. Шрам.

Светлана никогда не вникала в дела мужа. Собственно, так повелось издавна. Она знала о его бизнесе лишь то, что ей полагалось знать. Ни больше ни меньше. Конечно, она — не дура, понимала, что бизнес у Владика не совсем «чистый», но кто сегодня в России занимается «чистым» бизнесом? Кто может встать и сказать: я заработал свой капитал честным трудом, я никого не обманывал, чужих денег не присваивал, исправно платил все налоги... Владик любил повторять одну фразу: «Я для России все равно что дятел для леса». Как-то он признался, что впервые услышал эти слова от своего мудрого наставника Егора Сергеевича Нестеренко, академика, большой умницы. Она до конца не могла понять, что же имел в виду Владик. Но сердцем чуяла, что чего-то он все же не договаривал...

Послышалось урчание автомобильного двигателя. Светлана машинально выглянула в окованное тяжелой решеткой окно, забыв, что за стеклом через щелку виден был лишь возвышающийся зеленый забор. Подъездную аллею к дому и вход отсюда не видно. Интересно, кто приехал. Сюда приезжали редко. В основном только для того, чтобы подвезти продукты. Но продукты привезли вчера — она слышала разговор двух охранников за дверью — они как раз обменивались впечатлениями от свежего пива. Значит, это приехал хозяин? Шрам... Уж не его ли поминал Владислав в том телефонном разговоре?

Светлана прилегла на кровать и закрыла глаза.

* * *

Шрам был весел. Валерка-Хобот сразу понял, что у босса сегодня красный день календаря. Шрам, не глядя,

103

скинул черный плащ. Валерка подхватил его и повесил на крючок. Шрам быстрым шагом прошел в гостиную.

— Ну что тут у нас творится — все тихо? — спросил он у Валерки.

— Да что тут может случиться? Тишь да гладь — божья благодать.

— Это хорошо. Где остальные?

Валерка нахмурился, изображая усиленную работу мозгов.

— Боров спит после ночного дежурства. Леха с Сашкой во дворе, Митяй у ворот. Ты ж его видел, он тебе шлагбаум подымал.

— Ясно. Пойди всех собери. Разговор есть. Скоро, думаю, сниматься отсюда будем.

Валерка глупо улыбнулся.

— Совсем, что ль? Заложников сдавать будешь?

Губы Шрама разъехались в ухмылке.

— Сдавать ты будешь бутылки из-под пива. Заложников отпускают.

— Е-мое! Бабки, что ль, передали? — воскликнул Валерка.

Шрам только хмыкнул. Его бойцы знали, что молодая женщина с ребенком, которая содержалась на этой даче уже почти полгода, — это жена одного мурманского барыги, задолжавшего питерским крупную сумму, вот Шрам до возврата долга и взял его бабу с пацаном. О том, что «жену мурманского барыги» тайно переправили сюда аж из Западного полушария, никто из приближенных Шрама даже не догадывался.

— Передали, передали, — ответил Шрам самодовольно. — Сам приехал, в зубах принес. — Он помолчал. — Так что сегодня гульнем слегка, отметим событие. Собирай народ. Я кое-чего привез с собой. Столик накроем. И... — он бросил взгляд на большой, красного кирпича камин. — Огонь, что ли, разведи. Веселее будет.

Шрам пошел по коридору к комнате, где содержались его заложники. Он долго обдумывал, что сказать Варяговой бабе, но так ничего определенного и не придумал. Неужели прямо так взять и брякнуть новость? Или подготовить ее? Он вернулся в прихожую, вытащил из кармана плаща сложенную газету, развернул. Это был вчерашний номер «Московского комсомольца».

По верху первой полосы бежали жирные черные буквы: «УБИТ БАНДИТСКИЙ КАЗНАЧЕЙ». В центре полосы красовался портрет Варяга. Под портретом была подверстана статья в две колонки. Шрам остановился и уже в пятый, наверное, раз за день прочитал:

«По сообщению нашего источника в МВД, на прошлой неделе убит крупный криминальный авторитет по кличке Варяг. Варяг скрывался под личиной «российского бизнесмена» Владислава Игнатова. Некоторое время проживал в США. Вернувшись в Россию в конце прошлого года, он попытался скрыться, во время побега из аэропорта «Шереметьево» убил двух милиционеров. Зимой этого года был осужден и отбывал наказание в колонии строгого режима. Во время вспыхнувшего в колонии бунта он был застрелен шальной пулей. Возможно, Варяг пал жертвой от рук своих же «братанов». Дело в том, что, по некоторым данным, в течение последних лет Варяг являлся «смотрящим» по России. На бандитской фене это означает, что он контролировал воровскую казну, так называемый «общак», куда стекались грязные деньги со всех концов страны. Смерть Варяга неизбежно приведет к новому переделу власти в криминальной России...»

Шрам опустил газету. Ему не понравился намек на то, что Варяга пристрелили свои же. Эта версийка, подброшенная, ясное дело, ментурой, осложняла его положение. Теперь его конкуренты могут развить эту версийку, нагромоздить горы домыслов и — обвинить его чуть ли не в организации убийства Варяга. И самое неприятное то, что народу известно: на самом деле Варяг не уезжал на Урал, а что взяли его здесь, в Питере, у Шрама под носом.

Он остановился перед дверью и отодвинул стальной засов. Открыл дверь, вошел. Женщина резко поднялась с кровати.

— Что? — спросила срывающимся голосом Светлана. Ей было ясно, что человек со шрамом сам пришел к ней неспроста.

— Вот, принес свежую газетку, — процедил Шрам. — Почитай последние новости.

С этими словами он протянул Светлане помятый «МК». Она взяла газету, не отводя глаз от Шрама. Потом медленно перевела взгляд на страницу. Перед ней заплясали черные буквы: «УБИТ». Взгляд скользнул вниз, на фотографию. Она приглушенно охнула, горло сдавило рыдание. Лицо Владислава. Но почему под его фотографией напечатаны такие странные слова: «воровская казна», «братаны», «общак»... Что это за бандитский жаргон? Какое отношение все это имеет к ее Владику? Владик — бандитский казначей? Что за чушь...

Она подняла полные слез глаза на вошедшего.

— Вы Шрам? — выдохнула она.

Мужчину перекосило. В глазах полыхнул злобный огонек.

— Я... — И он не нашелся, что ответить. Откуда эта сука его знает? Откуда? В голове у него вихрем понеслись мысли.

Значит, она его все-таки вычислила. Вычислила! Значит, теперь она его точно сдаст. Как пить дать. До этой самой секунды он еще не знал, что с ней делать. Даже подумывал отпустить ее на все четыре стороны — раз Варяга нет, на хрен она ему сдалась!

Но теперь ее придется убрать. И мальчишку тоже...

— Это правда, что Владислав убит? — глядя прямо в глаза своему мучителю, спросила Светлана.

Шрам зачем-то потрогал побелевший след от ножа на щеке.

— Да. Его больше нет.

— Нас вы *тоже* убьете? — Она произнесла «тоже» с нажимом. Шрам вздрогнул. Он не мог смотреть этой бабе в глаза. Ему захотелось уйти.

Он развернулся и взялся рукой за дверной косяк.

— Там видно будет, — глухо сказал Шрам, вышел, закрыл дверь и задвинул засов.

Светлана, как неживая, села на кровать.

Убит... Владислав Игнатов убит. Варяг. Бандитский казначей. Теперь многое прояснялось. Все то страшное, что случилось с ним. И с ними. Какие ужасные слова. Но разве это так уже неожиданно — то, что она прочитала о нем в газете? То, что она узнала про Владислава? Нет. Ведь она же догадывалась. Давно догадывалась. Только гнала от себя эти мысли. Обманывала себя, старалась не думать, не задумываться. Неужели ей было непонятно, откуда у Владика так много денег и кто эти люди, которые ему звонили, приезжали, что-то привозили, тихо переговаривались на кухне за закрытыми дверями? Он не хотел посвящать ее в свои дела — не потому, что не доверял ей, а потому, что опасался за нее, за сына. Он берег их. Боже, как страшно. Страшно не то, что она наконец узнала о нем правду. Страшно то, что его больше нет. Что он убит. В каком-то далеком лагере. И никто теперь их не защитит. И не спасет.

Все кончено.

ЧАСТЬ II

ГЛАВА 10

Влажная духота и запах сырой земли. Страшно хотелось пить. Он полз уже минут двадцать, а то и все тридцать. Значит, полпути уже пройдено. Подземный лаз, прорытый Бог знает когда десятками заключенных, тянулся внутри невысокой сопки, за которой вряд ли кто додумается искать второй выход. Лаз вел прямо, никуда не сворачивая, не петляя, только вперед, словно неизвестные землекопы в своем стремлении к свободе руководствовались четким архитектурным планом. Но никакого особого плана у них не было — кроме горячего азарта подложить свинью всему вертухайскому племени и главному вертухаю — подполковнику Беспалому. Зеки рыли этот тайный «метрополитен» на волю, даже не мечтая когда-нибудь им воспользоваться. Потому что прогрызть в плотном, глинистом, а порой каменистом грунте туннель сквозь горку от начала до конца за время своей отсидки не хватило бы сил никому из бритоголовых землекопов. Бригады строителей «метро» приходили и уходили, повинуясь прихотливой воле матушки-судьбы да неумолимому расписанию зековских этапов. Те же, кому посчастливилось вынимать последние пуды грунта и выползти наконец-то на белый свет в лесу, за сопкой, примерно в километре от внешнего ограждения зоны, лишь несколько минут вдыхали горько-пьянящий воздух воли и снова ныряли в черный провал длинного лаза, чтобы втихаря, через незаметную дверцу в котельной зековского клуба вернуться обратно...

Он включил черный миниатюрный китайский фонарик, изготовленный в виде авторучки, и осветил его тусклым лучом стены и потолок лаза. Этот фонарик дал ему напоследок Мулла, чтобы «не заснул». Ему надо было торопиться. Далеко за спиной затих гомон забузившей зоны, и скоро в его подземный склеп не долетал уже ни единый звук — воцарилась кромешная тишина.

Он вспомнил, что говорил ему на прощание Мулла. Старик здорово все продумал, все подготовил. Его, Варяга, одежду дали Сашке Клину — высокому белобрысому здоровяку, внешне очень похожему на него, а ему самому Мулла велел надеть какую-то застиранную поддевку, полотняные штаны и полотняную же куртку. Одежда была не лагерная, так что случайный встречный не смог бы догадаться, что за гость разгуливает по лесу спозаранку.

— Хоть и июнь на носу, — приговаривал старик, — в «метро» зябко будет, а ползти тебе под землей с километр придется — это выходит не меньше часа, а то и поболее. Так что насморк схватить можешь за милую душу...

— Так ты, Мулла, думаешь, что никто не заметит моего ухода? — спросил он еще раз.

— Да что ты, Владислав, кто же заметит, когда я тут такой маскарад нагородил. Сашка в твоей одежонке будет маячить у них перед глазами, он же вылитый ты, особенно сейчас, когда бритый. К тому же пойдешь в бега ночью — разве его разглядишь в темноте. К тому же о «метро» нашем знают-то всего человек десять.

— А стукач местный, прихвостень Беспалого... Щеголь... он не в курсе?

Мулла задумался.

— Если даже и в курсе — то что он может сделать? Сейчас, когда зона вся закипела, его и след простыл. По

109

всему лагерю мои ребята его искали, с ног сбились — пропал, как сквозь землю провалился. Может, у Беспалого в кабинете отсиживается — тогда он нам не страшен.

Варяг должен был исчезнуть в самый разгар перестрелки, когда заваруха достигнет наивысшего накала и даже сторожевые псы в страхе забьются под заборы. План был следующий: Варягу предстояло незаметно добраться до входа в «метро» и сгинуть в темноте, словно булыжник в омуте. А там, пробравшись через подземный ход, лесом уйти как можно дальше от зоны на север. Когда же вертухаи опомнятся, его и след простынет...

...Варяг остановился передохнуть. Он лег плашмя и ткнулся лицом во влажную землю, вдыхая ее тяжелый аромат. Сколько он уже прополз? Варяг снова включил фонарик и осветил циферблат часов. Половина первого ночи... Американцы говорят: половина первого утра. Да, Америка...

Перед глазами замелькали отрывочные картины его американского житья-бытья. Кажется, так давно это было, сколько всего случилось с ним после, сколько пришлось пережить, перетерпеть. Куда-то на дальний план в памяти отошли все те счастливые солнечные дни, когда мчался он в своем серебристом «понтиаке» по выбеленному калифорнийским солнцем шоссе к своему уютному дому у моря.

Варяг мотнул головой и вздохнул, отгоняя обманчивый морок. Нет, сейчас надо думать о другом. Надо ползти не останавливаясь. Позади осталась «сучья» зона, и похабные рожи лагерных сук, и хитрая гнида подполковник Беспалый, и вонючая лагерная баланда, и изнуряющие уколы в вену, после которых его охватывало мучительное, тяжкое забытье... Что за дрянь ему кололи? Пентотал? Или другую какую наркоту? И зачем? На что надеялся подполковник Беспалый, травя его жутки-

110

ми препаратами? Зачем ему это нужно? Неужели начальник и впрямь рассчитывал, что он, Варяг, смотрящий по России, выболтает ему какую тайну? Может, хотели сломать и выведать, где хранятся деньги из общака. Но такого никогда не будет, чтобы поганый мент наложил свою грязную лапу на общие бабки правильных людей. Ясно одно: каким-то очень серьезным людям он нужен живым.

Его побег станет для них страшным ударом и создаст массу проблем. Но самой главной проблемой для них будет его появление на воле: всем гадам придется ответить по полной программе, он их всех раскопает и поставит раком, кровью будут харкать и за убитых его подельников, и за наставника его, Нестеренко Егора Сергеевича, и за смерть близких, и за его унижения. Варяг встряхнулся и, сжав зубы, снова минут десять полз не останавливаясь. С зоны он дернул как раз в тот самый момент, когда на баррикадах началась перестрелка. Задами административных построек, вдоль столовой он добежал до клуба, нашел железную дверь в котельную, отпер ее припасенным ключом и спустился в подвал. Там в темном коридоре он нащупал деревянную дверку с проржавевшим на вид замком, за которой и начинался длинный черный лаз «метрополитена»...

Варяг вспомнил, как в самую последнюю минуту, уже собравшись бежать к клубу, из своего укрытия он внимательно осмотрел сооруженную зеками баррикаду, где совсем еще недавно в лучах прожекторов маячил Сашка Клин в его, Варяга, тюремной робе. Что-то с ним случилось подумал тогда Варяг, куда это он вдруг задевался?

Варяг полз в кромешной темноте все дальше и дальше, упираясь коленями и локтями в твердую сырую землю. Куртка постепенно намокала, на локтях и коленях налипли влажные комья земли. Туннель был совсем узкий. Стоя на четвереньках, низко нагнув голову, он спиной ощущал твердый влажный «потолок». Лишь бы этот чертов туннель не сужался, а то придется ползти вообще на животе, как червяку... Страшно подумать, какого труда зекам стоило выносить отсюда землю — на себе ведь носили, в корзинах, ведрах, а то, поди, и прямо в телогрейках... Знали бы несчастные, ради кого они трудились. Вот ведь как оно вышло.

Ему вдруг вспомнился Егор Сергеевич. Как случайно из телевизионного репортажа он узнал о его нелепой гибели в авиационной катастрофе. Потом смерть Ангела, Вики, Графа. Теперь-то ему было ясно, кто стоял за всеми этими смертями. Теперь-то он знал, кто сдал его и погубил всех его самых верных, самых близких, самых любимых людей. И это тот человек, которого он, Варяг, поставил на Питер смотрящим. Как же они могли так ошибиться с Трубачом?! Шрам — не прост. И ведь Светлану с сыном этот гад похитил. Его дрожь пробрала от одной только мысли, что жена и сын, возможно, давно уже мертвы и закопаны где-нибудь в глухом лесу близ Финского залива или по известной привычке питерских беспредельщиков закатаны в асфальт где-то на территории новенького коттеджного поселка, выстроенного на бывшем картофельном поле вблизи северной столицы. Только бы вылезти отсюда, вырваться на свободу из этого гибельного черного лаза, только бы выжить. «Доберусь до Питера — а там уж Шрама из-под земли достану, голыми руками на куски рвать буду...»

Ему приходилось убивать в жизни — но никогда он, Варяг, никому не стрелял в спину, не бил лежачего, не совал перо исподтишка. Варяг не любил крови. Если ему и приходилось убивать, то только лишь защищаясь, спасая свою жизнь или жизнь своих товарищей. Но теперь, думая о Шраме, он ощутил, пожалуй, впервые в

112

жизни страшную жажду мести и желание видеть мучительную смерть этого мерзкого ублюдка.

— Сукой буду, но ты у меня не проживешь и двух месяцев! — поклялся себе Варяг.

Эти страшные мысли придали ему сил. Он напряг мышцы и стал еще мощнее отталкиваться локтями и коленями от земли, подвигая вперед свое утомленное тело. Его организм еще не окреп после продолжительной тяжелой болезни, которую ему устроил Беспалый, посадив на уколы. Каждый следующий метр туннеля давался ему все с большим и большим трудом. Ему вспомнились слова Егора Сергеевича о смерти и об убийстве. Они как-то раз толковали с ним об этом для них обоих отнюдь не отвлеченном предмете.

Владислав хорошо запомнил, как они сидели на лавочке в Александровском саду около Кремля. У них зашел разговор об убийстве ростовского «папы», потрясшем тогда всю Россию. Хозяина крупнейшего бизнеса на юге России настигла пуля наемного убийцы, когда он выходил из центральной городской бани, где по пятницам любил попариться с друзьями. Варяг горячился и намеревался спланировать операцию по поимке и наказанию заказчика. Егор Сергеевич качал головой и пытался его отговорить.

— Понимаешь, Владислав, — объяснял старик ровным твердым голосом, — надо четко понять, кто заказал. Если его заказали свои — ростовские, или краснодарские, или даже московские, что маловероятно, — это одно. Но если его заказали люди из городской или областной администрации — тогда ты никогда не найдешь заказчика. Потому что это, скорее всего, самый высокий чин. Самый! Понимаешь?! А к нему ни одной ниточки не найдешь.

— И вы считаете, что его заказали власти города?

— Или области. Или, может быть, даже московские. Ты же прекрасно понимаешь, что у нас, в России, так было искони — есть две, а то и три России — и каждая из них подчиняется своим внутренним законам. Ты вот свои законы знаешь и им следуешь, и твои друзья тоже живут по понятиям. Но когда люди из *одной* России снюхиваются с людьми из *другой* России — тогда все законы летят к черту, и тут уж не разберешь, где правый, а где виноватый. Если бы ростовское убийство совершили люди из твоего круга — ты бы их вычислил в два счета. А если убийство совершили люди из государственной России — пускай даже руками какого-нибудь глупого блатаря, — то тут уж ищи ветра в поле. А блатаря, который стрелял, конечно, уже и в живых нет.

Доводы старого академика показались тогда Варягу недостаточно убедительными, но спорить он не стал. Сказал только:

— Если узнаю кто — сам убью.

Егор Сергеевич удивленно посмотрел на него:

— Ну и ну! Вот уж не ожидал от тебя, Владислав! Тебе даже думать об этом нельзя. Нельзя руки кровью марать — неужели ты этого до сих пор не понял?

— Почему же?

— Да потому что ты уже существуешь в другом измерении. Ты хоть к себе прислушайся — у тебя даже и речь теперь другая стала, не то что года три назад. И одеваешься ты по-другому. Но не это главное. Главное то, что ты сейчас за многое в ответе. От тебя много что зависит. И ты не имеешь права рисковать собой. Пойми — *им*, — при этом Егор Сергеевич забавно мотнул головой в сторону кремлевской стены, — нельзя давать ни малейшего повода для подножки. Ты должен, ты обязан жить, свято чтя *их* законы! Не убивать, не грабить, платить налоги. Если выезжаешь за границу — изволь иметь в кармане настоящий, а не поддельный паспорт. Чтобы *они* не смогли схватить тебя за руку... А убивать вообще грех, — добавил старик задумчиво.

— Даже в наказание?

114

— Даже в отмщение!

...Вспомнив теперь тот давний разговор, Варяг подумал о своем приключении полугодичной давности. Все это было так стремительно и так неправдоподобно, как в дешевом кино. Арест в Калифорнии, три недели в тюрьме Сан-Франциско, два покушения на его жизнь, потом чудесное освобождение, потом чудной арест в «Шереметьево» и совсем уж невероятный побег из ментовского «мерседеса»... А потом была кровь — море крови... Смерть Вики. Гибель Егора Сергеевича. Гибель Ангела, Графа, Пузыря... Шрам — гадина, сука, тварь. Все его рук дело, все он устроил. Да что Шрам — тут, пожалуй, не в одном Шраме дело. Тут длинная запутанная игра. Кто-то там за ним?

И Варяг вспомнил встречу с двумя эмвэдэшными генералами в Питере на тайной квартире. Один из них, Калистратов, тот же ему прямо, открытым текстом, предлагал «сотрудничество». Сволочь! Калистратов конечно же представлял какую-то новую политическую бригаду, которая, как взбесившийся носорог в джунглях, сметая все на своем пути, перла в Кремль. Да, в конце прошлого года большая драчка разгорелась — драчка за верховную власть в стране. Никто не хотел уступать. А ему новоявленные спасители России решили уготовить роль жалкой послушной марионетки, у которой сменился кукловод. За ниточки дерг-дерг — и думали, что он, как Буратино, будет кивать башкой да ротельник разевать? Просчитались, волки поганые! Но как же он, старый жулик, мог допустить, чтобы его арестовали в московском аэропорту? Хотя как он мог предотвратить этот арест? Незаметно в толпе ему подбросили в карман плаща пакетик героина. Вот и повод. Может, прав был Егор Сергеевич? Или не прав? Ведь если они захотят арестовать, сгноить в лагере — то зачем им повод? Повод они и сами найдут! Где угодно. Возьмут паспорт на контроле, незаметно подменят на фальшак и скажут: у вас, гражданин Игнатов, паспорт поддельный. Пройдемте...

Варяг невольно усмехнулся и потянул носом воздух. Он ощутил едва уловимое дуновение воздуха, замер и прислушался. Потом осторожно стал продвигаться дальше, отчетливо слыша где-то впереди шумное дыхание. Через пару метров стало ясно, что впереди кто-то есть. Он включил фонарик. Луч света вырвал из кромешной тьмы потное лицо и черные испуганные глаза.

ГЛАВА 11

Младший сержант Игорь Шлемин отправился выполнять приказ майора Кротова с неохотой. Да и какая тут может быть охота — тащиться в лес с собаками да искать неведомо кого. В апреле, к примеру, с зоны пропал зек. Кажется, досиживал последние два года из «десятки». Так тогда было понятно: подполковник Беспалый отрядил взвод автоматчиков прочесывать прилегающий к колонии лес. Собачек выпустили. Те оглашали всю округу надсадным злобным лаем. Никого не нашли — но ведь тогда была четкая установка: искать беглого зека. А тут — «пойдешь поищешь, может, найдешь чего». Ни фига себе приказик. С другой стороны, конечно, хорошо, что с зоны удалось слинять, — там, блин, сейчас такая каша заварилась, стрельба, блин, пальба. Полный мрак. Хотя стрельба такая, что на фейерверк больше похожа.

В высоком, уже по-летнему звездном небе стояла начинающая стареть луна. Игорь Шлемин брел по высокой траве прочь от зоны. «Поищешь, может, чего найдешь». Говна кусок, пожалуй, найдешь тут. Он еще спросил Кротова: «Товарищ майор, а точно сбежал заключенный?» На что тот ответил очень странно: «Точно тебе только баба скажет, когда ей рожать, а тут ничего точно не известно».

117

Вот это верно — ничего не известно. Ни кто сбежал, ни когда сбежал, да и сбежал ли вообще.

Из глубины леса затявкал пес. На его зов тотчас отозвались еще три песьи глотки. Младший сержант поежился. Ну и зверюги. От таких лучше держаться подальше. Ему все время чудилось, что одно неверное движение — и эти волкодавы набросятся на него и загрызут к едреной матери. Шлемин сам побаивался лагерных собак, и сейчас в ночном лесу он даже не думал о них как о своей защите, скорее, как о вероломном враге, который только и ждет удобного момента, чтобы напасть сзади. Младший сержант покрепче сжал холодный ствол АКМ. Вот это настоящая его защита. И от беглых зеков, и от лагерных собак.

И тут ему в голову закралось неприятное сомнение, а по спине пробежал холодок. Он вспомнил, как чистил позавчера свой автомат, как смазал, как поставил в пирамиду. Так, а патроны... После позавчерашних стрельб магазин, ясное дело, был опустошен. Нового магазина ему не выдали. Значит, надо было заряжать старый. Шлемин даже остановился и внимательно посмотрел на свой автомат. Ну, так и есть — старый магазин, обернутый синей изоляцией, тот, который ему Лешка Чулкевич перед дембелем подарил. Он отсоединил магазин и заглянул внутрь. Пусто! Ни одного патрона! Бляха-муха! Вот дела... Только бы действительно не встретить беглых зеков. Теперь точно одна надежда на собак.

Он даже вспотел от страха. Стоя посреди полянки, освещаемой луной, Шлемин громко свистнул и позвал: «Абрек! Лютый!» Где-то вдали зашуршала трава, и на поляну выбежали две овчарки.

— Молодцы, ребятки! — тихо похвалил их Шлемин. — Рядом!

Псы послушно пристроились к нему слева и справа. Младшему сержанту стало веселее. Надо, конечно, сказать, сержант не был уж такого робкого десятка: парень, как все: и побздит, и, если надо, первым в драку полезет.

— Так, лохматые, сейчас пройдем к тому сосняку, что за горушкой, там посмотрим, обойдем лесок слева и вернемся. А то уж... — он посмотрел на часы. — Ни хрена себе — скоро час. А завтра в шесть майор, сука, подъем объявит.

Младший сержант двинулся дальше, размышляя, какие все-таки сволочи командиры в этом лагере. Вот взять, к примеру, нынешний случай. В каком это уставе написано, что в дозор отправляют одного! Это непорядок! Но стоило ему заикнуться о напарнике, как Кротов, гад, отрезал: «Людей мало — видишь сам, что на зоне творится! Один пойдешь!»

Ну да ладно, что теперь разоряться. Хорошо хоть от стрельбы подальше свалил — в таком бардаке и шальную пулю схлопотать недолго. Одно плохо — спать хочется смерть как! А еще час-полтора надо проколупаться здесь, раньше вернешься докладывать — шею намылит начальничек! Дескать, схалтурил, не замкнул круг.

Младший сержант вспомнил, как хорошо служилось ему в Забайкальском военном округе — там их часть ВВ охраняла какой-то секретный объект. Не то недостроенную атомную электростанцию, не то станцию космического слежения. Он там всего полгода прослужил. Но служба была — как в сказке! Кормежка по спецразнарядке МВД, обмундирование новенькое. Знай себе по периметру секретного объекта топай, комаров гоняй. Там на сто километров в округе ни души не было — только редкие охотники-буряты встречались. Но те местные порядки знали и не совались куда не следует. Не то что здесь... На лагерь как мухи на мед слеталась тьма разного народу — мужики вели меновую торговлю с зеками через вольнопоселенцев, бабы, понятное дело, чем приторговывали, дети солнечного Кавказа промышляли всякой всячиной — главным образом, конечно, среднеазиатской дурью. Внешняя охрана, когда Беспалый посылал в ночной наряд, только и знала что гоняла незваных гостей по лесу. А если удавалось отловить молодых девок, приезжавших к зекам на блядки, так их тут же, не отходя от кассы, прямо в лесу под кустом и драли... Сам Игорь Шлемин еще ни разу не попадал в такие веселые переделки, но те ребята, кому посчастливилось, рассказывали много чего про этих «ночных бабочек».

Вдалеке коротко пролаял пес. Игорь Шлемин не смог определить, кто подал голос. Он никогда еще не работал с этими собаками — в питомнике ему выделили черного восточноевропейца Салима, и с ним он обычно выходил в ночные наряды. Эти псины его знали — он прикормил их на прошлой неделе, — но в работе еще с ним не были. Да и сам он еще ни разу не выходил в лес сразу с четырьмя мохнатыми сторожами, как ни разу не доводилось ему еще ловить беглого. Хотя, скорее всего, никакого беглого и нет. Он понял это по тону Кротова, когда тот отправлял его «на линию». Майор просто выполнял указание Беспалого и не случайно обмолвился, что посылает младшего сержанта в лес «для очистки совести», чтобы доложить потом начальнику лагеря.

Собаки убежали далеко влево. Он даже перестал слышать их ленивый перелай. Вот зверюги! Не учили их, что ли, — в дозоре подавать голос строго-настрого запрещается. Собаки на забайкальском объекте на этот счет были выдрессированы отлично. За нарушение правила «лаемолчания» их наказывали нещадно — били, родимых, жрать не давали. А тут, у Беспалого — бардак!

Игорь Шлемин приметил впереди за пригорком ельничек — елки были молодые, лет по десять—двенадцать, и росли аккуратной полосой за березняком, что начинался сразу под горушкой. Он знал этот ельничек — там еще есть старый толстый дуб, который, как говорят, до сих пор родит желуди. Значит, от зоны он отошел на добрый километр. И за все время прогулки он никого не встретил, ничего тревожного или подозрительного не услышал.

Можно возвращаться. Вот до дубочка-то дойду — и назад.

Дойдя до намеченного места, сержант, уже собравшись возвращаться, так, чисто механически, включил фонарик.

И тут его взгляд упал на овражек под дубом. Он заметил странную вещь — на краю овражка валялись окурки. Два, три, пять! Окурки были старые, но не так чтобы очень — недельной, может, давности. Шлемин подошел поближе и присел на корточки. Зачем-то потрогал рукой наваленный на дне овражка лапник. Ветки были почти свежие, не засохшие. Он поднял одну, вторую — и увидел, что дна у овражка-то и нет. Ветки завалили вырытый в земле лаз. Именно — вырытый, потому что было видно, землю вынимали и куда-то уносили. Он встал и огляделся. Посветил фонариком вокруг. Ну, так и есть: вон куча земли, а вон еще одна — с виду можно принять за обычные лесные холмики.

Шлемин положил автомат на траву, сбросил пилотку и, закряхтев, полез в лаз, светя перед собой фонариком. Лаз оказался достаточно широкий: он без труда залез внутрь, но, споткнувшись, упал и выронил фонарь. От удара тот погас. Шлемин чертыхнулся, положил фонарик рядом с автоматом и полез в темный лаз на ощупь. Чем дальше он полз, тем все больше его разбирало любопытство.

Вдруг ему показалось, что где-то далеко раздался вздох. Он остановился. Блин, кто там еще? Может, человек, а может, и зверь...

Он с тоской подумал о брошенном у входа фонаре и еще больше об автомате. Впрочем, все равно там не было патронов... И тут он вспомнил про немецкий нож с костяной ручкой — подарок брата. Нож лежал в узкой сумке на ремне сзади. Он кое-как дотянулся левой рукой до сумки, открыл клапан, ухватился за костяную ручку и вытянул нож...

* * *

Варяг сразу узнал вертухайскую форму и заметил на погонах лычку младшего сержанта. А потом и рожа ему показалась знакомой.

Он вдруг ясно осознал, что его долго готовившийся побег может сейчас сорваться самым глупейшим образом. Встретить в зековском «метрополитене» лагерного сержанта совсем не входило в его планы. Но он ни на секунду не замешкался, даже фонарик не выключил — пусть, гад, сам боится! Упираясь коленями в грунт, вытянув перед собой обе руки с растопыренными пальцами, извиваясь, точно гадюка, потревоженная беспечным путником на лесной дороге, Варяг метнулся вперед. Он метил сержанту в голову. И не промахнулся. Его пальцы резко впились в искаженное от страха лицо вертухая, два из них глубоко вошли внутрь глазницы, так, что их кончиками он ощутил что-то жидкое...

Не ожидавший столь молниеносного нападения, младший сержант вскрикнул и попятился назад, но Варяг был тут как тут. В этом месте лаз оказался намного просторнее, чем раньше, и ему не составило труда, широко расставив локти, вцепиться сержанту в шею. Вертухай хрипел и яростно отбивался. Он тянул к Варягу руки, пытаясь расцепить сжимавшие его шею страшные тиски. Но Варяг не уступал, вложив в это смертельное объятие всю оставшуюся силу, всю ярость, всю закипевшую в нем решимость вырваться из подземного плена и стать свободным.

Два человека, два зверя, два непримиримых существа вступили в смертельную схватку. Младший сержант, Игорь Шлемин, в эту минуту отчаянного сражения отчетливо понимал, что беглый зек обязательно его убьет, потому что терять ему было нечего. Он прекрасно понимал, что надо пустить в ход нож, но в суматохе схватки, после первого же ужасного удара по глазам, от дикой боли выронил его и теперь уже никак не мог найти. Да у него и не было такой возможности, стальная хватка зековских ладоней, сдавивших трахею, лишала его легкие живительного кислорода, он истерически дергался, но не мог поймать ни глотка воздуха.

Варяг уже знал, как он убьет этого, вставшего на его пути, молодого вертухая. У него не было с собой никакого оружия, и он мог полагаться только на мощь своих рук.

Сержант, сука, сопротивлялся изо всех сил, вертел головой, хватался за локти, стараясь вырваться. Но Варяг уже чувствовал, что силы противника на исходе, и еще сильнее сдавил жилистую шею. Вертухай издал хрип, его руки безвольно разжались и повисли на локтях Варяга. Еще с минуту Варяг, на всякий случай, не отпускал его шею, хотя уже понимал, что победил.

Прошло минут пятнадцать, пока Варяг пришел в себя и отдышался. Разжатые пальцы дрожали от ужасного напряжения. Варяг поежился — ему стало холодно. Рядом с ним лежал убитый вертухай. Как он тут оказался? Что его ждет впереди? В любом случае нужно торопиться, нельзя расслабляться, нельзя тут лежать. Если выход из лаза обнаружен и там караулят, то дело — швах. Если же этого младшего сержанта послали просто прочесывать лес, тогда проще, лишь бы у этого паренька там у входа не было напарников. Но если лес прочесывают, значит, в лагере уже объявили тревогу, и кто знает — может быть, Беспалый успеет нагнать вокруг лагеря омоновцев. Нужно спешить, времени в обрез.

Варяг медленно нашарил в темноте фонарик, включил его и направил лучик света перед собой. И только сейчас ему в голову пришла страшная, поразившая его мысль.

* * *

Только сейчас Варяг осознал, что мертвец полностью перегородил узкий лаз. Варяг попытался сдвинуть тело с места. Но не тут-то было. Труп оказался тяжелым, да к тому же он лежал враспор: колени и голова уткнулись в стенки туннеля. Грунт вокруг был очень прочный, слежавшийся, почти каменистый. Такой руками не возьмешь. Варяг облизал пересохшие губы. Только этого не хватало! Вперед его не вытолкнешь. В этой крысиной норе не развернешься. Но не ползти же назад, в зону. Да и как? Даже если возвращаться, то придется ползти вперед жопой. Он невольно съехидничал про себя: тоже мне, подземный рак выискался! Нет, надо что-то придумать.

До спасительного выхода, по его прикидкам, оставалось метров сто—двести. Минут десять—пятнадцать ползком. Всего-то!

Он подполз к трупу вплотную и, осветив его фонариком, схватил вздернутую вверх левую руку — она уже холодела, — оп устил и стал искать правую. Нашел. Рука лежала вдоль тела.

Варяг приподнял руку с земли в надежде повернуть труп и прижать его спиной к левой стенке туннеля, чтобы самому проползти вперед справа от него.

Но ему не удалось сдвинуть мертвеца. Варяг в бессильной злости стукнул кулаком по земляному полу. Ребро ладони больно ударилось о какой-то твердый предмет. Он опять включил фонарик. Под кулаком блеснул короткий широкий нож с костяной ручкой. Видимо, сержант в пылу сражения перед смертью выронил его из рук. «Повезло тебе, парень, — подумал Варяг, — во всех смыслах повезло. Ты был на волосок от смерти, и этот нож мог стать твоей гибелью. А вот теперь он — твое спасение».

Варяг схватил нож, крепко сжав в кулаке толстенькую бочкообразную рукоятку, и ковырнул стенку справа. Лезвие откололо приличный слой прочного, местами каменистого грунта. Он ударил ножом посильнее. Потом еще раз. И еще.

За полчаса он наковырял горку земли, которую пропихивал под себя в ноги. Лаз понемногу расширялся. Воодушевленный своим успехом, Варяг остервенело вгрызался в породу. Сердце его бешено колотилось, на лбу выступил пот. Ему надо было спешить. Непредвиденное препятствие отняло у него кучу времени — минут двадцать, не меньше. Если Беспалый выявит его исчезновение и организует за ним погоню, то посланные прочесывать лес вертухаи и «вэвэшники» с собаками наверняка его заловят. Далеко ему от них не уйти — это точно!

Варяг на секунду представил, что Беспалый прекрасно знает о существовании этого тайного туннеля, а значит, этот туннель является просто хитроумной ловушкой для глупых беглецов. И он, Варяг, сейчас попадет прямехонько в заботливые лапы прихвостней Беспалого, которые, ясное дело, церемониться с ним не станут, пристрелят тут же — и точка. Владислав встряхнул головой и отогнал от себя фатальные мысли. Надо верить. Всегда надо верить, что бы ни случилось. Ну а если придется умереть?.. Что ж, значит, такая судьба. В любом случае так просто Варяг сдаваться не намерен. Пусть поджидают — он их не разочарует!

Нож мерно врубался в земляную стенку. Варяг непрерывно отгребал отколотые и отрезанные слои твердой, испещренной камнями почвы себе под колени и за спину. Только бы не напороться на скалу, повторял он про себя, только бы не скала... Тут нож ему не поможет! Но, видно, судьбе было угодно дать ему на этот раз шанс вы-

125

жить. И он, забыв про смертельную усталость, сковавшую мышцы рук, упрямо вгрызался в грунт.

Конечно, Варяг понимал, что его нож куда легче мог бы справиться с мягкой человеческой тканью, но расчленять труп — на это он никогда и ни за что не пойдет. Он даже запретил себе об этом думать, продолжая с невероятным упорством вести борьбу с породой. Долго ли он так терзал холодную землю во тьме — Бог весть. Ему показалось, что прошло не меньше часа, когда наконец рядом с трупом образовался узкий обходной маршрут. Не выпуская из ладони нож, Варяг пополз туда. Он с трудом протиснулся между мертвецом и стенкой. В какой-то момент он повернул голову влево и при тусклом свете фонарика вдруг увидел застывшее выражение лица убитого. Вот оно, лицо смерти. А парню на вид не было и двадцати пяти. Варяг сделал еще одно движение вперед, напрягся и вдруг почувствовал, что застрял: левое плечо уперлось в мертвеца, руки оказались зажаты вдоль туловища. Он не мог двинуться ни туда, ни обратно: мертвец ни в какую не хотел отпускать своего обидчика. Варяга прошиб холодный пот. Он напрягся изо всех сил, стал вдавливать труп в стену. Послышался хруст костей. Варяг почувствовал, что его плечи высвободились. Упираясь ногами, он протиснулся вперед, высвободил руки, вытянул их, расставил и, упершись локтями в стенки туннеля, подтянул туловище. Свободен! Точно свободен! Пот градом катил по лбу и щекам. Не останавливаясь и не глядя назад, крепко сжимая нож в правом кулаке, Варяг пополз к выходу. Теперь он почему-то уже не сомневался в успехе. Он не мог понять, что придавало ему такую уверенность. Бог есть. И если он позволил ему преодолеть роковое препятствие — значит, так тому и быть. Значит, начертано ему на веку вырваться на свободу и все там расставить на свои места.

Минут через десять он явственно ощутил дуновение холодного воздуха в лицо. Сомнений быть не могло —

это потянуло лесной свежестью. Свежестью воли! Лаз стал шире — видно, неведомые ему строители-проходчики этого финального участка, во мраке подземелья почуяв пьянящий аромат воли, вольного лесного воздуха, поразмашистее и побойчее стали махать своими кайлами. Варяг уже не включал фонарик, надеясь разглядеть впереди выход. Мулла говорил ему, что выход замаскирован под обычную лесную яму под корневищем одинокого дуба, невесть каким образом сохранившегося в гуще высаженного пятнадцать лет назад ельника.

Но никакого выхода, конечно, он не заметил — над тайгой нависала ночь. И когда измученный, жадно глотая прохладный таежный воздух, Варяг вылез наружу, вокруг стоял кромешный мрак. Только одинокие тусклые звезды щурили в небе полуприкрытые глаза.

Тело ломило от усталости и перенапряжения. Он прислушался: нет ли поблизости других вертухаев? Все было тихо. Включив фонарик, он посветил по сторонам. Первое, что он увидел, были лежащие на земле автомат АКМ и фонарь. Видно, младший сержант бросил. Варяг поднял автомат с земли. Он взвесил АКМ на руке, точно прикидывая, не будет ли эта железка слишком тяжелой ношей в долгом и нелегком пути на волю, потом перебросил его себе за спину и решительно зашагал на север.

ГЛАВА 12

Сержант сидел в ресторане «Сенатор» на Невском и неторопливо доедал суп из акульих плавников. Он уже три дня как находился в Петербурге и не уставал удивляться тем переменам, которые произошли в городе за последние год-полтора, что он тут не был.

Приехав в Питер из Хельсинки под фамилией Виктора Ильича Синцова, Сержант тихо обосновался в одной из трех своих питерских квартир — на Литейном. Сутки он просидел в четырех стенах, выходя на улицу лишь к телефону-автомату, чтобы созвониться со старыми знакомыми, узнать у них интересующую его информацию, обстановку, кое-какие справки навести. Но старые телефоны молчали, ни до кого дозвониться Сержанту так и не удалось.

На второй день к вечеру он решил выйти — прогуляться по Невскому. Вечерний Петербург поразил его. Вдоль Невского буквально на каждом шагу приветливо сверкали вывески новых баров и ночных клубов, ресторанов и кафе-бистро. На всех углах были распахнуты двери модных магазинов: «Кристиан Диор», «Нина Риччи», «Босс» и так далее — ни дать ни взять как в любом приличном городе на «загнивающем» Западе. В очередной раз сбылась мечта Петра Великого — «проклятый город», построенный на болотах, вновь становится европейской столицей. В «Гостином дворе» — ранее знамените, **но потом совершенно запущенном советском** универмаге — открылись какие-то дорогие французские магазины. Он зашел туда, прошелся быстрым шагом, поглядел одним глазом. Чудеса да и только: висят костюмы по тысяче баксов и никого это не смущает. Кто-то же их покупает в этом городе, кому-то они по карману? Местной братве уж точно. Но неужели в Питере так много братвы?

Ему вспомнилась бесславная смерть Женьки Леща, знаменитого урки, бывшего хозяина Невского проспекта. В уличной толчее как раз напротив «Гостинки» несколько лет назад кто-то ткнул беднягу ножичком под левый бок. Совсем еще недавно дела решались именно таким способом. Сейчас все по-новому. Здесь теперь обходятся без поножовщины на улицах — новый «папа», Сашка Степанов, он же Шрам, — установил порядок на берегах Невы. Теперь на Невском никто не занимается мордобоем, не устраивает разборок. Все чин-чинарем: чистенькие витрины, улыбчивые продавщицы; в продуктовых лавках, где еще лет пять назад было шаром покати, лежат в навал колбасы, голландские сыры, бельгийские паштеты, ветчина и всякая другая отечественная и зарубежная продуктовая галиматья. В Елисеевском гастрономе, например, одного пива можно насчитать двадцать восемь сортов — даже мексиканское. И кто это все изобилие учудил за считанные годы? Неужели сознательные строители коммунизма? Ни фига. Это все дело рук и мозгов двадцатипяти-тридцатилетних мальчиков в костюмах за тысячу баксов, разъезжающих на серебристых «мерседесах», мальчиков, которые экономику изучали не по Марксу, а по Варягу и таким, как он. А питерский «папа» позволил им стать локомотивами новой российской истории... Это они дали несчастным ленинградцам, пережившим и Кирова, и Жданова, и Собчака, хотя бы пока увидеть обещанное коммунистическое изобилие. Обидно, конечно, что не всем доста-

5—1640   129

лось. Так что ж, бесплатный сыр бывает только в мышеловке, как любила говаривать леди Тэтчер. Всему свое время. Научатся люди пахать, думать головой, научатся *зарабатывать* деньги, а не *получать* — будет у всех и на колбасу, и на хлеб, и на масло. Ну что ж, молодцы питерские... Советские отцы города только клятвенно обещали всех накормить-напоить, а эти взяли да и кормят-поят. А вся ведь торговля в Питере, говорят, под Шрамом — от пива до колготок... Туристский бизнес, говорят, тоже за ним. Нынче в Питере турагентства наперебой приглашают жителей северной столицы отдохнуть летом на Сейшелах, встретить Новый год в Брюсселе, провести уик-энд в Сингапуре. С ума можно сойти. Как же это оказалось легко — красивая жизнь, которой несчастные «совки» были так долго и так заботливо лишены любимой «партией-и-правительством». А почему? По чистой дурости. Сейчас, говорят, никто ни черта не делает — а почему же денег в стране пруд пруди? Может, и тогда ни хера не делали? Все эти сотни тысяч комбайнов, пар обуви, кубометров угля, тонн стали — кому они были нужны? Так чего же было дурака валять? Выполнил план по выпуску проката на сто сорок процентов — получи путевку на Канары! Надоил по двадцать литров от своих полудохлых коров — и жри себе суп из акульих плавников где-нибудь в Бразилии. Как было бы всем хорошо! Как они не могли додуматься до такой ерунды? Сами подрубили сук, на котором сидели семьдесят лет, а теперь кричат: криминализация всей страны, бандитская экономика! А раньше она какая была? Куда шли теневые деньги? Куда девались колоссальные государственные бабки от всех безумных проектов, связанных со всякими поворотами рек, строительством подземных городов, супердорогими съемками художественных фильмов? Кто тогда контролировал, сколько денег уходило за бугор — за всякие там полезные ископаемые? Это ж только говорилось, что власть — народная. Власть была что ни на есть самая бандитская. Все было, как шутили люди раньше, для человека, во имя человека, и я знаю этого человека.

Сержант отставил в сторону пустую тарелку и обратил внимание на одинокую даму за дальним столиком в углу. Даме на вид было лет тридцать. Темно-каштановые волосы, темные глаза, низкое декольте щедро выставляло на всеобщее обозрение полную грудь. Она поглощала мороженое и со скучающим видом поглядывала в его сторону. Интересно, кто такая, подумал Сержант. Почему одна? Ждет кого или так просто — присматривается? Он усмехнулся. Да, в старое время бабы по кабакам одни не ходили — а если ходили, то с известной целью. И таких бдительное гэбэ в виде швейцаров или метрдотелей вмиг препровождало в потайную комнатенку на спецбеседу... А теперь не разберешь — то ли шлюшка на охоте, то ли бизнес-леди на ланче...

В зал с хохотом ввалилась шумная компания — трое рослых здоровяков в синих спортивных костюмах «адидас». Двое сжимали в руках черные коробочки сотовых телефонов. Не долго думая, они заняли столик рядом с одинокой дамой и, развалившись на стульях, громко продолжили начатый еще на улице разговор, обильно пересыпая реплики незамысловатым матом.

Сержанту не надо было прислушиваться: ребята в «адидасах» не стеснялись редких посетителей.

— Я, бля, этому хрену говорю, ты, бля, смотри, в натуре, сказано те, с двухсот коробов ко вторнику —-вынь да положь, сука, а то, что у тя там, бля, на таможне, на х...еж-не прокол, меня это не е...т! Чтоб, бля, к завтрему бабки были отстегнуты, а то на счетчик поставлю и п...дец котенку! — басил один из обладателей сотового телефона.

— Гы! Ну а он че? — хохотнул другой, поднеся к уху свой «мобильник». Он то и дело нажимал толстыми, как

131

сардельки, пальцами все кнопки подряд и с немалым удивлением разглядывал надписи на дисплее. — Во, блин! Ни ...я не фурычит, сука! На...али, что ли, с этим е...ным телефоном?

— Так в подвале-то сидим, мудила, хер ли ему фурычить? На улицу выйди, там и звони! — отвлекся первый и, обернувшись к третьему, пояснил насмешливо: — Митяй вчера эту сраную «моторолу» купил — все никак отсосаться от нее не может — как будто за бл...скую п...у держится!

Митяй, не отрывая от уха телефон, обиженно отрезал:

— Ты, Пика, не п...ди! Мне Егорычу надо вызвонить.

Сержант невольно перевел взгляд на даму с мороженым. Ей явно было неуютно от такого соседства, и Сержанту показалось, что даме не терпится встать и уйти. Но официантка уже принесла ей кофе, и даме ничего не оставалось делать, как продолжать сидеть и слушать.

— А что, Шрам-то в курсе, что Прохоров просрал поставку? — спросил третий, и Сержант внутренне напрягся, внезапно услышав знакомое имя.

— В курсе, в курсе, — закивал Пика, — да только у Шрама сейчас у самого забот полный рот. Слыхал, бля, что на Металлистов пару дней назад стряслось?

К их столику подошла официантка со стопкой меню и, любезно улыбаясь, что-то тихо сказала.

— Ах ты, паскуда, мандавошка! — заорал вдруг в голос Митяй, отлепив наконец от уха «моторолу». — В чем хочу, в том и хожу, ясно, бля? Мы те бабки платим — а ты не хрюкай! Спортивная одежда, бля! Да твой, бля, ресторан должен мне еще спасибо сказать, что я сюда пришел! У вас у самих вон тут всякие бляди сидят, зенками стреляют по сторонам, клиентов ловят! Вона, бля, сиськи наружу выставила! — и с этими словами он ткнул пальцем-сарделькой в одинокую даму за соседним столиком.

Сержант вздрогнул, точно пальцем ткнули в его сторону. Он заметил, что лицо у дамы вспыхнуло и в глазах показались слезы. Она резко встала и, кажется, захотела что-то ответить обидчику, но сдержалась.

А Сержант не сдержался. Он медленно поднялся из-за стола и двинулся к говоруну с мобильником. Подойдя к нему вплотную, наклонился и вкрадчиво произнес в самое ухо:

— Извинись перед женщиной, свинья, и не размахивай своими граблями — а то игрушку потеряешь и плакать будешь!

За столиком воцарилась тишина. Все трое с недоумением воззрились на нахала.

— А ты, дядя, хамишь, однако! — со спокойной усмешечкой произнес третий. — Придется тебя малость охолонуть.

— Ты что, Кедрач! Какой там охолонуть, бля! — завопил Митяй, вставая со стула. — Я ему ща яйца оторву на ...й!

Сержант, ни слова не говоря, сжал левую руку в кулак и коротко ударил Митяя промеж глаз. Митяй, растопырив пальцы-сардельки, рухнул на стул и уронил голову на стол.

Но теперь вскочили оба приятеля Митяя. В это мгновение в зал вбежал высокий парень в черной униформе — видно, охранник ресторана.

— Господа! Я попрошу вас прекратить! Выясняйте отношения на улице, а не у нас! — не слишком уверенно крикнул он и, сделав три шажка в направлении сцепившихся посетителей, остановился.

— Костя! Позови Николая Петровича! — визгливо бросила ему официантка, исчезая за портьерой, прикрывающей дверь в кухню.

Костя с готовностью развернулся и бодро выбежал в фойе.

Тем временем оба другана Митяя уже поигрывали кастетами и грозно наступали на Сержанта с двух флангов. Сержант с невозмутимым выражением лица тихо произнес:

— Советую вам, мужики, стоять где стоите — во избежание несчастного случая на производстве.

Эти слова, похоже, только раззадорили мужиков. Они как по команде бросились на Сержанта, но тот, хотя и был лет на пятнадцать постарше и явно имел немалый избыточный вес, проворно нырнул под рукой у Кедрача, забежал ему за спину и обрушил два сцепленных вместе кулака на его бритый затылок. Мужик покачнулся, но устоял. Сержант едва заметным движением сунул руку в карман пиджака и тут же вынул ее. Второй, еще не рассмотрев как следует, что оказалось в руке у незнакомого нахала, схватил его за локоть и резко крутанул на себя. Сержант не стал сопротивляться и, повернувшись к нему лицом, хлестким взмахом раскроил ему щеку от виска до подбородка. Хлынула кровь. В следующее мгновение он снова легко взмахнул рукой и чиркнул по щеке Кедрача, но тот успел нанести ему ощутимый удар кастетом в скулу.

Тут в зал вбежал робкий охранник, за ним господин в черном смокинге — видимо, Николай Петрович. Сержант уронил свое невидимое оружие в карман и вцепился обеими руками в спинку пустого стула.

Митяй уже оклемался и, блекоча что-то невразумительное, полез на Сержанта. Сержант приподнял стул, чуть отступил и, размахнувшись, всадил гнутую ножку Митяю в пах. Тот с воем перегнулся пополам и повалился на пол. Но Сержанта уже взяли с обеих сторон в крепкие объятия Кедрач и Пика, оба с развороченными кровоточащими щеками. Сержант глубоко вздохнул и закрыл глаза. «Ну, с божьей помощью вспомним уроки Симото-сана», — подумал он и, крякнув, мощно встряхнулся, точно вылезший из реки пес. Почувствовав, что освободился от железных объятий, Сержант повернулся к Кедрачу и два раза коротким прямым ударом врезал ему в нос. После второго удара под костяшками пальцев что-то хрустнуло — наверное, он сломал Кедрачу носовую перегородку. Кедрач упал на колени и захаркал кровью. Видя такой поворот дела, Пика не стал лезть на рожон, а подхватил Кедрача под локоть и поволок его к выходу. За ним захромал Митяй. У двери Митяй обернулся и прохрипел:

— Ну, бля, ты теперь покойник, сука! Мы тя из-под земли вынем!

— Яйца не растряси! — не повышая голоса, бросил ему вслед Сержант.

— Я вызвал милицию! — зачем-то объявил застывший при входе в зал Николай Петрович. Он нервно поправлял галстук. — Я попрошу вас никуда не уходить. Сейчас они приедут.

Но Сержант, не обращая на него внимания, подошел к даме, из-за которой, собственно, и произошла эта дурацкая потасовка. Ни стычка с местными бандитами, ни тем более протокол о происшествии и разбирательство с питерской милицией Сержанту были совершенно ни к чему. Он уже ругал себя за непростительную глупость. Впрочем, дама ему очень понравилась.

— Позвольте я вас провожу, — обратился он к ней не терпящим возражений тоном. — Мне, да и вам, сейчас лучше отсюда уйти.

Она не заставила себя долго упрашивать.

— Вытрите кровь с пола, — посоветовал Сержант, поравнявшись с Николаем Петровичем, — и расставьте мебель по местам. Приедет милиция — скажите, ложный вызов.

— Вы кто? — спросил пораженный метрдотель.

— Много будешь знать — полысеешь раньше времени, — серьезно ответил Сержант и повернулся к своей спутнице.

ГЛАВА 13

— Ну как же так можно было проколоться? Что за люди в белом «Москвиче»? Откуда они взялись? С неба свалились, что ли? — Шрам грохнул кулаком по столу.

Моня сидел, откинувшись на спинку кресла, виновато повесив голову. Он был бледен. Обычно Шрам легко впадал в ярость и так же легко и быстро успокаивался. Но сейчас он орал на Моню уже битый час. Известие о срыве операции по «выемке денег» на проспекте Металлистов и о гибели еще троих людей буквально подкосило Шрама. Что за непруха в последние дни?! Моня приехал к нему в офис в гостинице «Прибалтийская» и сразу выложил печальные итоги неудачной операции. Шрам как стоял, так и сел. Он выгнал телохранителей в приемную, закрыл дверь и учинил Моне пристрастный допрос.

Шрам, разумеется, понимал, что Моня тут ни при чем. На Моне и так лица не было. Он, похоже, до сих пор не верил, что унес ноги живым.

— Сколько их было, говоришь? — снова спросил Шрам.

— Четверо в «Москвиче», а сколько в банковском броневике — не видел.

— То есть это не была засада?

— Вряд ли, Саша. Белый «Москвич», может, и нас поджидал, я не знаю. Но банковские налетели случайно — иначе хуль бы они стрелять друг в друга начали?

За последние два года Шрам впервые чувствовал себя так хреново — такого позора ему никто еще не устраивал. Тяжким грузом на сердце лежала обида за Чушпана, Петрю и Рома. И, конечно, за потерю двух миллионов зелеными — столько насчитал Моня. Шрам не мог похвастаться способностью к холодному расчету. Наоборот, он был горяч не в меру, вспыльчив — заводился с пол-оборота, как говорили мужики, и сам знал за собой эту слабость. Вот и сейчас он завелся. И его было не остановить... Надо найти «крышу» этого афганского банка, думал он, и разобрать ее по досочкам. Кто бы там ни был — хоть гэбэ, хоть эм-вэ-дэ, хоть бэ-эм-вэ.

— Ладно, — проговорил он угрожающим тоном, — разберемся. Иди зализи раны, Мончик, отоспись. Скоро предстоят крутые дела. Распотрошу я эту душманскую малину к е...ной матери.

После ухода Мони Шрам вышел в сквер перед гостиницей и по мобильному позвонил генералу Калистратову, который сегодня вечером отбывал в Москву. Он хотел попросить его о срочной встрече перед отъездом. Но генерал был суров и нелюбезен:

— Ты зачем туда сунулся? Я же тебя предупреждал — не лезь! Мало у меня своих забот — так еще и твои питерские дела расхлебывать! Самодеятельности я не потерплю! Раз тебе было сказано, не суйся туда — значит, надо было сидеть и не рыпаться! Ты что, забыл, кто тебя человеком сделал?

Тон и, главное, последняя фраза Калистратова задели Шрама. Московский генерал толковал с ним как с проштрафившимся школьником. Сука! Урою! Шрам с трудом сдерживал себя, чтобы не шваркнуть сотовым об асфальт.

— Понял вас, — глухо процедил он. — Но все ж таки надо бы встретиться, пока вы в Питере. Есть разговор. Об интересующем нас обоих предмете.

Шрам лукавил. Никакого такого особо интересного разговора у него к Калистратову не было. Его интересовал лишь один вопрос: Варягова семейка — жена Светка да малолетний сынок, которых он вот уже пять месяцев держал у себя на даче под Питером и которые его достали безмерно. Теперь, когда Варяг убит, всякая нужда в этой сучке отпадала. Более того, заложники превращались даже в обузу — и что было делать с ними теперь, Шрам не имел ни малейшего понятия.

Последние слова Калистратова очень напрягли Шрама. На что это он, старый пердун, намекнул ему — «кто из тебя человека сделал»? Это как же понимать, гражданин генерал? Неужели ты мне угрожаешь? Шрам заскрипел зубами от ярости. Ну нет, сука, тому не бывать. Со мной так нельзя! Придется разобраться и с генералом. Мне ведь по х...ю, генерал ты или рядовой: все из мяса. За слова ты мне ответишь, тварь. Я с тобой разберусь.

Шрам хорохорился на случайно. На его персональном жаргоне глагол «разобраться» означал «убить». Когда Шрам решал убрать не в меру зарвавшегося конкурента или соперника, вставшего поперек дороги, ему в разговоре с бойцами достаточно было только обронить эту невинную фразу: «Надо бы с таким-то разобраться» — и бойцы принимали приказ к исполнению, а через пару-тройку дней городские газеты опять пестрели истерическими статьями об «очередном заказном убийстве». В последнее время, правда, Шраму уже не так часто приходилось «разбираться» — времена менялись, и прежние методы «разборок» сейчас были у блатных не в ходу. Кровавые «разборки» давно остались в прошлом. Но сейчас Шрам не мог сдержаться, все проблемы свалились на Александра Степанова как-то в одночасье, и нервы не выдерживали. Наверное, поэтому для разрядки ему в голову пришла такая мысль «разобраться» с обнаглевшим, зарвавшимся генералом Калистратовым. А после вчерашнего разговора с Москвой тем более: он понял, что имеет все основания это сделать.

* * *

...Вчера поздно вечером Шраму прямо на сотовый позвонили из Москвы. Звонивший, назвавшийся Колей, был весьма любезен и напорист. Он сразу вывалил Шраму целый ряд фактов, из которых следовало, что он, Коля, очень хорошо информирован, имеет колоссальные связи; по долгу службы скорее всего тусуется с генералами МВД или ФСБ. Коля дал четко понять, что находится в курсе всех основных событий, происходящих в российском криминальном мире. Он много знал про питерские дела, знал про смерть Варяга и даже сообщил Шраму то, чего никогда не говорил ему Калистратов: Варяга и ряд других авторитетных людей сплавили на зону специально, с целью удалить их на всякий случай из центра, пока тут шло «перераспределение власти». Шрам слушал внимательно и не торопился задавать вопросы. Но предупредительный Коля скоро сам предложил ему задавать вопросы. Шрам, конечно, оценил такую любезность собеседника, понимая, что весь этот спектакль разыгрывается неспроста. Шрама, естественно, подмывало узнать у многознающего Коли об очень многом. Но прежде всего его волновал главный вопрос: судьба российской воровской короны. Не мог столь эрудированный человек из Москвы не знать тайных планов новых людей во власти по такому существенному вопросу. Шрам сомневался, стоит ли ему говорить с неведомым Колей открытым текстом или предпочесть хотя бы нехитрый шифр. Но, плюнув на условности, как бы невзначай, он решил полюбопытствовать:

— Если Варяг мертв — выходит, его должность освободилась? — спросил он ленивым, равнодушным голосом.

— Верно мыслите, Александр Алексеевич, — подхватил Коля. — Образовалась вакансия. Но мы не хотим, чтобы за эту вакансию развязалась беспорядочная борьба. Все должно идти своим чередом, спокойно, аккуратно. Знаете, как это бывает в научных институтах, — объявляют конкурс на замещение вакантной должности профессора, печатают объявление в газетах, и глупые провинциальные доктора наук начинают суетиться, пишут заявления, шлют автобиографии, списки научных трудов и даже не догадываются, что все давно решено, всех устраивающая кандидатура уже давно определена, согласована наверху, надо только соблюсти формальные приличия, провести конкурс. Вы меня понимаете?

— Тут и ежу понятно! — брякнул Шрам.

— Ваш покойный коллега эту процедуру знал досконально — недаром же он одно время был научным работником.

И тут у Шрама мелькнула шальная мысль.

— А что, уважаемый, когда его выбирали на... эту должность, тогда тоже все было согласовано... наверху?

Коля, похоже, улыбнулся.

— Мой дорогой, неужели же вы думаете иначе? Неужели вы думаете, что там у вас, в вашем кругу, все делается само по себе, демократическим, так сказать, волеизъявлением, как у вас говорят, «правильных людей»?

Шрам не ответил. На языке у него вертелся еще один страшно волновавший его вопрос, но он почему-то не решался его огласить. И тут Коля, словно прочитав его мысли, сам забросил удочку:

— Кстати, вы знаете, нынешний куратор по северо-западу России, известный вам генерал, скоро отправится на заслуженный отдых. Так что и тут намечаются кое-какие перемены.

После этих слов Шраму стало не по себе. Неужели этот Коля — а значит, и еще кто-то там в Москве — знал о его делах с Калистратовым, о том, как Калистратов фактически его завербовал? Хотя ведь сам Коля прямо ему дал понять, что криминальные авторитеты действуют не «сами по себе», а по согласованию *сверху*. Но как, по чьему согласованию?

— ... вам придется иметь дело с другими людьми, — услышал он конец Колиной фразы. — Я еще хотел просить вас об одном незначительном дельце, — лениво продолжил Коля.

И в этот момент Шрам догадался, что приближается к кульминации всего этого загадочного разговора.

— Если вас не затруднит, Александр Алексеевич, наведите, пожалуйста, справки о *кассе*. Ну, вы понимаете, о чем я говорю.

И тут Шрама впервые осенило — ну да, конечно же — *общак*. Миллионы и миллионы баксов, которые единолично контролировал Варяг. Колоссальные бабки... Но только как тут ответишь Коле о том, что Шрама самого эта тема волнует уже давно: кто бы знал, как ее решить? И, не давая повода для сомнений, он твердо сказал:

— Я наведу справки в ближайшее время.

— Ну и ладушки. Разрешите попрощаться с вами, Александр Алексеевич. Надеюсь, вы будете включены в списки «участников конкурса».

И вот теперь, когда в нелепой заварухе у обменного пункта полегли его лучшие бойцы и когда сука Калистратов дал ему от ворот поворот, Шрам решил действовать.

Московский Коля явно намекнул, что они больше не будут тянуть генерала, а значит, в случае чего Калистратов, спасая свою шкуру и заметая следы, может сдать его, Сашку Шрама, его же питерским бандитам, пустив слушок, что Шрам запродался легавым. Калистратов вполне может подложить ему такую свинью. И подложит! А братва не будет вникать в «тонкие материи», кто в ментуре за кого играет. Простым бойцам, может, и невдомек, что везде — и в Смольном, и в Моссовете, и в Госдуме, и в «силовых» министерствах, и на сходняке — сидят свои люди: те, кто если и не помогает впрямую (а есть и такие!), то просто не мешает братве. Уж кому-кому, а Шраму известно, как работает машина российской политики и российского бизнеса в Питере — где надо смазать пожирнее, а где гайки закрутить. Но быки, гростые бойцы, пролетарии криминального мира, всех этих тонкостей не знают, да и начихать им на них...

Как там Коля московский говорил ему: теперь надо работать с другими людьми. Это как же понимать?

Шрам задумался. Уж не намекает ли Коля на то, что именно он, Шрам, нужен этим людям, которых представляет Коля. И в «конкурсе» предлагает участвовать. Та-ак! А раз он им нужен, то они его будут охранять. И если им даже известно про то, как Шрам сдал ментам Варяга, они будут помалкивать. А вот генералу Калистратову, под которым кресло зашаталось, может статься, нехило будет его подставить, и окажется он, Шрам, у московских золотопогонников вроде Варяга — подсадной уткой. Так что с генералом надо *разобраться*. И поскорее. И самому. Без свидетелей...

Такую работу нельзя поручать никому — даже Моне...

ГЛАВА 14

Лишь в пятом часу утра на зону прибыло пополнение — рота бойцов краевого ОМОНа и взвод бронетехники. Подполковник Беспалый, вспотевший, перепачканный копотью и провонявший пороховым смрадом, стоял на плацу и молча смотрел, как грозные БМПешки, урча, расползаются по зоне, на ходу выплевывая из железных брюх расторопных особназовцев с «калашниковыми» наперевес...

Беспалый посмотрел на часы: четыре двадцать утра. Ну, кажись, улеглось. На востоке давно уже засветлело, и над мрачно навалившимся на горизонт лесом вспыхнула розовая полоска, предвестье скорого рассвета. Он постоял еще немного, потом поднес к губам видавший виды армейский переговорник, нажал кнопку и рявкнул:

— Кротов! Выходи на связь! Как слышишь? Прием!

Переговорник зашипел и откликнулся далеким, как из бочки, голосом майора:

— Слышу нормально, тааищ подполковник!

— Доложи обстановку! Та-а-ищ! — съехидничал Беспалый.

После непродолжительной паузы майор четко отрапортовал:

— Буза закончилась, тааищ подполковник. Заключенные разошлись по баракам...

— Все? — нетерпеливо перебил его Беспалый.

— Не знаю пока, — неуверенно ответил Кротов. — Надо перекличку делать.

— Ну так делай! — недовольно бросил Беспалый.

— Прямо сейчас? Может, до утренней поверки погодим? — прокричал сквозь сплошной треск Кротов.

Беспалый задумался. Или прав майор — чего пороть горячку? Сейчас народ, утомленный собственным возбуждением да страхом, все равно повалится дрыхнуть. Ладно, будь по-твоему!

— Хорошо, майор, выставь посты охраны — задействуй прибывшую ОМОНовскую роту. Нашим дай роздых. Подъем через два часа, в шесть тридцать. Все.

Беспалый развернулся на каблуках и двинулся к себе. Войдя в кабинет, он запер дверь на ключ, подошел к сейфу и, открыв дверцу, достал початую бутылку водки. «Что-то в последнее время я стал много пить», — подумал подполковник. Он вообще пить не любил, пьяниц не уважал и, если имел с такими дело — как, например, с районным судьей Мироновым, — то цинично использовал их тягу к зеленому змию в своих интересах. Он никогда не устраивал «посиделки» даже с нужными людьми и соглашался на возлияния только в исключительных случаях, когда от собутыльника ему требовалась какая-то очень важная услуга. Или информация. В последнем случае он готов был — и мог — выпить хоть бутылку, хоть две, хотя на следующий день вставал с жуткой головной болью, ходил смурной и до вечера не мог себе места найти.

В последний раз он выпивал вместе с покойным зеком Муллой — когда намеревался выведать у него кое-что про своего невольного подопечного Игнатова, который на самом деле был хранителем российского воровского общака, виднейшим криминальным авторитетом по кличке Варяг.

Загадочная, почти детективная история с Варягом — с его переправкой сюда из Петербурга, с его смехотворным осуждением за вооруженный разбой **на десять лет** и почти полугодовым пребыванием в колонии — **вся эта** история не давала ему покоя.

Беспалый налил себе полстаканчика и уселся в сильно **потертое** кожаное кресло перед заляпанным застарелыми **пятнами** журнальным столиком. Он опрокинул стаканчик в глотку, проглотил обжигающую жидкость и крякнул. Потом встал, подошел к притулившемуся в углу кабинета холодильнику «Саратов» и достал из его недр каким-то чудом сохранившуюся там банку венгерских маринованных огурцов. Съев хрустящий огурчик, Беспалый вернулся в кресло, сел и задумался.

Последняя телефонная беседа с генералом Калистратовым его нимало удивила. Калистратов чего-то, видно, не просекал в той сложной игре, в которую он ввязался там, в верхах, а может быть, просто он не полностью владел информацией. Иначе почему он полгода мурыжил его с Варягом, велел беречь его как зеницу ока, а теперь, узнав, что смотрящий по России убит, так быстро с этой новостью смирился.

Если какая-то информация до Калистратова и не доходила, то это всего лишь полбеды. Главная беда состояла в том, что Калистратов совершенно не был в курсе новых веяний и того, что из Москвы через его голову новыми людьми давно уже налажен контакт с Беспалым.

...Беспалый хорошо помнил свой недавний разговор с Москвой. Собеседник несколько раз мягко, но настойчиво просил называть его просто Коля. Коля... И у *этих* тоже кликухи — как у бандюг каких-нибудь. «Ах, Калистратов! Да не берите вы в голову, Александр Тимофеевич! Сегодня есть Калистратов — а завтра, глядишь, его и нет. Если бы человек, о котором мы с вами знаем, находился у вас в колонии, скажем, осенью прошлого года, тогда да — это было бы крайне важно. А на сегодняшний момент он уже отработанный материал. Так что поступайте с ним по обстановке. И если он вдруг у вас там не выдержит условий содержания — там, простудится, заболеет чем-то серьезным или еще что — так поверьте, никто особенно по этом поводу убиваться не станет. Ведь знаете, как на Руси говорят — свято место пусто не бывает. На вакансию новый кандидат быстро найдется!»

Вот такой был странный и многозначительный разговор. Причем тот разговор, как и три предыдущих, «Коля» обставил как опытный конспиратор. Сам позвонил Беспалому накануне, назвал какой-то московский номер и попросил на следующий день заказать с этим номером разговор с райцентровского переговорного пункта...

— Так надо, — говорил Коля, — пока это в наших с вами взаимных интересах.

Беспалый не сомневался в могуществе загадочного Коли, поскольку все, что тот ни пообещал Беспалому, тут же мгновенно выполнялось: деньги шли, людей повышали в званиях, решались какие-то личные вопросы, которые годами, как дамоклов меч, висели над Беспалым. В общем, Коля был человек слова, с прямыми выходами на самый верх.

Беспалый покрутил головой. Он так всегда делал, когда его одолевали невеселые мысли. А веселиться сейчас было нечему. Буквально через два часа — да нет, уже через полтора — ему предстояла непростая и нервная работа по «зачистке» колонии. Так подполковник Беспалый называл тотальный шмон, который он обычно устраивал пару раз в год, когда решал, что наступил удобный момент вытряхнуть из зековских тайников накопленные «клады»: холодное (а иногда и огнестрельное) оружие, валютную заначку, наркоту. Сейчас, сразу после поверки, предстояло устроить внеочередную «зачистку», возможно, она позволит узнать истинную причину внезапного мятежа заключенных, выявить зачинщиков.

Он быстро прокрутил в памяти вереницу всех событий последнего дня: выходило, что зеки во главе с хитрым опытным Муллой забузили просто так, на пустом месте, буквально из-за того, что начальник колонии, видите ли, отказался отдать им на «растерзание» своего стукача, Щеголя. Беспалый был опытным тюремщиком и отлично знал, что это не повод для бузы. Просто так ничего не бывает. Значит, было еще что-то. Была какая-то тайная, пока ему непонятная и неизвестная причина... И тут он вспомнил, что среди ночи отдал своему заму, майору Кротову, приказ послать кого-нибудь в дозор вокруг зоны: так, на всякий случай, посмотреть, что творится вокруг, не дал ли кто из зеков деру во время всеобщей суматохи.

Он привычно сунул руку в карман куртки и вытащил переговорник. Вызвал Кротова. В ответ раздался только легкий треск радиоэфира.

— Кротов, мать твою! Как слышишь? Прием!

Ничего. Наверное, сукин кот, спит без задних ног. Беспалый швырнул переговорник на журнальный столик.

И в этот момент в дверь постучали. Неужто сам заявился? Беспалый поднялся и пошел открывать. На пороге стоял его «верный пес», его глаза и уши — осужденный «химик» по кличке Щеголь.

— Ты чего это, Щеголь, охерел совсем? Какого ... ты ко мне без приглашения пришел? Тебя братва по всей зоне ищет, хочет из тебя кишки выпустить, а ты шастаешь — да еще без охраны!

Щеголь был бледен. Он буквально оттеснил Беспалого от двери и прошмыгнул в кабинет.

— Это, Александр Тимофеич, вы закройте дверку-то!

Беспалый затворил дверь и повернул ключ в замке. Потом пристально осмотрел Щеголя.

— Что это с тобой? В дерьме весь каком-то! Ты что, в очко свалился? Тьфу ты, воняет как! Ты где укрывался?

— У Васильевой Светки на скотном!

— А как это тебя туда занесло — на вольную? — подивился Беспалый.

— Ходы знаю, — уклончиво ответил Щеголь. — Прошел. Как вся эта херомудия началась, так и взял ноги в руки. Мои люди шепнули, что Мулла вроде как меня искал-требовал.

Беспалый строго глянул Щеголю в глаза.

— Было дело! — И тут ему в голову пришла мысль. — Кстати, он и у меня просил, чтобы я тебя ему отдал. Узнал старик, что ты мое шибко доверенное лицо — информатор. Между прочим, буза началась именно по той причине, что я Мулле отказал. Не отдал тебя. Так-то, братец. Я твою задницу спас.

Щеголь сглотнул слюну.

— Правда, что ль? Александр Тимофеич, так теперь-то мне тут житья не будет — порешат, суки поганые! Мулла коли прознал все, так теперь не успокоится, пока глотку мне не перережет...

Беспалый жестом пригласил Щеголя пройти и сесть к столу. А сам не спеша подошел к раскрытому сейфу, достал второй стаканчик и, поставив его перед Щеголем, плеснул водки.

— Не перережет он тебе глотку, не бзди! Мулла наш сам уже успокоился — обрел, понимаешь, вечный покой.

— Убили? — вырвалось у Щеголя. — Да кто же его?

— Стрельба была сумасшедшая — да ты ведь и сам должен был слышать, у Светки-то в койке!

— Да какая там койка! — махнул рукой Щеголь и хряпнул стаканчик до дна. — Говорю же: в хлеве у нее сидел. В свинячьем говне по самые уши! Жить-то охота, Тимофеич! Сам знаешь. — Собеседники помолчали. —

Так что теперь будет-то? — как-то неуверенно спросил Щеголь.

Беспалый многозначительно поиграл бровями.

— А что будет — ничего. Придется тебя пока убрать отсюда. Покуда не уляжется все. Переведу тебя в соседнюю зону — к полковнику Бурякову. Там, говорят, и харчи посытнее, и порядки помягче. Не то что у меня — на «сучьей»!

Щеголь сразу взбодрился.

— Вот спасибо, Александр Тимофеич! Век не забуду! Он вскочил и, глупо улыбаясь, попятился к двери.

— Так Мулла точно копыта откинул? А этот, московский гость, — с ним что?

Беспалый помрачнел.

— С ним, похоже, тоже несчастье приключилось. Оступился на баррикаде, споткнулся, упал...

—... потерял сознание, очнулся — гипс? — осклабился Щеголь.

Беспалый поморщился.

— Да нет, брат Щеголь, хуже, — не очнулся. И не очнется теперь уж никогда. Так что можешь спать спокойно. — С этими словами Беспалый помрачнел еще больше. Видно, этот вердикт не очень-то убеждал его самого. — Иди к себе в барак да смотри на ОМОН не наткнись — они же тебя в лицо не знают, разбираться не будут, пальнут из «акаэма» — и поминай как звали.

Как только Щеголь исчез за дверью, Беспалый подошел к журнальному столику и налил себе еще стаканчик. На душе у него было скверно. Почему? Он пока не мог этого понять. Что-то его угнетало. Что? Мысль или, вернее, смутное опасение, что он что-то сделал не так. Или не сделал. Недоделал. Но что?

Беспалый задумчиво подошел к сейфу и стал рыться там, точно надеялся выволочь оттуда завалившийся за бумаги золотой самородок. Но он достал древний пыльный кассетник «Юность». Ткнул кнопку воспроизведения — и из динамика захрипел Высоцкий: «...И что там ангелы поют такими злыми голосами! Чуть помедленнее, кони, чуть помедленнее...»

И тут он вспомнил. Он вспомнил! Ангелы! «Я не проверил у него татуировку!» — эта мысль буквально обожгла его. И он невольно ощутил на спине предательский холодок страха.

* * *

Щеголь крадучись шел по самым темным углам, задами административных построек. Скоро должно было светать, и он торопился вернуться в свой барак в предутренних сумерках. Разговор с Беспалым порадовал его. Конечно, обидно было сваливать со «своей» зоны, которую он и так держал в кулаке, а теперь, после смерти Муллы, вообще мог стать тут королем. Ну да ладно, Беспалый прав: надо свалить, пока все утрясется, а то не дай Бог — братва пронюхает про его шуры-муры с лагерным начальством, и тогда все, полный шандец. Но что ни делается — все к лучшему. На соседней зоне он перекантуется полгодика — а там, глядишь, вернется обратно, под крыло к Беспалому...

Он расправил плечи и ускорил шаг. Но как только свернул от столовой на финишную прямую, дорогу ему перегородила фигура в форме. Он чуть не охнул от неожиданности. Но приглядевшись, сразу узнал в случайном встречном прапорщика Родионыча. Сорокапятилетнего мужика в колонии все без исключения величали именно Родионычем: начальство — из уважения к его почти двадцатипятилетнему стажу службы, молоденькие краснопогонники — за то, что он годился каждому из них в отцы, а зеки — за те неоценимые услуги, которые он им оказывал, пользуясь своим служебным положением.

На зоне Родионыч был человеком незаменимым: за четвертную он мог отнести «маляву» в соседний барак; мог принести на зону водки, сигарет, чаю. Впрочем, такой мелкий бизнес, осуждающийся начальством, почти для всего персонала исправительных учреждений был чуть ли не основным заработком и не считался чем-то особенным и зазорным. Родионыч же за хорошие бабки решал вопросы и поважней: оружие, наркота, послания на волю, «малявы» из других зон. При необходимости Родионыч мог добыть для зеков липовые документы, снабдить важной информацией. Щеголь давно знал, что Родионыч «запомоенный» вертухай. Знал и то, что «зацепили» его не в родной колонии, а на южном побережье Крыма, где он поправлял здоровьице после усиленной службы в Заполярном крае. В санатории, где он отдыхал, было полно перезрелых девок, приехавших на песчаный берег в надежде отыскать в людском водовороте блудного принца.

Прапорщику было где показать армейскую прыть. Он напоминал нахала козла, что забрел на соседский огород за спелой и сладкой капустой. Правда, своим новым знакомым он представлялся бравым подполковником, героем едва ли не всех «горячих точек», вспыхивающих на южных границах России, который в санаторий прибыл залечить боевые раны.

Родионыч и вправду был видный мужик — высокий, с густой, слегка посеребренной шевелюрой, ладный, он виделся одиноким бабам едва ли не идеалом, и поэтому не было ничего удивительного в том, что они висли на нем гроздьями.

Однако у любвеобильного Родионыча была тайная страстишка, которая запросто перечеркивала его многие достоинства, — любил он подросших девочек, но таких, которым не стыдно было пока появляться на общественном пляже без лифчика. За такой незрелый экземпляр он готов был отдать не только дьяволу душу, но даже остаток бренной жизни.

К себе в номер он заманивал их без затей, используя не только мощное мужское обаяние, но и хрустящие доллары, на которые, без всяких предрассудков, клевали начинающие крымские путаны. Причем он всегда безошибочно угадывал именно таких, что могли удовлетворить его буйные эротические фантазии.

Зная особый вкус Родионыча, воры подсунули ему пятнадцатилетнее дитя с невинным личиком Мальвины, но тем не менее такую же распущенную и жадную до развлечений, как египетская царица Клеопатра. А когда грехопадение состоялось, дитя с плачем объявило о своем влиятельном папочке, пекущемся о целомудрии единственной дочери не менее свято, чем Министерство внутренних дел о чистоте своих рядов. За нанесенное оскорбление ребенок запросил с Родионыча такие деньги, какие он не сумел бы скопить даже за три года, даже если бы брал взятки в четыре руки.

То, что угрозы «Мальвины» не были пустыми, Родионыч осознал через сутки, в тот самый момент, когда к нему в комнату, без стука, ввалились два «старших брата» юной красавицы и, заслонив широкими спинами дверь, спокойно, без всякого надрыва в голосе, сообщили, что за неуважение к их семье они поднимут его на «перо», как ободранного петуха; между делом сообщили, что знают не только о его бахвальстве насчет подполковника, но и о настоящем месте службы, а также постаревшей и ревнивой жене. Не нужно было обладать особенной прозорливостью, чтобы понять: у каждого брата за плечами, как минимум, три ходки. Разговор окончился тем, что они готовы были простить оскорбление, если Родионыч станет иногда оказывать «братве» кое-какие услуги, разумеется за соответствующее вознаграждение. С тех пор Родионыч стал хлебать в два горла — получал хозяйское жалованье и гонорар от братвы...

Ворам было известно, что на сколоченный «теневой» капиталец он намеревался, съехав с опостылевшей мерзлоты куда-нибудь в черноземную полосу, обзавестись небольшим домиком, куда бы не доносился лай тюремных собак и где смену дня и ночи не нужно было бы ожидать по нескольку месяцев.

— Здорово, Родионыч! — приветливо бросил Щеголь прапорщику. — А я уж испугался: думал, на омоновца налетел!

Родионыч криво усмехнулся и ничего не ответил.

— В шестом бараке мужиков утихомиривал, чтобы Беспалый не слишком завтра разорялся! — на всякий случай доложил ему Щеголь. — До моего барака доведешь? А то как бы на омоновский патруль на наскочить.

Родионыч опять молча кивнул и пошел рядом с заключенным. Щеголь, видя, что прапор не настроен на беседу, умолк и торопливо зашагал в сторону барака.

Когда они подошли к входу, Родионыч подал голос:

— Зайдем-ка в умывальню — разговор есть.

— Ну давай, — удивился Щеголь. О чем мог с ним толковать прапорщик, он не мог даже предположить.

Родионыч, едва кивнув стоящему у входа в барак омоновцу и буркнув: «Свои», пропустил Щеголя впереди себя в тускло освещенный коридор и проследил, как беспаловский стукачок уверенным шагом направился к умывальне. Он быстро пристроился сзади, на ходу выудил из кармана заранее приготовленный ремешок и намотал его на руку.

Щеголь очень бы удивился, узнай он, сколько заплатили Родионычу за его жизнь. Мало заплатили — пятьсот «зеленых». Унизительно мало. Но, услыша назначенную сумму, Родионыч не стал кочевряжиться. Он не любил выскочку и выпендрежника Щеголя. И даже немного позлорадствовал, что получил такой заказ. К тому

153

же заказ поступил не от кого-нибудь, а от ближайших друганов Щеголя. Вот это уже кое о чем говорило. Выходит, чем-то серьезно Щеголь не угодил своей братве. Раз такой ему вынесен приговор, значит, совершил он самый мерзкий, самый непростительный грех — продался хозяину. А за это, само собой, по воровским законам полагается «вышка»...

Об этом Родионыч думал, пока они топали вдвоем по зоне. А сейчас он крепко сжал в кулаке ремешок и изготовился.

Ремень был узким — точная копия китайской удавки. Родионыч поудобнее закрепил его на кисти, а потом уверенно закинул петлю на шею зека. Щеголь негромко и сдавленно хрюкнул, пытаясь руками освободиться от смертельного узла, изо всех сил завертелся, стал упираться, но уже через минуту борьбы сдался — беспомощно дернул ногами, повалился на пол и вытянулся во всю длину. Некоторое время Родионыч продолжал стягивать шею Щеголя, как будто опасался, что тот сумеет пробудиться от смертельного сна. Но убедившись, что ссученный затих навсегда, неторопливо стянул ремень с шеи, заглянул в лицо убитому, брезгливо поморщился: фу-ты ну-ты, помереть и то не сумел без театра — язык вывалился на подбородок слюнявой лентой, глаза закатились к самому потолку, как будто заглядывали под хитон ангелам.

Родионыч сплюнул. Осмотрелся.

Ремешок был безнадежно испорчен: теперь таким не подпояшешься; жаль, придется выбрасывать и покупать новый. Прапорщик с досады скривил физиономию и снова сплюнул в угол. Еще раз осмотрел Щеголя: вряд ли о ссученном кто взгрустнет; наверняка по поводу его кончины не будет организовано даже специального расследования — через час в лагере начнется такое, что его смерть затеряется среди множества других и будет выглядеть вполне естественной.

После утренней поверки беспокойство Беспалого усилилось. Он недосчитался двух заключенных. Из списочного состава в тысячу двести шестнадцать человек к утру осталась тысяча двести пять. Четверо зеков были убиты в самом начале бузы — он сам лично видел трупы в бараке. Муллу он пристрелил собственноручно. Двух ухлопали во время штурма баррикад. Итого семь трупов. Потом еще двоих уложили уже утром приданные ему омоновцы: на хрена они это сделали, Беспалый понять не мог, потому что к моменту прихода роты в колонию буза фактически уже угасала. Ну ладно, городским ребятам захотелось пострелять — кто ж их, мудаков, удержит. Итого — девять. Но куда делись еще двое?

Беспалый приказал прочесать всю зону, каждый кустик, вывернуть все наизнанку «И не забыть заглянуть в суповые котлы на кухне», — любил в таких случаях приговаривать Беспалый.

Часам к восьми выяснилось, что пропал Александр Ковнер, вор по кличке Сашка Клин. Беспалый открыл дело Ковнера и, едва взглянув на его фотографии анфас и профиль, ощутил снова холодный страх. Высокий лоб над насмешливыми неглупыми глазами, светлые волосы, крепкая шея, прижатые к черепу, как у боксера, уши.

Сашка Клин поразительно был похож на Владислава Геннадьевича Игнатова...

Какого же хрена он забыл про татуировку! Какая непростительная оплошность! А Мулла, старая татарская лиса, чего это он так торопился сжечь трупы? Неужели прокололся; надо же, как самый последний лох! Поймался на дешевом приемчике, на пустом месте! Беспалый вскочил со стула и прошелся по кабинету, едва ли не в отчаянии мотая головой из стороны в сторону. Как же он мог забыть о татуировке Варяга, о фирменной метке, торговой марке вора в законе — уникальной и неповторимой картинке с дурацкими ангелами, которая все равно что отпечатки пальцев — лучшая, верная улика! Но поезд ушел — те четыре трупа сожгли по его же собственному приказу, и теперь поди узнай, был там Варяг или Сашка Ковнер... Оставалось лишь надеяться, что не Ковнер...

ГЛАВА 15

Уже третий день Сержант пытался связаться с кем-нибудь из старых знакомых, чтобы выяснить обстановку в Питере. Ну и уточнить кое-что про арест Варяга. Но, как на зло, все известные ему телефоны молчали. И только один раз он дозвонился по телефону до Сереги Харинова, давнего своего собутыльника еще по советским временам. Подошла какая-то бабка и прошамкала, что таких тут давно нет, «с год уж как съехали», а куда делись — ей неизвестно.

Сержант крепко задумался. В этом городе его, Степана Юрьева, знали как облупленного и в криминальном мире, и в горуправлении МВД. Все отлично помнили неуловимого киллера, на счету которого числилось десятка два, не меньше, громких заказных, пусть даже и недоказуемых, убийств. Имея столько врагов и недоброжелателей, лишний раз болтаться по улицам вряд ли было полезным для здоровья. Но иного пути, как пойти на разведку в открытую, у Сержанта не было. Ему срочно требовалось вступить в контакт с надежными, знающими людьми. С такими, которые дадут ему исчерпывающую информацию, не сдадут ментам, как сдали Варяга, и не продадут за тридцать сребреников питерским беспредельщикам. В том, что Варяга сдали, Сержант ни секунды не сомневался. Ну не мог он поверить в то, чтобы такой опытный вор, как Варяг, попался в ментовскую засаду за конкретное дело — не глупый же он теленок, а матерый волчина, такого на хромой козе не объедешь. Чтобы взять Варяга, требовался изощренный, коварный план, в котором должны быть задействованы свои. Вернее, не свои — какие уж там свои, — а перевертыши, суки, которые за ментовскую морковку готовы пойти были на последнюю подлость. Удивительно, но Сержант, все эти годы храня в душе злобу на Варяга, теперь почему-то даже сокрушался за него. Что-то свербило у него в душе, уж больно мерзко было ему от мысли, что смотрящего по России предали свои. Коли так, то это смертный грех, за который нет и не может быть ни прощения, ни пощады.

Он вспомнил, как еще в Америке читал в какой-то российской газете — он не запомнил названия, но не сомневался, что это была какая-то из новеньких «постсоветских» бойких разоблачительных газетенок, — о перерождении криминальной России, о падении, так сказать, нравов в воровском сообществе. Новых законных воров якобы короновали теперь все, кому не лень, причем выбирали в законные даже зеленый молодняк, ребятишек, которые едва третий десяток разменяли, иногда даже «новые русские» бизнесмены покупали себе короны за бабки, пусть даже и за большие бабки. Шутка ли — в прежнее время в год короновали пять-шесть человек, а теперь ежегодное пополнение исчислялось десятками. И шли в законные не испытанные жизнью, делом и тюрьмой воры, а бывшие спортсмены да уволенные в запас спецназовцы, занимавшиеся вооруженным разбоем да заказными убийствами. И среди тех, кто так вот по-легкому выбивался в «авторитеты», процветали новые, неслыханные ранее нравы. Новоявленные законные могли самолично убивать, грабить — словом, заниматься работой, которую раньше выполняли только рядовые бойцы банд...

Сержант, прочитав тогда эту статейку, только усмехнулся да отбросил газетку. Но вот теперь, размышляя над странной судьбой Варяга, засомневался. Все, что произошло со смотрящим по России, выглядело очень неправдоподобно. Впрочем, мудрый Сержант понимал, что правдоподобно в такой ситуации могло быть лишь то, что Варяг, сам того не подозревая, попал в самую гущу разборок между соперниками очень высокого уровня — возможно даже не из криминальной среды. Но что это была за разборка и как именно пострадал в ней Варяг, кто ему удружил загреметь на зону — в этом Сержанту и хотелось теперь разобраться.

Его вчерашнее приключение в ресторане «Сенатор» стало не слишком удачным началом его розыскной деятельности. Стычка с мелкими бандитами, которая чуть не закончилась появлением милиции, едва не сломала Сержанту кайф от пребывания в любимом городе, по которому он так тосковал в далекой Калифорнии. Впрочем, к одному положительному результату драка в «Сенаторе» все же привела — к знакомству с Марианной. Своя баба в Питере — тем более такая классная, как Марианна, и тем более с собственной квартирой — это хорошо. В случае чего — если его вдруг накроют здесь — он сможет залечь у нее. Кроме того, Марианну можно было использовать для дела — она работала в администрации «Гостиного двора», а значит, не могла не знать, хотя бы приблизительно, об обстановке в городской торговле и о Шраме, который эту торговлю контролировал непосредственно.

Сержант услышал шум льющейся воды в ванной. Ага, принимает душ после продолжительных ночных забав. Он улыбнулся, вспомнив о приятной ночи. Несколько раз, сжимая крепкое тело Марианны в своих объятиях, он чуть было не прошептал ей на ухо: «Лидка, Лидка» — но вовремя сдержался, а то романтическая история знакомства и сближения тотчас же перешла бы в мучительное выяснение отношений, которое, возможно, закончилось бы слезами и истерическим разрывом. А потерять Марианну так же внезапно, как он ее обрел, Сержанту было бы очень жаль. Она ему понравилась. Неглупая, спокойная, уверенная, красивая. Ну и в койке оказалась мастерица...

Он постучал в дверь ванной.

— Не заперто! — раздался за дверью высокий звонкий голос. — Тебе что-то нужно?

Он вошел и плотно закрыл за собой дверь. Небольшое помещение ванной наполнилось клубящимся паром. У него сразу выступила на лбу испарина.

— Нужно! — бодро сказал он, заглядывая за пластиковую занавеску. — На тебя взглянуть — полюбоваться!

Марианна вскрикнула и прикрылась руками. То ли в самом деле застеснялась, то ли лукавила — как это делают умелые укротительницы мужчин. Он улыбнулся и, взяв ее за обе руки, властно развел их в стороны. Она повиновалась. У Сержанта заблестели глаза, когда снова он оглядел ее с головы до ног, медленно скользя взглядом по высокой шее, покатым и округлым плечам, широко разбежавшимся полушариям грудей над подтянутым животом, треугольнику черных волос внизу живота. Он вспомнил, как этой ночью страстно гладил и сжимал ее упругие бедра, как упрямо раздвигал ей ноги, чтобы освободить себе дорогу... Она поначалу не давалась, сопротивляясь яростно, сильно, но потом вдруг хихикнула — и он, разочарованный, понял, что его дурачили, с ним играли, как с котенком... Он мощно вонзился в нее, словно имея намерение проткнуть ее насквозь. Она изгибалась под ним, закрыв глаза, глубоко дыша. Он стоял над ней на локтях и в сумерках светлой ночи, не останавливаясь в движениях, жадно разглядывал ее лицо. Когда волна сладострастного удовольствия заставила его тело содрогнуться, он импульсивно сжал ее плечи так сильно, что она даже вскрикнула. Потом, через час, на ее смугловатой коже проступили синяки — овальные следы его сильных пальцев. Она с сожалением осмотрела их и нахмурилась.

— Я полагаю, тебе не перед кем отчитываться за боевые раны на теле? — спросил он с затаенным волнением. Сержанту ужасно не хотелось, чтобы у Марианны оказался муж или любовник: он терпеть не мог делиться женщиной с кем-либо. Может быть, поэтому он так и не женился — из боязни, что принадлежащая ему женщина не оправдает его доверия.

— Нет у меня никого, — прошептала Марианна, поглаживая свои синяки. — Сейчас.

— А я? — вырвалось у него невольно.

— Не было никого до сегодняшней ночи, — тут же поправилась она. — Так лучше?

...Теперь, глядя на ее обнаженное смуглое тело, омываемое мощными струями воды, Сержант опять испытал прилив возбуждения. Он поймал себя на мысли, что такое же мгновенное возбуждение он ощущал всегда при виде нагой Лидии. Странно, эти две столь непохожие женщины, находившиеся в разных полушариях Земли, вызывали у него примерно одинаковые чувства — необузданную похоть, которая, вырываясь на волю, доставляла ему сладкое, мучительное удовольствие. Он сбросил с себя халат и залез в ванну.

— Кто тебя приглашал? — с наигранным возмущением произнесла Марианна. Но Сержант, не обращая внимания на слова, обхватил женщину за талию и развернул к себе спиной.

— Нагнись, Марианна! — хрипло попросил он и для верности положил левую ладонь ей на позвоночник и с силой нажал. Марианна оперлась руками о края ванны и, стоя на прямых ногах, наклонилась вперед. Сержант погладил ее безупречно гладкие упругие ягодицы и вдруг без всяких прелюдий разгоряченным концом восставшего члена вжался в ущелье между ними.

— Только не туда! — взмолилась Марианна.

Сержант прерывисто дышал. «Не туда, не туда! — игриво подумал он. — Все равно понравится, я вас знаю». В последние годы у него вырос заметный животик, и теперь это стало непредвиденным препятствием для успешного завершения атаки на возбудившую его женщину: животик мешал точно направиться по нужному маршруту. Сержант втянул было живот, но после нескольких неудачных попыток понял, что без помощи рук не обойтись.

После нескольких сильных толчков, от которых Марианна чуть не ударилась головой в стенку ванной комнаты, Сержант застонал и отпрянул от нее.

— А об удовольствии товарища мы думать не хотим? — чуть обиженно спросила она, выпрямляясь под струями душа.

Сержант обмылся под душем и вылез из ванны.

— Что, слишком быстро? — он пожал плечами. — Очень хотел тебя, не сдержался, не сердись. В следующий раз обещаю исправиться! Товарищ будет нами очень доволен. Обещаю, честное пионерское.

Он вышел из ванной и глубоко вдохнул свежий воздух. Сердце бешено, восторженно колотилось. Ему определенно нравилась эта женщина.

За завтраком он завел с Марианной разговор о ее работе. Вчера ночью в постели он на всякий случай рассказал коротко о себе — чтобы она его сама не донимала расспросами. Сказал, что, мол, работает в крупном государственном внешнеторговом объединении, часто бывает за границей в продолжительных командировках, ведет переговоры с зарубежными партнерами. Недавно вот вернулся из Калифорнии. Он заметил — в ее глазах загорелись искорки интереса.

Теперь настала его очередь вести допрос. Но тут самое главное — не перегнуть палку, а задавать вопросы осторожно, лучше не в лоб, а — наводящие.

Марианна и впрямь, как он и догадывался, много чего знала. Но он понимал, что, проведя ночь с мужиком, которого встретила только вчера, она не станет с ним шибко откровенничать. Поэтому он пока спросил ее о самых общих вещах — о связях официальной торговли с мафией или бандитами, о всяких там «крышах»... Естественно, имени Шрама он не упоминал.

— А вот, как ты думаешь, вчерашняя шпана в ресторане — тоже из мафии? — задал он дурацкий вопрос.

Марианна нахмурилась. Видно, вспоминать о вчерашнем инциденте ей было неприятно.

— Знаешь, если каждого уличного хулигана принимать за члена мафии — то тогда можно сказать, что весь город под ее контролем.

— А разве не так? — быстро поинтересовался Сержант. — Разве ваша «Гостинка» не платит питерскому хозяину...

— Не знаю, Виктор. Может, и платит — но спрашивать об этом надо не у меня. Мне такие тонкости не известны. Я же маленький человек — работаю в отделе розничной торговли. В торговых залах уж точно никто никому не платит.

— Ты права. А знаешь, — Сержант решил, что наступил удачный момент сменить тему, — у меня в Петербурге с давних времен есть несколько знакомых. После длительной командировки я их потерял — не поможешь мне их найти?

— Как? — удивилась она.

— Да очень просто. Я тебе дам их точные ФИО, год рождения — в паспортном столе, возможно, ты их найдешь.

— А почему ты сам не можешь этого сделать?

— Может быть, у тебя окажется легкой рука и тебе повезет?

Сержант, конечно, не мог сказать ей, что не хочет лишний раз привлекать к себе внимания: Миша Пузырев по кличке Пузырь и Петя Щеглов по кличке Петря наверняка под колпаком у питерских мюллеров, так что на всякий случай он решил пустить по их следу Марианну. Пузырь и Петря когда-то были в бригаде у Шрама, Сержант встречался с ними пару раз в свой последний приезд в Питер. С их помощью он намеревался выйти на Ангела — ближайшего московского другана Варяга. Ангел должен быть в курсе последних событий. Если Варяг сгорел с чьей-то посторонней помощью — Ангел обязательно должен это знать.

ГЛАВА 16

Марианна сидела за компьютером и составляла сводки о продажах за истекшую неделю. Но из головы у нее не шло вчерашнее приключение: с одной стороны, страшное, а с другой — восхитительное и загадочное. Виктор заинтриговал ее необычайно. Мало того что он был мужественный, сильный, смелый, так он еще был состоятельный, предупредительный, а в постели просто форменный зверь, что тоже являлось немаловажным для тридцатипятилетней одинокой дамы с высокими запросами. Ну и самое потрясающее, что нравилось и возбуждало Марианну, — то, что он весь был окутан тайной: скажем, эта странная просьба — найти его приятелей. Он сослался на то, что верит в ее удачу. Так ли это? В этом ли причина? Скорее всего, у него просто масса дел и ни минуты свободного времени, ему нужна ее помощь. Сейчас она благодарна ему за эту таинственную просьбу, ей очень приятно оказать ему услугу. Марианна вспомнила, как страстно и мощно раз за разом он овладевал ею этой ночью — и ощутила сладкое, томительное волнение.

Она бросила клавиатуру, подвинула телефонный аппарат и, раскрыв записную книжку, набрала номер городской справочной.

— Дайте мне, пожалуйста, телефон Пузырева Михаила Ивановича. Где проживает?.. Извините, мне не известно... Да-да, в Ленинграде...

После нескольких минут ожидания ей сообщили, что Михаил Иванович Пузырев уже несколько месяцев не пользуется телефоном. Марианна поспешно попросила девушку продиктовать ей хотя бы адрес. Но в ответ услышала, что телефонная станция таких справок не дает.

— Тогда еще посмотрите, пожалуйста, Петра Сергеевича Щеглова... Что?.. Такой у вас вообще не значится?.. Спасибо, — разочарованно сказала Марианна и положила трубку.

Виктор, наверное, расстроится. Уж очень ему хотелось разыскать своих старых товарищей, как он выразился. В обеденный перерыв, наняв такси, Марианна успела побывать в центральной городской справочной, где через полчаса ожидания ей выдали платную справку о Пузыреве и Щеглове. Выйдя на улицу и прочитав полученную информацию, Марианна глубоко огорчилась. Вернувшись к себе в офис, она тут же набрала номер Виктора.

— У меня печальные новости, — сказал она. — Пузырева нет в живых, а второй вообще не значится в справочной, никогда не проживал и не проживает у нас в городе.

— Ладно, — бросил Сержант, — спасибо тебе, милая, за труды. Жаль, конечно. Я так хотел повидать их обоих. Сейчас я убегаю. Надеюсь, мы увидимся вечером?

Примерно часа в четыре Марианна вышла из своей служебной комнаты и отправилась к заведующей: надо было взять материалы по последним продажам обуви. Войдя в приемную, она остановилась как вкопанная. В кресле перед дверью Зои Федоровны развалился один из вчерашних посетителей ресторана «Сенатор» — здоровенный малый с мерзкими толстыми пальцами. Он явно ждал аудиенции с начальницей. Вот те на.

Марианна тут же вспомнила их с Виктором утренний разговор, когда тот спросил у нее, не платит ли «Гостинка» питерской братве.

Она резко развернулась на каблуках и уже было вышла из приемной, как ее окликнула секретарша Верочка:

— Марьяна! Ты куда? Не уходи! Тебя Зоя Федоровна только что спрашивала.

Марианне ничего не оставалось делать, как повернуть назад. Сидящий в кресле амбал уставился на нее, и на его кривой роже медленно прорезалась самодовольная гримаса.

— Здрасьте! За мной будете — к Зое Федоровне, — хмыкнул громила. — А мы с вами нигде не встречались раньше? Вчера, например? В ресторанчике? — ехидно произнес толстопалый, довольный тем, что «на ловца и зверь бежит».

— Я не хожу в рестораны, — вспыхнув, пробормотала Марианна.

— Странно-странно! — не унимался тот и растопырил толстопалую ладонь. Он явно хотел еще сказать чтото, но тут у него в верхнем кармане пиджака что-то засвирестело. Он сразу посерьезнел, полез в карман и выудил оттуда сотовый телефон, приставил его к уху.

— Ага! Привет, Геш, ну да, ага, я ща в «Гостинке» сижу. Через час освобожусь, буду на месте. Без меня не снимайтесь. Ага, смотри у меня, а то пасть порву, ну ты знаешь — все! Ась? Ща я ему звякну!

Толстый палец стал нажимать кнопки сотового телефона. Амбал снова прижал пластиковую коробочку к уху.

— Серый? Это Митяй! Ты че Гешке не звонишь? Он заждался, давай, блин, звякни ему. Ну, все!

Дверь в кабинет заведующей открылась, и на пороге появилась сама Зоя Федоровна — дама лет пятидесяти, в строгом темно-сером костюме, с высоким вавилоном крашеных светлых волос на макушке. Увидев амбала в кресле, она выдавила кислую улыбку и пригласила его войти.

— Это кто? — спросила тихо Марианна у Верочки, как только дверь за посетителем закрылась.

Верочка многозначительно подняла глазки к потолку.

— Крыша.

— Какая крыша? — не поняла Марианна и тоже устремила взгляд на потолок.

— Какая-какая! Крашеная!..— поджала губки Верочка. — А то сама не знаешь — с Луны, что ль, свалилась? Наша «крыша». Ты у нас сколько работаешь — год, а таких элементарных вещей не просекаешь!

Марианна поняла, что попала впросак.

— Да нет, я не о том. Просто парень очень неприятный. Я его раньше не видела. А он сразу начал клеиться.

— А кто из них приятный. Скажи спасибо, что еще без пушек приходят. Ты посиди, подожди, тебя Зоя хотела видеть. Какие-то там опять с французами проблемы. Деньги мы им перевели, а они партию мужских костюмов опять задерживают.

— Крутят нашими денежками? — улыбнулась Марианна.

— А то! Ты думала, только у нас крутят — как же, как же! Все крутят!

Через минут пять дверь раскрылась — из кабинета заведующей вышел толстопалый, любовно придерживая оттопыривающийся боковой карман пиджака. Проходя мимо Марианны, он скроил свирепую рожу и прошипел ей в ухо:

— Я тя, красотка, в коридорчике подожду — может, ты мне шепнешь что про того мужика, адресок дашь.

Марианна растерялась и, запинаясь, сказала в ответ, что впервые видела вчерашнего мужчину и абсолютно ничего о нем не знает.

Амбал слушал ее вылупившись: ему показались неубедительными ее слова. Врет, сучка, подумал он. Как пить дать, наверняка что-то знает, глаза бегают. Возьму-ка я да прослежу за тобой, голуба.

— Так, говоришь, ничего не знаешь? Ну, гляди, если соврала... Я тя, кукла, везде достану...

— Марианна! Зайди! — донесся в этот момент из кабинета властный голос Зои Федоровны.

Вернувшись к себе в кабинет, Марианна первым делом позвонила Виктору. После восьми длинных гудков положила трубку. Его нет. Ну конечно, он же сказал, что будет весь день по делам бегать по городу. Ей очень нужно поговорить с ним. Сегодняшняя встреча не сулила ничего хорошего.

* * *

Митяй дожидался ее в переулке у служебного входа. «Джип» он оставил на стоянке. В половине седьмого она вышла из проходной и пошла к метро. Митяй не упускал ее из виду и, расталкивая прохожих, топал метрах в тридцати от нее.

Он сел вместе с ней в один вагон — только вошел через другую дверь. Смешавшись с толпой пассажиров, Митяй мрачно посматривал на нее. Он не был уверен, что эта баба наведет его на след. Но решил рискнуть — чем черт не шутит. Он до сих пор не мог успокоиться и мысленно уже не раз убивал того гада в ресторане, который отп...л его прямо на глазах у мужиков. Ну, теперь только попадись ты мне, сучара! Митяй заскрипел зубами.

Баба вышла из вагона, и тут Митяй ее едва не упустил — еле нашел в людской толчее. Выйдя на улицу, она зашагала к Литейному. Митяй перешел на другую сторону. Дойдя до пятиэтажного сталинского дома, она свернула в подъезд.

Едва женщина скрылась за входной дверью, Митяй перебежал к дому и крадучись вошел в парадное. Он услышал грохот двери лифта. Заглянув в подъезд и удостоверившись, что лифт отъехал, Митяй поспешил к лестнице. Задрав голову вверх, он проследил за поднимающейся петлей лифтового кабеля. На четвертом этаже кабина остановилась.

Он продолжал тихо красться по лестнице.

Марианна порылась в сумочке, но ключей не нашла. Странно. Неужели оставила их на работе? Она на всякий случай позвонила в дверь — может быть, Виктор уже дома? Нет. Делать нечего. Придется ехать к себе на Васильевский. Женщина потопталась еще минуту у немой двери и вернулась в лифт. Отъезжая вниз, сквозь сетчатое ограждение она успела заметить, как по лестнице вверх поспешно взбежал крупный мужчина.

Так, блин! Не солоно хлебавши. Уж не к своему ли дружку ты, стерва, бегала? Митяй спустился с пятого на четвертый и подошел к двери, куда только что звонила эта баба. Он позвонил в звонок и прильнул ухом к пыльной обивке. Никого. Ладно, подождем...

Он поднялся на пролет и встал у окна. Отсюда ему отлично был виден весь Литейный.

ЧАСТЬ III

ГЛАВА 17

Еще месяц назад Варяг даже не мог представить себя в бегах, а сейчас, находясь за пределами колонии, он вел себя как бывалый «побегушник»-контрабандист: чутко прислушивался к малейшему шороху и, стараясь не потерять ни секунды, уходил все глубже и глубже в тайгу. Передвигаться приходилось по болоту, по зыбкой чавкающей топи. Погони не было. Видимо, буза в лагере занимала охрану пока что куда больше, чем бегство кого-то из заключенных.

Несколько раз Варягу чудилось, как из темноты, прямо на него, выходит отряд вертухаев, и он, не раздумывая, тут же погружался по самое горло в вонючую, мерзкую жижу. Но потом, убедившись, что ошибся и что никаких преследователей нет, вновь поднимался и брел на север, шаг за шагом удаляясь от стылой тюремной обители.

Воспитанный на воровских традициях, Варяг пускающихся в бега не понимал. После каждого побега они до предела усложняли собственное существование; им часто доставалось не только от администрации, но и от своих, от зеков, для которых тюремное сидение и без того тоска смертная, а с исчезновением «побегушника» становится и того невыносимее: администрация с такой яростью начинала наваливаться на зеков, как будто именно они «сделали ноги».

К «побегушникам» у хозяина лагеря всегда возникала «особая любовь» и вырабатывалось особое отношение: на грудь им нашивались красные полоски — с тем расчетом, чтобы их можно было заприметить издалека. На поверках «побегушникам» запрещалось прятаться в глубине строя, полагалось стоять на виду, выкрикивали их отдельным списком, называя каждого пофамильно.

Болото заканчивалось. Впереди в темноте виднелся невысокий пригорок. Варяг ускорил шаг, но неожиданно оступился и едва не подвернул ногу. Он выругался, укоряя себя за неосторожность.

Самое главное в дороге — разумеется, ноги. Их полагалось беречь. По откровениям опытных ходоков он знал, что важно продержаться сутки, останавливаться нельзя, нельзя впасть в эйфорию от навалившегося ощущения свободы. Но главное, не сбить ноги.

Варяг выбрался из болота на пригорок и оглянулся — зона уже была далеко на горизонте. С этого расстояния оттуда уже почти не было слышно выстрелов, лишь над тайгой мелькали лучи прожекторов. Быстрым шагом Варяг спустился в распадок, где в темноте слышалось журчание ручья. Мулла заверял, что сделает все возможное, но Варяг будет иметь в запасе три-четыре часа чистого времени: прежде чем организовать погоню, Беспалому ведь придется навести порядок на зоне, справиться с бунтующими зеками, разобраться в обстановке — кто сбежал, кто нет. На это-то как раз и уйдет время, за которое Варяг сможет уйти подальше в тайгу. Вертухаи Варяга не пугали — их можно обойти, обмануть, от них всегда можно спрятаться в лесу. Собаки — вот настоящее зло! Горластые бестии способны разыскать даже иголку в стоге сена, а беглый зек в тайге для них совсем легкая добыча. Варяг знал, каких именно псов спустит на него охрана — на зоне их четыре, четыре свирепых «кавказца». Два пса им прикормленные, и Варяг был уверен, что они вспомнят, из чьих рук получали мясо, вспомнят даже тогда, когда солдаты станут травить его собаками всерьез. С двумя другими — Абреком и Лютым — дело сложнее. Псы были гордыми, пищу брали только у солдата, который ухаживал за ними, собак натаскивали на зеков. Если взгляд зека останавливался на них более пяти секунд, то собаки остервенело бросались на дерзкого, невзирая на толстые металлические прутья вольера, которые они готовы были перегрызть, лишь бы достать жертву. Вот с кем прийдется потолковать по-настоящему. Собаки, как и волки, всегда следуют звериному инстинкту и, как правило, бросаются на горло. И даже если первый укус приходился в пятки, то уже следующий они стараются сделать в кадык. Такова их хищная природа. Варяг предвидел такую возможность встречи с волкодавами, а потому на ноги привязал по куску войлока, так что собакам потребуется секунд двадцать, чтобы мощными клыками добраться до человеческого мяса. А этого времени будет вполне достаточно, чтобы ножом выпустить из лохматых зверюг жизнь.

Варяг почувствовал, как под ногами зачавкало жидкое грязное месиво. Снова болото. Здесь, на север от их лагеря, тянулись на десятки километров сплошные болота. Подавляющее большинство беглых зеков торопятся на юг, подальше от мерзлой земли, туда, где трава погуще, а деревья повыше, где березки стоят, словно красавицы в хороводе, а не такие, как здесь, согнутые ненастьем в три погибели. На юге легче добраться до железной дороги, легче найти жратву. Но именно в южном направлении «побегушника» ждут самые крупные неприятности: там выставляют заслоны, устраивают засады, стерегут дозором, там у ментов все схвачено.

Север же, с точки зрения вертухаев, всегда верная погибель, и устремиться за спасением мог туда только ненормальный.

Уже начало светать, когда Варяг увидел собак. Метров за двести. Огромные, со светлой пушистой шерстью, в утренней дымке они напоминали полярных волков. Даже повадки были те же, а движения нервные, быстрые. Они мгновенно взобрались на сопку, посыпанную колючим темным базальтом, и уверенно, с хищным звериным азартом стали догонять убегающего человека. Владислав видел раскрытые приближающиеся собачьи пасти: с желтоватых клыков на спелую морошку срывались клочья густой липкой пены. Он развернулся лицом к бегущим собакам и стал терпеливо дожидаться. Худое дело подставлять зверюгам незащищенную спину. В этом случае псы опрокидывают убегающего ударом мощных лап по плечам, наваливаются на упавшего всем телом и в считанные секунды добираются клыками до шеи.

Владислав извлек из кармана нож и спрятал его в рукав куртки. Важно, чтобы псы не поняли его намерений. Лагерные собаки — особые бестии, они тренированы не только на то, чтобы преследовать, валить и рвать на части поверженного зека, они дисциплинированны и дьявольски сообразительны — им достаточно неосторожно показать руку с ножом, как мощные челюсти сомкнутся на руке и раздробят кисть. Варяг упрятал нож незаметно в рукаве, он знал, что сумеет выдернуть перо в долю секунды.

Собаки приближались. Оставалось метров пятьдесят. Первым бежал Абрек — этот был особенно злым и могучим; если такой вцепится в горло, то в одно мгновение душа отправится на небо; вторым бежал Лютый — этот был мастер затяжной борьбы, никогда первым не кидался в драку, но уж если вступал, то вел борьбу до последнего, после такого затяжного боя не каждый сумеет подняться. Но к этой встрече Варяг чувствовал себя готовым. Интересно, какое удивление испытают псы, напоровшись зубами на войлок и жесть: шея у Варяга была защищена закутанным в тряпку металлическим кольцом. Краем глаза Варяг увидел, что метрах в пятистах следом появились еще два пса — Варяг их тоже узнал — прикормленные! Но и эти бестии могут не вспомнить, из чьих рук хавали куски мяса, тогда не убережет даже ангел-хранитель: справиться с четырьмя сразу — нереально.

Абрек оттолкнулся от кочки и взмыл в воздух. В прыжке пес показался неправдоподобно мощным — настоящий медведь. Пес старался нацелиться в самое горло, чтобы уже в падении расправиться со строптивым зеком и тем самым отработать сытный хозяйский харч. Но именно в прыжке пес был особенно уязвим. Варяг вырвал из рукава перо и с размаху ткнул острое лезвие в поджарое, поросшее пожелтевшей шерстью брюхо пса. Он почувствовал, как нож легко перерезал тугие брюшные мышцы и проник в кишечник. А в следующую секунду пес попытался перекусить Варягу горло, еще не понимая, что он уже мертв, и, натолкнувшись пастью на острые колючки металлического ожерелья, жалобно взвизгнул. А потом, подчиняясь скорее всего какой-то своей собачьей логике, а возможно, обыкновенному животному инстинкту, пополз в сторону, оставляя на влажной голубике кровавый шлейф.

Второй пес цапнул Варяга немного пониже колена. Его зубы увязли в мягком войлоке. Он с остервенением еще глубже стал вгрызаться в податливый материал. Ему, конечно, удалось прокусить ногу, но эта рана была не настолько ужасной, чтобы считать бой проигранным. Злобные глаза пса были налиты кровью, пес напоминал злющую росомаху, вцепившуюся в кусок свежего мяса, и внушал ужас. Варяг хладнокровно и долго примерялся к удару и полоснул бедолагу широким лезвием наверняка — прямо по горлу. Пес харкнул один раз, другой, его зашатало, словно былинку на сильном ветру. Через несколько секунд, потеряв к беглецу всякий интерес, зверь уткнулся кровавой мордой в густой мох и навсегда затих.

А Варяг уже готовился к приближению оставшихся двух собак. Приблизившись метров на тридцать, они остановились. Громадный черный кобель по кличке Атас, задрав голову кверху, шумно втягивал ноздрями прохладный северный воздух, к которому примешался терпкий запах только что пролитой крови. Пес узнал человека — он скармливал ему мясо, — виновато повел в сторону мордой и почти дружески взмахнул длинным хвостом. Подоспевшая к месту событий четвертая псина так же мгновенно сменила злобный рык на самое дружеское повизгивание, она тоже признала в беглеце человека, щедро делившегося с ней хозяйской пайкой, и так же смущенно отвела взгляд в сторону, что выглядело куда красноречивее всякого извинения.

Варяг расправил плечи и позволил себе расслабиться — псы были не опасны. Не зря все-таки прикормил... Собаки поглядывали на Варяга со смешанным чувством, в котором можно было прочитать растерянность, недоумение и вину за то, что не удалось выполнить служебный долг. Владислав большим пальцем ковырнул застежку и аккуратно, стараясь не поцарапаться об острые шипы, стянул с шеи ставший ненужным обруч; затем снял с ног войлочные щитки и отшвырнул их далеко в сторону.

Псы стояли в ожидании. Варяг сунул руку в карман, извлек из него куски колотого сахара и бросил собакам.

— Это вам последний мой подарок, прощайте, друзья, — и, проследив за тем, как собаки с хрустом схавали крепкий сахар, развернулся и побрел дальше на север.

Варяг шел на север. Именно это спасло его от погони — обычно заключенные бежали на юг или запад, поскольку на севере на многие десятки километров тянулись бесконечные болота, потом непроходимая, кишащая зверьем тайга, постепенно переходящая в тундру. И — никаких крупных населенных пунктов, за исключением нескольких затерянных в бездорожье военных баз.

Варяг прекрасно знал обо всем этом. Он готов был к тому, что ему, может, неделю, может, две придется ползти по тайге, питаясь травой, и твердо верил в то, что выживет. У него была цель. Не достигнув ее, он не имел права умирать.

Этот маршрут на север они выбрали вместе с Муллой.

— Владик! Тебе придется преодолеть болотами не меньше восьмидесяти километров. Выдержишь? — спросил его тогда старый зек. — Ты подумай как следует: ослабленный организм, после болезни. Даже подготовленному человеку это непросто.

— А разве другой путь у нас есть, Мулла? — прямо глядя в глаза старику, спросил Варяг. Мулла отрицательно покачал головой.

— Ты прав. На юге тебя сцапают за два дня, а то и раньше.

— Тогда, Мулла, не трать время, расскажи, что меня ждет на восьмидесятом километре и как мне не сбиться с пути.

— Все время пойдешь на север. В любом случае упрешься через пятьдесят—шестьдесят километров в большую речку. Внизу по течению километрах в тридцати стоит скала, ее видно издалека. Вот под этой скалой, в старом дереве, тебя будет ждать и еда, и оружие, и одежда. Там же будет спрятан адресок, по которому тебе дальше топать, — надеюсь, читать не разучился. Ну вот так, — закончил свой инструктаж и криво усмехнулся старый вор.

Мулла восхищал Варяга: это ж надо, в такой глухомани умудриться иметь своих людей, связи, «явки».

— Заки Юсупович, я всегда знал, что ты самый великий человек в воровском мире. Но что ты настолько велик, я себе и представить не мог, — улыбнулся Варяг и горячо пожал старому законному руку.

Мулла тоже хитро улыбнулся в ответ и философским тоном сказал:

— Чего только не сделаешь во имя «светлого будущего» *нашей идеи*.

В битве с собаками ему почти удалось избежать ран: так, незначительно повреждена левая нога, которую пытался прокусить Лютый. Перевязав ногу майкой, он шел не останавливаясь всю ночь и весь день, без еды. И только когда он понял, что погони нет, то позволил себе несколько часов поспать. Он взобрался на старую разлапистую ель, привязал себя ремнем к широкому суку и, прислонившись спиной к шершавому стволу, мгновенно провалился в тяжелый, больше походивший на беспамятство сон.

Проснулся он от голода и жажды. Желудок громко урчал, требуя еды, во рту пересохло, все тело затекло, и когда Варяг спускался с ели, ему казалось, что в кожу вонзаются тысячи острейших иголочек. Варяг осмотрел свои раны на ноге. Они присохли к повязке, и только одна продолжала кровоточить, вызывая тошноту и головокружение. Варяг сменил повязку, мельком подумав о том, что от него разит кровью и рано или поздно какой-нибудь зверь заинтересуется этим лакомством. Окровавленную повязку Варяг закопал в землю, руками вырвав дерн и прикрыв место камнем.

Покончив с этим, Варяг посмотрел на небо. Вечерело. Солнце скрылось за горизонтом, но теплая золотая полоса света указывала запад. Ночи в этот период года здесь были короткими и ясными. Варяг двинулся на север, по пути внимательно присматриваясь к местности, чтобы не пропустить признаков воды — ручья или, по крайней мере, какой-нибудь чистой лужи. Пить хотелось чудовищно. По пути он выкопал несколько съедобных корней и долго жевал их, катая во рту, глотая маленькими, тщательно пережеванными комочками.

Спасением была теплая погода — если бы было прохладно, Варяг наверняка не смог выжить в мокрой, непросыхающей одежде. Кроме того, он все же, видимо, потерял много крови, и от этого жажда стала просто невыносимой. Невыносимой становилась и усталость. От усталости у него перед глазами плавали красные круги, он уже почти не чувствовал боли, когда острые сучья рвали на нем кожу. Но он продолжал продвигаться на север, ни на мгновение не теряя надежды.

На третий день пути он наткнулся на довольно широкую звериную тропу, которая вывела его к ручью. Увидев воду, Варяг лег животом на землю и, погрузив лицо в прохладную прозрачность ручья, долго и жадно пил, наслаждаясь каждым глотком. Он смутно вспомнил, как в течение всего последнего дня шел через болота, перескакивая с кочки на кочку, ощупью находя брод, по колено в желтой болотной жиже, облепленный мухами, как труп. Потом — лежал, обессиленный, на земле, ничего не слыша, кроме сумасшедшего биения своего сердца. Через тайгу — то звериными тропами, то через бурелом. Он, как животное, научился определять близость воды просто по запаху и легко находил самый маленький источник, ведомый открытым в себе шестым чувством. Прошлогодняя морошка и орехи не могли утолить его нескончаемый голод. И только однажды ему удалось выловить в ручье небольшую рыбку, которую он тут же и съел, вместе с костями и головой. «Я выживу», — сквозь зубы говорил он себе, продираясь сквозь таежную чащу, устраиваясь на ночлег на деревьях, карабкаясь на покрытые лесом сопки. Смертельно уставший, он практически не чувствовал усталости — только голод и желание выжить владели его чувствами.

Однажды ночью Варяг проснулся, почувствовав на себе чей-то хищный взгляд. Замерев, долго всматривался в чащу, пока не обнаружил глядящие прямо на него кошачьи золотистые глаза. Это была рысь. Привлеченная запахом пота и крови, исходившими от него, она пристроилась на соседнем дереве, наблюдая за своей жертвой. Она не двигалась. Варяг, тоже не двигаясь, сидел, рассматривая ее. Чувства страха у него не было — оно притупилось усталостью и голодом, но тело, вне зависимости от его воли, приготовилось к бою — мышцы напряглись, глаза сузились, правая рука нащупала нож, лежащий в кармане. До АКМ, прислоненного к стволу старой сосны, ему было не дотянуться. Не отрывая глаз от рыси, он медленно спустился на землю.

И тогда она прыгнула.

Это был сильный зверь. За время их поединка Варягу довелось испытать, какой силой и ловкостью обладала эта небольшая с виду рыжая кошка с обаятельными кисточками на кончиках ушей. Он успел увернуться от ее первого прыжка, но в следующее мгновение рысь снова прыгнула, оттолкнувшись лапами от стоящего в стороне дерева, и нанесла удар сбоку, успев разодрать острыми когтями поясницу. Варяг вскрикнул от боли, но успел ударить хищника ножом вниз, туда, в пушистый пах. Рысь огласила лес полным боли криком, но не остановилась, а с невероятной скоростью запрыгнула Варягу на плечи, норовя впиться зубами в его горло. Одной рукой держа зверя за густую шерсть, другой Варяг снова нанес рыси удар ножом. Нож попал прямо в глаз. Лезвие глубоко вошло в кошачью глазницу — зверь захрипел и, разжав когти, повалился набок. Прислонившись к дереву, Варяг почувствовал, что теряет последние силы: острая боль в разодранном плече и боку, куски собственного мяса, смешанные с грязью. Варяг прошел несколько десятков метров и, потеряв опору под ногами, покатился куда-то вниз. Падая, он ударился головой о каменный выступ, сознание погасло. Варяг остался лежать на дне оврага, в полуметре от струящегося по его дну прозрачного ручья...

ГЛАВА 18

Зашипел переговорник. Беспалый вжал кнопку приема.

— На связи!

— Товарищ подполковник! — послышался в переговорнике тревожный голос майора Кротова. — Плохие новости! Пропал младший сержант Шлемин!

Беспалый так и сел.

— Как то есть пр... — Голос у него сорвался. — Как то есть пропал? Твою мать! А куда он мог деться?

— Не знаю. Вы мне сами ночью приказали кого-нибудь отправить осмотреть прилегающую к колонии территорию — вот я его и отправил.

— В котором часу? — спросил Беспалый и тут же понял, что задал идиотский вопрос. — Местность прочесали?

— Вблизи колонии да, но поиски пока результатов не дали.

— Пошли людей снова, с собаками!

— Товарищ подполковник! Дело в том, что Шлемин ушел с собаками: все четыре «кавказца» пропали вместе с ним.

Беспалый тупо уставился перед собой, сдерживая в себе неукротимое желание грохнуть об стену передатчик. Он чувствовал, что Кротов хочет сообщить ему еще какую-то новость.

— Ну, выкладывай, что там у тебя еще, — буркнул он в рацию.

— Есть еще одна очень неприятная весть.

Беспалый с трудом улавливал прорывающиеся сквозь жуткий треск слова Кротова.

— Убит... нашли... — треск усилился, и Беспалый уже ничего не мог расслышать.

— Слушай, Кротов, ты можешь прямо сейчас ко мне подскочить? Ни хрена не слышно. Дуй быстро! Доложишь на месте.

— Есть. Сейчас буду.

Через десять минут майор Кротов вместе с прапорщиком Родионычем навытяжку стояли перед сумрачным подполковником Беспалым. Беспалый буравил его тяжелым взглядом. Все беспокойные мысли начальника колонии слились в один назойливый, как оса, вопрос: «Как же теперь быть?»

Майор ему только что доложил, что в кладовке возле умывальни в бараке номер семь найден труп Щеголя со следами удушения. О находке доложил старший прапорщик Родионыч, по показаниям которого заключенный Стась Ерофеев по кличке Щеголь вошел к себе в барак примерно в четыре утра — и с тех пор его живым не видели.

Вошел с докладом капитан Сомов и тоже приволок дополнительные нерадостные сведения о том, что во время штурма баррикад есть убитые как со стороны зеков, так и со стороны ОМОНа. Собак найти пока не удалось. Табельный АКМ сержанта также пропал без следа...

Беспалый искоса по очереди взглянул на Кротова, потом на Сомова, потом на прапорщика Родионыча, которые молча стояли у входа, и глухо приказал:

— Так. Поиски сержанта продолжать. Выяснить, куда делись собаки. Исчезновение четырех волкодавов — это не шутка. В колонии немедленно учинить общий шмон.

183

Заключенных вывести на воздух — и проутюжить все бараки. Похоже, кто-то крутой сегодня ночью в этой заварухе ушел из колонии.

— Да как же, тааищ... — начал было Кротов, но Беспалый, поморщившись, оборвал его.

—... Установить, кто ушел. Возможно, это Ковнер Александр по кличке Саша Клин. Допросить всех его соседей по бараку. Кто что видел, кто что слышал? Все. Выполняйте, майор. А вы, Сомов, еще раз пересчитайте заключенных.

Когда Кротов с Сомовым выскочили за дверь, Беспалый повернулся к Родионычу.

— Вот такие дела, Родионыч! Херовые!

— Теперь что ж, Александр Тимофеич, шею намылят? — невозмутимо поинтересовался тот.

Беспалый пропустил мимо ушей недопустимую фамильярность со стороны прапорщика.

— Это уж как пить дать — намылят! — невесело кивнул он. — Ох и намылят.

* * *

Зеки не на шутку заволновались, когда до них дошло известие о шмоне, объявленном в колонии. Александра Тимофеевича Беспалого трудно было заподозрить в раздолбайстве. А тем более сейчас, когда у него были веские причины шмонать нехитрые зековские пожитки и тайники. Все понимали, что с той настойчивостью, с которой Беспалый переворачивает зону вверх дном, доставленный с воли косячок наркоты или заначенную валютку не ищут. Ясно, что у Беспалого есть более насущный интерес. Тем паче что по зоне поутру, после жестокого и кровавого подавления бунта, пополз устойчивый слушок, будто Беспалый вконец озверел и самолично застрелил старого Муллу. Впрочем, слушок был непроверенный, да и как его проверишь, коли спраши-

вать пришлось бы у самого Александра Тимофеевича, —
а он разве ж правду-то скажет...

Примерно в восемь тридцать утра обитателей мрачных
бараков вывели на свежий воздух, выстроили в шеренги и
оставили стоять на утреннем солнышке. Работы отмени-
ли. Охранники тем временем ворвались в пустые бараки и
начали методичный осмотр. Особенно старались в бараке
номер семь, где до сегодняшнего утра обретался убиен-
ный Щеголь, и в пятом — где проживал исчезнувший ночью Саша Клин. Но что искали — не знал никто, и пожалуй, даже самим вертухаям это было неведомо.

Беспалый зачем-то пошел в пятый барак и, встав в
проход между двухъярусных железных коек, мрачно наблюдал за привычной процедурой: солдаты перетряхи-
вали и прощупывали матрацы и подушки, выволакивали
из тумбочек мешочки, тряпочки, одежонку, посуду, газеты, книжки. Под матрацем в койке пропавшего Ковнера
обнаружили заначку анаши-соломки и две мятые сигареты с каким-то душистым зельем. Но самое главное —
аккуратно завернутые в носки две банки сардин. Эта находка сильно насторожила Беспалого. Он задумчиво повертел жестянки в руке и помрачнел. Ясно, что такой
предусмотрительный зек, собирающийся дать деру, ни
за что не забудет прихватить с собой консервы.

Нет, что-то никак не было похоже, что Саша Клин решил податься в бега. Что-то тут не связывалось. Но если Саша не сбежал, думал Беспалый, то куда же он делся? Или, может быть, Сашкин труп превратился вчера
ночью в горку праха. И вместе с прахом тех троих ожидает захоронения на зековском погосте? А он, Беспалый, сдуру принял труп Сашки Клина за труп Варяга.
Нет, не зря торопился Мулла с сожжением трупов — не
зря!

Выслушав короткий рапорт сержанта об итогах обы-
ска в бараке, Беспалый кивнул и молча вышел. Он шагал по зоне и обдумывал события прошедшей ночи, при-

кидывая разные варианты. Но по всем прикидам выходило, что Владислав Игнатов, вор в законе по кличке Варяг, вполне мог остаться живым. И вполне мог находиться сейчас далеко от зоны. Вот это сейчас и предстоит выяснить Беспалому. А пока об этом никто не должен знать.

* * *

Беспалый опять вернулся к себе в кабинет и выжидательно глядел на черный аппарат. Телефон молчал, но Беспалый понимал, что это временное явление. Он посмотрел на часы: двенадцать. В Москве уже рабочий день в полном разгаре. Ждать, по-видимому, оставалось недолго.

Однако даже предполагаемое бегство Варяга не слишком пугало начальника колонии. Самое страшное, что только могло произойти, — произошло: после непонятного, неожиданного, нелепого убийства Щеголя рухнула последняя подпорка, на которой держалась империя Беспалого — его «сучья империя», «сучья зона», где он безраздельно правил, где он был и прокурором, и судьей, и адвокатом. Созданная им за долгие годы кропотливого труда система тотального контроля и железного порядка на зоне стала могучим фундаментом его образцового исправучреждения, одного из лучших в российском ГУИНе. За свою образцовую зону он неоднократно получал благодарности от высокого начальства, а в последние два года не раз слышал посулы непременного повышения «на запад», что на провинциальном эмвэдэшном жаргоне означало: в Москву! Все: и краевое начальство, и зеки — знали, что империя Беспалого держится на круговой поруке его негласных осведомителей — ссученных воров, «чертей», «запомоенных» и прочей легендарной шушеры, многих из которых он са-

186

молично «опускал», шантажом ли, угрозами или хитростью принуждая служить себе преданно, по-собачьи.

С появлением же на зоне Варяга, чему он, Беспалый, мягко говоря, был не рад, все сразу пошло наперекосяк. Когда то там, то здесь хитроумно сотканная им агентурная паутина начала рваться, он не на шутку встревожился, но поначалу не связывал загадочные события, череду смертей своих агентов с влиянием Варяга. Сначала он был спокоен, считая, что предпринял беспрецедентные меры к тому, чтобы не только изолировать Варяга от остальной зоны, но и превратить его в безмолвное, тупое животное — не зря же он поручил лагерному врачу колоть московскому гостю лошадиные дозы сильного наркотика, от которого «больной» надолго терял человеческий облик. Но, видно, его система засбоила — и тут явно почувствовалась рука старого зека Муллы. Неужели Варяг и Мулла снюхались? Но как? Когда успели? Не через врача ли Ветлугина — этого старого мудака? Но он не мог поверить, что Димка Ветлугин, косорукий ветеринар, допущенный на тепленькое место главного врача лагерной больницы только благодаря его, Беспалого, участию, пошел бы поперек воли хозяина...

А теперь еще и Щеголя удавили. Кто же смог осмелиться поднять руку на пахана лагеря? Такие убийства просто так на зонах не случаются — значит, зекам каким-то образом стала известна тайная сторона лагерной жизни Стася Ерофеева. И его приговорили... А тут еще буза ни с того ни с сего, исчезновение зека, гибель Варяга. И непонятно пока, как к этой гибели отнесутся в Москве — то ли по головке погладят, то ли эту головку с плеч снесут на хер...

Беспалый крякнул и нервно помял ладонью затылок. Ну ничего, где наша не пропадала — с полковничьими погонами, похоже, придется погодить, с переводом «на запад» явно придется тоже погодить. А уж потом, когда все уляжется!..

Но он не успел придумать, что произойдет потом, поскольку черный телефон взорвался торопливой междугородней трелью.

«Ну теперь уж верняк шею будут мылить», — с невеселой усмешкой подумал он и снял трубку.

Звонок был из Москвы. Причем звонил не его старый знакомец Калистратов и не таинственный Коля, а какой-то генерал Артамонов. Фамилия очередного московского начальника показалась Беспалому знакомой, но он так и не смог припомнить, доводилось ли ему с ним встречаться раньше.

— Меня интересует ситуация в колонии. Что сейчас там у вас происходит. Есть ли жертвы? Среди заключенных и... наших людей? — жестко проговорил генерал.

Беспалый лихорадочно обдумывал ответ. По тону далекого собеседника, назвавшего пароль, он сразу понял, что предстоит серьезная разборка. И осторожно ответил:

— Вам должно быть известно, что вчера поздно вечером в колонии произошел бунт заключенных. Началась стрельба...

—... Да, я все знаю, — недовольно оборвал его московский генерал. — Я спросил о потерях. Убитые есть?

— Девять... Точнее, десять... вероятно.

— Что значит — вероятно? Вы провели опознание трупов?

— Провели. Девять заключенных погибли в перестрелке. Из них двое убиты при восстановлении порядка силами краевого ОМОНа. — Беспалый сделал паузу.

— Это все?

— Нет. По-видимому, один заключенный бежал.

На другом конце провода кашлянули.

— Насколько это точные сведения? Кто бежал, вам известно?

— Сведения требуется проверить. Фамилия заключенного Ковнер. Александр.

Беспалый ждал, когда генерал Артамонов спросит у него про Игнатова. Он был уверен, что услышит такой вопрос. И не ошибся.

— У вас находится заключенный Владислав Игнатов, — спокойно продолжал Артамонов. — Что с ним?

— А что с ним? — как бы недоуменно спросил Беспалый, выуживая из собеседника дополнительную информацию.

— Он не пострадал?

— А почему он должен пострадать?

— У меня есть непроверенные сведения... — но генерал не стал продолжать. — Так, подполковник Беспалый, вам придется срочно вылететь в Москву и доложить на коллегии министерства о ситуации в колонии. И подготовьте подробный рапорт. — Артамонов помолчал. — Вам кто-нибудь уже звонил из Москвы? Вам известно о решении заслушать вас на коллегии министерства?

Беспалый криво улыбнулся. Московский генерал был хитер, сука, но он не знал, на кого напал: Беспалый был еще хитрее. Он сразу понял, что именно волнует генерала Артамонова: кто входил с Беспалым в контакт по поводу Варяга! Вот оно что! Ну, ребята, мы еще поиграем с вами в кошки-мышки!

— Никак нет, товарищ генерал! — играя в идиота, рявкнул Беспалый. — Со мной связывался генерал Калистратов. Но он мне не сообщил о коллегии.

— Понятно. Вас ждут в Москве. Выезжайте, как только сможете.

— Слушаюсь, товарищ генерал!

Ага! Засуетились москвичи! Беспалый резво вскочил и подошел к окну. Забеспокоились! Варяг! Варяг их, видите ли, заинтересовал! Кому-то на него насрать. Но кому-то?! Не зря Калистратов держал его под своим крылом. Что-то они там, в столице, задумали насчет смотрящего по России? Зачем-то ведь он им был нужен. А теперь вдруг нет? Странно. Очень странно! Ну да ладно, посмотрим. Теперь главное выяснить, действительно ли он превратился в горсть пепла или каким-то неведомым образом вырвался за пределы зоны и шляется по тайге.

Если Варяг жив — значит, так тому и быть. Значит, у подполковника Беспалого появится еще одно неотложное дельце. И он не успокоится, пока не найдет Варяга и пока не вынесет ему свой личный приговор. Сильно обидел Варяг Беспалого: не любил бывалый тюремщик терять контроль над своими заключенными. Не привык к тому, чтоб в его «доме», в его колонии кто-то командовал помимо него. Никогда Беспалый не простит Варягу нанесенной ему смертельной обиды.

ГЛАВА 19

Он очнулся — словно вынырнул из стремнины, увлеченный бурным течением вверх. Солнце слепило глаза. Иссохшие губы инстинктивно ловили пьянящий воздух, врывавшийся в грудь мощными толчками. Жив...

Варяг перевернулся на левый бок, отстраняясь от слепящих солнечных лучей, и увидел бегущий на расстоянии вытянутой руки ручей. Он уронил ладонь в журчащий поток, зачерпнул горсть холодной воды и жадно выпил. Потом попытался подняться — и не смог. Все тело как будто одеревенело. Он оглядел себя: сквозь разорванную в клочья куртку сочилась бурая кровь. Только теперь он вспомнил: рысь! Чертовой котяре все-таки удалось саданть его острыми когтищами. С огромным трудом, преодолевая боль, он подтянулся к краю ручья и, захватив полную пригоршню воды, стал промывать рану и вдруг охнул от неожиданной боли: глубокая, все еще кровоточащая рана ожила, заполыхала. Стиснув зубы, Варяг снова промыл рану и, повернувшись, пошарил глазами вокруг себя. Рядом с собой он сорвал большой закудрявившийся по краям лист и приложил к разодранному боку. Сверху натянул лохмотья рубахи и повалился уже совсем без сил на спину, уставившись глазами в небо.

И тут его взгляд поймал вдали высокую голую скалу, возвышающуюся над лесом. Он повернул голову влево и увидел среди деревьев небыструю широкую речку. Неужели дошел? В ушах глухо зазвенели слова старика Муллы: «Упрешься через пятьдесят—шестьдесят километров в большую речку. Ниже по течению, километрах в тридцати, стоит скала, ее видно издалека».

Он уже второй день как потерял ориентир и не надеялся найти нужное место. И казалось ему, что одолел он не восемьдесят, а все триста километров: видно, сильно петлял по лесу, сбился с прямого маршрута, а потом все же попал в нужное место. Хотя и не с той стороны — должен был прийти к горе не с запада, а с востока. Ну да ладно. Главное, что дошел. Сколько же времени прошло? Дней пять — не меньше. А должен был управиться за три.

Вспомнились слова Муллы: «Под скалой, на самой стрелке, где сливаются две реки, стоит охотничий домик, а рядом с ним — сохранилась старая ель. Там найдешь в дупле гостинец — мешок с едой, одежду, оружие...» Варяг вдруг вспомнил про добытый автомат «калашникова», который он протащил через все болота и леса. Он осмотрелся вокруг себя. Автомат лежал в двух метрах от него. Варяг подтянулся на руках. Преодолевая боль, дополз до автомата и с удовольствием ощутил в руках холодную сталь: «Здесь, родимый». Теперь лишь бы хватило силенок подняться на ноги да дойти до заветной ели.

Есть хотелось нестерпимо. Сколько он уже не ел? Еще в первый вечер после выхода из «метро» он съел сухой паек, взятый из барака, — четвертинку черного хлеба да шматок сала. И вот уже третьи сутки во рту у него ничего не было, кроме пресных ягод да корешков.

Варяг еще немного полежал без движения, собираясь с силами для последнего марш-броска. Ему вспомнилось вдруг то, что неотступно преследовало его долгие мучительные месяцы пребывания на зоне: Светлана и сын Олежка. Где-то они сейчас? Ему стало страшно от того, что он может не успеть их спасти. Что задумал Шрам? Эта сволочь способна на все!

Думать обо всем этом сейчас было невыносимо: действительно, чем он мог помочь своей семье, находясь здесь, в глухой тайге, за тысячи километров от «большой земли». Еще не факт, что обессиленный, голодный, с глубокими рваными ранами на теле он сумеет выбраться из этой глуши живым-здоровым.

Но Варяг медленно встал на одно колено, потом оперся руками о землю и осторожно поднялся на четвереньки. Постоял так в раскоряку минуту-другую и, стиснув зубы, опираясь на автомат, выпрямился в полный рост. Голова закружилась, в глазах потемнело, он едва не потерял сознание, но, ухватившись за ветку куста, устоял, удержался и медленно, придерживая дрожащими руками автомат, неверным шагом двинулся к одинокой скале — своему единственному ориентиру. Теперь надо только добраться до нее и найти старую ель.

Первая сотня шагов далась Варягу с превеликим трудом. Но потом он немного расходился и прошагал до скалы довольно уверенно, не опасаясь потерять сознание. Рваная рана ныла, но резкая боль немного утихла и, похоже, не кровоточила.

Через полтора часа он вышел из леса к скале. Скала, словно огромный космический корабль, нависала над рекой. Было ощущение, будто чья-то могучая неведомая рука специально поставила исполинское сооружение в этом, потрясающем по красоте, северном пейзаже. За скалой темнел поросший лесом холм. Где-то там должен прятаться охотничий домик. Варяг стал огибать скалу слева и скоро увидел редкий осинник, утопающий в свежей июньской зелени.

Старую ель с кривым толстым стволом, единственную в округе, он приметил сразу же. Сердце гулко забилось, на душе стало веселее. Ну, кажется, и второй этап близок к успешному завершению. Забросив автомат за спину, Варяг быстрее зашагал к старой ели. Он обошел ее вокруг, внимательно скользя взглядом по стволу. Вот и дуплс   невысоко, на уровне глаз. Он запустил руку в прохладный черный зев дупла. Пальцы повисли в воздухе. Варяг пошарил — ничего. Странно. Неужели не вышло у Муллы? Вряд ли. Старик уж коли за что брался, проколов не допускал. Варяг привстал на цыпочки и запустил руку поглубже, но пальцы тут же ткнулись в дно дупла. Он провел пальцами вверх по влажным мшистым стенкам, добрался до самого верха. Ничего.

Дупло было пустым.

* * *

Коля Кустов, мужик лет сорока, высокий и тощий, сидел у костра и с глуповатой ухмылкой вертел в руках черный блестящий пистолет. Коля обожал «железки» — ножи, заточки, обрезки труб, велосипедные цепи — словом, все то, что в его сильных жилистых руках могло превратиться в грозное оружие устрашения, а если надо — и нападения. В тринадцать лет Колю, неисправимого второгодника и хулигана, исключили из воронежской школы и решением обл оно направили в колонию для несовершеннолетних. Постарался директор школы Владимир Сергеевич Токарев, сука! Когда за Колей прямо в школу приехал милицейский «уазик», трудный подросток бухнулся директору в ноги и стал целовать ему ботинки, голося на всю школу, умоляя пощадить. Директор был непреклонен, и Колю увезли. Три года пребывания в колонии для малолетних преступников в солнечной Украине, в небольшом районном городе Прилуки, Коле на пользу не пошли. Он вышел из колонии с профессией токаря и ожесточившейся душой. Если в школе его любимым занятием было битье лампочек из рогатки, то теперь он обожал изготавливать колюще-режущие предметы. И делал это виртуозно. После колонии он уехал на Урал и поселился в Свердловске. Очень скоро изготовленные им финки с наборными рукоятками, миниатюрные ножички с острыми, как бритва, тонкими лезвиями, замысловатые отмычки стали пользоваться заслуженной славой у местных бандитов. Коля стал получать заказы. Жизнь пошла в гору. Но лафа продолжалась недолго. Кого-то из его клиентов замели, изъяли ножички да отмычки, и менты, после несложного расследования с применением мордобоя, вышли на Колю. На этот раз Колю посадили по-серьезному — на пять. Отсидев по полной программе, Коля дал себе зарок больше с бандитами не связываться и работал только по собственным нуждам. А нужды эти были скромные — «перо»-невидимка, замаскированное под авторучку, набор отмычек, замаскированных под китайский набор мини-отверток. Вооружившись этим нехитрым инструментом, Коля время от времени, нечасто, чтобы не засветиться, выходил на промысел: вскрывал квартиры граждан, укативших летом на юга, чистил бесхозные автомобили и кооперативные палатки да ломал по выходным хилые сейфы в небольших государственных учреждениях. Летом Коля для отдохновения своей исстрадавшейся души обычно уходил в тайгу — бродяжить, бичевать, бомжатничать... Любил он так оттянуться, побездельничать, отвлечься от трудов неправедных и рискованных. У него уже лет пять как сложилась своя постоянная компания из свердловских же бомжей — Сереги Бугрова по прозвищу Булька и Пашки Воробьева. Те были фирменные свердловские — по-нынешнему екатеринбургские — бомжи: нигде не работали, жили где придется и зарабатывали либо попрошайничеством, либо случайными приработками на городском вокзале. Летом он собирал их, вел в баню и там тщательно отмывал от многомесячной грязи и вони, и они втроем рвали когти куда-нибудь за северный Урал.

В этом году им повезло. Они сошли с поезда на глухом полустанке Северопечерск, переночевали у платформы, а наутро на первом попавшемся грузовичке добрались сначала в какой-то рабочий поселок, а дальше двинулись куда глаза глядят в тайгу. Местные пообещали им тут отличную рыбалку, ягодные и грибные места — надо было только подождать до июля — и тьму небитой живности.

На второй день блуждания по лесам бродяги набрели на охотничий домик на берегу красивейшей речки под утесом. Здесь они и решили расположиться на летний сезон. И в первый же вечер нашли клад...

Коля вертел в руке черный промасленный пистолет и улыбался. Впервые в жизни он держал в руках такую игрушку. Ощущение было клевое! Пистолет нашел он в мешке, вместе с двумя буханками хлеба, оковалком ароматной дымной корейки, печеной картохой и бутыльком водяры. Все это аккуратно было завернуто в комплект добротной солдатской одежды и вместе с крепкими рабочими башмаками положено в полотняный мешок. Мешок лежал в дупле старой ели, ссутулившейся на пригорке недалеко от скалы, всего-то в сотне метров от охотничьего домика. Видно, кому-то этот клад предназначался, но, как говорится, что с возу упало, то пропало. Правда, ясно, что кто-то за этим кладом наверняка должен наведаться. Причем раз в мешке лежал аккуратно завернутый в промасленную ветошку пистолет, значит, гость ожидался серьезный. И небезопасный. Что ж, подождем, поглядим... Коля прихватил и в этот раз с собой (как всегда делал) пару заточек, три литые свинцовые трубы с резиновыми ручками да килограммовую чугунную гирьку на цепке — что-то вроде кистеня. С таким арсеналом ему сам черт не страшен.

Коля прицелился в стоящую метрах в десяти молодую березку. Эх, блин, вот сейчас бы пальнуть. Да только Коля немного робел, испытывая перед боевой игрушкой детский трепет. Он только теоретически представлял, как управляться с этой штукой. Надо, значит, снять с предохранителя. Фразу эту он много раз слыхал в кино, но сам ни разу этого не проделывал. И где у него этот самый предохранитель? Вот эта, наверно, рифленая пимпочка сбоку. Потом, кажется, надо оттянуть боек для первого выстрела. Или не боек? Как оно называется — хрен его знает. Может, курок?

Коля повел ствол правее и прицелился в березу потолще. На вороненый ствол упал солнечный луч и отразился от гладкой стали. Тьфу ты! Ба-бах! Прозвучал выстрел. От неожиданности Николай вздрогнул и довольно усмехнулся. Клево! Полезная находка. Он спрятал пистолет в карман штанов и поднялся. Пора раскочегаривать костерок и ставить воду для ушицы. Скоро вернутся мужики с уловом. Коля двинулся к домику взять котелок, тарелки и ложки.

На миг ему показалось, что за охотничьей хибарой мелькнула чья-то фигура. Он нахмурился. Кто там еще... Мужики должны были прийти совсем с другой стороны, от речки. А если кто там и есть, то появился из лесу. Может, зверь? Хотя нет, местные говорили, что крупного зверя тут давно уже нет. Тогда... Коля привычно запустил руку в карман ветровки и выудил свою любимую финку — не самоделку, а «фирму́», трофей, доставшийся ему лет пять назад в квартире одного свердловского лоха. Он даже забыл, что в кармане штанов у него спрятано куда более грозное оружие.

Стараясь не хрустеть сухими палыми ветками, Коля тихо зашел за домик слева и, прислонившись к потемневшим бревнам стены, выглянул из-за угла. Никого... Может, почудилось? Он замер, вслушиваясь в лесные голоса. Но, кроме сонного шелеста листвы и веселых птичьих перекличек, ничего не услыхал.

Вдруг сзади раздался негромкий металлический щелчок. Он резко обернулся и похолодел.

ГЛАВА 20

Варяг добирался до охотничьего домика долго — как минимум полчаса. Хотя от старой ели до бревенчатой хижины было рукой подать — она хорошо просматривалась даже сквозь густую листву. Но Варяг, присев под старой елью и обдумав сложившуюся ситуацию, понял, что дело нечисто. Кто знает, может, именно здесь его поджидают вертухаи Беспалого. Он долго прислушивался. До него долетели какие-то звуки со стороны утеса. Ему также показалось, что оттуда доносится едва уловимый запах дыма и прогоревших древесных углей. Дымок был свежий, суточный. Видно, кто-то здесь был кроме него. Присмотревшись, Варяг заметил у скалы фигуру человека.

Он снял автомат с плеча и хотел было передернуть затвор. Но не стал этого делать, решив, что лишнего шума ему не стоило производить. В случае чего — успеет дослать первый патрон в ствол... Коли уж он снял АКМ с вертухая, то, значит, автомат хорошо отлажен и сбоя не дает.

Варяг решил идти к домику кружным путем, обогнув скалу. Углубившись в лес, он шагал согнувшись, не замечая боли, забыв об усталости, сосредоточившись, собрав всю волю в кулак, плотно сжав губы. Теперь он весь превратился в слух, зрение и осторожность. На пути возник глубокий узкий овраг. Он осторожно, не без труда преодолел препятствие и затаился в стах. Все спокойно. Просидев на корточках, отдыхая инут десять, Варяг снова двинулся к охотничьему домику. Домика пока не было видно из-за листвы. И тут он вдруг услышал хлопок и треск отлетевшей от березового ствола щепки. Варяг затаился. Несомненно, это был выстрел. Через некоторое время он вдруг заметил промелькнувший блик — так бывает, когда из детского зеркальца пускают юркий солнечный зайчик...

Варяг все сразу понял. Он нащупал в кармане брюк нож, сжал ствол автомата и, пригнувшись, тихо пошел вперед.

У домика все было тихо. Обогнув ветхую постройку, он через открытое окно глянул внутрь. Его взгляд скользнул по двум самодельным кроватям, на которых явно сегодня ночью спали: там лежал матрац, одеяло и примятая подушка. На столе у противоположного окна громоздилась посуда. У отворенной входной двери торчали грязные резиновые сапоги. Он пересчитал их — три пары.

Все указывало на то, что дом обитаем.

Вдруг Варяг услышал осторожные шаги за спиной. Неизвестный явно старался ступать тихо, но подкрадывающегося человека предательски выдавал тонкий хруст сухих листьев под подошвами. Человек за углом затаился, прижавшись к бревенчатой стене, и ждал. Варяг, не двигаясь, также ждал встречи с незнакомцем. Инстинкт подсказывал ему, что, хотя в доме обитают как минимум трое, их на самом деле может быть больше.

Он вжал приклад автомата в бедро и выставил вперед ствол. Вздохнув поглубже, сделал широкий шаг и выскочил из-за угла. Спиной к нему, точно так же, как и он минуту назад, прижавшись к стене, стоял высокий мужик в тельняшке и полотняных штанах. По всему было видно, что он, почуяв лесного гостя, теперь поджидал его в засаде — да только гость оказался проворнее и хитрее и сам зашел к нему с тыла.

Варяг передёрнул затвор «калашникова». Раздался сухой металлический щелчок. Варяг сосредоточился на спине и затылке мужика и даже не заметил этого странного, как бы пустого, звука — точно патрон не желал отправляться в патронник.

Мужик резко обернулся. Варяг не мигая смотрел прямо на него. Лицо давно не бритое, немолодое, хмурое. Близко посаженные узкие глаза. В руках нож. Но солнечный блик, замеченный Варягом из лесу, явно сверкнул не на этом узеньком лезвии. Значит, у мужика припасено еще что-то. А может, это просто половник, вдруг весело подумал Варяг и тут же осадил себя: расслабляться нельзя. Надо рассчитывать на худшее. А самое главное — у него должен быть пистолет.

Мужик отступил на полшага назад. Видно, от неожиданности оробел. Варяг сглотнул слюну и жестко, негромко проговорил, мотнув стволом АКМа:

— Оружие, кроме этого перышка, есть?

Мужик молчал, словно раздумывая, что ответить.

— Ты что, глухой? Перо положи на землю! Не торопись. Положи к ногам.

Мужик повиновался и, не сводя глаз с Варяга, нагнулся, положил ножичек у левого ботинка.

— Так, молодец, — насмешливо похвалил его Варяг. — Теперь ножкой, осторожненько подтолкни его в мою сторону.

Мужик в тельняшке несильно поддал нож носком ботинка. Нож пролетел метра полтора и упал перед Варягом.

Варяг снова повел стволом автомата.

— Еще оружие при тебе есть?

Мужик с явной неохотой полез в карман штанов. Варяг угрожающе поднял «калашникова» и прижал ствол к плечу.

— Только смотри, не дури! — процедил он. — Предупредительных выстрелов я делать не стану. Шмалять буду на поражение.

Лицо мужика исказила страдальческая гримаса. Видно, он не на шутку перетрухал. То, что он достал из кармана, немало порадовало Варяга. Это был «макаров». Мулла говорил ему, что в дупле старой ели вместе с едой для него будет приготовлен новенький ПМ. Так, теперь ситуация прояснилась. Значит, в дупле все же был для него гостинец. И этот гостинец попал в чужие руки...

Мужик стоял как вкопанный, держа пистолет за ствол в вытянутой руке.

— Теперь брось мне этот пистолет, приятель. Живей!

Мужик молча глядел на Варяга. Потом перевел взгляд на пистолет. Ему явно было жалко расставаться с опасной игрушкой. Он качнул рукой с пистолетом и вдруг резко бросил «макарова» назад, себе за спину. Блеснув на солнце длинным антрацитовым стволом, пистолет исчез в высокой траве. Варяг выругался и, не раздумывая, нажал на спусковой крючок. Автомат издал сухой щелчок. Варяг поморщился и еще раз нажал на спуск. Снова сухой щелчок.

— А патронов-то у тебя, браток, нет! — раздался за спиной злобный голос. — Ща-ас мы тебя, подлюку, научим, как на спусковой крючок нажимать. Бей его, Серега!

Варяг обернулся. Метрах в десяти от него стояли готовые к драке два мужика. У одного из них в руке болталось оцинкованное ведро. Другой держал в руках удочки и садок.

Решение он принял мгновенно: схватил валяющийся на траве нож и, перебросив автомат в воздухе прикладом вперед, сжал в правой руке ствол. В следующее мгновение он ринулся на мужика в тельняшке и без размаха врезал ему прикладом в грудь. Мужик мешком повалился на траву. А Варяг развернулся и приготовился отразить нападение двух других. Тот, что держал ведро, невысокий, плотный, выхватил из ведра здоровенный тесак. Другой, повыше и похлипче, побежал в дом — видно, за оружием.

Дела у Варяга были плохи. Сейчас ему явно предстоял выбор между жизнью и смертью. Не раздумывая, он двинулся на плотного коротышку, резво рассекая ножом воздух перед собой. Но тут Варяг почувствовал, что силы его тают. Снова открылась рваная рана на боку. Кровь текла теплым липким ручейком. Он из последних сил сделал ложный замах лезвием — на что коротышка отреагировал так, как и ожидал Варяг: уклонился вправо и вниз, опустив руку с тесаком. В это мгновение Варяг поднял «перо» и резко ударил им коротышку в незащищенное плечо. Лезвие глубоко вонзилось в тело. Коротышка ахнул и безвольно выронил свой огромный нож.

И в этот момент Варяг получил сильнейший удар сзади. Он, зашатавшись, обернулся. Позади стоял мужик в тельняшке с увесистой суковатой палкой и уже готовился нанести очередной удар. Варяг взмахнул автоматом, буквально корчась от невыносимой боли, тяжело ударил мужика прикладом в голову. Удар пришелся прямо в висок. Тот зашатался. Не давая противнику опомниться, Варяг бросился вперед и, не раздумывая, всадил ему нож прямо под ребра. Лезвие мягко прошло сквозь мышцу, перерезало сухожилие и застряло в грудной клетке. В запале Варяг, крепко сжав рукоятку ножа, с силой повернул лезвие вправо, потом влево. И почувствовал, как ему на руку хлынула кровь...

Коля Кустов, падая навзничь, успел заметить синее-синее небо без единого облачка, обступившие его со всех сторон кудрявые березы и печальный взгляд непрошеного гостя с незаряженным автоматом... В следующее мгновение сознание покинуло его навсегда.

Серега Бугров зажимал ладонью кровавую рану на плече и в полном оцепенении наблюдал за коротким боем Кольки Кустова с незнакомым хмырем. Черт его дернул приехать сюда, в эту глушь, с Коляном. Он давно знал Кольку, знал его опасную любовь к опасным увлечениям, дальним путешествиям, ночным приключениям, запретным «железкам». Серега точно знал, что это знакомство до добра не доведет — потому что Колян всю жизнь шел по острию бритвы, на каждом шагу рискуя по-глупому. И вот нá тебе, дорисковался, мудила!

Серега не хотел так по-дурацки, за здорово живешь, откидывать копыта — наподобие Коляна. Честно говоря, он до сих пор еще не понял, что автомат не стреляет, и с ужасом ждал, что вот теперь, покончив с Коляном, страшный гость прошьет его автоматной очередью крест-накрест. Серега бросил все еще болтавшееся у него в руке ведро с рыбой и громко крикнул:

— Мужик! Ты меня не трогай! Я же тебе ничего не сделаю. Слышь? Бери что хочешь — только не убивай! Зайди в дом — возьми хоть все! Да там нет ни хера. А Пашке я скажу, чтоб он не дурил. Он за бердашом побег. Да бердаш-то пыжами заряжен — только уток стрелять. Успокойся, мужик!

На Варяга испуганный крик коротышки подействовал отрезвляюще. Он перевел дух и только сейчас сполна ощутил охватившую все его тело боль. Опустив автомат, он поглядел на сжатый в побелевших пальцах окровавленный нож. Надо найти «макарова», мелькнуло у него в голове. Да как искать-то, а вдруг этот хряк на хитрость пошел? Хотя по перепуганным глазам видно, что в штаны наложил плотно.

Варяг кивнул:

— Ладно, я тебя не трону. А ты иди своему Пашке скажи: пусть в доме сидит, не выходит...

Серега Бугров, не решаясь повернуться спиной, попятился назад и скрылся за углом охотничьего домика. Варяг метнулся к тому месту, куда, как он помнил, упал пистолет. Он раздвинул траву и, пошарив по земле, быстро наткнулся на ПМ. Сунув находку в карман, он пошел к домику.

Войдя в дверь, Варяг увидел, что толстяк и худой чинно сидят за столом и выжидательно глядят на него.

— Пожрать мне соберите — все, что есть! — приказал Варяг и на всякий случай вынул из кармана «макарова». Он бросил бесполезный автомат на пол. — Еще кто с вами тут живет?

Упитанный замотал головой.

— Никого нет — только мы трое.

— Кто такие?

— Я — Серега, он — Пашка.

— Сами откуда?

— Из Свердловска.

— Чего это в такую даль забрались?

— На лето. Колян нас сюда привез.

Варяг поморщился. Острая боль вдруг кольнула сзади в шею. Он поднял руку и с трудом провел ладонью под затылком. Там зияла неглубокая рана. Кончики пальцев сразу попали во влажное и липкое. Кровь. Ну конечно, его же мужик в тельняшке суком саданул сзади. Гад! Не подавая виду, Варяг задал еще вопрос:

— А поблизости кто живет?

Серега развел руками.

— Да нет никого. Километрах в двенадцати отсюда бывший священник живет на хуторе. Мы его сами видеть не видали, но в дупле записка лежала. Платоном его зовут.

— Ладно! — Варяг тяжело сел на колченогий стул. — Ну, давай жратву — и я пойду.

Серега с опаской оглядел его насквозь окровавленную порванную куртку.

— Сам-то откуда идешь?

Варяг хмуро посмотрел на собеседника.

— Тебе мамка в детстве не говорила такую присказку: много будешь знать — скоро состаришься? Издалека иду.

— То-то и видно, — осмелел Серега и бросил взгляд на молчащего Пашку. — Может, тебе отдохнуть надо? Поспать? Да и кровищи вон сколько на тебе...

Варяг резко встал, словно заподозрил подвох.

— Идти надо. Обо мне позаботятся верные люди. А ты скорее тащи пожрать, как обещал!

Серега тоже встал.

— Я обещал?.. Ну да, конечно, ща соберем. Пашка, тащи венгерский сервелат!

Варяг опять поморщился и медленно опустился на стул. Нет, эдак он и километра не прошагает. Не то что десять. Действительно надо отдохнуть. Но он не доверял этим хмырям. Тем более рядом с трупом. Оставаться здесь — значит подвергать себя очередному мучению — пытке бессонницей. Ведь с ними же не заснешь: удавят, как слепого кутенка. Надо было уносить ноги.

— Этот пистолет вы тоже в дупле нашли? — спросил он на всякий случай.

Упитанный Серега с готовностью закивал.

— Ну да, Колян нашарил. Там и ветчинка была, и хлебушек, и бутылек перцовочки. Твои, что ли?

Варяг не ответил.

Через четверть часа Варяг шел по лесной тропке на север. В руке он нес туго набитый полиэтиленовый пакет «Москва — Олимпиада — 1980», непонятно каким образом доживший в целости до сегодняшнего дня. В пакете лежало еды на два, а при экономном расходовании и на три дня пути. Одет он был в чистую Колькину рубашку и его же джинсы. А к поясу у него был привязан еще один комплект солдатской одежды. Если бы не свежее кровавое пятно на его рубашке — ни дать ни взять городской работяга на природе.

Лишь отойдя от охотничьего домика километра на три, Варяг позволил себе расслабиться — и только сейчас ощутил, что идти дальше у него нет абсолютно никаких сил, вконец, на исходе. Он повалился под елью, ложив пакет рядом, и его тотчас сморил глубокий сон.

Когда он проснулся, солнце уже завалилось за верхний окоем леса. Он взглянул на часы — семь тридцать. Теперь ему надо искать одинокий хутор, расположенный по течению реки километрах в двенадцати от охотничьего домика, где живет какой-то Платон. Священник. Бывший. Двенадцать километров по лесу в его нынешнем состоянии — это день, не меньше. Он повернул голову вправо — рана на плече сильно болела. Видно, загноилась. Сил идти больше не было. И, кажется, у него поднялась высокая температура. Сегодняшнюю ночь ему придется провести тут, а уж завтра спозаранку двинуться в путь... Мысли Варяга путались, голова кружилась... он проваливался в тяжелый сон, больше напоминающий бред.

Наутро Варяг с трудом разлепил веки. Голова отяжелела, в висках давило. Он ощущал озноб. Ну вот, неужели воспаление, — только этого не хватало. Он с усилием поднес к глазам левую руку. Часы показывали шесть. Шесть утра. Давно пора двигаться. Он приподнял голову. В висках бешено заколотили сотни молотков. На лбу выступила испарина. Озноб пронизывал все тело. Что за черт... Он ощупал рану на боку. Рана вроде бы закрылась, кровь запеклась. Но там творилось что-то страшное. Кожа набухла, попунцовела, рваные края раны налились чем-то густым белым. Гной! Лишь бы не началось заражение! Он застонал и поднялся на ноги. Перед глазами поплыли тяжелые темные круги. Он оперся о ствол дерева.

Ужасно хотелось пить. Сердце колотилось. «Надо идти, — уже в бреду приказал себе Владислав. — У меня рассиживаться времени нет. Надо идти. Надо искать реку. По руслу идти вверх по течению. К Платону».

Он брел вдоль реки. Пакет с едой он давно бросил, не съев ни крошки из того, что там лежало. Когда им опять овладевала жажда, он просто спускался к реке, ложился на землю и губами хватал холодную воду. Сколько километров осталось позади, Варяг не знал, но, сверяясь с часами, видел, что провел в дороге около суток. Снова близился вечер. Речка вилась по лесу и конца ей не было видно. За все время Варяг не встретил ни души. Обе раны сильно гноились. Озноб то отпускал его, то снова приходил — и тогда наступали такие минуты глухого забытья, что он падал на сухую траву, проваливаясь в тяжелый сон.

К вечеру небо вдруг покрылось тучами и хлынул ливень. Варяг заполз под ель, натянул рубашку на голову и забылся в бреду...

ГЛАВА 21

Четыре дня, с утра до ночи, охрана колонии вместе с ОМОНом прочесывали территорию вокруг лагеря. По всем постам милиции района был отдан приказ проверять дороги, усилить посты.

Но пока все предпринятые меры к результатам не привели: следы беглого зека обнаружить так и не удалось. На пятый день подполковник Беспалый, надев выходную форму, в которой он обыкновенно выезжал на совещания да ходил в праздничные дни, отправился в райцентр — Северный Городок. Он собирался взять там в местном отделении милиции машину, чтобы добраться до областного аэропорта, а оттуда вылететь в Москву. Но в Северном его ждал самый настоящий сюрприз.

В кабинете начальника городского отдела внутренних дел, помимо полковника Лукашенко, сидели два мужичка — один высокий и тощий, другой упитанный и коротконогий.

— От, полюбуйся, Александр Тимофеич, — вместо приветствия бросил вошедшему полковник Лукашенко. — Доставили ко мне сегодня утром вот этих горе-туристов. Хлопцы перепуганы до смерти, говорят, что еле ноги унесли из лесу. На какого-то бродягу нарвались. Сами-то живы остались, а вот дружка их тот бродяга убил.

— Лихая история! — поднял брови Беспалый. — И где же это произошло?

— Да в общем-то в зоне твоего влияния! — покачал головой Лукашенко. — Утес знаешь? Километрах в восьмидесяти на север от твоей колонии. Там еще сливаются речушки Стылая и Рыська.

— Ну знаю, — мрачно слушал Беспалый начальника ОВД.

— Есть там охотничий домишко заброшенный, прямо около Рыськи. Так вот хлопцы с неделю тому в этом домишке расположились отдохнуть, порыбачить, а вчера к ним из лесу пожаловал непрошеный гость. От я и думаю, уж не от тебя ли пожаловал? — и полковник Лукашенко вопросительно взглянул на Беспалого.

— Погоди-погоди, Сергей Сергеич, — с тревогой в голосе пробормотал Беспалый. — У Рыськи? Так ведь это ж действительно километров восемьдесят будет от колонии... За болотами... Черт! — И он резко обратился к тощему:

— А как выглядел тот человек?

Тощий, поглядывая на Лукашенко, торопливо заговорил:

— Здоровый, волосы светлые, плечищи широченные. С автоматом на нас попер. На Коляна, то есть. Мы-то с Пашкой, — он мотнул головой в сторону кореша, — рыбачили как раз. Возвращаемся и видим: мужик этот Коляна на мушке держит. Хотел стрельнуть. Но осечка вышла. Автомат-то у него не заряжен оказался. Тогда он Коляна ножом пырнул. Прирезал, гад, на месте. На наших, можно сказать, глазах. Потом откуда-то пистолет достал. Стал угрожать. Пашку вон по голове шарахнул прикладом. Мы думали, нам кранты. Но, слава Богу, обошлось. Мужик жратвы потребовал, мы ему полный пакет напихали — он и отвалил.

— А кто, откуда — не говорил? — занервничав, спросил Беспалый.

Тощий пожал плечами.

— Видно, издалека шел. Весь в крови. Бок у него порван был. И плечо вроде... То ли ножичком его искромсали, то ли на сук в лесу напоролся — хрен его знает. Вообще мужик здоровый, видать, но шибко уставший, из сил выбившийся. Издалека шел.

— А откуда ты знаешь, что издалека? — как бы невзначай поинтересовался Беспалый.

— Да весь какой-то чумазый, исхудавший, обувка перепачканная то ли в тине, то ли в черноземе — в тех-то краях, где мы остановились, земля светлая, сухая. А у него на сапогах налипло по пуду грязи. Издалека шел мужик. Точно говорю. И одежда на нем была — тряпье какое-то, все рваное, будто кто ему нарочно все изодрал. Он Коляновы шмотки взял, переоделся.

— Высокий, плечистый, говоришь, волосы светлые? — тихо спросил Беспалый. У него снова родилось тревожное сомнение. — Уши небольшие, прижатые к голове?

Тощий изобразил на лице задумчивость.

— Да вроде того.

И тут Беспалого вдруг осенило.

— Он переодевался, говоришь? А не заметил, не было у него на груди какой-нибудь татуировки?

— Татуировки? — озадаченно переспросил тощий. — Не, не заметил.

— На груди должен быть крест большой, а по обе стороны от него два ангела с крыльями! Не мог не заметить! Вспомни! — разгорячился Беспалый.

Тощий помотал головой.

— Не было. Не видал.

Беспалый вздохнул и искоса поглядел на Лукашенко. Тот сидел с непонимающим видом и переводил взгляд с Беспалого на тощего и опять на Беспалого.

— Ладно, а направлялся он куда?

— Да не докладывался! — грустно усмехнулся тощий. — На север ушел. Дальше на север, вдоль реки. А мы, как только он ушел, схватились, добежали вот до рабочего поселка, а оттуда на лесовозе сюда.

Беспалый хмыкнул:

— Это странно, Сергей Сергеич. Если от меня и бегут — то обычно чешут на юг. А этот что, с юга на север отправился? Вряд ли. Там же болота непроходимые.

— А автомат-то у него откуда? Да еще незаряженный? Расстрелял, что ли, магазин в лесу? — буркнул Лукашенко.

Автомат! Беспалый вспомнил, что у пропавшего в лесу младшего сержанта Шлемина тоже был автомат. К тому же, по описаниям, бродяга, напавший на туристов, сильно походил на Варяга. Неужто он?! Настроение у Беспалого как-то враз ухудшилось. Однако посвящать полковника Лукашенко в свои малоприятные дела он не намеревался. Надо во всем разобраться самому. И Александр Тимофеевич, будто вспомнив чего, перевел разговор на другую тему.

— Да, Сергей Сергеич, — взмахнул рукой Беспалый. — Зашел-то я вот по какому делу. Меня тут в Москву тянут на ковер — командировочное предписание нужно. Оформишь?

— Конечно, Тимофеич. Это, видать, по поводу бунта? Расскажи-ка мне, что там у тебя все же стряслось?

Беспалый глазами показал на посторонних и отозвал полковника в сторону.

— Да ты ведь и сам все знаешь, — понизил голос Беспалый. — На той неделе забузили мои архаровцы. Стрельба поднялась. ОМОН пришлось вызывать. Есть жертвы. Вот теперь на разборку тянут.

Лукашенко понимающе вздохнул.

— И много полегло?

Беспалый кивнул.

— Много, Сергеич. Такого у меня давно не было. Троих омоновцев покалечили. А из зеков девять копыта откинули.

— Вот это да, Александр Тимофеевич! Серьезное дело. Теперь тебе долго придется отмываться! — пророчески заявил Лукашенко.

Выйдя от Лукашенко, Беспалый не сразу пошел в гараж, а завернул на переговорный пункт. Он заказал срочный разговор с дежурным по колонии лейтенантом Вавиловым. Еще в кабинете Лукашенко он понял, что ему следует делать, и теперь торопился отдать соответствующие приказы.

— Дежурный по части лейтенант Вавилов! — услышал Беспалый высокий до фальцета голос.

— Это Беспалый. Слушай, лейтенант, пока меня не будет, надо еще разок прочесать местность. Идите широким сектором на север. Ты меня понял — на север! В направлении речки Рыська. Осмотрите каждый куст!

— Там же сплошные болота, товарищ подполковник? — задал лейтенант обоснованный вопрос.

— Я знаю, потому и приказываю искать именно там. Поройтесь вблизи скалы, что торчит на стрелке, возле Стылой.

— Что прикажете искать?

— Искать что? — Беспалый задумался. — Ищите следы крови, автоматные гильзы... Даже если кучу человеческого говна найдете — возьмите на анализ! Словом, ищите все, чего не должно быть в безлюдном лесу! Ты меня понял?

— Так точно, товарищ подполковник!

Положив телефонную трубку, Беспалый вышел на улицу. Июньское солнце пекло нещадно. Он невольно задрал голову вверх, сдвинув фуражку на брови. Если по лесу бродит Сашка Ковнер — хрен с ним. Выживет — его счастье, сдохнет — туда ему и дорога. Но а если это все же Варяг пустился в бега? Хлопот не оберешься. Вот сволочь! Сколько же ты мне будешь кровь портить? Надо этого гада непременно выследить и загнать в угол, как крысу. Надо заставить эту сволочь кровью харкать и захлебнуться в собственном дерьме.

Так просто Беспалый обиды не прощает!

ГЛАВА 22

Багульник уже зацвел. Казалось, вся тайга пропиталась его удивительным ароматом — тонким и пьянящим. Отец Потап глубоко вдохнул и зажмурился. Больше всего на свете он любил вот это время. После тяжелой, продолжительной зимы поздняя весна здесь казалась особенно пронзительной. Особенным был и воздух — чистый, звенящий, напоенный свежими запахами оттаявшей земли, хвои и багульника.

«Багульник хорош от кашля», — подумал отец Потап и, обернувшись к дому, крикнул:

— Елена!

Он всегда звал внучатую племянницу полным именем, по-православному, как в святках. Даже когда она была еще совсем маленькой, отзывалась только на это имя, а в школе строго выговаривала учителям:

— Никакая я не Леночка. Елена!

Она вышла на крыльцо и вопросительно посмотрела на деда. Он невольно залюбовался ею. Высокая, сильная, со спокойным лицом и серьезными темно-карими глазами, чуть смугловатой кожей, доставшейся ей в наследство от матери, в крови которой наверняка бродили какие-нибудь тувинские гены, она была по-настоящему хороша. «Эх, мужика бы ей прилежного, толкового, работящего, — вздохнул про себя отец Потап. — Замуж ей надо, детей рожать... А она сидит тут со мной, старым пнем, в глуши пропадает...»

Вслух он этого не сказал, чтобы не затевать с утра давний их спор, из которого Елена неизменно выходила победительницей: «Я так хочу!» — и все тут.

— Багульником пахнет как, — вдруг сказала она.

— Вот-вот, — подтвердил отец Потап. — Пойду соберу. Насушу — зимой от кашля поить меня будешь отваром.

Елена улыбнулась:

— Уж скажи лучше — погулять захотелось по весеннему-то лесу.

Отец Потап зыркнул на нее из-под насупленных косматых бровей.

— Все-то ты знаешь. И откуда только в доме священника ясновидящая взялась, — пробурчал он. — Принеси-ка мне рюкзак и палку. Да топоришко не забудь.

Она снова скрылась в доме, а отец Потап покачал головой. Он всегда поражался способности внучки-племяшки угадывать его мысли и намерения. «Может, все бабы такие?» — думал иногда он. Наблюдая за тем, как тянутся к ней животные — то лосенка приголубит, и он ходит потом во дворе, высасывая из марлечки творог, подвешенный на веревку стекать, то раненую лису выхаживает, и она ходит за ней, как привязанная, — он еще больше проникался уважением к своей любимице.

У отца Потапа никогда не было своей семьи. С женщинами он не жил и потому успокаивал себя мыслью, что эта порода людей просто ему неизвестна. Елена была единственной внучкой его сестры, жившей в Ленинграде. Мать ее умерла при родах, отец быстро спился после смерти жены, и девочку некоторое время воспитывала ленинградская бабка. Однажды летом она привезла Леночку в Северопечерск, к Потапу, и девочка, проведя здесь летние каникулы, так привязалась к «деду», что наотрез отказалась возвращаться обратно в большой город. Потап поначалу переполошился — как же так, как же он с ней справится! Но видя, как девочка без всяких капризов хозяйничает в доме, работает на огороде и ходит с ним в лес по грибы, он успокоился.

С ней всегда было так — если уж Елена что решила, никто не мог ей помешать. Вот и возил ее Потап со своей заимки в школу на телеге и санях. Когда наступали крепкие морозы, они переставали ездить в деревню, где была школа, и сидели по два-три месяца безвылазно в своей таежной избушке. Потап всегда удивлялся, как это девочка не скучает здесь с ним, стариком. Ведь хочется, наверное, какого-то общения со сверстниками, игр. Но Елена, казалось, ни в чем подобном не нуждалась. Больше всего на свете она любила природу. Вернее, просто она была неотделимой ее частью. А свою потребность в общении утоляла книгами, которых у Потапа была тьма. Видя ее страсть к чтению, он каждый раз из поездок в город книги привозил целыми коробками, старательно выбирая то, что, по его мнению, могло ей понравиться.

Единственное, что он-таки заставил ее сделать, — это уехать в Ленинград учиться после окончания школы. Но и тут она его обставила — выучилась на биолога и снова вернулась к нему, теперь уже мотивируя свой приезд научно-исследовательской работой. Так и стали они жить вдвоем отшельниками. Веры его Елена не разделяла, хотя и была крещеной. Она относилась к его ритуалам и постам с уважением, не желая тем не менее принимать в них никакого участия, как ни старался отец Потап ее образумить. Она была по характеру своему язычницей, и Потап, вздыхая, не раз думал, что на том свете ему еще вспомнят, что не сумел спасти ее душу.

Время от времени появлялся на заимке какой-нибудь заезжий воздыхатель. Елена редко выбиралась из тайги, но почти каждый раз, когда она появлялась в райцентре, кто-нибудь обращал внимание на эту дикую лесную красавицу, и спустя недолгое время дед становился свидетелем очередного спектакля. Ухажеры ходили по заимке за Еленой вроде того лисенка, глядя на нее преданными глазами, но она была непреклонна, и несолоно хлебавши очередной неудачливый жених исчезал.

И хотя каждый раз Потап громко возмущался ее поведением, пророча ей одинокую старость в девках, в душе он был доволен: теперь он уже не представлял жизни без нее. Но главным было даже не это. Потап искренне считал, что ни один из тех, что ошивался здесь, покоренный прекрасными глазами Елены, — недостоин ее. Все они были какими-то мелкими, никчемными, не было в них ни силы, ни породы, которая на расстоянии выстрела была заметна в его племяннице.

Елена вышла из дома, неся в руках небольшой рюкзачок и топорик, которые Потап всегда брал с собой в лес, и палку-клюку. Помогла надеть рюкзак на плечи и, стоя во дворе, долго смотрела, как он, засунув топорик за пояс, опираясь на клюку, бодро зашагал по тропинке. В свои восемьдесят два года он выглядел лет на шестьдесят, не больше.

Отец Потап спустился по тропе в овраг и заковылял вдоль ручья на юг, туда, где были самые густые заросли багульника и где протекала красивая северная речушка Рыська. Он прошел несколько сотен метров и вдруг остановился.

— Это что ж такое? — негромко сказал старик и укоризненно закивал головой. — Ай-яй-яй! Видно, беда приключилась?

Возле ручья лежал человек. Одежда на нем была изорвана в клочья и покрыта темно-коричневыми пятнами подсохшей крови. Особенно выделялись кровавые пятна на плече и боку. Они продолжали кровоточить и зловеще поблескивали на солнце. Человек лежал, уткнувшись лицом в свежую зеленую траву, растущую по берегам ручья. Вид у него был ужасающий, он производил впечатление покойника. Потап подошел к лежащему, бросив свою клюку на землю, и, опустившись на колени, перевернул его лицом вверх, оттянул ворот грязной рубахи и прикоснулся пальцами к артерии. Пульс едва-едва прощупывался: казалось, тоненькая ниточка, то пропадая, то появляясь вновь, быстро-быстро пульсировала под пальцами. Было очевидно, что у раненого начался жар — это могло быть следствием заражения крови. Потап покачал головой, пальцем приподнял закрытое веко мужчины. Тот был в глубоком обмороке. Губы его слегка самопроизвольно шевелились, но слов разобрать было нельзя. Когда отец Потап попытался осмотреть рану на плече — судя по обилию крови глубокую и опасную, — раненый вдруг дернулся и, не открывая глаз, громко застонал.

Старик поднялся, сбросил на землю свой рюкзак и, сняв с себя ветровку, накрыл ею больного — мухи уже облепили измазанную кровью одежду и лицо.

— Сейчас, милый, сейчас. Я быстро. Полежи здесь, потерпи, — пробурчал дед и быстро зашагал обратно, к дому.

— Елена! — крикнул он еще из оврага. — Елена! Давай-ка сюда!

Она, услышав его тревожный зов, прихватила ружье и в сопровождении Алтая — среднеазиатской овчарки наисвирепейшего вида и вполне мирного нрава — мигом оказалась в овраге.

Еще завидев ее наверху, дед не стал подниматься, а почти бегом направился обратно, к раненому. Елена, ни о чем не спрашивая, пошла за ним. Оружие она держала наизготове.

— Ружье-то убери, — покосившись на двустволку, проворчал Потап, когда Елена нагнала его. — Чай не на охоту собрались. Ни к чему она. Лишняя тяжесть. Сейчас вон человека будем волочь.

— Какого человека?

— Сама увидишь. Раненый тут, без памяти лежит, у ручья, — с расстановкой пояснил отец Потап.

Елена совершенно не удивилась словам деда. Но ружье все же не оставила, а повесила его за спину. Раненый по-прежнему лежал на месте, не приходя в сознание.

Они попытались приподнять его и понести на руках, но не тут-то было. Мужчина был крупный, высокий, и хотя он выглядел исхудавшим, весил не меньше восьмидесяти килограммов.

— Не управимся, — тяжело дыша, буркнул Потап. — Надо салазки делать да волоком...

Он срубил топориком, что висел у него на пояске, две тонкие осинки, обрубил лишние ветки. Получившиеся шесты Потап связал между собой веревкой, после чего они с Еленой переложили раненого на ветки, а сами взялись за два свободных от веток конца и потащили мужчину к дому. Алтай бежал рядом и озабоченно потявкивал.

— Отдохни, — коротко сказала Елена деду, когда они вошли наконец в дом. Потап шумно дышал, широко открывая рот.

Он присел на стул и некоторое время смотрел, как легко Елена управляется с раненым. Она принесла таз с теплой водой, раздела его донага, осторожно обмыла раны, так, что больной даже не пришел в себя, насухо вытерла его, перевязала плечо, обработав его травяным бальзамом собственного приготовления, и одела в чистую Потапову рубаху. Накрыв раненого одеялом, удовлетворенно на него посмотрела. Потом повернулась к деду, внимательно разглядывающему незнакомца.

— Ну, что скажешь? Кто это? — спросила она.

— Скажу, что издалека, — ответил Потап, посмотрев ей в глаза. — Я ждал гостя из других краев.

Неделю незнакомец провел в бреду. Елена ухаживала за ним, как за ребенком. Она перевязывала ему раны, которые уже начали гноиться к тому моменту, как дед нашел его, отпаивала травяными отварами и колола антибиотики, которые, несмотря на все протесты Потапа, всегда держала в доме.

Время от времени раненый приходил в себя. Он изумленно смотрел на незнакомую обстановку, окружавшую его, на неизвестную красивую женщину, которая не отходила от его постели ни на шаг, на старика, возившегося в избе по каким-то своим делам, — и молчал. Он ни о чем не спрашивал, ничего не сообщал о себе. Можно было бы подумать, что он — немой, если бы не его бред. В бреду незнакомца прорывало: случалось, он говорил очень много, не останавливаясь. Иногда — четко и внятно, иногда — неразборчиво. Стоило ему провалиться в беспамятство — и в нем будто бы включали магнитофон. Елена, невольно становясь слушательницей того, что он говорил, пыталась угадать, кто он и что с ним случилось. Дед до поры до времени не обращал внимания на бред больного, но однажды, услышав какую-то фразу, вдруг замер, быстро подошел к постели и испытывающе посмотрел в лицо незнакомца. Елена удивленно уставилась на деда Потапа. С ее точки зрения, больной не сказал ничего особенного, но она прекрасно видела, что дед с тех пор не только заинтересовался личностью незнакомца, но и насторожился. Теперь он часами сидел возле его постели, стараясь уловить каждый звук, слетавший с обожженных лихорадкой губ.

Елена видела, что больной чем-то явно взволновал Потапа. В последние дни он даже чаще стал пропадать в своей часовенке: Елена знала, что туда дед ходит в особых случаях — помолиться в одиночестве и поразмышлять о какой-нибудь серьезной проблеме.

Незнакомец по-прежнему все никак не приходил в сознание. Проводя у постели больного целые дни и ночи, Елена подолгу задумчиво заглядывалась на его лицо. Дед, замечая это, ехидничал:

— Что, неужто приглянулся мужик? Брось ты, Елена! Зачем тебе такой дохляк?

— По крайней мере, не ходит за мной по пятам и не говорит ерунды, — отшутилась она.

— Ну это ты в самое яблочко попала! — засмеялся дед. — Насчет говорилки у этого болезного действительно все в порядке. Лишнего словца не брякнет. Но скажи, Еленушка, парень хорош собой, правда?

Это было действительно правдой. Несмотря на болезненную худобу и бледность, незнакомец был очень симпатичен Елене. Тонкие, почти аристократические черты лица, красивые сильные руки, атлетичная фигура — все это Елена разглядела еще в первый день. А тут еще эта таинственная, странная связь с дедом, да и само загадочное появление незнакомца в тайге, откуда до ближайшего селения не меньше пятнадцати километров. Но не это было главным для Елены: даже от такого, беспомощного на вид, лежащего в постели с неизменным компрессом от жара на голове, всего в повязках, — от него исходила такая спокойная сила, что у Елены впервые в жизни дух захватывало при одном взгляде на мужчину. С появлением этого человека жизнь ее на далекой таежной заимке вдруг осветилась совсем иным смыслом. Елена чувствовала, как впервые в жизни весна, которая уже вовсю бушевала вокруг в природе, неожиданным пышным цветком расцвела у нее в груди.

На восьмой день все реже проваливался раненый в беспамятство. В минуты прояснения он лежал с открытыми глазами, молча наблюдая за Еленой, которая то приходила, наливая ему какие-то травы, то уходила ненадолго, чтобы очень скоро вернуться. Наконец наступил момент, когда незнакомец заговорил. Его простой вопрос для Елены был как гром среди ясного неба.

— Как тебя зовут? — спросил он негромко.

Елена вздрогнула всем телом — она настолько привыкла к мысли, что он не может с ней разговаривать, что испугалась по-настоящему, хотя голос у него был приятный и очень спокойный.

— Елена, — после паузы отозвалась она.

— Хорошо, очень хорошо, — сказал незнакомец и закрыл глаза.

Потап, в отличие от Елены, не жаждал разговорить странного гостя. Он лишь отметил про себя, что молчание незнакомца слишком затянулось и что пора бы ему самому объяснить причины своего появления здесь. Дед был почти уверен, что гость молчит намеренно, прислушиваясь к разговорам, присматриваясь сквозь полуоткрытые веки к окружающим, пытаясь определить, где он находится: он был слишком осторожен, этот раненый...

ГЛАВА 23

После звонка Марианны, который совершенно его огорошил — надо же, Пузырь помер! — он взял такси и поехал на другой конец города, вышел на углу и заскочил в телефонную будку. Набрав номер, он ждал недолго. Трубку взяла женщина.

— Здравствуйте, вы мне не поможете? Я только что приехал в Петербург и ищу Мишу. Мы с ним давно знакомы. И давно не виделись. Я звонил в горсправку, и мне там сказали... что Миша умер. Может, это ошибка? У меня вот нашелся ваш телефон, он мне его когда-то давал. Вы его мама?! Да?

На другом конце провода молчали. Наконец женщина глухо спросила:

— А вы ему домой звонили?

— Ну конечно! Но в горсправке...

— И по какому же телефону?

Сержант удивился: похоже, женщина его проверяла. Он заглянул в записную книжку и продиктовал цифры.

— Правильно. Но Миши там нет... Нет больше Миши.

Сержант мысленно умолял ее не бросать трубку.

— Когда он умер? От чего? Послушайте, мы с Мишей очень хорошими друзьями были... Одноклассниками... — рискнул соврать Сержант.

— Одноклассниками? — взволнованно переспросила женщина.

— Ну да, можно сказать, за одной партой сидели...

Женщина помолчала, а потом, всхлипнув, произнесла:

— Я его мать. Не умер он. Убили Мишу.

— Когда?

— Зимой, сразу после Нового года. Милиция к нему пришла домой — вот его в перестрелке и убили. Прямо на пороге квартиры.

— Да? Какое горе! Какое горе! — выразил соболезнование Сержант. Он помолчал несколько секунд, раздумывая, как бы потактичнее спросить об интересовавших его вопросах.

— А вы не знаете, может быть, кто-нибудь из Мишиных приятелей?..

— Да где они, Мишины приятели?! — вдруг в сердцах вскрикнула женщина. — Был у него один приятель — так и тот его сдал!

У Сержанта сердце забилось от нехорошего предчувствия. Неужели...

— Кто же? — глухо вырвалось у него.

— Да есть тут у нас один — со шрамом во всю рожу!.. — и женщина, зарыдав и как-будто испугавшись чего, бросила трубку.

Сержант стоял как громом пораженный. Шрам сдал Пузыря? Ментам? Что за х...ня? Быть того не может — чтобы Шрам сдал ментуре своего верного человека, ближайшего помощника. Правда, Пузырь был человеком Варяга и в Питере сидел вроде как его представителем. Может, Шраму не понравилось то, что он вроде как служил сразу двум хозяевам — ему и Варягу? Хотя что значит двум хозяевам? Варяг — смотрящий по России, фактически ее хозяин, хранитель всероссийского общака; Шрам — всего лишь хозяин Питера, сборщик взносов в общак.

Он вышел из телефонной будки и медленно двинулся по пыльной, усыпанной всевозможным строительным мусором улице. Мысли роились в голове, как клубок встревоженных ос. Если Пузыря застрелили на квартире — значит, была облава. Убивать хозяина квартиры у них не было никакого смысла: для убийства есть много других подходящих мест. Значит, менты брали у Пузыря кого-то? Кого? Если бы брали самого Пузыря, постарались бы обойтись без стрельбы. Хотя, конечно, чего только не бывает в суматохе. Уж на что калифорнийские копы — профи высшей пробы, а вот был совсем недавно случай, когда в Голливуде лопухнулись: брали барыг с наркотой и застрелили во время захвата женщину... И тут ему по сердцу полоснуло воспоминание о собственном проколе и перед глазами встало жуткое видение — лежащий ничком на крыше русский мальчик с растекающейся под ним лужей крови...

Он отогнал гнетущие мысли и вернулся к своим размышлениям о Пузыре. Итак, Пузырь убит. Его, похоже, сдал Шрам. Если, конечно, верить этой женщине. Но кто она? Кажется, она сказала, что его мать? Да. Точно. До сих пор переживает, бедняга, сорвалась и, видимо, сболтнула то, что скрывала от всех, хотя столько времени прошло. Шрам. Шрам. Она явно боялась говорить об этом Шраме. Надо выходить прямо на Шрама...

Сержант вернулся в будку и снова набрал тот же номер.

— Извините за беспокойство, — Сержант постарался говорить как можно спокойнее. — Я вам только что звонил. Я бы хотел кое-что уточнить. Поймите, я старый друг Миши. Я давно не был здесь, в Санкт-Петербурге. Я... — он запнулся на секунду, подумав: да, этим можно ее купить! — Я хочу наказать тех, кто его погубил. Я должен отомстить за него... Помогите мне... Мне нужно точно знать, что это за люди.

— Мишу теперь не вернешь, — горестно проговорила женщина. — Так что чего уж... Миша пострадал не за себя — а за того, кто у него гостевал. Я ничего вам больше не скажу. В этом деле замешаны очень страшные люди. Прошу вас, не звоните сюда больше.

— Ради Бога, не кладите трубку, — чуть не закричал Сержант. — Скажите, кто эти люди? Кто у него гостил?

В трубке наступило долгое молчание. Потом женщина, видимо решившись, сказала:

— Какой-то криминальный авторитет — сейчас их так величают. Из-за границы вроде приехал — тут за ним долго охотились. И вот взяли, а Миша под горячую руку попался.

Сержант утер пот со лба. Ему как-то сразу стало ужасно душно и тесно.

— Но вы сказали, что его... предал человек со шрамом. Может быть, он навел милицию на Мишину квартиру?

— Он и навел, кто же еще! — отрезала женщина. — Так мне кажется, по крайней мере. Мне много пришлось походить по всяким следственным делам... Лично я пришла именно к такому выводу. Но знаете, мне ведь в милиции и советовали держать язык за зубами. Намекнули на моего младшего сына, на внуков... Вам первому я все это сказала... Даже не знаю почему? Голос у вас какой-то... Даже не знаю.

Поблагодарив женщину, Сержант повесил трубку. Это надо проверить. Это надо обязательно проверить. Если женщина не путает и не врет — выходит, Шрам сдал не Пузыря, а Варяга! Потому что приехавший из-за границы криминальный авторитет, за которым охотилась питерская милиция, — это, ясное дело, Владислав Игнатов, который — и это тоже совершенно ясно — скрывался на квартире у своего доверенного лица Пузыря. Дело было сразу после Нового года. Если все обстояло именно так, то тут можно сделать вывод, что Шрам спалил Варяга не просто так, а из интереса. И какой же у Шрама может быть интерес? Неужели власти захотелось? Или денег? Может, он решил сесть на общак, заделаться российским смотрящим? Но в таком случае он мог бы просто Варяга заманить в ловушку и прикончить по-тихому? Откуда взялись менты? Неужели — Шрам?..

Необходимо разыскать Ангела. Ближайший соратник Варяга должен знать какие-нибудь подробности. Но Ангела найти всегда было крайне трудно — придется, может быть, даже ехать в столицу. Хотя зачем ехать? Надо сначала проанализировать прессу. Поспрашивать людей. Сержант напряг память, пытаясь вспомнить, как называлась московская газетенка со статьей про новых русских воров в законе, которую он читал в Лос-Анджелесе. Что-то «Криминальная»... «хроника»? «информация»? «неделя»? Да, точно — «Криминальная неделя»!

Доехав до «Гостиного двора», он первым делом направился к газетному киоску и спросил у старичка киоскера, нет ли у него московской «Криминальной недели».

— Редко бывает. С двухнедельным опозданием привозят. Если привозят.

— А где ее можно найти?

— У Московского вокзала. Там ребята торгуют прямо с поездов.

Сержант дошел пешком по Невскому до Московского вокзала. На привокзальной площади он быстро нашел паренька, торговавшего всякой желтой прессой. В глаза ему сразу бросились аршинные буквы: «КРИМИНАЛЬНАЯ НЕДЕЛЯ». Он скупил все имеющиеся в наличии номера — их оказалось семь — и решил вернуться к себе на Литейный, чтобы там спокойно прочитать объемистые газеты. Возможно, в них обнаружится хоть что-то имеющее отношение к интересующему его делу.

Погруженный в раздумья, Сержант поднялся пешком на четвертый этаж и подошел к двери. Доставая ключ из кармана, он лишь в самый последний момент спиной почувствовал, как сзади на него наваливается что-то тяжелое, массивное, шумно дышащее. Сержант приготовился отпрыгнуть в сторону, к лестнице, чтобы в момент прыжка резко обернуться назад. Но не успел. Удар по затылку свалил его с ног — и он потерял сознание.

ГЛАВА 24

Шрам придумал. Чтобы вызвать Калистратова к себе, он пригрозит отпустить Варягову бабу с сыном. Калистратов должен на эту приманку клюнуть. Перепугается, мент паршивый. Не захочет рисковать — сразу примчится, как миленький. А тут уж дело техники. Он, Шрам, это прокрутит в лучшем виде. После «разборки» труп вывезет куда-нибудь к Финскому заливу, поближе к эстонской границе, и закопает в лесу. А одежонку сожжет. Все, был человек — и нет. Пускай ищут. Он-то навряд ли доложит начальству, что в Питер рванул. Хотя и это возможно. Ну да ладно — там на месте решим по обстановке. Питер большой.

Шрам сидел на заднем сиденье своего синего «бэ-эм-вэ» — баранку крутил Юрка Соколов, его водитель. Они ехали в Колпино, к Сударику на разговор. Сударик доложил, что на него и его склад вчера наехали какие-то чужаки и пригрозили поставить его и всю его складскую команду на перо, если им для начала не отстегнут сто штук зеленых. Шрам только подивился, когда Сударик ему об этом рассказал. Он даже спросил у верного дру́гана: а не сам ли ты хочешь меня нагреть на сто кусков, не придумал ли ты, парень, всю эту ахинею? Ну кто полезет к нему, зная, что это склад Шрама! Сударик даже вроде как обиделся...

Вот, блин! Черная полоса какая-то настала — со всех сторон облом. Не успел еще даже с «афганцами» расквитаться — так нá тебе, какие-то еще хмыри в Колпино полезли! Хоть одна проблема ясность приобретает и, кажется, разрешится — с генералом Калистратовым.

Приняв по генералу решение, Шрам успокоился: он убьет Калистратова — единственного реального свидетеля его грехопадения. Он, Шрам, всегда действовал очень аккуратно — как в случае с неудачным налетом на обменный пункт, так и во всех прочих случаях. Варяга взяли в Питере — но поди докажи, что он, Шрам, был в этом замешан! Только Калистратов знал это доподлинно — потому что Шрам, расставив Варягу западню, выполнял его прямое указание. Но теперь генералу крышка.

— Ложись! — вдруг дурным голосом заорал Юрка Соколов и резко вывернул руль вправо — «бэ-эм-вэшка» слетела с дорожного полотна и, подскочив на кюветном бугре, поскакала по буеракам. И тут Шрам услыхал автоматную очередь. Он успел пригнуть голову и увидел, как боковое заднее стекло превратилось в дуршлаг. Пули, пройдя сквозь левое стекло, вылетели через правое. Машина уже въехала в сосняк и лавировала между высокими тонкими стволами. Минуты через две-три Юрка врубил по тормозам.

— Стволы есть? — ошалело спросил он у Шрама, присевшего на полу.

— Какие стволы? — не понял Шрам.

— В багажнике!

— А, ну да, должны быть — я не вытаскивал. Там, под запаской, мешок ветошью обернут. Что это было? Ты видел?

Юрка выскочил из салона и бросился открывать багажник.

— Звони Сударику, Шрам! Пусть выезжает навстречу! Белый «Москвич» это был! Из окна пушку высунули и шарахнули!

Шрам достал мобильник и набрал номер колпинского склада. Там никто не отвечал. Шрам вырубил телефон. Юрка уже просовывал ему «узи», а сам сжимал в руке короткоствольный «калашников» со складным прикладом.

— Погоди, не горячись, — бросил ему Шрам, прислушиваясь. — Может, они уже съе...ли.

— От, сука! Как машину попортили! — удрученно процедил Юрка, осматривая нанесенные «бэ-эм-вэшке» увечья. — Теперь хер восстановишь.

— Не бойся, новую купим. — Шрам поднялся с пола и вылез из машины. — Я звонил в Колпино. Что-то там трубку не берут. Странно.

— Надо ехать! — мотнул головой Юрка, садясь за руль. — Сейчас я на дорогу выверну, там и тебя посажу.

Склад в Колпино был разгромлен. Короба с товаром были раскурочены и все — сигареты, кофе, какао, минералка, консервы, и Бог знает что еще, добра там лежало миллионов на пять баксов, — разбросано по полу гигантского пакгауза. Слава Богу, хоть ребята остались живы... Да не сожгли их...

Из сбивчивого рассказа Сударика Шрам понял, что наехали на них скорее всего «беспредельщики» Приданова. На чем они подвалили, Сударик не заметил. Шрам пригорюнился. Только с Приданом ему не хватало воевать. О нем ходила дурная слава. Вениамин Приданов нагрянул в Питер пару лет назад из северного Казахстана, сбежав из тамошней колонии. Он быстро женился на девке с квартирой, первые месяцы сидел тихо, но потом начал прощупывать почву в местных бандитских группировках. Сколотив себе компанию из пяти оголтелых, завел легальный бизнес, кажется, торговал сигаретами и безалкогольными напитками. Потом начал бомбить питерских мелких торговцев, собирая с них дань. Когда Шрам утвердил в Питере жесткий порядок, запретив «беспредельщикам» трогать торговцев, Придан повиновался, но занялся другими делами — уже ставя на счетчик не торговцев, а отдельных граждан. Особенно он любил вылавливать из людского моря тех одиноких старичков, которые готовились перебираться к родственникам за рубеж. С помощью хитроумно сплетенной сети наводчиков Придан выявлял готовящихся к «выезду на ПМЖ», обманом или угрозами заставлял их переписывать на своих подельников квартиры, имущество, денежные вклады, а самих просто убивал. В последние полгода он совсем оборзел — и уже не считался с шрамовыми порядками. Дело дошло до того, что придановская братва поставила под свой контроль пункт таможенной очистки под Кронштадтом, через который Шрам прогонял свои грузы из Скандинавии. Шрам рассвирепел не на шутку и чуть было не отдал приказ «разобраться» с Придановым. Правда, нашлись какие-то общие знакомые, конфликт погасили. Но Придан не успокоился, наоборот, обиделся и через третьих лиц пообещал покончить с «самодержавием Шрама». Особенно лакомым куском Придану показались продовольственные склады под Питером, которые он мечтал обременить «десятиной». К тому же это был достойный объект для демонстрации силы и проверки своего оппонента на вшивость.

И вот теперь, видно, Придан перешел к конкретным действиям.

Шрам хмуро ходил по разгромленному складу и морщился, когда под подошвой у него вдруг хрустели обрывки упаковочного картона. Вдруг запикал сотовый.

Шрам вытащил антенну и поднес аппарат к уху.

— Да!

— Ты, значи, жив, Шрам? Я же тебя, мудак, предупреждал. По-доброму предлагал поделиться. Вот теперь видишь, как вышло.

— Кто это? — рявкнул Шрам.

— Недогадливый ты мужик! Это Венька Приданов, слыхал о таком? Сам ведь на войну напросился! Не уважил меня. А я человек злопамятный, как видишь.

— Да я тебя урою, сука! — завопил Шрам. — Я тебе х...й оторву и заставлю целиком проглотить!

— Полегче, Шрам, полегче, это еще бабушка надвое сказала, кто кому что оторвет. Я тут «маляву» из своих родных мест получил. Братва казахстанская хочет знать, между прочим, как это случилось, что Варяга в Питере замели...

Шрам не ожидал такого поворота событий. Держа в руках сотовый, он жадно глотал воздух, не находя слов для ответа.

— Придан, ты — покойник! — прохрипел наконец Шрам. — Заказывай себе и своим бойцам белые тапочки!

Он вырубил телефон и отключил его совсем. Последние слова Приданова озадачили Шрама невероятно. Ему по-настоящему стало страшно. Что бы это могло быть? Неужели Калистратов дал утечку? Но это невозможно. А может — просто Придан куражится? Сволочь! Ну, все равно, надо убить гада в любом случае.

Шрам круто развернулся к Сударику:

— Прибери тут все. Что рассыпалось, собери, заверни, упакуй как-нибудь, реализуй по области. Сегодня же сюда я бойцов пришлю. Хотя, думаю, второй раз они не полезут. А с Приданом придется разобраться.

Только сейчас он вспомнил, что сказал ему водитель Юрка: на шоссе в них стреляли из окна белого «Москвича»! Если это не совпадение, то тогда выходит, что у обменного пункта его бойцов накрыли придановские «беспредельщики». Даже машину не сменили.

Уже выйдя из разгромленного склада и вновь увидев покореженный «бэ-эм-вэ» с выбитыми стеклами, Шрам одумал, что теперь уж точно придется искать надежного киллера. Если с Калистратовым он хотел и мог разобраться сам, то разбираться с Приданом и его бригадой «беспредельщиков» должен профессиональный мочила.

И Шрам вспомнил своего старого знакомого — Сержанта. Нужен как раз такой, как Сержант.

ЧАСТЬ IV

ГЛАВА 25

Сержант помотал головой, точно стряхивая залепившую глаза пелену, привстал на четвереньки. Но страшный удар по почкам опять бросил его на каменный пол. И тут же на затылок вдогонку обрушился еще и еще один удар. Суки! Напали со спины! Кто же это? Сержант разжал ладонь, и связка ключей от квартиры со звоном покатилась по лестнице вниз. Из-под мышки посыпались свернутые газеты. Он сгорбился, пряча голову от очередного удара, и вдруг, напрягшись, отскочил влево, к стене, поближе к лифту. Нападавший не ожидал, видно, от него такой прыти и, замешкавшись, с секундным опозданием устремился за ним. Но Сержанту было довольно и секундного замешательства врага — он резко выпрямился во весь рост и развернулся. Не обращая внимания на то, что перед глазами поплыли темные круги, он в мгновение ока оценил обстановку, успев заметить, что нападавший действует в одиночестве. Уже легче, подумал Сержант. Он узнал его: это был тот самый толстопалый амбал, с которым он позавчера затеял драку в ресторане. «Странно, как это им так быстро удалось разыскать его в большом городе?» — промелькнуло у Сержанта в голове.

А толстопалый уже валился на него, размахивая кулаком, в котором Сержант заметил металлическую гирьку. Амбал выбросил кулак с гирькой вперед, метя Сержанту в голову, но тот увернулся, и кулак с шумом ткнулся в стену, вспоров торчащей гирькой синюю штукатурку. Амбал взвыл от боли. Сержант воспользовался моментом и носком ботинка со страшной силой врезал толстопалому в пах. Тот от невероятнейшей боли согнулся в три погибели и уткнулся головой в стену, не в силах вымолвить ни звука.

— Забыл, что ли, как оно? — тяжело дыша, прохрипел Сержант. — А ты, я вижу, упрямый. Ну ладно, сейчас я из тебя упрямство вышибу! — И с этими словами он схватил скорчившегося амбала за шиворот. Но тот рванулся назад, сбросил ослабленную от побоев руку Сержанта и влепил ему кулаком под дых. Сержант, хоть и раздобрел за последние годы, не растратил стальную крепость мышц — он напряг пресс и без труда сдержал удар. Вложив, похоже, в этот удар все силы, амбал покачнулся. А Сержант, распрямив пальцы правой руки, нанес нападавшему резкий, короткий удар ребром ладони в шею и сразу же, развернувшись, ногой столкнул тушу вниз по лестнице.

Взмахнув руками, как крыльями, здоровяк полетел кубарем по ступенькам, несколько раз перевернувшись через голову. Долетев до промежуточной площадки, он грохнулся всем своим весом прямо под окном — и застыл лицом к стене. Сержант поспешил за ним, на ходу подхватив упавшие ключи.

Здоровяк лежал, закрыв глаза. Из уголка рта у него сочилась кровь. Сержант порылся у него в карманах. Нашел сотовый телефон, портмоне и клочок бумажки — на ней карандашом были коряво нацарапаны слова «Гостиный двор» и телефон какой-то Зои Федоровны. Именно в «Гостином» работает Марианна.

В этот момент амбал зашевелился. Сержант наклонился над ним:

— Ты как меня нашел, боров? Кто тебя навел?

Амбал замычал в ответ нечто невразумительное. Сержант, не меняя позы, въехал амбалу кулаком в нос —

фирменный хук: снизу по ноздрям. Сержант знал, что, если ударить достаточно сильно, можно сломать носовую перегородку. Амбал замычал от боли и чуть было не поперхнулся вытекавшим из носа ручьем.

— Последний раз спрашиваю — как ты меня нашел? — И Сержант сопроводил вопрос резким, молниеносным ударом ладонью по кадыку.

Толстопалый закашлялся и замотал головой.

— Баба твоя навела, — прохрипел он.

Новое дело! Неужели Марианна — наводчица? Быть того не может. Хотя почему же — ведь она была как раз в том кабаке, где и произошла стычка с братвой. Но ведь он сам туда пришел — и она уже там сидела. Нет-нет, не может быть.

— И как же она навела? На мобильный тебе позвонила?

— Я ее сегодня в «Гостинке» приметил — за ней пошел, привела сюда...

Так, уже легче. Значит, все-таки не наводчица.

— Вот что, боров. Я тебя и на этот раз отпускаю. Иди залечивай раны. И чтобы я тебя больше никогда не видел. Сам запомни и своим скажи. На меня тянуть не стоит — себе дороже выйдет. Уматывай отсюда — и быстро. Пока народ со всего дома не сбежался.

Амбал с невероятным усилием поднялся и, держась за стену, заковылял вниз по лестнице, роняя по пути кровавые пятна.

Сержант поднялся на этаж к своей квартире. Быстро открыл ее и, не теряя ни минуты, стал приводить себя в порядок. Обмылся в душе, сменил окровавленную одежду. На кухне нашел аптечку и взял аспирин. Голова раскалывалась. Нет, все-таки сегодняшний инцидент к добру не приведет: то, что шрамовские бойцы его засекли, было совсем паршиво — особенно теперь. С этой квартиры, как ни жаль, придется съехать. А что делать с

Марианной? Если его вычислили через нее — значит, опять смогут вычислить.

Сержант принял аспирин и, сидя на стуле, пытался перевести дух. Шрам. Везде Шрам. Тут он вспомнил про купленные на Московском вокзале газеты. Он пошел в прихожую, где бросил пачку газет прямо на пол. Поднял их и вернулся в комнату. «Криминальная неделя» сильно напоминала дешевые американские таблоиды — сенсационные газетенки, в подробностях сообщавшие об убийствах, поджогах, изнасилованиях, разводах и бракосочетаниях. Он просмотрел от первой до последней страницы три номера. Ничего интересного. В четвертой газете его внимание привлекла заметка под крупным заголовком: «КТО НОВЫЙ КРЕСТНЫЙ ОТЕЦ РУССКОЙ МАФИИ?» Статейка была написана на редкость убогим и маловразумительным языком. Из двух колонок мелкого текста Сержант выудил лишь три факта: первое — что сейчас в криминальной России развернулась борьба за контроль над воровской казной, потому что — второе — хранитель общака Варяг погиб в лагере. И третье — что накануне бегства Варяга из аэропорта «Шереметьево» в Москве был убит его ближайший соратник Ангел...

Сержант уронил газету. Итак, Ангел и Пузырь убиты. Теперь ясно, каким образом Варяг был сдан ментам — его лишили самых верных людей, через которых он, находясь в розыске, мог держать связь с внешним миром — через Пузыря в Питере, и через Ангела в Москве. Варяг потерял эту связь, попал ментуре в лапы — и сгинул на зоне. И все это, как ни крути, может вписаться в намерения Шрама, если тот, к примеру, мечтает прибрать к своим рукам власть воровскую и общак.

Зазвонил телефон. Он, после раздумий, все же снял трубку. Это была Марианна. Голос звучал взволнованно.

— Я звонила и даже заезжала к тебе, но тебя не было дома, — торопливо заговорила она. — Сегодня произошел ужасный случай — ко мне на работу... то есть не ко мне, а в «Гостиный двор» в дирекцию приходил один из вчерашних бандитов... Помнишь, в ресторане? Он меня узнал... Он...

— Погоди, — мягко прервал ее Сержант. — Не волнуйся так. Давай по порядку.

— Ну, в общем, я испугалась, я... Я боюсь, он может тебя найти. И что-то с тобой сделать...

— Успокойся, Марьяша. Ничего не бойся. Ничего не будет.

— Я уверена — он придет ко мне снова!

— Никто не придет. Не волнуйся!

— Послушай, — после некоторой паузы сказала вдруг она, — может быть, тебе лучше пока пожить у меня?

Он даже улыбнулся. Надо же. Какое неожиданное и приятное предложение. И тем более она его сама сделала.

— Я готов принять твое предложение, но совсем не потому, что надо бояться этой шпаны.

— Нет, ты не знаешь, ты же ничего не знаешь! У нас страшный город — у нас мафия, бандиты везде и всюду. Даже наша «Гостинка», оказывается, ими опутана. Он же не просто так приходил — он приходил к нашей Зое Федоровне прямо в кабинет! Они же ничего не боятся!

— Говоришь, к вашей начальнице приходил. Это интересно. Ладно, Марьяша. Если тебе так будет спокойнее — давай я поживу у тебя немного. Недельку-две.

Вот как все удачно обернулось. Сложив в чемодан самое необходимое, Сержант напоследок осмотрел квартиру и вдруг вспомнил про картину.

Он приблизился к большому остекленному эстампу с изображением Казанского собора. Осторожно сняв картину с гвоздя, отложил ее в сторону. За картиной в стене спряталась металлическая дверка. Набрав четыре только ему известные цифры кодового замка, он отворил дверку. Аккуратно вытащил дипломат.

В этом дипломате таилось главное его сокровище — его золотой запас: снайперская винтовка с лазерным прицелом. Винтовка была когда-то выполнена одним ижевским умельцем за бешеные бабки — но на инструмент Сержант никогда денег не жалел. Сработана винтовка была на славу: из сверхлегкого и сверхпрочного сплава, она быстро разбиралась и ее можно было носить хоть во внутреннем потайном кармане пальто, хоть в любой небольшой сумочке.

Он любовно перебрал черные матовые детали, лежащие по разным отделениям пластикового поддона, спрятанного под крышкой: на первый взгляд это был просто атташе-кейс, с какими ходят научные сотрудники в большом городе. Затаившаяся в кейсе чудо-винтовка была основным источником доходов Сержанта в России, куда его выдергивали из теплой лос-анджелесской берлоги на очередной заказ. В европейских тайниках Сержанта хранились другие «орудия труда», но эта ижевская винтовочка была его любимицей. Она станет очень скоро его незаменимой спутницей и в новых событиях, в делах, ради которых он и приехал сюда из далекой Америки.

Сержант вышел на улицу и за углом поймал такси.

ГЛАВА 26

— Я эту суку урою! — Шрам кружил по своему кабинету. Посреди кабинета стоял навытяжку Моня. — Придан — покойник! Он думает, что орел. А я из него курицу-гриль сделаю!

Моня угодливо хохотнул.

— Чего? — вскинулся Шрам. — Напрасно лыбишься, Мончик! Этого так просто голыми руками не взять. Тебя же самого его говнюки чуть не подстрелили! Блин, да это же война! Только этого нам не хватало — год в Питере был полный порядок. И нá тебе. Ладно, для начала вызову псковскую бригаду.

— Это... Шнурка братву, что ли?

— Шнурка, Шнурка. Мы с ними уже сотрудничали три года назад. Если все его те быки живы, то всё будет путем. У него ребята умелые — бывший спецназ. Орденоносцы, воины-интернационалисты на хер! Они живо этого пидараса отутюжат.

Шрам горячился не зря. Обмолвка Приданова про арест Варяга могла испортить ему всю песню. Если Придан не брехал, если провинциальные группировки и впрямь заинтересуются всеми обстоятельствами ареста и гибели Варяга, то на большом сходняке его, Шрама, замучат вопросами. Надо было во что бы то ни стало и притом в самое ближайшее же время разобраться не только с Калистратовым, но и с Приданом и его командой.

240

Псковские-то псковскими, но чует мое сердце, что без Сержанта, без старого знакомого, опытного, проверенного в деле снайпера — не обойтись.

Выпроводив Моню, Шрам позвонил Сипе. Сипа — Ярослав Сипаков — при нем был вроде министра внешних сношений: держал связь с людьми за рубежом, с многими из которых Шрам не хотел лично быть в контакте, чтобы лишний раз не светиться. Сипа получил наказ немедленно разыскать в Америке «нашего старого партнера Степана» и вызвать его в Питер «на срочное задание», за большие бабки. Через шесть часов Сипа отзвонил шефу и доложил несколько обескураженным голосом, что друзья из Америки сами ищут нашего старого партнера, но он вот уже почти месяц как бесследно исчез.

— Как то есть исчез? — у Шрама сердце упало. — Куда исчез? Умер? Замочили, что ли? Не понял!

— Домашний телефон не отвечает. Автоответчик не работает. Я связывался с итальянцами, на которых он последние годы работал. Те сказали, что он месяц назад выполнил очередной заказ и сгинул.

— Может, отдыхает на Майами, на песочке жопу греет? — размышлял вслух Шрам. — Вряд ли. В этих случаях его представитель обычно знает координаты. А здесь?.. Непонятно. Они все в недоумении. Ладно, держи это на контроле! Звони туда каждый день, два раза в день! Но чтоб Степана мне раздобыл! — гаркнул в трубку Шрам.

Час от часу не легче. Теперь Сержант пропал. Вот так. Да, но Калистратова все равно надо вызывать. И Коле позвонить в Москву. Надо что-то решать с Варяговой бабой и пацаном.

Он набрал московский номер и долго вслушивался в мерные длинные гудки. Наконец там сняли трубку. Оказалось, автоответчик, мать твою! Дослушав до конца приветствие, Шрам коротко отчеканил:

— Коля! Это Саша из Питера. Надо срочно переговорить. Я буду в офисе до вечера.

Через час Коля перезвонил. Он был в приподнятом настроении. Сообщил, что у него теперь есть верные, из первых рук, сведения о гибели Варяга. И что пора, как он выразился, готовить благоприятную почву для «выборов». Шрам криво усмехнулся, не разделяя оптимизма московского собеседника, и поспешил задать волнующий его вопрос:

— Меня только одно беспокоит — что с дачниками делать?

Коля нехорошо засмеялся.

— А что делать — ничего! Освобождать дачу надо.

— И каким же образом? — на всякий случай поинтересовался Шрам.

— Ну это уж на ваше усмотрение — решайте по обстановке.

После разговора с Колей Шрам немного успокоился. Значит так, думал он, Светку с мальчишкой замочу. Прямо сегодня или завтра вечером поеду туда и замочу. А Моня потом приберется там. Вывезет трупы в лес километров за пятьдесят и зароет в тихом месте. А на прощание трахну эту суку. Поставлю раком, блядину, и отдеру. За всю волокиту. Столько из-за нее нервов попортил. Так хоть утешусь, отыграюсь: и в рот ее и туда. Может, и сама она соскучилась по этому самому делу. Ну вот и ладненько. С этим тоже решено.

От этих мыслей у него даже встал. Он сунул руку в карман и схватился за отвердевший ствол. Хорошо что Ирка смоталась в Финляндию — вовремя он ее спровадил. Не будет канючить, где да где он всю ночь прошатался да почему от него спермой воняет... Такие случаи уже бывали, и Ирка ему учиняла форменный допрос, а он, как жареный карась на сковородке, крутился-выкручивался. Ирка телка классная, в койке улетная — жалко было ее потерять. Другой бы какой сразу в морду бы дал. А этой невозможно. Эта ведь если узнает про его загулы — уйдет на хер. И не вернешь...

Шрам задумался о Светлане. Конечно, убивать бабу да еще с мальцом — последнее дело, но что ж теперь. Выбора у него не было. Шрам вспомнил события пятилетней давности, когда ему вот так же пришлось однажды убить молодую бабенку с двумя детьми. В Колпино. Пришел он к ее мужу забирать должок. Большой был долг — по тем временам пятьдесят штук «зеленых». Чемодан с собой пустой прихватил, потому что долг предполагал взять рублями. Договорился с должником заранее. Приехал, а тот говорит: нет бабок. Не насобирал. Шрам рассвирепел. Слово за слово — всадил он в мужика три пули из своей «беретты» с глушителем. А тут из соседней комнаты и появляется его баба — бледняя, сонная, из койки прямо, теплая еще. Видит своего мужика на полу в луже крови и — в крик. Шрам одним прыжком на нее вскочил, повалил, рот зажал ладонью. А у нее рубашка ночная задралась по самый пупок. Шрам увидел ее заголившиеся ляжки, волосенки на «маньке» и обуяла его страшная неодолимая похоть. Он одной рукой зажал бабе рот, а другой стал рубашку у нее на грудях рвать. Насилу порвал, добрался до вывалившихся в прореху грудей, на ходу ширинку себе расстегнул да и засунул ей по самые яйца...

Потом пришлось ее, конечно, пристрелить, а когда он вошел в спальню — увидел двух перепуганных мальчуганов на постели. У Шрама от перевозбуждения уже все тормоза отказали — он и мальчуганов пристрелил не раздумывая. После порылся в шкафах, в комоде — но денег и вправду не оказалось. Прихватил Шрам, чертыхаясь, пустой чемодан и скрылся в ночи.

Но там в Колпино все произошло случайно, непредвиденно. А здесь разобраться с Варяговой женой и детенышем Шраму было необходимо осознанно, все заранее продумав и взвесив. Ему сразу не понравилось, что

Светлану и мальчишку на него скинули, — это была слишком опасная обуза. Теперь, после гибели Варяга, эта обуза стала, как ни странно, еще опаснее. Потому что, оставшись в живых, Светка могла заложить его своим же. Шрам понимал, что Варяг, мужик неглупый, осторожный и предусмотрительный, вряд ли посвящал жену во все свои дела. Скорее всего, не посвящал вовсе. Но пока был малейший шанс, что Светка хоть что-то знала, хоть с кем-то из Варяговых доверенных людей была лично знакома и могла с ними вступить в контакт, — до тех пор над Шрамом висел дамоклов меч. Ее надо было убрать. Как и ее пащенка, чтоб не ляпнул где языком.

Впрочем, Шрам знал, что вместе с Варягом полегла и вся его ближайшая «королевская» рать — Ангела и Графа нет, Пузыря нет, Сивого нет. Многих менты по зиме замели. Да никого уж и не осталось, пожалуй. Даже если бы Варяг сам каким-то чудом остался жив — ну, приди он сейчас в Москву или в Питер — и с кем же он будет дела делать? Он же один, совсем один! Да и чего об этом сейчас думать: ведь Варяг уже обратился в лагерную пыль...

Шрам посмотрел на часы. Три. Он решил часов до семи просидеть в офисе и все же дождаться сигнала от Сипы. А потом можно будет рвануть на дачу, там как раз сейчас Митяй, Хижа и Батон караулят. Этих тоже надо будет спровадить. А оставшись на даче в одиночку, Шрам разберется с заложниками.

Зазвонил телефон. Шрам порывисто схватил трубку.

— Да!

— Саша! Это Сипа.

— Ну что, Сипа? Удалось?

— Кое-что разузнал. Один тамошний человечек мне все же сообщил, что месяц назад Степан у него новый русский паспорт брал. На имя Виктора Ильича Синцова.

— И что это значит? — нетерпеливо спросил Шрам.

— А то значит, что наш друг домой засобирался. Видать, тут у него какие-то дела.

Шрам задумался. Неужели Сержант намылился в Россию?

— Ладно, Сипа. Тогда пока все. Дальше я сам займусь.

После разговор с Сипой Шрам позвонил на мобильный своему человеку в городском таможенном управлении и дал тому задание — отследить, не пересекал ли в последний месяц границу российский гражданин Виктор Ильич Синцов.

— Саша! Граница-то у нас сам знаешь какая — тысячи километров. Ты хоть наводку дай — на каком направлении искать?

— А хрен его знает, Петь, ну начни с Москвы и Питера! — Шрам недовольно цокнул языком. — Хотя он мог, конечно, и через Баку въехать. Но для начала проверь московские и питерские погранпункты. И только аэропорты. Синцов поездов терпеть не может, насколько я помню.

Итак, если Сержант в России, значит, он выполняет чей-то заказ. Чей? Но ни времени, ни желания это выяснять у Шрама не было. К тому же Сержант, добывая себе очередной российский паспорт, вовсе не обязательно мог делать это для поездки в Россию. С таким же успехом он мог въехать по серпастому-молоткастому на Кипр или в Венгрию, а оттуда уже рвать дальше по всему свету с любым из имеющихся у него иностранных паспортов...

Шрам решил пока выбросить из головы эту тему и вплотную заняться самой неотложной проблемой. Он набрал номер дачи. К телефону подошел Батон...

ГЛАВА 27

Красный «порше»-кабриолет с ревом рванулся с места. Завизжали, прокручиваясь вхолостую, шипованные шины, шарахнулся назад зазевавшийся прохожий, пересекавший площадь напротив Центрального телеграфа. Вальяжно развалившийся за рулем здоровяк в темно-синем «адидасовском» костюме насмешливо кивнул перепуганному провинциалу и бросил свою четырехколесную торпеду в гудящий поток транспорта.

Прохожий чертыхнулся про себя и мотнул головой. На нем был новенький китель подполковника внутренних войск, в руках он держал сильно потертый коричневый портфель из кожзаменителя. Наметанный глаз не подвел водителя-лихача: прохожий в подполковничьем кителе и впрямь был провинциалом. Он прибыл в Москву сегодня ранним утром и сразу из аэропорта направился туда, куда ему было предписано явиться — в Министерство внутренних дел. Но в большом белом здании на Житной его не ждали. Подполковник Беспалый с недоумением узнал, что генерал Артамонов сидит не в центральном министерском корпусе, а в переулке рядом с Центральным телеграфом.

«Предупредить не мог, сволочь! — подумал с раздражением Беспалый, выходя из проходной министерства. — Как мальчишку, блин, гоняют...»

Начальник колонии сразу, еще не познакомившись лично, невзлюбил генерала Артамонова. Он вообще не жаловал чистеньких столичных начальников. Оттрубив без малого пятнадцать лет по разным сибирским спецучреждениям, из которых последние десять он командовал «фамильной» колонией вблизи Северного Городка, в котором раньше руководил его отец Тимофей Егорович, Александр Тимофеевич относился к московскому генералитету с презрением. Мало кто из них вообще нюхал тяжкий смрад зоны, не говоря уж о знании воровских повадок и обычаев, но советовать, указывать и выносить оценки — будь то санитарное состояние зоны, дисциплина или рацион питания заключенных — эти «московские сторожевые» обожали. Да еще с таким, ебтыть, важным самодовольным видом. Министры — те вели себя скромненько, не лезли не в свое дело, понимая, что все равно ни хрена в этом не смыслят. Беспалый пережил — смешно подумать! — семерых министров МВД. Им хоть, слава Богу, ума хватало понять, что зона — особый и небезопасный мир, со своими непререкаемыми законами и обычаями, и что не только простых зеков, но и славное вертухайское племя им не раскусить. А вот генералы пониже рангом — из ГУИНа, бывшего ГУИТУ, — выпендривались почем зря. Особенно когда приезжали с ревизией. Таких проверяльщиков Беспалый ненавидел лютой ненавистью...

Сейчас Александр Тимофеевич стоял, как дурак, чуть не посреди широченной улицы и глядел на удаляющееся красное пятно открытого автомобиля. Взглянув на светофор, подполковник удостоверился, что ему горит зеленый. Вот сука! Этот гад на иномарке ведь на красный ехал. Куда только смотрят инспектора ГАИ? Беспалый оглянулся и увидел молоденького лейтенанта с жезлом — наклонившись над открытым окном черного «мерседеса», он о чем-то беседовал с водителем, не обращая внимания на оживленную магистраль. Да, в Москве все не так, как у людей, подумал Беспалый, все через ж... Он вздохнул и, потеряв надежду перейти улицу по «зебре», двинулся к подземному переходу.

Сегодня ему предстоял нелегкий разговор. Бунт на зоне всегда ЧП, при любом исходе — быстром ли замирении, или долгом противостоянии — ЧП, чреватое крупными неприятностями для начальника колонии да и для вышестоящего начальства. Состоявшиеся после бунта телефонные разговоры хотя немного и успокоили Беспалого, все равно он готовился к буре. Одним выговором тут никак не обойтись. Могут и звезды лишить, и в должности понизить, а в худшем случае и под трибунал пихнуть. Что ожидало лично его, Беспалый не знал. Даже не догадывался. Одно он понимал четко — не столько бунт зеков, сколько его сообщение о гибели Варяга станет для него в эти дни главным испытанием. Вопрос лишь в том, как эту новость о гибели воспримут в Москве. То, что Варяг, возможно, жив, Беспалый пока никому не решался сказать. Снова, не проверив все досканально, попасть впросак — не входило в его планы.

Беспалый всегда отличался острым, почти звериным нюхом. Пока он сидел у себя в северной глуши, верша суровый суд во вверенной ему колонии, ему, понятное дело, никто никаких политинформаций не делал. Так что он мог лишь догадываться о подковерных делах в Москве. И чутко реагировать на смену политического ветра. Когда кремлевский хозяин в прошлом году внезапно заболел, началась вся эта странная кутерьма — не сразу, ближе к концу осени. Видно, тут в Москве еще долго размышляли, как оно повернется, надолго ли «дед» слег и вообще, что делать дальше. Но в ноябре завертелось. А уж после Нового года все словно с катушек слетели. По России прокатилась волна арестов и убийств. Законных пачками сажали — только через его колонию за зиму прошло десятка полтора «авторитетов». Выкосили чуть ли не всех крупнейших воров в законе — хотя многие из них, Беспалый знал точно, уже по нескольку лет как занимались легальным бизнесом и формально, юридически, к ним было не подкопаться.

Он до сих пор не мог понять, зачем Москве понадобился Варяг. Беспалый, пока летел в самолете, все размышлял над этим, но никак не мог взять в толк, чего же московские генералы надеялись добиться от Варяга. Зачем нужно было сажать его в тюрягу в Штатах, потом освобождать и вывозить из Штатов, вязать тут, лепить ему дело и сажать — к нему, к Беспалому?! Да еще под строгий надзор с уколами... Неужели эти московские начальнички надеялись, что со смотрящим по России у них заладится любовь и дружба?

Вот уж мудаки! Нет, не знают они ни души, ни понятий законных воров. Их, видать, этим премудростям в академиях МВД не учили. Хотя, может, они судят о законных по этой шелупони — новой поросли «коронованных», которые за большие бабки себе короны покупают. Уж не сами ли менты эту мелкоту плодят, чтобы потом с их помощью держать под контролем воровское сообщество? Но разве это так делается? Сами себе ведь яму роют. Он, Беспалый, сам ведь тоже практически проник в святая святых зековского царства! Да только он проворачивал это куда умнее и тоньше — имея дело с самыми настоящими ворами. Взять хотя бы Щеголя... С ним много дел наворотили на зоне. Многих заставили стоять по стойке смирно. Жаль. Жаль, нет больше Щеголя, как, впрочем, и его ближайших помощников: с приходом на зону Варяга их как чумой покосило.

Вспомнив о своей развалленной империи, созданной им за долгие годы на зоне, за колючей проволокой, Беспалый помрачнел. Теперь все придется начинать сначала. Все! Он строил эту империю терпеливо, кропотливо, по камушкам, не торопя событий и веря в то, что наступит день — и его труд будет вознагражден. Вот отец, замаливая грехи молодости, верой и правдой служил Советской власти, всю жизнь провел за «колючкой», а что получил в награду — выцветшие листочки благодарностей да пару-тройку орденов. Нет, это не дело. Беспалый-сын твердо знал, что его служебные успехи и достижения — это не дань высокой идее и не покаяние, а вехи славной карьеры. Но теперь, после загадочных смертей его основных секретных агентов и прежде всего Щеголя, после нелепого бунта, после побега заключенного, кажется, все рухнуло. Да не кажется, а точно — все рухнуло. Что же дальше? Отступить, затаиться, переждать — и начать все сызнова... Так-то оно так, да вот непонятно, кто сейчас в бегах: если Варяг, то не так все просто может сложиться потом.

Беспалый перешел на другую сторону Тверской и зашагал к Центральному телеграфу. Он вошел в Газетный переулок — бывшую улицу Огарева — и остановился у углового дома. Так, опять ни одной вывески. Как же они в Москве любят все покрывать мраком тайны! Точно дети. То ли дело у нас в райцентре. Райотдел МВД — громадная вывеска на двери. Райотдел ФСБ — опять же издалека видно. А тут — хрен! Словно боятся кого. Кого боятся-то? Самих себя, что ли?

Он толкнул тяжелую дверь — но та не поддалась. Зато висящий у двери на уровне глаз решетчатый ящичек ожил и глухо спросил: «Вам кого?» Беспалый еще раз подивился и ответил, как его научили на Житной:

— Я ищу в/ч 1076.

— К кому? — пророкотал ящичек.

— К генералу Артамонову.

Дверной замок лязгнул, дверь раскрылась сама — Беспалый вошел и оказался перед другой, тоже закрытой дверью. Тем временем уличная дверь медленно закрылась, лязгнул замок, после чего открылась внутренняя дверь.

Беспалый оказался в большом ярко освещенном холле с высоким потолком. Он едва не налетел на широкий стол, за которым сидел старший лейтенант внутренних войск.

— Я к генералу Артамонову, — повторил Беспалый и зачем-то добавил: — По вызову.

— Вы откуда? — поинтересовался старлей.

— Из Северного Городка. Подполковник Беспалый.

Старлей снял телефонную трубку и тихо, почти неслышно проговорил:

— К Кириллу Владимировичу прибыл подполковник Беспо́лый.

— Бесп-*а*-лый! — едва ли не рявкнул Александр Тимофеевич. Ему здесь уже все не нравилось. Его фамилия имела некоторое отношение к физическому недостатку, но ведь не до такой же степени.

Но старлей даже не поднял глаз.

— Есть, — кивнул он и, положив трубку, сказал вкрадчиво:

— Подполковник Беспалый, пройдите в кабинет 14. По коридору налево.

Подполковник, с остервенением сжав ручку портфеля, стремительно протиснулся сквозь никелированный турникет и пошел по тускло освещенному коридору. На дверях табличек не было — только медные овалы с цифрами. Вот и 14-й кабинет.

Беспалый согнул крючком указательный палец правой руки и сильно постучал.

* * *

Кирилл Владимирович Артамонов был видный высокий мужчина, черноглазый, чернобровый, с пышной черной шевелюрой и ранней сединой на висках. В сложной иерархии МВД он за последние лет пятнадцать занимал важные должности, хотя мало кто знал круг его непосредственных обязанностей. В прошлом году его назначили начальником спецуправления собственной безопасности МВД — созданного тогда же подразделения, призванного бороться с коррупцией в рядах МВД.

Ветераны министерства отнеслись к новой затее министра с иронией: поговаривали, что «старые волки» жили по принципу колобка — «я от бабушки ушел, я от дедушки ушел, а от тебя, собственная безопасность, и подавно уйду». Молодняк же как будто слегка побаивался артамоновского управления — впрочем, атмосфера вседозволенности и безнаказанности, укоренявшаяся в МВД из года в год, настолько разохотила даже молодую поросль эмвэдэшных чиновников, что те торопились не упустить своего — кто в дачном строительстве, кто на ниве улучшения городских жилищных условий, кто в области «мерседесоизации».

Говорили так, что генерал Артамонов залетел в свое нынешнее кресло из другого теплого местечка — до прошлого года по линии ГУОПа он курировал Северо-Западный регион. Впрочем, он как был, так и остался членом коллегии министерства и членом совета по борьбе с организованной преступностью. После нового назначения Артамонова в Петербург направили генерала Калистратова — старика, которому перед пенсией дали возможность получить оклад повыше. Но удаление Калистратова из Москвы, к которому приложил руку и генерал Артамонов, имело не только благотворительный смысл. Калистратов стал сильно мешать Артамонову, потому что в последний год снюхался со старыми комитетчиками, втайне мечтавшими выкинуть «свердловскую банду» из Москвы и опять выйти на первые роли. Калистратову явно была по душе эта «старая гвардия», и, как показало дело Варяга, он вел свою игру хоть и топорно, но упрямо — видно, ему дали карт-бланш и пообещали какие-то бонусы в случае успеха операции.

Операция прошла успешно. Но не секретная стратегическая операция «старогвардейцев» МВД—ФСБ, а хирургическая, известная всей стране. Хозяин Кремля после очередного тяжелого зимнего кризиса все же пошел на поправку — и спутал «старой гвардии» все карты. Они начали паническую перегруппировку сил, дали задний ход — но было уже поздно. Правда, нагадить они успели немало. Самое ужасное — что им удалось уничтожить Егора Нестеренко и Владислава Игнатова. А вместе с ними и весь верхний эшелон воровского мира. Это было ужасно потому, что, лишив «теневую экономику» России руководящего костяка, они не успели, а точнее, не смогли заменить его новым, таким же жестким, отлаженным, дисциплинированным, не давящимся из-за трех копеек. Теперь в вакууме власти «теневой бизнес» грозил обратиться в хаос, в беспорядочные войны группировок, в бесконечные разборки и массовые отстрелы строптивых «авторитетов». Короче говоря, над Россией замаячил призрак полного криминального беспредела.

Генерал Артамонов с нетерпением ждал разговора с подполковником Беспалым. Во-первых, ему было интересно познакомиться со знаменитым хозяином образцовой зоны, о котором Калистратов прожужжал ему все уши. Во-вторых, он хотел наконец узнать из первых рук, что же все-таки произошло с Варягом. А в -третьих, и самое главное, он надеялся выудить из Беспалого информацию о неизвестных ему тайных намерениях «старой гвардии» в отношении Игнатова. Даже теперь, после гибели Игнатова, это его все равно беспокоило.

Когда старший лейтенант Зубков позвонил и сообщил о прибытии подполковника, Артамонов внимательно осмотрел свой стол, убрал все ненужные бумаги и папки в сейф и сел за стол.

Прошло минуты три — дверь из приемной приоткрылась, и помощник доложил:

— Он здесь.

— Впускай! — коротко ответил Артамонов.

В кабинет вошел статный подполковник лет сорока. В правой руке он держал портфель. Вошедший по-военному вытянулся и, взметнув руку к козырьку фуражки, отчеканил:

— Подполковник Беспалый по вашему вызову прибыл.

Артамонов, внимательно глядя на посетителя, пригласил его сесть. Потом с улыбкой спросил:

— Вы меня легко нашли?

— Так точно, легко, — ответил Беспалый, играя желваками. Он вцепился в портфель, борясь с нарастающим раздражением.

— Завтра на коллегии вам предстоит дать отчет о случившемся. Я бы хотел заранее все услышать сам.

— Мною подготовлен письменный рапорт, — почти пролаял Беспалый и полез в портфель. Но Артамонов остановил его, подняв руку.

— Лучше расскажите мне сами. С вашим рапортом я потом ознакомлюсь.

Беспалый мотнул головой и начал:

— Как вам уже известно, товарищ генерал, в колонии вспыхнул бунт заключенных. В ходе столкновений...

— Погодите, Александр Тимофеевич, — перебил его хозяин кабинета. — В общих деталях я все и так знаю. Меня интересуют частности...

— Что именно? — Беспалый вдруг ощутил облегчение. Он понял, что генерал сейчас станет задавать ему вопросы, которые завтра на коллегии затрагиваться не будут. Конфиденциальные вопросы.

Артамонов встал из-за стола и прошелся по кабинету.

— Меня интересует, кто, по вашему мнению, затеял всю эту канитель? Для чего? У вас на зоне отбывали срок несколько очень авторитетных воров. Меня интересует судьба заключенного Игнатова. Что с ним случилось? В подробностях.

Мозг Беспалого заработал как высокоскоростная ЭВМ. Он мгновенно перебрал в голове варианты ответа. Что подразумевает генерал, спрашивая его об авторитетах, о судьбе Варяга? Что он хочет услышать? Какой ответ хочет услышать генерал? Что Варяг убит? Что Варяг убит по его, Беспалого, приказу — или по приказу из Москвы, которого Беспалый не мог ослушаться? Или он хочет услышать, что Варяга приказали убить... но он не убит, а, возможно, бежал?

И Беспалый начал очень осторожно и издалека:

— Как вам известно, заключенного Игнатова доставили к нам в колонию после суда, который состоялся в нашем районном центре...

— Кстати, за что судили Игнатова? — быстро спросил Артамонов.

— За вооруженное ограбление и попытку убийства.

— Александр Тимофеевич, вы же опытный работник, неужели вы верите, что такая крупная фигура, как Игнатов, стал бы глупо рисковать и сам — подчеркиваю — сам попытался бы кого-то ограбить и убить?

Беспалый нахмурился.

— Товарищ генерал, в мою компетенцию не входит обсуждать приговор суда. Я выполнял свой долг, — и тут он многозначительно поднял палец вверх. Артамонов оценил жест и, как бы уточняя для себя что-то, спросил:

— А как вы думаете, чья это была идея? Засадить такого серьезного человека, как Игнатов?

— Я полагаю, товарищ генерал, вам виднее, кто направил ко мне... в нашу колонию... Игнатова.

Артамонов кивнул.

— Ну и что было дальше? Как его содержали? Как он себя вел? До бунта...

— Он был сильно ослаблен. — Беспалый решил, что про лечение Варяга в больнице лучше пока не вспоминать. — Потом он окреп. На работы он не выходил. — И, упреждая возможный вопрос генерала, пояснил: Законные на работы никогда не выходят. Вместе с Игнатовым на зону, примерно в то же самое время, прибыло еще человек семь таких же.

— Это мне известно, — усмехнулся Артамонов. — Дальше. Почему возник бунт?

Беспалый заерзал на стуле.

— Заключенные высказали недовольство условиями содержания. У меня колония строгого режима. На подобных зонах заключенные имеют обыкновение бузить раз в год. У меня это первый случай за четыре года.

— Да, мне известно, что у вас колония образцовая, действительно, за последние три года ни одного случая бунта.

— Но вот видите, и на старуху бывает проруха.

Артамонов помолчал, словно обдумывая последний ответ.

— А что Игнатов? Неужели он тоже участвовал в беспорядках?

— Да, он принял активное участие. Можно даже сказать, что был одним из застрельщиков.

— Странно! — Артамонов еще раз прошелся по кабинету. — Насколько я знаю Игнатова, это на него не похоже.

Беспалый даже вздрогнул. «Насколько я знаю» — вот это сказанул генерал! Да ведь это он открытым текстом тебе, Александр Тимофеевич, заявил, что Варяг для него не просто криминальный авторитет, не просто зек, а... Кто? Беспалый лихорадочно соображал, что же все это значит. Так, решил он, сейчас я тебя, генерал, на живца попробую взять.

— С Игнатовым не все так просто, — заговорил Беспалый, пристально глядя в лицо Артамонову. — Наутро, после подавления бунта, мы недосчитались одного заключенного. Сначала мы думали, что он где-то в зоне — может, убит, может, ранен, отлеживается. На всякий случай и окрестности вокруг прочесали — никаких следов. Только вчера вот, накануне моего вылета в Москву, я узнал, что в восьмидесяти километрах на север от колонии произошло убийство... Какой-то бродяга с автоматом «калашникова» налетел на туристов в лесу. Одного убил, одного ранил. Судя по описаниям свидетелей, это мог быть Игнатов. Приметы совпадают.

Беспалый видел, как блеснули глаза Артамонова, как оживилось, посветлело его лицо, как дернулась его рука. Попался, генерал! Генерала это сообщение явно обнадежило, обрадовало. Выходит, генерал корешится с вором в законе, со смотрящим по России Варягом! Вон оно как! Интересно, знает ли об этом тайном союзе таинственный Коля, с которым еще предстоит встреча...

— Вы хотите сказать, Александр Тимофеевич, что Игнатов мог совершить побег?

— Я этого не исключаю. Я же говорю, что после подавления бунта на следующее утро я провел общую поверку — выяснилось, что Игнатова нет. Не было его и среди погибших.

— То есть как? Вы же ночью, во время бузы, доложили, что Игнатов убит.

— Да, верно, я по телефону доложил генералу Калистратову об этом со слов моих подчиненных, которые видели, как Игнатову, прямо на баррикадах, в голову попала шальная пуля. Повторяю, во время поверки выяснилось, что Игнатова среди заключенных действительно нет. Но и при осмотре трупов я не смог вынести однозначного заключения, что среди них есть Игнатов. Трупы были обезображены.

— Почему?

— Их обезобразили, я думаю, намеренно. По чьему-то указанию. Возможно, с целью ввести расследование... меня... в заблуждение.

— То есть вы хотите сказать, что Игнатов, возможно, жив и на свободе...

Беспалый снова подивился своей сметливости: надо же, генерал-то даже не поинтересовался другими убитыми — как ему, видно, дорог этот Варяг!

— ...и, возможно, ищет связи там у нас с кем-то из своих, — закончил Беспалый мысль генерала.

Артамонов вернулся к столу и забарабанил пальцами по полированной доске.

— Товарищ генерал, — тихо заговорил хитрец Беспалый. — Мне бы не хотелось завтра на коллегии вникать в эти детали. В моем рапорте написано, что заключенный Игнатов погиб в перестрелке. Дело в том, что я составил рапорт до того, как мне стало известно об этих обстоятельствах с туристами.

Артамонов усмехнулся.

— А вы непростой человек, Александр Тимофеевич, очень непростой.

Беспалый позволил себе тоже улыбнуться.

— Простые, Кирилл Владимирович, с ружьем стоят в ночном дозоре.

Артамонов оценил остроумие гостя. Он явно колебался, обдумывая какую-то просьбу. Беспалый следил за его глазами. Ну вот, соколик, решился наконец.

— Александр Тимофеевич, я вам... вот что хотел бы... посоветовать. Завтра на коллегии... — Тут генерал передумал и спросил. — А что, генерал Калистратов интересовался судьбой Игнатова?

— Так точно, товарищ генерал, интересовался, — иронически ответил Беспалый. — Очень даже интересовался. Он и раньше-то звонил чуть ли не каждую неделю.

Артамонова это сообщение весьма заинтриговало.

— И чем же он конкретно интересовался?

— Здоровьем заключенного. В основном.

— А разве у Игнатова так было плохо со здоровьем?

И тут Беспалый решился на рискованный шаг. Но ведь как известно, кто не рискует, тот не пьет шампанского.

— Генерал Калистратов советовал, чем лечить заключенннного Игнатова. И мне приходилось строго следовать его рецептам.

— Вы говорили, что Игнатов был сильно ослаблен, когда прибыл к вам в колонию, — задумчиво заметил Артамонов.

Беспалый попер напролом.

— Мне кажется, его сильно ослабили лекарства, прописанные... генералом Калистратовым.

— Ясно. Александр Тимофеевич, вы знаете, какая у меня должность?

— Так точно, товарищ генерал!

— Что, если я попрошу вас оказать мне одну услугу? Вернее, не мне лично, а мне как начальнику спецуправления собственной безопасности МВД.

— Служу Сове... России! — шутливо отрапортовал Беспалый.

— Вы не могли бы составить мне бумагу о ваших телефонных разговорах с генералом Калистратовым? Просто запись бесед. Без подписи, без шапки. Голый конспект. Самую суть.

Беспалый потупил глаза и многозначительно произнес:

— Я полагаю, эта просьба не идет вразрез с *моим* служебным долгом...

— Вы правильно полагаете, — резко бросил Артамонов, пресекая всякие рассуждения на эту тему. — И передайте эту записку мне завтра же, во время коллегии. — Он встал, давая понять, что аудиенция окончена. — Вы в Москве сколько еще намереваетесь пробыть?

— Ну, не знаю — дня два. А если понадобится, то и больше.

— Ладно. Вы ведь давно не были в столице? Осмотрите город — тут многое изменилось. Московский мэр — трудяга каких поискать. Москву преобразил до неузнаваемости. Ожила столица. Ну, до встречи!

— Разрешите идти, товарищ генерал?

— Идите, — пристально глядя на подполковника, ответил генерал Артамонов.

Беспалый вышел на Тверскую. У него едва не кружилась голова от переполнявших его впечатлений. Он гордился собой — даже мрачные раздумья о разгроме его агентурной сети в колонии отошли на задний план. Как же ловко он обвел вокруг пальца этого генералишку! Все из него выудил! Итак, крупнейший преступник, всероссийский пахан Варяг — закадычный кореш генерала МВД, начальника спецуправления собственной безопасности МВД! Что же это значит? А это значит одно из двух — либо генерал, как минимум, повязан с российскими криминальными кругами, либо, наоборот, российская криминальная верхушка контролируется высшими российскими чиновниками. Вот тебе и широкомасштабная борьба с преступностью, на которой многие себе заработали генеральские звезды и дворцы в ближнем Подмосковье. Чего ж удивляться, что конца преступности что-то не видно. Да и какой конец может быть виден, если это круговая порука — рука руку моет!

Он даже остановился. То, что он сейчас узнал, — да это ведь долгосрочный депозит, Александр Тимофеевич! Надо только этим депозитом с умом распорядиться. А там, глядишь, и звездочки на погонах укрупнятся, да и кожаное кресло в Москве может появиться. С Артамоновым надо дружить. И с другими тоже — все пригодится!

Беспалый решил отправиться к себе в общежитие, переодеться в цивильное и пойти погулять в парк Горького. А ближе к вечеру ему предстояла еще одна любопытная встреча — с «Колей», Николаем Ивановичем. К ней надо было хорошо подготовиться. Ясно, что Коля будет задавать примерно те же вопросы, что и Артамонов, вот только отвечать на них, видно, придется по-другому. Совсем по-другому..

ГЛАВА 28

Он проснулся и не сразу открыл глаза. Сначала мысленно обследовал каждый закоулок своего — точно чужого — тела. Веселое солнце в упор било сквозь тюлевую занавесочку на окне. Он зажмурился. Душистый пододеяльник щекотал ноздри. В воздухе пахло сушеными травами. Он не был силен в ботанике и вряд ли смог бы отличить по запаху одну лесную траву от другой. Пахло как будто бы багульником.

Он шевельнул рукой — и застонал. Правый бок пронзила режущая боль. Над головой справа раздался шорох. Он повернул голову и увидел молодую женщину. Нахмурив лоб, он попытался вспомнить ее имя. Ну да, Елена. Елена поила его, растирала горячими тряпочками, делала уколы... Воспоминание об уколах тотчас вызвало из глубин памяти мысли о других уколах — мучительных, страшных, после которых все тело ломало, точно в стальных тисках, и нестерпимая боль когтями драла каждую мышцу. Но ее уколы были не такие — они давали покой, приятную легкость и возвращали ему силу.

Он никак не мог вспомнить, сколько ни силился, как очутился в этой уютной, чистенькой, ароматной комнатке деревенского дома. И не мог никак вспомнить, видел ли кого здесь, кроме этой молчаливой, заботливой молодой женщины. Кажется, был дед. А может, это во сне?..

261

— Вы проснулись? Доброе утро, — мягко и ласково произнесла она, подойдя вплотную к кровати.

— Доброе... — выговорил он с трудом.

Женщина улыбнулась.

— Ну вот, наконец-то. За неделю первое слово произнесли.

— Неужели за неделю? — Он попытался подняться, но снова застонал. Огненный язык боли облизал правый бок и плечи. Это что еще?

— Что там? — спросил он слабым голосом, мотнув головой в сторону правого бока.

— Там у вас рваная рана. От когтей — то ли звериных, то ли человеческих — так дед говорит.

Ага, значит, был дед, — подумал он, но на всякий случай переспросил:

— Какой дед?

— Мой дед. Мы с ним тут вдвоем живем.

Он приподнялся.

— А где я? Как я тут оказался?

Елена присела на край кровати.

— Владислав, может быть, вы сначала сами скажете, как вы оказались в наших краях?

Он вздрогнул.

— Откуда вы знает мое имя?

— Вы бредили. Почти неделю. В бреду назвали себя. Вы Владислав. Верно?

Варяг так и подскочил, стиснув зубы от боли в боку.

— Верно. А что я еще в бреду говорил?

Она пожала плечами.

— Да так, какие-то бессвязные вещи. Вспоминали Вику. Потом Светлану. По-английски говорили. Потом, извините, несли сущую околесицу о каких-то пузырях и ангелах — я не поняла. Дед мой даже решил, что вы уж и не оправитесь. Вы крещеный?

— А что? — и Варяг вдруг вспомнил, что ведь он и в самом деле крещеный. Да что толку! Он и в церкви-

262

то за всю жизнь был раз пять, не больше, и то из любопытства, а не по зову души. — Крещеный. Но неверующий.

— Это как же так? — искренне изумилась она. — Чтобы крещеный, да неверующий. Вы что же, грешник великий?

Он не ответил. Упал на подушку и закрыл глаза. Елена с интересом рассматривала его лицо, которое вот уже неделю пытливо изучала, стараясь разгадать загадку так заинтриговавшего ее незнакомца. Дед сказал, что, судя по ране, очень похоже на то, что его порвала рысь и, видно, пришел он издалека, с востока. Или с юга.

Скрипнула дверь в сенях. Дед пришел.

Елена встала и вышла в горенку. Потап вернулся из леса со своим старым ружьишком.

— Ну что, болезный не пришел в себя? — спросил Потап.

— Пришел. Вот только что поговорили...

Потап заметно оживился.

— Да что ты? Ну и о чем же?

— О том, кого он в бреду вспоминал.

— Ага! — Потап глянул на Елену. — Пойду-ка я к нему, попробую побеседовать. А ты нам не мешай.

Потап вошел тихо в спальню и притворил за собой дверку.

Он давно ждал гостя от Муллы. Но гость должен был прийти дней на пять раньше. И к тому же со стороны Голой скалы, а не наоборот. Да непременно в солдатской одежде, которую он, Потап, для него загодя раздобыл в Северопечерске у верного человека и оставил в дупле вместе с мешком еды.

Но тот, о ком писал ему в ксиве старик Мулла, не пришел. Что с ним сталось, Бог весть. Может, передумал, может, не добрался и сгинул по дороге. Этот, раненый, на него вряд ли похож. Пришел совсем с другой стороны, одет во что-то непонятное, да и пистолета при нем никакого не оказалось — значит, тайника у Голой скалы не посещал. Но то, что беглый, — это очевидно. Тут Потап не сомневался. Он беглых на своем веку повидал немало. Километрах в двадцати к востоку от скита была небольшая колония, наполовину пустая. Может, оттуда пришел. А может, вообще залетный из дальних краев...

Потап тронул больного за плечо. Тот открыл глаза.

— Здравствуй, голубчик. Как здоровье?

— Спасибо, отец, вроде оклемался.

— То-то и вижу. А был ты почти что при смерти. Как мы тебя с Ленкой дотащили сюда — сам не пойму.

— Откуда же вы меня тащили, отец? — Больной попытался было приподняться, но лицо его исказила гримаса боли.

— Да ты лежи, милый, лежи, — замахал руками Потап. — Силы береги. После такого заражения тебе надо месяц лежать в лежку да лапу сосать.

— Какого заражения? — не понял гость.

Потап покачал головой.

— Да у тебя, паренек, чуть не гангрена начиналась — бок у тебя загноился так, что впору было ножом вырезать. Насилу вон Ленка травами тебя отпарила. А то уж и не знаю, как повернулось бы дело. Ты, я чай, в районную больницу не шибко желаешь попасть?

— Твоя правда, дед, — криво улыбнулся больной. — Мне там делать совсем нечего. Такому-то здоровому.

Потап искоса посмотрел на него, и в первый раз за недельное пребывание у них в доме гостя мелькнуло у старика подозрение: а может, это все же тот, кого к нему Мулла направил? Но Потап не стал торопить события, боясь, как бы не ляпнуть лишнего и не совершить роковую ошибку.

Потап когда-то имел приход в единственной церквушке Северопечерска. Наладился он туда сразу после войны. Приход был небогатый, но батюшка не бедствовал: в конце сороковых в церковь повалил народ — видно, тяжкие испытания военного лихолетья да вечная нужда мирной жизни оставляли местным мужикам и, в основном, бабам одну надежду. К ней они и льнули. Отец Потап служил по совести, за причастия лишку не требовал, соборовать и вовсе иногда бесплатно соглашался — словом, заслужил народное уважение. Но потом в начале шестидесятых, когда Хрущев вдруг объявил войну с религией, церковь закрыли, в ней разместили какой-то музей, который просуществовал лет пять, да потом и сам закрылся, а отец Потап ушел в тайгу и уединился. Если бы поблизости был монастырь, он бы точно ушел туда. А так он устроился на брошенном хуторе в лесу и своими руками возвел рядом с домом часовенку, о чем шепнул своим старым прихожанам, и те сами стали к нему изредка наезжать да привозили с собой верных людей. Так отец Потап и жил на своем хуторе как бы тайком. О его религиозной деятельности, или самодеятельности, как в шутку говаривали доброхоты, знали и местные власти, и милиция, но Потапа не трогали: а как его тронешь, если и отец, и мать начальника райотдела МВД Кольки Хруничева в пятьдесят первом в церкви у Потапа венчались, а в пятьдесят втором и Кольку там крестили. Но Потап о своей часовенке помалкивал, принимал скромные подношения прихожан — на них, да еще с огорода своего, да с леса и жил, прокармливая и себя, и племянницу. Когда в начале девяностых в Москве вдруг сильно возлюбили православие и все кому не лень начали строить храмы, председатель горисполкома даже вызвал к себе Потапа на чашку чая и прозрачно намекнул, что можно бы и церковь отреставрировать, и приход восстановить. Но Потап отказался, сославшись на возраст и болезни.

Но у Потапа был другой резон отказаться от заманчивого предложения. И этот резон оказался куда сильнее прочих. У него было важное дело, которому он себя уже давно и вполне сознательно посвятил — точно так же, как когда-то сознательно выбрал путь священства. Когда разорили его церковь, он не озлобился, даже и не осерчал. Скорее, огорчился. Но к чувству огорчения примешалось и еще одно чувство — недоумение. Он не понимал, что творит Советская власть с народом, к чему эти постоянные унижения, репрессии и издевательства.

Только одному человеку он мог задавать эти вопросы, зная, что услышит честный и мудрый ответ. Этому человеку Потап был обязан жизнью, о чем помнил всегда и всегда молился за него и почитал своим долгом оказывать ему посильную помощь. Их скрепляла давняя дружба, выросшая из случайной встречи, а потом судьба разметала их по разным краям необъятной России, но через много лет вновь свела вместе и с тех пор уже связь между ними не рвалась. Благодетель Потапа — именно так старец называл своего давнишнего спасителя — снова оказал ему помощь при совсем странных обстоятельствах в конце семидесятых.

Дело было осенью. Егор как раз приехал к нему в скит пожить на пару недель, как делал это на протяжении уже десяти лет. А накануне его приезда к Потапу наведались трое бандитов. Бандиты были не местные, из Свердловска. Они вошли в часовенку — а дверь Потап никогда не запирал, когда оставался здесь, — и потребовали отдать иконы, кое-какую церковную утварь, деньги. Потап пытался усовестить гастролеров, да все без толку. Один из налетчиков вынул ножичек. Видя, что дело плохо, Потап не стал артачиться и с тяжелым сердцем отдал и маленькую чудотворную икону Божьей матери, и бронзовую дароносицу, и еще какую-то мелочь, которую ему удалось в свое время укрыть от комиссии, пришедшей к нему в церковь описывать «предметы культа». Налетчики перевернули в ските все вверх дном, ничего, конечно, не нашли, да и ушли, похохатывая. А на следующий день приехал Егор. Услышав о происшествии накануне в ночь, он сильно разозлился и сразу ушел, пообещав вернуться через несколько дней. Он и впрямь вернулся. И самое удивительное — привез все, что забрали у Потапа ночные гости. «Больше к тебе не придут — ни эти, ни другие», — пообещал Егор и больше об этом происшествии не вспоминал.

После того случая Егор несколько раз обращался к Потапу за помощью. Всякий раз от Потапа требовалась одна услуга — схоронить на хуторе человека. Накормить — если голодный, выходить — если больной, и помочь перебраться на «большую землю». Потап не задавал лишних вопросов: раз надо — значит, надо.

Это и была самая главная тайна, которую он свято хранил в своей душе и никого в нее не посвящал. Лишь Богу на небесах было ведомо, что Потап уже многие годы был вроде как тайным связным, а его скит — перевалочным пунктом для скрывающихся от властей беглых заключенных. Потом, видно, слух об отце Потапе прошел по северному уральскому и сибирскому «телеграфу», и к Потапу за милостью начали обращаться старики воры из укромных сибирских колоний. Многолетнюю связь поддерживал с ним, между прочим, и старый Мулла, который вот и на этот раз прислал ксиву с просьбицей смиренной. Но, видать, пропал человек Муллы — так и не пришел. Может, что не заладилось с побегом. Теперь надо было брести к Голой скале и проверять тайник: если лежит он нетронутый, то и водочку, и особенно пистолет оттуда надо было вынимать — пригодятся. Потап никогда не раскаивался в начатом им деле, полагая, что творит Божье милосердие и исполняет свой священский долг. Вопросами он своих редких гостей не пытал, в душу не лез. Вот только когда узнавал загодя, что ожидается пришлый, старался Елену удалить из леса, отправлял в город за покупками. Не хотелось Потапу, чтобы она встречалась с его гостями.

Он до сих пор жалел, что нашел в лесу непонятного мужчину вместе с Еленой. Оставалось уповать на Божью милость — авось до лиха не доведет Леночку эта встреча.

Потап присел на лавку напротив койки и встретился взглядом с больным.

— Так может, расскажешь все же, мил человек, кто ты и откуда, куда путь держишь? — с улыбкой спросил старик.

Варяг улыбнулся в ответ.

— Ты, отец, прямо как из старой русской сказки. Кажется, вот-вот дверь откроется и въедет баба-яга в ступе.

Старик улыбался и молчал выжидательно.

— Ладно, стало быть, зовут меня Владислав... Костиков. Хочешь — верь, хочешь — нет, а я заблудился в ваших лесах. Я сам из Куйбышева. По-нынешнему, значит, из Самары. Приехал в Северный Городок к старому знакомому. Вывез он меня в лес на субботу и воскресенье, а я, дурак, в чащу один ушел. Ну и заплутал. А потом меня еще рысь порвала, как жив остался — не знаю.

Потап хитро глядел на больного.

— Что ж, Владислав Костиков, ладно. А я Потап. Или отец Потап, как хочешь называй.

— А отчество как?

— Да не надо по отчеству, сколько живу на свете, а все не привык к отчеству. Люди уже давно кличут отцом Потапом. Я священник. А Елена Премудрая — моя племянница.

— А почему Премудрая? — Больной улыбнулся.

Хорошая улыбка, отметил про себя Потап. Вот только врать ты горазд, парень.

— А потому что я ее так зову. Она и впрямь девка с головой. Неглупая девка, образованная. По биологии пошла.

— Не по твоим, выходит, стопам, по церковным.

— Ну, это как сказать... — Потап вздохнул и поднялся. — Выздоравливай, Владислав.

Он двинулся к двери и, взя шись сухой рукой за косяк, обернулся:

— А тебе-то как моя Елена? Приметилась?

— Хорошая девушка...

— То-то и оно-то, — строго выдохнул дед. — *Де-вушка*. Имей это в виду, человек хороший. Не обижай. Уж раз тебя судьба к нам забросила.

* * *

Прошло дней пять, Владислав быстро шел на поправку. Однажды ночью в комнату к нему тихо скользнула Елена. Варяг не спал, когда она появилась на пороге, белея в темноте ночной рубашкой. Он лишь молча смотрел, как Елена, подойдя к кровати, скинула рубашку, и в лунном свете, падавшем из окна, увидел ее гибкое, как у кошки, сильное стройное тело.

Она юркнула к нему под одеяло, обжигая своим телом. Он лежал не шевелясь. Она провела рукой по его груди, слегка коснувшись еще не затянувшегося шрама на плече, осторожно миновала заклеенную пластырем рваную рану на боку. Варяг поймал ее ладонь и, приподнявшись на локте, посмотрел ей в лицо. В полумраке его черты приобрели особую утонченность, он ощутил ее прерывистое дыхание и заметил лихорадочный блеск глаз.

— Пожалуйста! — вдруг прошептала она, и в голосе ее была такая неподдельная мольба и страсть, что Варяг мгновенно понял, что не сможет ей отказать, что он бессилен устоять перед этой пронзительной красотой и обаянием, перед пышущим жизненной силой молодым женским телом, что он неотвратимо начинает терять контроль над собой и погружается в могучий поток страстного желания.

Он наклонился и поцеловал незнакомые теплые губы, затрепетавшие под его губами, ласково провел ладонью по упругой груди, шелковистой коже живота и с силой сжал ее бедро. Она тихонько застонала, изгибаясь под его рукой. Он тискал и мял ее тело, снедаемый долго копившимся вожделением. О, как она трепетала и как страстно звала его к себе! Когда же он наконец проник в нее, она выгнула спину, обхватила его за плечи и стала быстро двигать тазом, помогая ему изо всех сил. Он только теперь ощутил, насколько ослаб. Через минуту силы покинули его — он упал на спину, шумно дыша и превозмогая боль. Елена привстала над ним, перекинула голую ногу через его живот и аккуратно села верхом, насаживаясь на его восставший член. Через несколько минут Варяг ощутил сладостный шквал внизу живота и глухо застонал от мучительно приятной разрядки. Елена мягко, как кошка, стараясь не зацепить его раны, сползла с него, улеглась рядышком и зашептала на ухо:

— Тебе хорошо было, милый мой?

Он посмотрел в ее сияющие глаза и только сказал:

— А дед говорил: ты — девушка.

Елена улыбнулась:

— Это он всем так говорит. А ему откуда знать? Я многое в жизни перепробовала. Но вот такого, как ты, встречаю впервые. А так хотелось встретить сильного, мужественного, все понимающего мужчину!

Варяг слушал молча, поглаживая ее по спине.

Елена сползла пониже, положила голову на плечо Владиславу, обвив его грудь горячей рукой.

— Хотела. Давно уже хотела. Но все как-то Бог сводил с хилыми, неуверенными в себе, ну точно как дети малые. А ты настоящий...

Ее пальцы побежали по вспотевшей коже груди, добрались до синего абриса татуировки, хорошо просматривавшейся в лунном свете.

— Ты кто, Владислав?

Он провел загрубевшей ладонью по ее волосам, скользнул по щеке.

— Да что ж вы меня с дедом пытаете-то? Владислав Костиков я. Из Самары. В лесу заблудился.

Она приподнялась в кровати. Лунный свет упал на ее обнаженное плечо и заиграл таинственными бликами на коже.

— Понимаешь, Владислав... Костиков. И я, и дедушка видели эту твою татуировку. Дед мне сказал, что это воровская наколка. Он знает...

Варяг сглотнул слюну. Его охватило странное чувство: ему почему-то очень не хотелось врать этой милой, искренней женщине, которая неделю выхаживала его, быть может, от смерти спасла. Но и выкладывать ей все, что у него на душе накопилось, он тоже не мог.

— Ты знаешь, я тебе одно могу сказать, — начал он глухо. — Я не из Екатеринбурга пришел. Но я действительно в лесу заплутал. И меня действительно рысь порвала, потом я еще с какими-то бродягами сцепился — они меня чуть не порезали. Я защищался, как мог. Кажется, в драке кого-то сам пырнул ножом, а потом еле ноги унес. Это правда. Но больше я тебе сказать ничего не могу. Извини, Елена. — Он закрыл глаза. — А теперь прошу тебя, уходи. Мне надо одному побыть.

Она надела длинную рубашку и выскочила из комнаты.

Наутро ни он, ни она ни взглядом, ни словом не дали деду Потапу повода для тревожных догадок.

Варяг впервые за неделю своего пребывания здесь поднялся с кровати и вышел на свежий воздух. Вышел —

и едва не задохнулся от пьянящего коктейля лесных ароматов. Он присел на лавку перед домом. Следом за ним вышел и отец Потап.

— Ну как спалось, Владислав? — полюбопытствовал дед. — Ты, я вижу, сегодня уже лицом другой — посвежел, совсем на поправку пошел, парень. — Дед помолчал. — У меня Еленка сегодня спрашивала про твою татуировку.

Потап посмотрел на гостя. Тот — на Потапа.

— И что же ты, отец Потап, ей ответил?

— То, чего знаю, не сказал.

— А что же ты знаешь?

Потап сощурился.

— А то, мил человек, что воровская это наколочка. И не обычная. Ты коронованный вор, Владислав!

Варяг напрягся. Он нутром чуял, что Потап человек непростой и себе на уме, но при этом он почему-то вызывал у него доверие. В конце концов, если бы дед хотел его сдать — давно бы сдал, пока он, Варяг, валялся у него в доме без сознания.

Гость внимательно вгляделся в глаза старика под густыми косматыми бровями. Глаза светились умом и словно молча намекали: да ты откройся мне, добрый человек, я тебя не подведу...

— Наколку мою, отец, ты верно распознал. Да только это все дела минувших дней. Все в прошлом.

— Да? — отец Потап сверкнул глазом из-под насупленной брови и поговорил с расстановкой: — Знаешь, мил человек, прошлое — оно ведь всегда с нами. Из души его не выкинешь. А уж как оно там в душе хоронится — то ли теплом греет, то ли холодом могильным знобит — это ведь от человека зависит.

Потап замолк и вдруг, после продолжительного молчания, брякнул напрямик:

— Знаешь что, касатик, а давай-ка мы с тобой начистоту поговорим.

— Ну что ж, старик, давай поговорим, — тут же отозвался Владислав, как будто давно уже ждал этого вопроса.

— Ты, как я понимаю, беглый? — в лоб спросил Потап.

— Правильно понимаешь, дед, — твердо ответил Варяг и посмотрел Потапу прямо в глаза.

— Ну-ну, — ответил ему ободряюще Потап, — бояться-то тебе нечего. Я ведь священнослужитель, спасать чужие души — моя профессия. И тела тоже, — добавил он загадочно.

— Спасибо тебе, отец, — сказал Владислав. — С этим ты отлично справляешься. Спасибо тебе и за то, что к словам моим относишься с пониманием, и за то, что жизнь спас. Спасибо Елене твоей за заботу. За все спасибо. Я тебе теперь обязан по гроб жизни. За мной должок.

— На кой ляд мне твой должок, — хмыкнул дед. — Мне уж, знаешь, сколько лет? Восемьдесят два! — Владислав, не скрывая изумления, посмотрел на деда и присвистнул.

— Во-во, — продолжил Потап, — должок ты свой, боюсь, не успеешь мне отдать в полном объеме.

— Так чем же я могу тебя отблагодарить? — спросил Варяг, пораженный возрастом такого бойкого и крепкого с виду старика.

— А ты мне свою историю расскажи, — заявил вдруг отец Потап. — Всю правду. От начала до конца. Это и будет твоей благодарностью. Я, знаешь, истории люблю слушать. Старый стал, книжки читать глаза не дают. А у тебя история, как мне подсказывает чутье, ин-те-ресная... знатная история.

— Знаешь, отец, пожалуй, я приму твое предложение, хоть и рассказчик я хреновый, — уклончиво ответил Варяг. — Но с одним лишь условием, что для начала ты мне расскажешь свою. Думается мне, что у тебя

273

история почище моей будет. А заодно расскажи мне: ты-то сам откуда знаешь про мою наколку? Может, опыт какой собственный имеется?

— Имеется, имеется. И немалый, — неожиданно буркнул дед. — И хочешь ли знать, коли бы судьба не уберегла от земного огня — гореть бы мне сейчас в адском пламени.

— Загадками говоришь, отец, — нахмурился Варяг.

— Я хоть загадками, а ты вот и вовсе помалкиваешь. Ну да ладно. Не хочешь первым рассказывать, не надо. Тогда послушай мою повесть, может, чего поймешь...

ГЛАВА 29

Веревки были крепкими, сплетенные из рыжего конского волоса, они разрезали на запястьях кожу и хищно впивались в мякоть. Страдания усиливались, когда низкорослая лошадка, преодолевая нагромождения камней, весело закидывала зад, подбрасывая на спине невольника.

Платон подозревал, что все эти неудобства скоро совсем перестанут его беспокоить, а сам он превратится в безжизненную груду белков.

— Куда вы меня везете? — спрашивал он в который раз.

Монгол с гладко выбритым лицом, прищурив на пленника и без того узкие глаза, усмехнулся.

— Умирать, — и вновь погрузился в какие-то свои великие думы, о которых мог знать только Будда.

Платона подмывало спросить, долго ли им еще ехать, но это было все равно что спросить палача, когда он наконец опустит топор, занесенный над головой жертвы.

Монголов было семеро — узкоглазые, широколицые, они представлялись Платону на одно лицо, словно были порождением единственной яйцеклетки. Вот только всмотревшись в лица, можно было подметить разницу в их годах.

Самому старшему из них было лет сорок пять. Он привычно подгонял лошаденку пятками и за время пути не произнес ни слова. Он даже ни разу не обернулся, и Платон едва успел рассмотреть его лицо. А то, что он видел, вызывало в нем неподдельное отвращение: реденькая бородка на широких скулах, черные лоснящиеся волосы и широко оттопыренные уши. Похоже было, что он в этой печальной компании за главного, и только он один знает дорогу, по которой грешники бредут в преисподнюю.

Четверым было лет тридцать—тридцать пять. Они были сосредоточенны и немногословны, как будто размышляли над трудной партией Го. Сопровождение составляло еще двое молодых всадников, для которых чужая смерть была таким же баловством, как скачки.

Дорога уводила все дальше в гору, и Платона стала донимать скверная мысль, что монголы решили сбросить его со скалы в пропасть. На миг он даже представил, как его молодое сильное тело, падая на дно ущелья, натыкается на выступающие камни, переворачивается в воздухе и с громким хрустом разбивается о скалы. Оборвавшийся крик заставит испуганно подняться со своих мест длинношеих грифов, которые, совершив круг над бездной, опустятся на его бездыханный окровавленный труп. То, что от него останется, трудно даже будет назвать человеческим телом — это будет кусок мертвечины вперемешку с обломками костей.

— Вы сбросите меня со скалы? — выдавил из себя в страхе Платон.

Но вновь встретил равнодушные холодные взгляды сопровождающих — они не желали разменивать на объяснения с будущим покойником.

— Ответьте же!

Один из монголов лениво повернул голову в его сторону и философски заметил:

— И не надейся! Легкая смерть не для тебя.

Платона охватила паника — мелкие противные мурашки пробежали по спине, по шее и растаяли где-то у самого горла, заставив кадык непроизвольно дернуться. Его поразила даже не грядущая смерть, а тон, каким был произнесен зловещий приговор. Чужая кончина для них не была в диковинку — они просто выполняли привычную работу. И делали это так же бесстрастно, как пастух выгуливал на пастбище скот или как темными вечерами молодой любовник ласкает свою зазнобу.

— Мы пришли, — впервые разомкнул уста старший, натянув поводья. — Теперь тебе придется перебраться на металлического жеребца, — указал он концом плетки на огромное железное чучело, что стояло у самой тропы.

— Что вы хотите делать?

— Не торопи события, впереди тебя ожидает много интересного, — с улыбкой заговорщика сообщил старший, показав крупные зубы, — такими резцами только жевать овес. — Очень скоро ты все узнаешь. Поставьте его на землю, — приказал он путникам, — да не расшибите раньше времени. А то что тогда о нас подумают люди? Посмотри, как здесь красиво, — он обвел вокруг себя плетью, — на этой поляне тебе придется умереть. Лучшего места невозможно отыскать во всех горах. Ты умрешь под пихтами, а ветер, который прячется в их лапах, ублажит твою мятежную душу.

Жеребец едва переминался с ноги на ногу; пригнув гибкую шею к самой земле, он выискивал среди густой травы пряный цвет. Ему не было никакого дела до людей, окружающей природы и даже седока, которого он привез на казнь. Больше всего его занимал розовый клевер, что рос под самыми копытами. Рядом деловито жужжал шмель, и полагалось быть осторожным, чтобы не отведать задиристого проказника на язык.

Руки Платона онемели совсем, создавалось впечатление, что они держатся на одних сухожилиях, и он бы не удивился, если б кисти отвалились и упали на луговую траву.

Трое всадников неторопливо спешились. Один ухватил коня под уздцы, чем вызвал у животного яростный протест: конь, сплевывая листья клевера, замахал огромной головой, а потом, почувствовав сильную руку, успокоился. Двое других, взяв Платона за плечи, ссадили на землю.

— Развяжите ему руки. Мне хочется, чтобы Будду он встретил с распростертыми объятиями!

Один из монголов достал из-за голенища нож и чиркнул лезвием по скрученным путам. Конские волосья бесформенным комом упали к ногам Платона.

В лице и в голосе монгола было нечто гипнотическое, что заставляло повиноваться. Платон видел, что этот властный человек уж если задумал кого-то казнить, то обставит это с такой торжественностью, с какой священник совершает церковный ритуал.

— Подведите его к железному скакуну. — Монголы молча выполнили указание вожака. — А теперь посадите на седло и свяжите ему покрепче ноги. — Один из стоявших парней проворно юркнул под брюхо коню, стянул бечевой щиколотки Платона. — Будто родился на этом коне. Ну чем не друг степей! Вот теперь это твое место до конца жизни. Пусть скачет в царство смерти.

— Отпусти меня.

— Отпустить? — пожал плечами монгол. Он не скрывал своего удивления. — А что тогда делать этим мужчинам, которые пришли вместе со мной? А для кого тогда будут таскать хворост? Нет, каждый должен выполнять свою работу. Прежде чем стать палачом, мне пришлось побывать ламой. А из буддийского монастыря я вынес четыре благородные истины: существуют страдания и их причина, освобождение и путь к нему. Так вот, через час тебе предстоит познать путь совершенства. И я даже где-то тебе завидую, потому что это все у меня впереди. А теперь разогрейте этого коня докрасна и поджарьте нашего гостя! Сегодня у волков будет славный ужин.

— Что же ты делаешь?! Пожалей! Господи! — орал Платон. — Я жить хочу!

Лица монголов были беспристрастными и такими же каменными, как у достопочтенного Будды. Видно, монгол вынес из буддийского монастыря еще одну ценность — ни при каких обстоятельствах не поддаваться эмоциям. Можно было смело утверждать, что он не ведал уныния, но и веселье его также не посещало.

Сбоку, на животе коня, помещалась маленькая дверца. Один из монголов уверенно ковырнул ее пальцем и принялся складывать в нутро коня припасенный хворост. Он проделывал это спокойно, как будто выполнял самую обыкновенную работу. Скоро брюхо животного было набито до отказа, а из открытой пасти торчал лапник. Молодой монгол смиренно сложил ладони у подбородка и учтиво поклонился старшему:

— Поджигай! — спокойно, но твердо распорядился монах.

Монгол сунул за пояс ладонь и извлек куски кремня.

Остальные монголы, скрестив ноги, расположились немного поодаль — очевидно, опасались предстоящего жара. Даже сейчас, когда начиналась кульминационная часть церемонии, ни один из них не показывал своего неприятия или, наоборот, интереса к происходящему. Возможно, именно с такими беспристрастными лицами ангелы на высшем суде выслушивают раскаяния грешников.

Руки монгола с выбритым лицом действовали привычно. Один удар. Второй. Снопы искр срывались с самого края и разбивались о металлическое брюхо лошади, разлетались по сторонам, и только несколько огненных осколков маленькими звездочками упорхнули в темное распахнутое нутро жеребца и замерли на старом валежнике, образовав неболⸯшое яркое созвездие. Монгол глубоко вздохнул, а потом осторожно стал выдыхать воздух прямо на искры. Звездочки заблестели ярче, отбрасывая желто-красное сияние на почерневший хворост, а уже в следующую секунду валежник весело вспыхнул и затрещал.

Монгол бережно прикрыл дверцу и отошел к сидящим.

Внутри жеребца скоро загудело, хворост отчаянно трещал, а из ушей и пасти железного идола повалил тяжелый, загустевший желтый дым. Сейчас жеребец напоминал сказочного дракона, который готов был взлететь в небо, обдав невозмутимо сидящих монахов огненным зельем. Благо, что и наездник для него подобрался достойный — он бил пятками в металлические бока, вертелся, истошно вопил.

— Господи, заступись! — молился Платон. — Боже, откликнись! Весь оставшийся век буду замаливать свой грех. Ну что же вы сидите истуканами?! Освободите.

Жеребец все не взлетал, видно, он не отваживался покинуть обжитые места.

Но в глазах молодых монголов застыло напряжение. Хотя лица их по-прежнему оставались такими же безжизненными, как и прежде, и не пропало впечатление, что смотришь не на живого человека, а на восковое изваяние. Но вдруг выражение их лиц изменилось. И когда наконец Платон догадался о причине, то невольно ужаснулся: молодых пожирало животное любопытство. Им очень хотелось вдохнуть запах гари и почувствовать, как же все-таки воняет горелое человеческое тело. А монах уже прикрыл глаза и было видно, что он находится на половине пути к космосу.

Платон не однажды слышал от подельщиков о таком экзотическом способе казни, но никогда не думал, что ему самому придется оседлать раскаленного жеребца. И вовсе не мог предположить, что его смерть находится не в толще времени, спрятавшись за десятилетия, а совсем рядом и что палачом его станет не урка с кривой финкой, а семь благообразных монголов, учеников Будды.

Освобождение было совсем близко. Старший монах стал раскачиваться под треск горящих сучьев и гул беснующегося огня. Дальше его ожидало просветление. Монах уже видел путь, по которому он пойдет сам и поведет других. А в конце долгой дороги его ждала нирвана. Совершенство.

Раскаленное железо обожгло бедро. Платон понимал, что еще минута такой пытки и он прилипнет к седлу, как шкварка к разогретой сковороде, и начнет чадить, все более превращаясь в головешку.

— Нет! — истошно орал он. — Я еще поживу!

Платон на мгновение закрыл глаза, а возбужденное сознание подбросило ему картину, от которой содрогнулось все его существо...

Горы. Темень. Обгорелый труп, восседающий на лошади, а по крутому склону спускается волчица со своим несмышленым выводком. Она остановилась на тропе и, задрав мохнатую голову высоко кверху, принюхалась. Опасности не было. Волчица слишком хорошо знала привычки людей. Это угощение предназначалось для нее. Такое случалось не однажды — она обгладывала обжаренный труп и возвращалась в горы. Но в этот раз она явилась не одна — следом за ней торопились волчата. Выводок подрастал и уже не умещался в тесной лесной норе, а потом волчата должны привыкать к тому миру, который их окружает. А это тоже одна из ступеней взросления. Запахи и звуки — это не всегда сигнал к охоте, бывает, что они извещают об опасности. Волчица подкралась совсем близко, аппетитно вдохнула сладкий запах жареного мяса, а потом осторожно притронулась лапой к остывшему металлу — как будто проверяла, а не поддаст ли строптивое животное кованым копытом. Конь замер навечно и совсем не собирался обижаться на враждебное прикосновение.

Волчата тихо поскуливали. Их уже успел раззадорить аппетитный запах жаркого, и они дожидались только разрешения матери, чтобы окрепшими челюстями стащить с лошади покойника за обугленную ногу...

Промелькнувшее видение было настолько реально, что Платон едва не потерял сознание — теперь он понимал, что так оно и случится. Монголы не случайно проводили казни неподалеку от волчьих нор — так животным удобнее растаскивать кости воров по кустам.

Высоко в небе парил белоголовый сип. Вытянув длинную шею, он всматривался в расщелины скал, выискивая падаль, а когда между деревьями узкими струйками стал пробиваться тоненький дымок, птица поверила в удачу. Это место было знакомо сипу по прежним пиршествам, и он знал, что волки не съедают жертву полностью и частенько оставляют после себя обугленные кости, внутри которых находился запеченный мозг. Стервятник проглатывал их целиком, даже не утруждая себя разбивать их на части.

Платон пытался подняться с раскаленного седла, но голени, умело стянутые крепкой веревкой, не двигались. Бедра покрылись огромными волдырями, и он чувствовал, как они лопаются и ошметки кожи мерзко пристают к металлическим бокам лошади.

— Боже! Горю!

Платон извивался, как мог, стараясь облегчить себе страдания, но получалось плохо, и он все более превращался в один болевой сгусток. Руки у него оставались свободными, он лег животом на спину коня, пытаясь дотянуться до веревки на ногах, но тотчас отпрянул, обжигая руки и грудь.

Он вспомнил о том, как в далеком детстве наблюдал за агонией лошади, провалившейся в болото, — чем больше она била копытом по топкой поверхности, тем сильнее ее держал за ноги водяной черт, пока, наконец, не утянул беднягу на самое дно.

Теперь Платон испытал бессилие тонущего животного и сполна понял ужас, который застыл в ее фиолетовых глазах за секунду до того, как над ее головой сомкнулась темно-коричневая густая болотная жижа.

Монголы сидели все так же неподвижно, а самые младшие из них уже и вовсе перестали скрывать интерес и готовы были оставить неудобную позу «лотоса», чтобы поближе посмотреть на образовавшиеся волдыри; только монах без конца что-то бубнил: не то молился во спасении души безнадежно павшего грешника, не то созывал со всей преисподней на его бесталанную голову упырей и кикимор.

Повалил смрад — густой, едкий. Через несколько минут лакомство покроется твердой розовой корочкой и своим аппетитным видом призовет на пиршество всякую тварь. Платон чувствовал, как с каждой секундой из него уходит жизнь. Пройдет совсем немного времени, и он стечет с раскаленного коня на землю густым почерневшим жиром, точно так же, как полыхающая свеча на дно подсвечника, оставив на седле только чадящие мощи.

Платон беспрестанно двигался, понимая, что если он замешкается хотя бы на секунду, то прилипнет навсегда к шершавой металлической поверхности и отскабливать его будут горластые вороны.

— Горю! Убейте меня!!! — взывал к милосердию Платон.

Ответом ему было глубокомысленное молчание, в котором было столько же философского смысла, сколько в развалинах древнейшей цивилизации.

Веревка на голенях Платона вспыхнула. Он почувствовал, как огонь, враждебно треща, подпалил штанины и беспощадным бесенком принялся пританцовывать на коленях, злобно покусывая.

— А-а-а!!! — сбил Платон руками пламя.

Инстинктивно он поднял ноги и вдруг осознал, что уже ничего не мешает движению — на голенях короткими обрывками болтались веревки. Платон наклонился и свалился на землю, под ноги раскаленного коня, который по-прежнему продолжал дышать через огромные ноздри желтоватыми клубами дым.

На лицах монголов промелькнуло разочарование — оно было недолгим, точно полет глыбы, сорвавшейся с кручи.

— А-а! — выдохнули разом монголы, как будто камень раздавил кого-то из них. Былая невозмутимость мгновенно забылась. Платон не спешил подниматься. Он ожидал, что монахи с прежней бесцеремонностью возьмут пленника за шкирку и победно водрузят на раскаленного коня, чтобы ему было сподручнее отправляться в свой последний путь. Однако монголы повели себя очень странно: они поднялись и несколько раз отвесили ему учтивые поклоны. После чего лама опустился на колени и пополз в его сторону. Он остановился всего лишь в шаге от пленника, но Платон готов был поклясться, что в его глазах светилось почтение — с таким обожанием не грешно было взирать на воскресшего Будду.

Лама пододвинулся еще ближе, потом потянулся правой рукой к Платону. Он вдруг осознал, что у него не осталось более сил даже для того, чтобы отстранить вражью длань. Вот что значит судьба! Видно, ему на роду написано умереть под широкой ладонью буддийского монаха, издав на прощание негромкий хрип, а огненный конь — всего лишь небольшое испытание перед грядущим забвением. Лама осторожно ухватил толстыми кривыми пальцами истлевший краешек его одежды и бережно поднес к губам:

— Иди... ты свободен!

Платон не верил своим ушам. Вдруг его ужалила мысль: ведь как только он поднимется на ноги, его горло захлестнет петля, после чего, с торжествующей улыбкой, лама наступит на поверженное тело.

Черт бы их побрал, этих азиатов!

Но лама все отползал к остальным монголам, а те продолжали оказывать вору знаки наивысшего почтения — сомкнув ладони у самого подбородка, они мелко кланялись вору.

Платон украдкой перекрестился: видно, крепко за него молится перед господом усопшая матушка. Он поднялся и, не оборачиваясь на своих мучителей, стал ковылять вниз по тропе.

Высоко в небе летал орлан — горькая думка о прошедших испытаниях. Слегка покачивая крыльями, птица сделала круг над поляной, потом такой же ленивый — другой и, не дождавшись желанного, разочарованно отлетела к заснеженному хребту.

Платон брел уже целый час. Ему хотелось как можно дальше уйти от проклятого места: а вдруг монахи одумаются да приволокут его на аркане, чтобы он вновь прогарцевал на железной лошадке. Каждый шаг отдавался острой болью, и ощущение было таким, будто на тропу с него отваливаются куски мяса.

— Все! Кажись, отходился, — Платон осторожно присел на траву. Набравшись мужества, он посмотрел себе между ног. Зрелище испугало. — Господи, теперь только в евнухи!

Платон крепко зажмурился и проклял прошедший день.

* * *

Последнее его путешествие не предвещало ничего дурного. Дорога была знакомой — истоптана десятки раз, и Платон знал на ней едва ли не каждый камень. В этот раз поездка оказалась на редкость удачной: на низкорослой мохнатой лошадке сидела красивая монголка лет шестнадцати. Она уже давно перестала спрашивать, что они за люди и куда ее везут. Видно, вполне удовлетворилась тем, что ее не трогают и кормят отборным рисом с жирной бараниной. А потом она рассчитывала на заступничество великого Будды.

По этой тропе Платон перевез уже немало девиц в сибирские селения, где продавал их на многочисленных торгах местным и заезжим казакам. Мужики, изголодавшиеся без бабьей ласки, платили за них, как правило, золотым песком, и после каждой такой поездки Платон зарывал в своем огороде по нескольку фунтов драгоценного металла.

Прежде чем превратить баб в товар, их опаивали до одури, увещевали ласковыми словами, а то и просто силком запихивали в припрятанные мешки. И только немногие из них, услышав про красавца жениха, изъявляли желание поменять батюшкино хозяйство на далекие северные земли.

Баб излавливали в самых неожиданных местах: в поле, когда они выгуливали скот, у ручья во время полоскания белья и даже поутру, когда те справляли нужду.

В этот раз Платон с приятелями знал, куда шел. Один из купцов (молодой красивый ухарь лет двадцати пяти) подглядел в соседнем монгольском селении девицу необычайной красоты и пообещал расплатиться щедро с тем, кто отважится привезти ему дикий степной цветок. Беда в том, что девка была сговорена, и престарелый родитель дожидался ближайшей полной луны, чтобы получить за нее такой калым, какого хватило бы еще на одну длинную жизнь, — чем не радость отдавать замуж красавицу дочь за самого богатого жениха степи!

Девушку подловили ранним утром, когда она, покинув юрту, легкой козочкой спешила к ручью. Платон вышел из-за огромного, в два человеческих роста, валуна и расторопно накинул ей шелковый мешок на голову, перевязав у самого пояса шнурком. Девица особенно не противилась, видно приняв похищение за диковатую забаву будущего муженька. Подобные прогулки, с запыленным мешком на лице, невесты знавали и в прежние времена, когда будущий муж, обуреваемый желанием, относил девицу в укромное место, где и совершал таинство супружеского обряда.

Но когда невесту отвезли далеко в город и стянули с головы мешок, то красавица испытала ужас — вместо узкоглазого женишка на нее, с вожделением вытаращив круглые глаза, взирали семеро рыжебородых мужиков.

— Если увижу, что найдутся охотнички испортить товар, — грозно пробасил Платон, оглядывая слащавые физиономии мужичков, — самолично порешу и разбираться не стану! Непорочной мы взяли девку и прибыть таковой должна.

Девица осмотрелась. Сузила глаза, так что оставались едва видимые блестящие черточки, а потом подняла такой крик, что на соседней горе потревожила семейку орланов, которые испуганно слетели со скалы и потом тревожно летали, оглашая окрестность гортанными хриплыми звуками.

Похитителей настигли на третий день, в тот самый момент, когда они, скинув баулы с натруженных спин лошадей, решили передохнуть в небольшом каменистом распадке под тенью разросшегося орешника. Все произошло быстро — почти одновременно с противоположных склонов жутковатыми свистящими птицами слетели арканы и крепко затянулись на шеях похитителей. А еще через несколько секунд, громко шурша камнями, к орешнику вышла большая группа монголов.

Старшим среди них был старик с блинообразным лицом, его кожа была почти лишена растительности, только на остром подбородке, что упрямо выдавался вперед, торчало несколько седых волос. Опираясь на кривой посох, он шел медленно, но уверенно и остановился только у ручья, который, разлившись, представлял непреодолимую преграду. Старик слегка приподнял свободную руку — и тотчас на его ленивый жест подскочили два молодых монгола, которые бережно подняли старика на руки и, не замечая потоков воды, что мгновенно подобрались к самому краю голенища и обильно залили подошвы, пошлепали через стремнину ручья к противоположному берегу. Преодолев водную преграду, они бережно поставили старика на землю.

— Ты, русский, — вор! — ткнул он кривой желтый палец в лежащего на земле Платона.

Платон хотел было возразить, но тугой узел веревки беспощадно затянулся на его шее, выдавив из нутра хлипкий жалостливый хрип:

— Хрр!..

— Это нехорошо, — погрозил старик пальцем, как будто его провинность заключалась в том, что он наступил сапогом на котенка. — Такой молодой, а так безобразничает, — покачал старик лунообразной головой. — Ай-яй-яй! Как нехорошо!

По-русски старик говорил сносно, и можно было запросто предположить, что молодость свою он провел в дали от полынных степей, а кто знает, может быть, и ему знакомо шальное ремесло вольного добытчика.

— Ты у них старший, я знаю тебя. — И, скаля проржавевшие зубы, продолжал: — Ведь я сам такой! Я тебе покажу, какой бывает настоящая смерть.

Старик махнул рукой — пленников мгновенно поставили на ноги, скрутили запястья веревкой, и монголы, вскочив на коней, поволокли их в гору.

Степняки всегда были изобретательны на казни — вора могли привязать к двум склоненным березам, которые распрямлялись ударом топора и развешивали на макушках деревьев потроха казненного; часто степняки привязывали вора к седлу и погоняли коня до тех самых пор, пока его тело не разбивалось в лохмотья об острые камни.

Платон закрыл глаза — он ожидал, что монгол пришпорит коня и с первым же прыжком его череп расколется об острые булыжники. Он даже представил, как это произойдет: кость треснет полым орехом и его не станет. Но степняк управлял конем неторопливо, как будто позади брел не разбойник, а шествовала царственная особа.

— Вот мы и пришли, — произнес старик, когда они спустились к равнине, поросшей высокой травой.

Слова были произнесены с большой долей нежности. Именно таким тоном престарелый любовник обращается к своей молодой пассии.

Платон хотел ответить, что старый дьявол не в меру любезен, если, перед тем как отрубить голову, решил показать райский уголок. Но вместо слов из горла вылетали хрипящие звуки.

— Да, да, вижу, как ты рад, — довольно улыбался старый разбойник. — Это место очень подходящее для могилы. Привяжите этих людей к камням, — произнес в никуда старик.

Оброненная фраза была мгновенно услышана — крепкие руки степняка ухватили пленников за шиворот и толстыми веревками породнили их с холодными камнями.

Старик отошел немного в сторону и стал наблюдать. Он показал иноверцам дорогу в ад, теперь — дело за провидением.

Ждать пришлось недолго: скоро из трав показалась лоснящаяся полосатая спина тигра. Высоко вверх он задрал красивую голову и ярко-желтыми глазами блеснул прямо перед собой. Это была тигровая тропа, соединяющая между собой два дальних ущелья, и он здесь был хозяин. Многие сотни лет его предки шли этой же дорогой в широкую равнину, изобилующую зверьем. И столько же лет именно на этой тропе привязывали к валунам обреченных — легкую и вкусную добычу. Стоило тигру лишь однажды испить кровь человека, как другая пища представлялась безвкусной.

Перед людьми стоял матерый самец, состарившийся на человечине. Он обленился — даже непродолжительный бег за косулей представлялся ему сверхсложной задачей. Совсем иное дело рвать угощение, которое заходится от крика, и глазами, полными ужаса, разглядывает своего палача. Тигр-людоед привык не обращать внимания на людей, стоящих поодаль. Он знал — они останутся безучастными к участи своих собратьев точно так же, как стадо антилоп к животному, попавшему в крепкие лапы хищника.

Тигр подошел почти вплотную к первому пленнику.

Платон с ужасом подумал о том, что на этой же тропинке должен был и он стоять. Если бы не воля старого монгола, уже сейчас бы он почувствовал на своем лице горячее дыхание зверя.

Старый самец ненавидел человеческие глаза. Они умели смотреть так жестко, как будто бы бросали вызов, а старый тигр, чья шкура помнила множество поединков, проигрывать не умел — он привык быть победителем, и первый удар пришелся по лицу. Огромными когтями, каждый из которых был величиной с кинжал, он сорвал с головы кожу, которая повисла поверх одежды пленника кровавыми лоскутами, и проник под черепную коробку, выцарапав мозг.

Смерть была мгновенной — Платон увидел, как Мирон, молодой парень лет двадцати, повис на веревках, издав хрипящий звук. Теперь он понимал, что душа покойного выходит через горло. Это был второй переход парня через снежный перевал — молодец надеялся сколотить деньжат и удивить приданым зазнобу.

Вот и отгулялся!

Зверь лениво царапнул Мирона по животу, и когтистая лапа выгребла ворох красных внутренностей. Тигр шел не спеша, в движениях просматривалась царская

290

грация. Зверь был сыт, но он не мог отказаться от угощения.

Следом за самцом из густых зарослей показалась тигрица — изящная поджарая кошка с хищным оскалом, а за ней, радостно повизгивая, точно бестолковые котята, спешили два тигренка. Толкая друг друга, они норовили цапнуть мать за хвост, но тигрица, возбужденная запахом крови, мотала хвостом из стороны в сторону.

Широкими ноздрями она хищно вдохнула настоянный на сладкой крови воздух и мгновенно опьянела.

— Ры-ы-ы! — напевно и сладко прозвучало на тропе.

Тигрята прекратили забаву и, без конца фыркая, поспешили за матерью. В них проснулся инстинкт охотников.

На тропе, привязанные к валунам крепкими веревками, оставались еще четверо. Наблюдая за товарищами с высокого бугра, Платон видел, как помертвели их лица. Старик монгол одобрительно покачивал головой.

А тигрица меж тем провела лапой по одному из пленненных, вырвав когтем горло, потом подошла к другому и так же уверенно разодрала ему глотку. Двое оставшихся в живых не смели даже крикнуть, они были парализованы ужасом, и самое большое, на что у них хватало сил, так это закатить глаза под небеса и вспомнить всех святых заступников.

Платон почувствовал, как к горлу подступает тошнота. Секунду он пытался еще противостоять отвратительному ощущению, а потом на землю пролилась ядовитая густая зеленоватая желчь.

Старец повернулся к Платону и невинно поинтересовался:

— Неужели я зря старался? Тебе не понравилось?

Слова старика вызвали у Платона новый приступ тошноты.

— Какая жалость! Не думал, что это может так на тебя действовать.

Глаза старика от невинного вопроса сделались круглыми — ни дать ни взять всего лишь несмышленый младенец, который даже не подозревает о совершенной шалости.

Тигрица ударом лапы распотрошила третьего и четвертого пленника, потом, шумно втянув в себя воздух, медленно отошла.

— На месте каждого из них мог оказаться ты! — безрадостно подытожил монгол. — Я знаю эту семейку тигров-людоедов, они не оставляют в живых никого. Они не уйдут отсюда до тех пор, пока не обголодают все кости. Мы всякий раз прибегаем к их услугам, когда обнаруживается вор. Может быть, поэтому среди нашего народа почти нет краж. Все боятся тигриных челюстей. Ха-ха-ха! Все твои путники умерли почти мгновенно, мы же для тебя приготовили другую смерть. Прежде чем умереть, ты оседлаешь нашего жеребца — с его седла хорошо просматривается смерть. Жизнь из тебя будет уходить по каплям, и прежде чем отправиться в лучший мир, ты изрядно еще помучаешься...

Истинный смысл слов об уходящем бытии Платон понял несколько часов спустя, но в те минуты он даже не мог предположить, насколько точно они выражают суть.

* * *

Платон очнулся от прикосновения. Над ним стоял молодой, лет двадцати пяти, высокий человек. Он колодезным журавлем согнулся над его беспомощным телом и улыбался в самое лицо. Что за дела!.. Насколько он мог судить, то сейчас находился в небольшой избе, в которой совсем по-домашнему потрескивала лучина, наполняя пространство жженой смолой, отчего становилось необыкновенно уютно на душе.

Нет ни старика с посохом, ни вежливого ламы-палача, ни учтивых монголов, подбрасывающих в костер сухой хворост, в прошлом оставался горячий конь с дымящимися ноздрями. И если бы не огромные язвы на теле, то он мог бы подумать, что все это ему пригрезилось.

— Очнулся? Второй день без движения лежишь. Я тебя отварами поил. Помогло, — протянул он удовлетворенно.

— Как я сюда... попал?

— Я тебя нашел в ста метрах от железного коня.

— Вот как?

А ему-то казалось, что он отползал от истукана, который должен был стать его плахой, целую вечность, а продвинулся-то — всего ничего! Да-а!

— Не горюй, скоро выздоровеешь! Я тебя мумиё обмазал, в твоем положении лучшего лекарства на всем белом свете не отыскать. Хотя им в этих местах лечат все — простуду, бесплодие и даже грыжу, — улыбнулся хозяин одними губами.

— Почему?..

— Почему не умер? Потому что по чистой случайности я рядом оказался в этих местах, — бесхитростно отвечал незнакомец. — Полежал бы ты еще час-другой, и тогда тело гноем бы изошло и уже не спасти. В общем, судьба!

Радостное потрескивание продолжалось, и душа Платона наполнялась все большим покоем.

— Почему... монголы не убили меня?

— Ах вот что. Понимаю. Ты, наверное, вор, а то еще что похуже! Таких людей в этих местах не очень-то привечают. А если поймают, так привязывают их или к хвостам лошадей да гонят через камни, а то разрывают березами, других оставляют привязанными на тигриной тропе... Знаешь ли, есть у них такой обычай. Иных особо отличившихся сажают они на раскаленного жеребца. Видать, ты именно из таковых! Я немного знаю этот народец, как-никак четвертый год брожу по здешним горам. А почему они тебя не убили? Так это не из жалости! Просто потому, что посчитали тебя святым.

— Как это?

— А вот так, милейший! Где же это видано, чтобы человека привязали к раскаленной печи, а он потом еще и живым остался? Не удивлюсь, если они тебе после всего этого еще и кланялись.

— Было и это, — едва улыбнулся Платон и почувствовал, как спекшиеся губы треснули, брызнув на подбородок солоноватым кровавым соком. Парень ему определенно нравился, и даже не только потому, что тот оказался его спасителем.

— Егор ... Нестеренко.

— Егор, значит. А меня Платон. Должник я твой. А я из тех людей, которые про долги не забывают. Даже если в могиле буду... крикнешь меня, Егор, так я землю руками разбросаю и к тебе на божий свет выползу... И в беде не оставлю.

— Что дальше думаешь делать, Платон?

Егор положил влажную тряпку на обожженное бедро, и Платон мгновенно почувствовал, как саднящая боль ушла, уступив место благодати и успокоенности.

— Обет я себе дал: если в живых останусь, в священники подамся. Богу служить буду.

Егор мягко улыбнулся:

— Значит, теперь будет кому и с меня грехи снимать.

ГЛАВА 30

Потап закончил свой рассказ. Варяг, глядя на него, потрясенный, молчал. Наконец он выдавил:

— Так, значит, ты с Егором Сергеевичем... — и не закончил.

Потап выпроводил племянницу из горенки и присел к гостю поближе. Помолчав, он со значением произнес.

— А ты, стало быть, Владислав... Варяг! — Потап глядел на него с нескрываемым интересом и почтением. — Про меня-то Егор тебе не сказывал? Нет?.. А он же у меня бывает часто. Мы с ним с той поры, как он меня спас, лет тридцать не виделись. А потом вдруг случайно встретились — знаешь где? В Перми. Я там в конце пятидесятых служил в одной церквухе. Он зашел поглядеть на иконостас — и мы с ним нос к носу стакнулись. Сразу узнали друг друга. Адресок он мне свой московский оставил. А потом, как я здесь осел, стал гостевать. С тех пор регулярно видимся. Не скажу что каждый год, но раз в два-три лета непременно сюда наезжает. Мы тут с ним на охоту ходим, по грибы. Он любит лес. Говорит, тут его размаривает... Отдыхает душой. — Потап усмехнулся в бороду и перекрестился. — Не мудрено, парень, что ты обо мне не слыхал. Он же об этих своих выездах сюда ни единой душе не говорит — даже дочке, Викуше. Это наша с ним тайна! Да... Ну а сейчас-то как он там? Викуша как? И почто мне зараее не со-

295

общил, что ты придешь? Почему от Муллы весточка пришла, а от Егора — нет?

Варяг крепко сжал зубы, так что челюсти заломило. Он глубоко вздохнул, собираясь с духом выложить деду страшную новость.

— Нет больше Егора Сергеевича, отец. Умер он. Погиб. И Вики нет больше...

Глаза Потапа, до сего мгновения горящие двумя яркими угольками из-под косматых седых бровей, разом потухли. Морщинистые руки, лежащие на столе, задрожали.

— Как же это? Он же не болел вроде? А с Викой-то что же случилось?

— Не болел он, отец, — жестко сказал Варяг. — В авиакатастрофе погиб. Летел в самолете — и разбился. А Вику убили. Да и Егора Сергеевича, если по правде, тоже убили. А чтоб его отправить на тот свет, еще двести человек заодно угробили.

— Лихие дела! — прошептал старик. — Видать, добрались все-таки до него. И ее не пощадили!.. — Он поднялся и двинулся к двери, точно хотел выйти из горенки, но передумал и вернулся.

— Я о тебе много знаю, Владислав. Мы с Егором вот в этой горенке до утренней зорьки разговоры вели. О тебе, о деле его, о России нашей. Сложное дело он задумал, сложное и страшное. Сейчас сам черт не разберет, что в стране творится. Я в этом ничего не пойму. Егор пытался мне мозги прочистить, да, видно, уж стар я, не в силах... На веру брал его слова, потому как мы с ним, почитай, полвека знаемся, пуд соли съели. И я же ему помогал чем мог все эти годы. Он же мне наказал и тебя сберечь в случае чего. Да разе мог предположить Егорушка, что ты вот так у меня очутишься. Но судьба — она штука странная... Вот взяла тебя за руку и привела прямиком ко мне... — Он горько усмехнулся. — Никак Егор с того света посодействовал.

— Так ты если знал про меня, неужто не догадался? — с улыбкой спросил Варяг.

— Нет, сначала не взял я в толк, кто ты таков. Хотя наколочку твою на груди видал — а не догадался. Только вчера меня вдруг осенило. И как же вышло, что ты припозднился так? И еще, вижу, ты тайничок в дупле не нашел?

Варяг махнул рукой.

— Долго рассказывать, отец. А я ведь поначалу почему тебе чушь стал лепить — мне ведь Мулла четко сказал: найдешь в лесу Платона. А ты — Потап...

— Да Платоном меня уже, почитай, лет пятьдесят как не кличут. Запамятовал старик Заки... — усмехнулся Потап. — Как в священники пошел — так и стал отцом Потапом. Только по паспорту я Платон Афанасьевич...

— А тайничок твой я нашел, — продолжал Варяг, понимающе кивнув, — да он пустой оказался. Там до меня побывали. Чужие. Словом, слава Богу, что добрался до тебя. А то бы так и подох в тайге.

— Да ну тебя! — Потап усмехнулся. — А скажи-ка мне...

Тут скрипнула дверь — вошла Елена. Лицо ее было бледно.

— Дед, все равно я все оттуда слышу — дай мне с вами посидеть.

Потап вопросительно посмотрел на Варяга, тот чуть кивнул: пускай, мол. Елена села на лавку у стены и замерла.

— Ты, отец, хотел мою историю послушать, — начал Варяг глухо. — Но ведь тебе и так про меня все известно. Так что рассказывать мне тебе нечего. Но если хочешь, я тебе расскажу, почему убили Нестеренко...

И Варяг стал рассказывать, не утаив от удивительного старика ничего из событий последнего полугода — о его неожиданном аресте в Америке и заключении в американскую тюрьму, о приезде в Сан-Франциско Нестеренко, о перелете в «Шереметьево», о побеге, о гибели Вики... Все, вплоть до страшного марш-броска под землей и лесной схватки с рысью и о неожиданной встрече в охотничьем домике с тремя незадачливыми бродягами...

Варяг, рассказывая, будто со стороны смотрел на все, что с ним произошло, и только теперь осознал, как нужно было ему выговориться, чтобы понять, где, на каком свете он находится, попытаться угадать, куда теперь поведет его сумасшедшая судьба. Он вдруг впервые по-настоящему ощутил, что остался совсем один, что все, кого он любил, либо мертвы, либо находятся неизвестно где. И понял, что с этого самого момента жизнь его начинается сначала, с нуля, как это было уже не раз.

Закончив, он, сам потрясенный собственным рассказом, умолк. Дед тоже хранил молчание, и Елена, боясь пошевелиться, ждала, пока слезы, давно катящиеся по ее щекам, сами высохнут.

Стараясь разрядить возникшее напряжение, Потап кашлянул и спросил:

— Да так скажи мне, любезный, что же вообще происходит и кто же теперь, без Егора, направлять нас будет?

Варяг нахмурился.

— Происходит что — понятно, отец. Все, как всегда в России, — вокруг трона кутерьма. Стоит царю-батюшке, хозяину кремлевскому, захворать, как уже придворная челядь бросается строить далеко идущие планы и перекраивать страну по своей прихоти. Мы же с тобой, отец, Карамзина читали...

— Но ведь нынешний-то кремлевский... вроде здоров! — неуверенно вставил Потап.

Варяг усмехнулся.

— Да у него семь пятниц не неделе! Сегодня бодрячок, завтра — при смерти. Вот они и суетятся. Словом, с прошлой осени большой шмон по России прокатился. Всех наших людей решили повязать, перевербовать, а самых непокорных — угрохать. Помнишь, отец, путч девяносто третьего? Вот тогда уже начали подкоп вести. А в прошлом году продолжили. Потому и меня сгноить решили в этой глуши, и подельников моих, и Егора Сергеевича... — Варяг осекся и взглянул на Елену. Она молча смотрела на него, в уголках рта пролегли две скорбные складочки. Она словно все понимала, хотя Варяг намеренно говорил околичностями, которые, как ему казалось, были понятны одному лишь Потапу. — За то и Егора Сергеевича убили, суки! Да поторопились они, соколики, нас хоронить. Все враз обратно поверну. Без Егора Сергеевича, конечно, трудно придется. Это факт. Мне бы сейчас в общей ситуации разобраться. Я еще пока не в курсе всех дел. Вот вернусь — там видно будет. Вернуться мне сейчас надо. И чем скорее — тем лучше. А то есть у меня в Питере один должничок, парень дюже нетерпеливый, — рассчитаться с ним требуется. Время не ждет! Послушай, отец Потап, поможешь мне снарядиться в обратный путь, а?

Потап закряхтел.

— Спрашиваешь напрасно. Неужели и так не ясно? Конечно, помогу.

* * *

Утром Потапа дома не оказалось. Он сам запряг лошадь и уехал в сторону райцентра. Варяг не знал, что и думать. С одной стороны, Потап был близким другом Нестеренко, и трудно было предположить, что он может чем-то навредить Варягу. С другой стороны, Варяг совсем не знал старика, кроме того — тот был священником, и кто знает, зачем ему вдруг так срочно понадобилось в райцентр. На мгновение усомнившись, Варяг даже подумал о том, чтобы сбежать, пока не поздно. Но все-таки остался, решив довериться судьбе, которая до сих пор заботливо оберегала его.

Днем он помогал Елене по хозяйству, они много разговаривали, а ночью она снова пришла к нему и снова заставила его забыть обо всем на свете.

Елена сразу поняла, что больной, которого они с дедом нашли в лесу, — беглый заключенный. Но страха к нему она почему-то не испытывала, может, потому, что он был слабый и беспомощный. А может, потому, что он как-то сразу пробудил в ней давно уснувший женский инстинкт — желание, похоть. Он был красив, обаятелен, но главное — представлялся ей квинтэссенцией мужской силы и упрямой воли. Это в нем ей и нравилось. И странное дело: как только она в первый раз увидела его сильное голое тело — мускулистую грудь с голубой наколкой, бицепсы на руках, подтянутый живот с курчавым лесом в паху, из которого дерзко виднелся мощный ствол, — ею сразу овладела неодолимая страсть.

Она давно уже не была с мужчиной. Очень давно. И в первую ночь, проведенную с Владиславом, боялась собственной робости, стыда, предчувствия боли. Но все случилось так естественно, нежно, романтично даже, что она окончательно растаяла.

И в эту ночь, впервые оставшись в доме вдвоем с Владиславом, без Потапа, Елена совсем осмелела. Придя к нему в постель и улегшись рядом с ним, она ощутила прилив возбуждения. Владислав обнял ее сзади, сильно прижав к себе. Его ладони легли на соски ее высоких грудей. Она с содроганием и волнением ощутила, как больно уперся ей в зад крепкий длинный член...

Владик поначалу трогал Елену с осторожностью, словно боялся причинить ей боль. Потом раздвинул створки влагалища и мягко ввел пальцы в горячий влажный колодец.

— Нравится? — прошептал Владислав.

— Да-а, — едва слышно ответила Елена, морщась от обуявшего ее возбуждения. — Глубже, еще глубже!

— Я хочу тебя! Сразу! — Владислав хрипловатым шепотом заставил ее трепетать еще сильнее. Он погрузил пальцы до отказа и стал медленно вращать, проводя ими по упругим влажным стенкам влагалища. — Сейчас тебе будет сладко, милая, очень сладко. Ты почувствуешь такое наслаждение, что забудешь обо всем!

Елена лишь постанывала — сначала тихо, потом все громче и громче. Владислав повернул ее лицом к себе. Елена без сопротивления легла на спину. Он оказался сверху, и тут же она почувствовала, как в нее вошло что-то огромное, теплое и упругое, проникая все глубже и глубже, грозя пронзить ее насквозь, разорвать все внутренности. Ей стало больно, хотя эта боль тотчас же переросла в острое мучительное удовольствие.

Она улыбнулась. А еще через минуту ощутила, как накатывает волна оргазма, грозя поглотить ее, завертеть в бешеной круговерти, ослепить, свести с ума... Ее тело оторвалось от земли, голова закружилась, затуманилась, и она — поплыла... Елена ничего не чувствовала — только щемящую сладкую бурю восторга, которая пронзила каждую клеточку ее естества. Она закричала. Истошно, дико.

Когда волна оргазма отхлынула, все ее тело дрожало мелкой дрожью, она не чувствовала ни рук, ни ног. Ей стало вдруг так легко, точно она обратилась в облако. На глаза наворачивались слезы. И в этот миг она ощутила, как в нее снизу снова вонзился горячий и мощный ствол, начал быстро-быстро ходить в ней, раскаляя ее и без того пылающее влагалище. Она застонала, сжимая зубы от вновь нахлынувшего удовольствия. Член Владислава еще несколько раз глубоко врубился в ее недра и вдруг резко расширился, задрожал и выстрелил мощным залпом. И еще раз. И еще...

Владислав тоже застонал и, испытывая могучий оргазм, крепко сжал ее плечи, навалившись на нее всем весом. А Елена с восторгом ощущала эту тяжесть и вдыхала исходящий от сильного мужского тела горьковатый запах пота, смешанный с тяжелым ароматом секса...

* * *

Потап прибыл в Северопечерск после обеда. Кобылу с телегой он оставил на рыночной площади под надзор бабки Дарьи, которая обычно торговала его картошкой и капустой. Сам же дед отправился прямиком на почту и заказал два разговора — с Петербургом и с Москвой. Первым дали Петербург.

Потап плотно затворил дверь переговорной будки, снял трубку и тихо пробормотал:

— Слушаю!

На другом конце провода раздался недовольный мужской голос. Его, видно, разбудил междугородний звонок.

— Привет тебе, мил человек, от Муллы, — с места в карьер начал Потап. — Жив-живехонек, все в тех же краях... Просьбица у него к тебе имеется. Надо одного хорошего человека пригреть. А когда сможешь? Ну ладно, в пятницу стало быть. А сегодня у нас... воскресенье. Погодит, куда же ему деваться... Ага! Ну, благослови тебя Бог...

Довольный Потап вышел из будки. Здесь все сложилось как нельзя удачно. И человек оказался на месте, и крыша была обеспечена.

Соединения с Москвой пришлось ждать почти два часа. Но Потап терпеливо сидел на продавленном стуле у телефонной будки, раскланивался с посетителями почты — их всех он хорошо знал — кроме самых молодых, многих из которых он крестил при рождении, но которые деда не признавали за давностью лет.

Наконец телефонистка крикнула:

— Токарев! — Он вскочил со стула и бросился в будку.

Потап волновался, так что у него даже руки тряслись. Он впервые звонил этому человеку и не знал наверняка, получится ли разговор — ведь его телефон он получил от Егора давно, года три назад. Человек мог и квартиру поменять, и вообще уехать в далекие края, а может, и вовсе сменить профессию — так что никакой помощи от него теперь и не дождешься... К тому же Егор предупредил его, что тревожить этого человека можно будет только в случае крайней необходимости.

Потапу и на этот раз повезло. Он уже по голосу ответившего — жесткому, уверенному, начальственному — понял, что попал на нужного человека. И начал так, как учил его Егор:

— Вам привет с Северной Печоры. Один ваш старый знакомый дал мне ваш телефон и наказал обращаться за помощью в крайних случаях. — Потап остановился и с трепещущим сердцем стал ждать ответа.

Человек недолго молчал и его неожиданный ответ несказанно удивил старика:

— Вы... Платон? Слушаю вас.

— Отец Потап! Отзовись, батюшка! — раздался за окном насмешливый крик. Елена выглянула в окно и увидала Карася, Витьку Карасева, известного в Северопечерске гуляку и бабника. Он время от времени наведывался к Потапу за травяными горькими настоечками, которые дед делал на зиму. Но визиты Карася имели и еще одну цель — он не оставлял надежды охмурить лесную красавицу недотрогу. Вот и сейчас, завидев Елену, весь расплылся в самодовольной ухмылке.

— Здравствуй, голубушка, как живешь-поживаешь? Дед-то тут? Или одна домовничаешь?

Карась подошел к дому и, на руках подтянувшись к наличнику, заглянул в горенку через раскрытое оконце.

При виде незнакомого мужчины он испуганно встрепенулся и соскочил на землю.

— Ах, извините, барышня, вы заняты-с! — и шутовски раскланявшись, Карась ретировался в лес.

Елена нахмурилась и села за стол с печальным видом.

— Ты что? — спросил Варяг, положив руку ей на локоть.

— Да нехорошо, что Витька тебя видел. Как бы чего не вышло...

— А что?

— Да язык у него без костей, вот что!

К вечеру второго дня приехал отец Потап. У него был усталый вид, и он не сказал ни слова, пока Елена накрывала на стол. Когда она поставила припасенную бутылку водки, точно угадав, что именно сейчас она может пригодиться, Потап удовлетворенно крякнул и, открыв бутылку, налил всем по полстакана.

— Помянем, — сказал он, и они, не чокаясь, выпили за упокой Нестеренко Егора Сергеевича.

Старик закусил водку маринованным белым грибом. Прожевав, сказал:

— Вот что, сынок. Я позвонил кое-кому. Завтра тебя отвезут. За тобой пришлют вертолет и доставят тебя, куда там тебе надо. В Ленинград, говоришь, надо?

Варяг кивнул:

— В Питер.

— Ну, в Питер так в Питер... Есть там кто-нибудь, кому довериться можешь?

— Не знаю. Пока не знаю, — честно ответил Варяг.

— Ну так я дам тебе адрес... Есть у меня парень один, он мне вроде сына. Поможет во всем. Ему можешь доверять. Как мне.

Он посмотрел на Елену, которая молча, с покрасневшими глазами сидела за столом.

— Отец, — неожиданно прервал тягостное молчание Варяг, обратившись к старику с просьбой: — Исповедуй меня! И благослови...

Взгляд Потапа посуровел. Он, видно, чрезвычайно серьезно воспринял эту просьбу.

— Ты и вправду хочешь исповедаться, сын мой?

— Да, отец Потап, — Варяг смиренно склонил голову.

— Хорошо, будь по-твоему. Пошли в часовню.

Варяг удивился, но виду не подал и последовал за стариком в лес. Часовня располагалась шагах в двухстах от дома, была окружена густыми кустарниками, так что ее из окон и видно не было. Потап отомкнул большой черный амбарный замок, висевший на железных петлях, толкнул дверку и пропустил Варяга внутрь.

Пахло сыростью и ладаном. В углу в кромешной тьме теплилась тусклая лампадка. Потап зажег две свечи, осветившие маленькое помещение. На стене Варяг приметил две иконы и большой золоченый крест.

Потап повозился во тьме и вернулся к Варягу облаченным в стихарь. Теперь было видно, что Потап — священник. Старик положил Варягу на голову епитрахиль и вполголоса прочитал разрешительную молитву.

— Слушаю тебя, сын мой.

— Я немало нагрешил в жизни, отче. Я убивал. Из-за меня погибли люди.

— Ты убивал невинных и беззащитных?

— Нет, отче, я убивал, спасая свою жизнь.

— В чем еще заключаются твои грехи?

— Я хотел жить по правде.

— А в чем заключается твоя правда?

— Я не верил, что жизнь избранных заслуженна, и старался сам жить не хуже избранных. Я пытался позволить прочим жить не хуже избранных. Я хотел, чтобы

305

сильные и слабые жили по своим возможностям, а не по прихотям судьбы.

— Ты верующий, сын мой?

Варяг задумался на мгновение.

— Пожалуй, да. Но в церковь не хожу.

— Важно, чтобы господь был у тебя в душе, — наставительно заметил отец Потап. — Но скажи мне, почему же ты не чтишь заповеди Христовы? Одна из них гласит: не укради!

— А разве можно считать за воровство то, что я забираю неправедно заработанное и потом раздаю несчастным и нуждающимся?

— Кому же?

— Своим братьям, попавшим в беду. И к тому же я себе ничего не беру. Я всего лишь хранитель казны.

— Странно ты рассуждаешь, сын мой. Но, может быть, и в твои словах есть правда, не мне судить, пусть тебя рассудит Господь. В чем бы ты хотел еще покаяться?

— В том, что мало сделал для своих братьев.

Потап вздохнул. Похоже, ему было не по душе то, что он услышал от законного вора, но долг священника обязывал его принять покаяние.

— Понимаю твои благие помыслы, сын мой, — сдержанно сказал отец Потап и перекрестил его.

ГЛАВА 31

Беспалый шел на встречу с Колей — Николаем Ивановичем. В отличие от надменного генерала Артамонова, загадочный Коля был весьма предупредителен и подробно объяснил подполковнику, как его найти в Москве. Коля, видимо, собирался принимать гостя в неофициальной обстановке. Прямо он об этом, разумеется, не сказал, но дал понять, что их встреча состоится «вдали от посторонних глаз и ушей». Беспалый сразу смекнул, что Коля из «комитета», по-нынешнему — ФСБ. Он и сам не мог объяснить, почему он так решил, но в поведении Коли было что-то такое неуловимо-характерное для повадок штатного кагэбэшника, что Александр Тимофеевич раскусил его сразу. Размышляя о своих телефонных разговорах с Калистратовым, Беспалый выстроил в уме нехитрую схему: Калистратов и Коля играют за одну команду, но только Коля — это основной состав, а вот Калистратов, похоже, переведен в запас...

Коля ждал его в 19.00 в кафе «Парус» в парке Дружбы на Речном вокзале. Это было удобно: Александр Тимофеевич расположился в общежитии МВД на Фестивальной улице — совсем недалеко от места встречи. В общежитии жили московские менты-«лимитчики», временно переведенные в Москву для несения патрульно-постовой службы и для охранных мероприятий. Да только их «временный» перевод, как все временное в России, с годами превратился в постоянное жительство. Чему менты, а точнее, ментовские жены, были очень даже рады, невзирая на походное, чемоданное житье-бытье в общаге.

Оказавшись вчера в общаге, Беспалый с нескрываемым отвращением отнесся ко всему, что там увидел: общие кухни, где на веревках сушились милицейские форменные рубашки вместе с детскими пеленками и женским исподним; лениво гуляющих по коридорам работников правоохранительных органов в майках, ментовских баб, без стеснения глазевших на новоприбывшего бравого подполковника. Беспалого определили в крохотную «двушку» — двухместную комнатенку, подселив к капитану из Воронежа — тоже командировочному. Беспалый матерился про себя. В Москве он бывал регулярно — раз в полгода. И селили его всегда в разных местах; один раз он даже по недоразумению попал в дом приемов МВД на Ленинских горах — дворец да и только! Но в таком бардаке он обитал впервые. И эта гнусная общага только обострила в Беспалом чувство отвращения к Москве, куда он втайне мечтал переехать на высокую должность, но... этот виноград для него пока что был зелен.

Беспалый вышел из метро и двинулся через парк. Времени было еще достаточно — час с гаком. Он подошел к искусственному пруду и присел на деревянную резную лавку. Мысли о Варяге не отпускали его, не давали покоя. Еще в колонии у него зародилось первое сомнение в том, что обезображенный труп, который предъявил ему в бараке лукавый Мулла, и в самом деле Владислав Игнатов. Потом, когда на поверке он не досчитался человека, это сомнение усилилось. И вот теперь, зная, что в окрестностях зоны бродит неизвестный с автоматом, замочивший туриста да еще зарезавший двух овчарок, — Беспалый твердо понял, что Варяг жив.

И эта мысль возбудила в нем клокочущую ярость. Варяг, падла, все ему запорол! Не будь Варяга — в «образцовой» зоне все было бы по-прежнему. Снова и снова перебирая в уме события последнего месяца, Беспалый убеждал себя в том, что именно Варяг и только Варяг повинен во всех его неудачах, и прежде всего в главной — в развале кропотливо создававшейся им пирамиды — его, беспаловской власти. Беспалый уже понял даже то, что врач Ветлугин и медсестра Лизавета, которым было поручено «лечение» Игнатова, четко выполнили не его, а Варяга указания. Нет, он не исключал, что они оба могли водить за нос начальника колонии, выполняя другие инструкции. Значит, Варяг вовсе не был одурманен наркотиками, не был тем безвольным дебилом, каким он себя корчил, — а все четко рассчитывал, терпеливо готовил побег и, скорее всего, даже сам и подтолкнул зеков на бунт, чтобы под шумок покинуть зону.

И если Варягу удалось уцелеть и выжить в лесу — значит, он непременно должен куда-то податься к своим. Куда же? Беспалый знал, что на всю округу — а это километров сто в радиусе — все «схвачено» краевым МВД и ВВ. Близкое соседство с несколькими воровскими зонами и поселениями заставило жителей близлежащих деревень и городков бдительно нести вахту и чуть что докладывать местным ментам о появлении подозрительных гостей. Такое случалось не раз и не два — именно Александр Тимофеевич убедил краевое руководство выделить специальный премиальный фонд для поощрения граждан, сообщавших о своевременных сигналах, о всех чужаках, что неожиданно возникали на железнодорожных полустанках, автобусных станциях и рынках. Граждане исправно «сигналили» — и показатели борьбы с преступностью в районе да и в крае оставались на должном уровне. Беспалому потом за эту инициативу объявили благодарность...

Естественно, Варяг об этом вряд ли мог знать. Но на то он и вор, чтобы чуять опасность за версту. Нет, в город, на автостанцию, на полустанки он не попрется, ни за что не станет светиться. Тогда куда? Не может же он неделями бродить по тайге без жратвы. Какой-то маршрут у него должен быть — не случайно же он подался на север, а не на юг — как все нормальные беглые зеки. Значит, там где-то у него есть лежбище. Но где?

Беспалый расстегнул ворот рубашки. Он проводил глазами толстую мамашу с коляской, в которой скакал годовалый карапуз. По пруду плавали сизые утки. Он посмотрел на часы. Шесть. Еще час до встречи... Надо дать команду Кротову послать поисковую группу — пусть прочешут леса и населенные пункты вплоть до северной границы края. Пусть берет две-три БМПешки и — вперед. За двое суток управятся.

— Товарищ подполковник, закурить не найдется? — раздался над головой певучий женский голос. Беспалый поднял глаза. Перед ним стояла молодая девка в черном тонком жакете. Черные пышные волосы ниже плеч, глаза огромные, чуть раскосые, тоже черные. Из-под яркокрасной юбчонки, едва прикрывавшей срамное место, тянулись две стройные ноги. Беспалый даже успел заметить на гладкой смуглой ляжке соломенные волосики.

Он немного смешался и произнес как можно более строго:

— Не курю, барышня!

Барышня не смутилась и с улыбкой спросила:

— Разве так бывает: милиционер, да еще уральский — и не курит? Ведь нервная работа, война с преступностью.

Девица явно хотела раскрутить его на беседу.

— Почему вы решили, что я уральский? — удивился Беспалый.

Длинноногая присела рядом на скамейку — ее и без того короткая юбка поехала вверх, обнаружив краешек красных кружевных трусиков. Беспалый невольно отвел взгляд.

310

— А потому, товарищ подполковник, что у вас из портфеля торчит... я имею в виду, торчит газетка — а на ней написано: «Уральский вестник».

Беспалый посмотрел — и точно: он купил газету вчера в аэропорту. Глазастая девица!

— Лихо, — одобрительно сказал Беспалый. — Вы случаем не в МУРе работаете?

Девица расхохоталась, обнажив два ряда ровных жемчужно-белых зубов.

— Нет, я по другой части. По воздушной.

— Стюардесса?

Девица кокетливо встряхнула черной гривой.

— Что-то в этом роде. Вон видите — высотка стоит, — и она показала пальцем на возвышающуюся посреди парка группу панельных многоэтажек. — Это общежитие Института Гражданской авиации. Я там обитаю.

Беспалый кивнул и машинально глянул на часы. Четверть седьмого. Он откровенно проехался взглядом по девице. Хороша, стерва. Очень хороша. Лицо, грудь, задница, ноги — все при ней. Интересно, чего она привязалась — уж наверное, не из простого любопытства? И в очередной раз за эти два дня подполковник Беспалый подивился Москве — как тут у них все чудно, все не как у нас. Девки сами на улице пристают...

— ...Ну так что скажешь, подполковник? — услышал он обращенный к себе вопрос.

— Что? — не понял он.

— Ну, я же тебя приглашаю к себе в гости, — девица наклонилась к нему вплотную и обдала волной сладковатых духов. — Я в общежитии живу — заходи на рюмку , дорогой. Тебе же делать нечего. Чего тут-то сидеть просто так? Ты же из ментовской общаги на Фестивальной — точно? А сам в столицу приехал в командировку, по делам службы? Так?

Девица перла напролом, как танк. Беспалый даже смутился, но вида не подал.

— Вы просто Шерлок Холмс, милая. Но извините, барышня. В другой раз. У меня сейчас времени нет по гостям чаёвничать. В другой раз... Можем тут встретиться завтра, если хочешь, — вдруг сказал Беспалый, впиваясь взглядом в ее обнаженные ляжки. — Вечерком. Ты, я вижу, здешняя, а я тоже тут рядом. Забьем стрелку? Ну, лады?

Девица наморщила носик.

— Ну, так попробуем, подполковник. Завтра часов в семь на этой же лавке. Придешь?

Беспалый кивнул. Девица поднялась, запахнула черный жакет и, развернувшись, медленно зашагала по утоптанной тропинке парка. Только сейчас Беспалый понял, что его ширинка грозит вот-вот лопнуть под мощным натиском изнутри.

«Да, блин, дела», — подумал Александр Тимофеевич. Ему приходилось иметь дело с проститутками — с полупьяными, грубыми, дурно пахнущими вокзальными шлюхами, когда он приезжал в краевой центр. Все они были в летах или напротив, совсем малолетки, размалеванные как куклы. При виде строгого офицера они, как правило, отводили глаза, принимались поправлять чулки и вообще старались не выделяться из вокзальной толпы. Изредка какая-нибудь шлюшонка — из старых и опытных — осмеливалась подвалить к подполковнику и без обиняков предлагала «двадцать два удовольствия со скидкой». Беспалый проституток презирал. В койку он мог лечь только с давно знакомой бабой — желательно с чистюлей. Ну, такой, как медсеструха Лизавета. Или как кто-то из райцентровских замужних баб. А вот на проституток у него не вставал.

Но на эту московскую Беспалый запал. А что, думал он, отчего бы не сходить с длинноножкой к ней в общежитие. Или даже лучше к себе ее привести — там и трахнуть разок-другой. Только капитана своего надо спровадить. Он даже усмехнулся: ну смотри, как школьник желторотый раскочегарился...

Без пятнадцати семь он встал и двинулся к кафе «Парус». Приземистое здание располагалось как раз под окнами общежития, куда его только что приглашала соблазнительная брюнетка.

У кафе стояло несколько иномарок — здоровый черный «мерседес» с тонированными стеклами, каплевидная «мицубиси» и еще какая-то вишневая игрушечка. У входа отирались трое парней откровенно неинтеллигентного вида. При виде подполковника внутренних войск они оборвали разговор и напряженно ввинтили взгляды в странного гостя. Беспалый подошел, но бугаи сомкнули свои «стройные ряды», явно не желая пропустить его внутрь.

— Позвольте пройти! — грозно выпалил Беспалый, еще не зная, то ли ему по-хорошему разобраться с парнями, то ли нарваться на скандал. Один из бугаев сказал тихо:

— Закрыто на спецобслуживание. Двигай, подполковник, к метро — там тебе и пиво будет, и сосиска в булке, и журнал «Советская милиция» в придачу.

Беспалый никак не ожидал такого поворота событий. Даже смешно: ему здесь назначена встреча с всесильным человеком из ФСБ, а она может сорваться из-за какой-то шантрапы. Беспалый соображал, как же ему поступить. Остаться снаружи — глупо. Вступить с парнями в пререкания — бесполезно: эти трое его завалят в момент. Он беспомощно оглянулся по сторонам в надежде увидеть Николая Ивановича. И вспомнил: он же не знает его в лицо, да и фамилию ведь никогда не слышал. Ну, дела... блин...

В этот момент из-за спины бугаев показался щеголевато одетый мужчина лет тридцати с небольшим. На нем был импортный темно-серый костюм и ярко-желтый галстук в красный горох. Он мельком взглянул на подполковника и тихо бросил:

— Это ко мне, все в порядке.

«Быки» тотчас расступились, освобождая Беспалому путь. Тот в совершеннейшем недоумении шагнул вперед, к мужчине в галстуке.

— Александр Тимофеевич? — улыбнулся мужчина.

— Николай Иванович? — недоуменно протянул Беспалый.

— Проходите, Александр Тимофеевич! — Коля увлек гостя внутрь. Внутри кафе «Парус» представляло собой полутемное помещение с пустующими низкими столиками. У дальней стены тянулась массивная стойка бара, ярко освещенная потолочными лампами. Играла тихая музыка. Коля отвел Беспалого в угол и пригласил сесть в кожаное кресло.

Беспалый уже устал удивляться. Но начало разговора с Колей его смутило: он готовился к другому... Коля почему-то пустился в долгий рассказ о ситуации в Москве и Петербурге, о тайной войне между банками, о трудностях экономического развития в постсоветской России, о противостоянии «молодых реформаторов» и «старой гвардии».

— Граница между правоохранной работой и преступностью у нас всегда была как бы размыта — преступники на поверку оказывались вовсе не преступниками, а внедренными сотрудниками органов. А вот сотрудники органов, увы, порой бывали уличены в связях с уголовным миром. Хотя тщательно это скрывали... Или пытались скрыть. Иные даже умудрялись дослужиться до высоких должностей — тюрьмами, колониями руководили!

После этой фразы Коля сделал паузу. Он явно ждал реакции Беспалого. Александр Тимофеевич похолодел — Коля безусловно знал о тайне его отца, Тимофея Беспалого, бывшего участника шайки Муллы и отсидевшего за это срок в далеких тридцатых. Но почему он об этом вспомнил? Беспалому вдруг вспомнился недавний разговор с покойным Муллой — старик тоже брал его на испуг, рассказав странную и страшную историю о воровской юности Тимохи Беспалого. «Круто парень завернул. И методы знакомые, как будто у меня учился, падла. Ну что ты дальше запоешь, Коля?» — подумал Беспалый.

— Жизнь — странная штука, Николай Иванович, — заметил Беспалый. — Она бросает человека так, что иногда и сам толком не разберешь, что с тобой происходит. Но главное — это знать, чего ты хочешь в этой жизни. Чего от тебя ждут. Главное — что у тебя за душой.

Коля улыбнулся.

— Так-то оно так. Да ведь как докажешь, что у тебя за душой именно то, а не это. Кстати, как здоровье вашего батюшки?

— Спасибо, не жалуется, — коротко ответил Беспалый.

— А Мулла, значит, отдал Аллаху душу?

«Откуда знает, гад? — пронеслось в голове у Александра Тимофеевича. — Неужели у него и на моей зоне стукачки имеются?»

— Убит старик. В перестрелке.

— Что-то у вас там, я смотрю, вся головка криминального мира перебита — Мулла, Варяг, Щеголь... Как будто там у вас снайпер орудовал.

Беспалый промолчал и решил сменить тему.

— Скажите, вы ведь меня не за этим сюда пригласили, Николай Иванович? Неужели смерть какого-то вора — такое уж важное дело, чтобы о нем надо было говорить вдали от посторонних глаз и ушей?

Лицо Коли окаменело — и Беспалый понял, что ляпнул глупость.

— Александр Тимофеевич, смерть Заки Зайдуллы важна хотя бы потому, что он был, как я понимаю, последней ниточкой, связывающей вас с преступным прошлым вашего отца. Конечно, в архивах остались документы — материалы суда, личное дело Тимофея Беспалого и прочее. Но вот в вашем личном деле никаких упоминаний о связях вашего отца и вора в законе Муллы нет. А ведь особисты должны были бы об этом знать. Знаете, когда представление на очередное звание рассматривается наверху, в управлении кадров МВД, там любят порыться в деле кандидата на звание... полковника, скажем. Но это так, к слову. Я пригласил вас по другому делу. Разве не понятно?

Но Беспалый уже все понял. Коля исключительно четко обрисовал ситуацию. Сейчас он приступит к основному — к вербовке Беспалого, а упоминание об отце, о Мулле — это крючок, на который Коля на всякий случай насадил Беспалого, предупреждая его возможную несговорчивость...

Тут разговор внезапно перешел на тему денег КПСС. Беспалый слушал и недоумевал: зачем Николай Иванович ему все это выкладывает — иногда ему даже казалось, что молодому эфэсбэшнику доставляет удовольствие слушать самого себя: у него был приятный, хорошо поставленный голос телевизионного диктора, он говорил хоть и тихо, но очень четко, и Беспалый даже поймал себя на мысли, что ему нравится Колин голос, и это, пожалуй, единственное, что ему нравилось в Коле.

— ...Помните, сколько было шуму в начале девяностых годов по поводу золота партии! Шумели-шумели, искали по всему свету — на Багамах, в Швейцарии. Но тут, под носом у себя, покопаться никто не додумался! А ведь все случилось как в «Двенадцати стульях» у Ильфа и Петрова — читали? Остап Бендер искал брильянты в стуле, а брильянты давно уже превратились в Дом культуры! Так и деньги КПСС — они, конечно, были и есть. Но только не в швейцарских банках... — Коля сделал паузу.

Беспалый вопросительно посмотрел на него. Коля приблизился к его уху и прошептал театральным шепотом:

— Они крутятся в деле. В большом деле. Они работают на Россию. На Россию-матушку, которую мы чуть было не потеряли!

— Что-то я не совсем вас понимаю, — пробормотал Беспалый.

— Да не вы один! — усмехнулся Коля. — Многие не понимают. Ну вот взять, скажем, Авиапромышленный банк — есть такой в Москве. Один из крупнейших сейчас банков — восьмое место в рейтинге. У него уставный фонд когда-то был десять тысяч рублей, а сейчас его одни только активы — под сто миллиардов. Это, если перевести по нынешнему курсу, почти двадцать миллиардов долларов. А как он создавался? Откуда такие колоссальные деньги? Из тумбочки КПСС! Жена президента Авиабанка была племянницей товарища Кручинина. Не помните — был такой заведующий одним интересным отделом ЦК КПСС? Товарищ Кручинин сидел на партийной кассе — не зря его называли «Мартином Борманом». Так вот он из тех самых легендарных денег КПСС выдал мужу племянницы крупный кредит на создание банка. Под честное слово выдал и под два процента годовых. Дело было в девяностом году, когда всем уже было ясно, куда страна катится. Товарищ Кручинин в девяностом—девяносто первом такие же кредиты раздавал своим людям направо и налево. А после путча товарищ вдруг раз — и с десятого этажа — прыг-скок! А вы говорите: деньги КПСС, деньги КПСС!.. — Коля развалился в кресле и поднял палец вверх. — Денежки-то вот они! Крутятся, работают. Десятки коммерческих банков, десятки государственных акционерных обществ, ювелирные дела, нефтяные трубы, да мало ли что... А дурачки пускай их ищут по всему свету.

Беспалый кашлянул:

— Я не то имел в виду, Николай Иванович. Я не вполне понимаю, какое все это отношение имеет к... *нашему* делу.

Коля нахмурился и подался вперед.

— Самое непосредственное. Покойный Варяг и его покровители давно уже пытались подобрать эти деньги. Его покровители там... — Коля опять поднял палец вверх, но теперь Беспалый, кажется, догадался, что он подразумевает. — ... хотят прибрать к своим рукам все эти колоссальные средства. Они развязали тотальную войну против «старой гвардии» и хотят выдавить нас из большого бизнеса. К этой войне были подключены крупнейшие силы российского криминалитета. В частности, ваш «покойный слуга» Варяг. Теперь вам ясно? Часть старых партийных денег уже перетекла в общак. И теперь надо позаботиться о том, как их вернуть. Да и сам общак неплохо бы оприходовать! И вы в этом можете нам помочь!

Беспалый уже ничего не понимал. Коля говорил загадками.

— Нет, Николай Иванович. Я встречался сегодня утром с генералом Артамоновым. У меня с ним разговор получился очень четкий и ясный.

— Кстати, вы мне расскажите об Артамонове, — оживился Коля. — Это — один из самых опасных! Вы знаете, что он многие годы вел Варяга?

— Неужели? — Беспалый изобразил изумление. Так, выходит, его догадка была верной. Артамонов повязан с Варягом. Теперь надо и у этого говоруна выяснить, что именно их связывало. И кому из них — Артамонову или Коле — выгоднее живой Варяг, а кому — мертвый.

— Да-да, — мрачно кивнул Коля. — Поймите одну простую вещь: нынешняя власть все ведет к тому, чтобы пустить Россию по миру. Все эти их эм-вэ-эфы, всемирные банки, займы, вся эта гайдаровщина, все эти ваучеры — все имеет одну цель: выдоить из России как можно больше.

К столику подошел бугай — один из тех, кто не пускал Беспалого в кафе. Он наклонился над Колей и что-то зашептал ему на ухо. Коля закивал.

— Александр Тимофеевич, мне придется скоро уехать, вызывает начальство. Пожалуйста, в двух словах расскажите мне о вашем разговоре с Артамоновым. И главное — все-таки что с Игнатовым?

Беспалый собрался с мыслями. Теперь он сообразил, что надо говорить. Он понял, что Артамонов и Коля представляют два мощных противоборствующих лагеря, которые ведут друг с другом отчаянную борьбу — да что там борьбу! — войну не на жизнь, а на смерть за власть, а главное — за деньги. И ему, Александру Беспалому, начальнику далекой колонии строгого режима, отнюдь не улыбалось оказаться между молотом и наковальней, стать щепкой в бурном водопаде. Нет, они его недооценили, не раскусили — ни Артамонов, ни Коля. У Александра Беспалого есть свой интерес в этой заварушке — Варяг! И его общак тоже. И пока личный интерес Беспалого совпадает с большими денежными интересами этих политических гиен, он будет с ними вести совместную игру. А лавируя между ними, поступать по их указке, но по своему усмотрению.

Он вкратце поведал Коле об утренней встрече в МВД, опустив все детали доверительной просьбы Артамонова написать рапорт о генерале Калистратове. Дойдя до Варяга, Беспалый стал тщательно выбирать слова. Он решил еще раз прощупать Колю и твердым голосом сказал:

— По моим данным, Варяг убит. И уже похоронен на зоне. Теперь его дело можно сдать в архив.

Коле это известие, в общем, обрадовало.

— С одной стороны, конечно, теперь сложнее будет подобраться к общаку, а с другой стороны... хрен с ним. Баба — с воза, кобыле легче! Я вам должен сказать, что смерть Варяга нам даже на руку. Пока не могу вам более детально все прояснить, но скажу одно: вы нам здорово помогли, Александр Тимофеевич. Теперь, кажется, мы их полностью обезглавили. Что ж, можно дать команду нашему человеку в Ленинграде... в смысле — Петербурге, — Коля на мгновение задумался. — Не хотите, кстати, съездить туда? Вам бы надо с ним познакомиться. И рассказать о Варяге. Они же старые знакомые.

Беспалый покачал головой.

— У меня вызов в Москву на коллегию министерства. И билет туда-обратно. В Петербург мне никак невозможно заехать...

— Пустяки! — махнул Коля рукой. — Мы вам выпишем соответствующую бумагу — через МВД. Билет поменяете. Вы нам должны помочь найти общак. Поезжайте в Питер к нашим. Там обо всем договоритесь. Поедете проводить доследование в связи с обстоятельствами ареста Игнатова — попробуете установить, кто из его людей еще остался в городе. Хотя вроде бы всех вырезали. И тем не менее... Между прочим, это и в самом деле необходимо сделать. И с нашим человеком познакомитесь...

— С кем?

— Там узнаете, — уклонился от ответа Коля.

ГЛАВА 32

На следующий день Беспалый прибыл на коллегию, но оказалось, что ее перенесли на неопределенный срок. Всем участникам (тем более докладчикам) приказали ждать. Ожидание затянулось на несколько дней, которые Беспалый провел с пользой для себя с девкой, гулял по столице, а вечером шел в общежитие Института Гражданской авиации. Состоявшееся через неделю заседание, посвященное состоянию исправительных учреждений России, вел замминистра, курирующий ГУИН. Собрались в кабинете министра, который, как успел услышать Беспалый, находился где-то за границей. Доклад подполковника Беспалого был поставлен четвертым вопросом.

Беспалый чувствовал себя неуютно в большом холодном зале с тяжелыми белыми портьерами на высоких окнах. Артамонов сидел за центральным столом и делал вид, что с Беспалым не знаком. Он достал какие-то бумаги из папки, перебирал их, что-то записывал ручкой.

Когда очередь дошла до Беспалого, его пригласили на трибуну. Он прочитал свой рапорт и с тревогой стал ждать вопросов. Один из генералов поднял палец и помахал председательствующему, прося слова. В этот момент громко загудел телефон — это был не звонок, а именно зуммер. Замминистра снял трубку и, ни слова не говоря, приложил к уху.

— Я попрошу присутствующих на несколько минут покинуть зал, — сообщил он с озабоченным лицом.

Генералы шумно поднялись и вышли через боковую дверь в приемную. Беспалый встал у окна и выглянул на улицу. По широкому проспекту неслись нескончаемые вереницы машин. В отдалении виднелась какая-то дымящая труба. «Мерзкий город, — подумал вдруг Беспалый. — И чего это сюда все лезут?» К нему подошел генерал Артамонов. Он приветственно кивнул и тихо спросил:

— Написали?

— Так точно! — ответил Беспалый.

— Сейчас можете передать?

Беспалый открыл портфель и вынул полиэтиленовую непрозрачную папочку. Артамонов взял ее и бросил в свой кейс.

— Хорошо. У меня к вам просьба. Важная просьба. Сегодня же отдайте приказ об организации усиленных поисков Варяга. Он вряд ли мог уйти далеко. Найдите его во что бы то ни стало — достаньте хоть из-под земли!

И тут Беспалого точно током ударило. Из-под земли! Ну как же он раньше не догадался! Тупица!.. Подземный ход! Зеки вполне могли прорыть подземный ход — по нему-то Варяг и ушел. «Кроты» на зонах всегда ценились — они разрабатывали планы подземных лазов, руководили землеройными работами и часто становились первыми, кто уходил на волю по свежевырытому «метро». Стареешь, Александр Тимофеевич! Сначала забыл татуировку на сомнительном трупе проверить. Потом не догадался поискать в окрестностях колонии выход из зековской «подземки»...

— Что это с вами? — встревожился Артамонов. — Вам нехорошо?

— Нет-нет, — поторопился успокоить его Беспалый. — Все нормально. Просто я немного разволновался. Первый раз все ж таки в таком высоком собрании. А почему председатель попросил всех выйти?

Артамонов пожал плечами.

— Такая, понимаете, есть негласная традиция. Когда по вертушке звонят — посторонние присутствовать при разговоре не должны.

Беспалый про себя хмыкнул: ну и ну! Когда ему из Москвы звонят — кто бы ни был у него в кабинете, хоть дежурный офицер, хоть зек — тайный агент, он никого не выгоняет...

Через пять минут членов коллегии пригласили в кабинет министра.

— Нам придется сворачиваться, — объявил замминистра. — Звонили из администрации президента. Мне надо срочно вылететь в Минводы... Мы только что заслушали подполковника Беспалого. Вопросы к нему есть? Все ясно? Бунт заключенных подавлен, порядок в колонии восстановлен. Да, подполковник, вы не сообщили нам о потерях.

— Виноват, товарищ заместитель министра, — Беспалый встал. Чем он слушал, этот мудак в лампасах? Сказал же — убитых столько-то, раненых столько-то... — Потери составили...

— Извините, Михал Михалыч, подполковник о потерях упоминал, но он не сказал о главном, — перебил его пожилой генерал-лейтенант с очень знакомым голосом. — Товарищ Беспалый, у вас в колонии находился опасный преступник Игнатов. Что с ним?

Беспалый чуть не ахнул: да это же Калистратов! Как же он изменился: совсем в старика превратился, краше в гроб кладут! Беспалый бросил взгляд на Артамонова: мол, как отвечать? Артамонов моргнул и незаметно для окружающих опустил большой палец вниз.

— Игнатов погиб. В перестрелке. Труп был похоронен на кладбище, — отчеканил Беспалый и снова поглядел на Артамонова. Тот слегка кивнул: правильно.

На присутствующих это не произвело никакого впечатления. То ли они не знали, кто такой Игнатов, то ли их мысли были заняты своими делами и они не слушали провинциального подполковника.

Замминистра встал и поднял руку.

— Все, товарищи. Давайте закругляться. А вы, подполковник Беспалый, переговорите с генералом Калистратовым в рабочем порядке. Я вижу, у него к вам есть дополнительные вопросы. Ведь Игнатов проходил по Северо-Западному округу?

В приемной Беспалый подошел к Калистратову. Калистратов выглядел хреново — видно, у старого генерала были неприятности.

— Товарищ генерал, вы же знаете, что произошло с Игнатовым, мы это с вами подробно обсуждали по телефону, — с едва скрываемой насмешкой произнес Беспалый. — Мне неясно, почему вы у меня при всех об этом спросили.

— Я не обязан вам докладывать, подполковник, о своих намерениях! — повысил голос Калистратов. — Раз я спросил — значит, мне надо было спросить. При всех.

«Интересно, — подумал Александр Тимофеевич, — а знает ли он о моей встрече с «Колей»? Похоже, что нет. А раз так — генерала нынче не всегда держат в курсе дела». И он с облегчением процедил:

— А я полагал, что вы всех, кого надо, проинформировали. Выходит, члены коллегии не в курсе... о вашем заботливом отношении к Варягу?

Калистратов при этих словах заметно побледнел.

— А вы наглец, подполковник! — выдохнул он и, резко развернувшись, удалился.

После обеда Беспалый, как договаривались, позвонил Коле по новому телефону. Номер почему-то начин418ся с «восьмерки» — как межгород. Выходит, «Коля» уже обретался где-то под Москвой.

Кол сказал, что выезжать в Ленинград — он почему-то упрямо называл Петербург по старинке — надо сегодня в ночь, что билеты уже доставлены к нему в общежитие на Фестивальную вместе с командировочным предписанием.

Беспалый чертыхнулся про себя: накрылось очередное свидание с московской шалуньей. Но делать нечего. С половыми излишествами придется повременить.

Он и сам рвался в Питер — надеялся там вынюхать все, что сможет, про контакты Варяга. Тем более намекнул, что сидящий в Петербурге человек выведет его на нужный след. А это очень важно, особенно сейчас. Если Варяг жив и не удастся его взять в тайге по горячим следам, то он обязательно где-нибудь, по своим старым адресам, засветится. Тут-то Беспалый его и прижмет!

ГЛАВА 33

— Знаешь, Марьяша, мне придется на несколько дней уехать. — Он провел рукой по ее голому плечу и скользнул ниже, к смугловатой выпуклости груди.

— Что, Витюша, командировка? — отозвалась она, взяла его сильную ладонь и положила на свой уже отвердевший сосок.

— Командировка. В Германию.

Марианна не стала его мучить расспросами. Не спросила даже, надолго ли. Она давно заметила, что Виктор Синцов — человек скрытный: о себе он рассказывал неохотно, и она практически ничего про него не знала. Но это Марианну не беспокоило: она почему-то испытывала к нему подсознательное доверие. Наверное, оттого, что ее приворожила, загипнотизировала его мужская сила. Да, ее Виктор был сильный — это она в нем сразу распознала и это ее в нем и привлекало прежде всего. От него просто веяло несгибаемой, упрямой мощью — не только физической, но и душевной. Похоже, это был человек с железной волей. Марианна видела, как бесстрашно он сцепился с тремя бандитами в ресторане, она видела, как спокойно он воспринял ее взволнованный рассказ о встрече в «Гостинке» с одним из тех бандитов...

При всей своей внутренней силе он оказался удивительно нежным, внимательным, предупредительным. Цветы каждый вечер, за три недели знакомства три флакона французских духов, дорогое шампанское к ужину. Каждый вечер они проводили вдвоем — до его переезда к ней они встречались всегда у него в квартире, потом, когда она его заманила к себе — естественно, у нее. В рестораны он Марианну не приглашал, а она сама не предлагала.

На прошлой неделе он пришел к ней и принес — ну надо же! — несколько номеров «Крим-экспресса» и «Криминальной недели». Это ее удивило: странно, такой серьезный человек, бизнесмен, а читает какую-то бульварщину. Действительно, у каждого свои слабости. Или причуды.

У себя на работе она часто думала о нем, все гадала, что он за тип. А воспоминания о ночах, проведенных с ним в постели, неизменно заставляли ее ощущать сладкий зуд, и волна возбуждения пробегала по ее телу, заставляя хотеть его еще и еще...

Да, любовник он потрясающий. Вот и сейчас, чувствуя, как его ласковые пальцы трогают набрякший сосок, как другая его рука уже устремилась к ее животу и дальше вниз, к треугольнику волос между ляжками, ею овладела сладкая истома желания. Классный любовник! Она невольно хихикнула. В его-то возрасте! А сколько ему, кстати, лет? На вид лет сорок пять — сорок семь. Она провела рукой по его светлым волосам и стала всматриваться в спокойное лицо, избороженное резкими овражками морщин. Обветренное многими ветрами лицо много пережившего и много повидавшего человека.

Кто же он, этот сильный, спокойный, нежный самец? В ее представлении таким мог быть... наемный убийца. Да-да, вот ведь какая дурацкая мысль!

Виктор властно откинул одеяло с ее обнаженного тела и, привстав на локте, стал жадно оглядывать ее груди, живот, талию, бедра. Потом так же властно просунул ладонь между ляжек и раздвинул их широко в стороны. Губы Марианны тронула робкая улыбка — хотя минуло уже три недели, как они стали любовниками, она все еще стеснялась его А он — нет. Виктор стал ласкать ее там, сжимая медленно наливающиеся, набухающие губы, проскальзывая пальцами в скользкий податливый зев... Она застонала. Боже, как же ей было приятно!

Она ждала этого момента, мысленно поторапливала его, подгоняла. Вот он наконец лег на нее, почти всей тяжестью своего сильного мускулистого тела, — и мощно, но нежно вошел в нее. Ей показалось, что внутри у нее оказался горячий поршень. Поршень начал мерно всаживаться и выходить, всаживаться и выходить... Она ощутила спазматический толчок там, потом все сжалось и запульсировало. Горячий поршень убыстрил движения: дыхание Виктора участилось и стало шумным. Это еще больше распалило ее. Она согнула ноги в коленях и расставила их пошире. Он выпрямил руки, а она обхватила его могучую спину руками.

Вдруг он остановился, резко выскочил из нее и сел.

— Что такое? — с тревогой воскликнула она.

— Дай-ка я под тебя лягу — поднимись! — Не попросил, а потребовал он.

Марианна, не говоря ни слова, послушно выполнила его приказ.

— Давай, доярушка моя, — зашептал он, закрыв глаза. — Сядь на меня, подои меня, выдои до капли!

Она села на него верхом, а он обхватил ее за бока и стал сам с силой насаживать на себя. Ей было хорошо как никогда.

... Потом она без сил повалилась рядом с ним. Жуть! Что за мужик! Но теперь, когда девятый вал оргазма отхлынул, она вновь вернулась к своим тревожным мыслям.

Когда Виктор сообщил ей о своей командировке, она сразу почуяла обман. В первую секунду ей подумалось, что он бросает ее. Правда, это было на него совсем непохоже — уйти вот так, трусливо, навесив лапшу на уши...

Ясно было, что он уезжает в командировку. Это она чувствовала. Но все же решила, что не стоит форсировать события. И просто спросила:

— А вернешься когда?

Он помолчал.

— Не знаю. Планирую дней через десять. А там...

Вот тут он не соврал. Сержант и впрямь не знал, насколько затянется его «командировка». И вообще куда он денется после завершения дела. Он не исключал и того, что придется рвать когти из Питера, и ему, возможно, только хватит времени забежать в квартиру на Литейный, чтобы спрятать разобранную винтовку в тайник.

Сержант встал с постели и подошел к окну. Внизу гудел Большой проспект. Времени было девять утра, и жизнь уже бурлила вовсю. Он устремил взгляд вдоль проспекта. Потом обратил внимание на невзрачное ветхое трехэтажное здание напротив. Он проходил мимо него — судя по вывеске, в доме помещалась областная книготорговая контора. Он заметил, как крепкий, плотный мужчина свернул с проспекта к книжной конторе. Наметанный глаз Сержанта тотчас отметил необычную для книжного торговца военную выправку. Интересно, подумал он, какие темные делишки могут проворачиваться под этой невинной вывеской?

Сержант отвернулся от окна и улыбнулся Марианне, которая все это время неотрывно влюбленным взглядом наблюдала за ним.

— Ну, подъем? Тебе на службу пора, а мне — на вокзал.

— На вокзал? — удивилась она.

— Терпеть не могу самолеты! Путешествую только поездом. У меня билет заказан: Петербург — Берлин.

Упреждая ее возможные вопросы, он сразу на них отвечал.

— Понятно. — Она поднялась с кровати, накинула халатик. — Звонить хоть будешь?

— Звонить буду! — сразу заявил он и спохватился. Откуда он будет ей звонить? С Центрального почтамта? Можно и по мобильному, конечно, — он дает междугородний звонок.

— Прощание будем устраивать? — тоскливо произнесла она.

— Ну, мы уже попрощались. Да и к тому же не навсегда я уезжаю. Скоро увидимся!

Они вышли из дома вместе. Марианна села на троллейбус и уехала, глядя на него через замызганное стекло. Сержант дождался, пока троллейбус завернет за угол, и поймал такси.

По дороге на Литейный он думал о Марианне и о том, что она, конечно, не поверила ему, и пришел к выводу, что, если бы его жизнь сложилась иначе, если бы не пришлось ему мотаться по всему свету, как говну в проруби, он бы взял как раз такую женщину в жены.

* * *

Беспалый приехал в Петербург ночным поездом и первым делом позвонил по телефону, который дал ему Коля. Трубку сняла какая-то девушка, видимо секретарь. Беспалый попросил Александра Алексеевича, девушка ответила, что он в офисе будет после десяти, и спросила, что передать. Беспалый, как его научили, сослался на общего московского приятеля Николая, которому Александр Алексеевич обещал оказать содействие в одном важном деле.

— Перезвоните в половине одиннадцатого, — посоветовала секретарша. — Если Александр Алексеевич сможет, он назначит вам встречу.

Беспалый вышел из телефонной будки и зашагал по Невскому. Хитрожопый Коля не сказал ему, с кем предстоит встреча. Но Александр Тимофеевич сразу догадался, что встречаться придется с крупным питерским паханом, из тех, кого ФСБ пасло не первый год. Теперь ясно, зачем Коля отправил его на эту встречу. Коля отправил его на эту встречу, чтобы руками начальника колонии добыть воровской общак. Ничего не изменилось: как и прежде, они используют карательную машину для достижения своих политических целей.

Беспалый даже остановился, когда его осенила удивительная догадка. А что, если и Александру Степанову по кличке Шрам тоже не безразлична судьба Игнатова? Ведь повязали Варяга в Питере, а законного вора просто так средь бела дня не заловишь — нужны наводки. Без надежных наводок даже наша доблестная таможня контрабанду не конфискует, а уж городские менты тем более. Чтобы взять за задницу крупного воровского авторитета, нужна сильная поддержка — или подставка. Варяга, похоже, подставили. И очень может быть, что не без помощи того, с кем ему предстоит встреча.

И тут Беспалый в который уже раз — в десятый? — стал прокручивать в голове события последнего полугода и в конечном счете пришел к неопровержимому выводу, что этот самый Александр Алексеевич сидит по уши в дерьме. Беспалый усмехнулся. Если братки узнают, что смотрящий по России сгорел из-за питерского пахана, — ему хана. Считай, что он живой труп. Как его? Ну, конечно, — кликуха Шрам! Шрам — покойник!

Беспалый договорился с Александром Алексеевичем Степановым о встрече на 9 утра следующего дня. По просьбе Шрама встреча состоялась в невзрачном ветхом домишке на Васильевском острове. У входной двери Беспалый с удивлением заметил вывеску «Леноблкнига». Но давно привыкнув в жизни ничему не удивляться, начальник колонии строгого режима спокойно переступил порог конторы и нашел кабинет номер 9.

Беспалый, еще не встретившись со Шрамом, пока не мог придумать, чем бы тот мог быть ему полезен, но врожденная страсть к коварным интригам заставила его принять решение: Шрама надо взять на крючок. В любом случае это будет полезно и рано или поздно пригодится.

Беспалый был отличным физиономистом и психологом. Пятнадцати минут разговора ему хватило, чтобы составить себе портрет Шрама. И он решил не тянуть.

— Мы можем здесь говорить? Мне надо вам сказать нечто очень важное, — напуская на себя фальшивую тревогу, спросил Беспалый и многозначительно воздел руки к потолку.

— Можно, — кивнул Шрам. — Тут нет прослушки. Телефона, как видите, не имеется и стены чистые.

Шрам забеспокоился. Он забеспокоился сразу же, когда увидел Беспалого. Коля предупреждал его о госте из Москвы, но появление в Питере этого страшного мужика, который назвался подполковником внутренних войск, стало для него полной неожиданностью. Не то чтобы он испугался — он уже давно отвык пугаться людей из эмвэдэшных ведомств. Но этот Беспалый вызвал у него тревогу. Когда же он сообщил, что является начальником колонии строгого режима, подсознательная тревога укрепилась.

— Я должен вас предупредить, что наш общий знакомый пока не в курсе того, что я сейчас вам скажу, — понизив голос, сообщил Беспалый. — Пусть это пока останется между нами. — И не дожидаясь реакции Шрама на эту завуалированную просьбу, он нанес удар: — Игнатову, по-видимому, удалось бежать из колонии. И он в настоящее время, очевидно, жив. Не знаю, здоров ли, но что жив — вероятность очень велика. И об этом знают пока только три человека: я, вы и сам Варяг.

Нет, Беспалый не ошибся. У Шрама явно рыло было в густом пуху. От его спокойного самодовольства не осталось и следа. Он побледнел.

— Насколько надежны эти сведения? И почему же раньше была другая информация? — глухо выдавил Шрам.

— Сведения не стопроцентные, — твердо произнес Беспалый. — Но очень вероятные. Вы ведь, насколько я понимаю, с ним были хорошо знакомы... — Тут Александр Тимофеевич сделал свою коронную паузу, которую очень часто применял в душещипательных беседах с зеками, перед тем как их вербануть.

Оказавшись в своей стихии, Беспалый даже воодушевился.

— В каком смысле? — спросил Шрам злобно.

Ага, раз злится, значит, почувствовал подвох. Теперь ты попался, голуба...

— В том смысле... что вы должны знать его повадки. Я вот за полгода их изучил. Он опасный человек, хитрый, изворотливый. А самое главное — упрямый и живучий. В нем воля к выживанию прямо-таки звериная, волчья. Если ему удалось выйти из колонии — а это сделать было очень непросто, — то не исключаю, что он непременно вернется... сюда... в Питер...

Шрам молча поглядел в глаза Беспалому. Беспалый прочитал в его взгляде то, что хотел прочитать: страх и лютую ненависть. Попался, попался, голубчик, подумал Беспалый. Теперь ты мой!

Он наклонился поближе к Шраму и вкрадчиво зашептал почти в самое ухо:

— Возможно, вам придется хорошо подготовиться к встрече с ним. Прошло уже почти полторы недели. Не исключаю, что он со дня на день может объявиться здесь.

Беспалый и сейчас толком не знал, какую выгоду ему сулит сотрудничество со Шрамом, но одно он знал твердо: Шрам точно так же, как и он, Беспалый, люто ненавидит Варяга и любой ценой готов уничтожить его. В этом хотя бы они были союзниками.

— Но это так, к слову. Вообще-то я прибыл сюда по делам службы, — продолжал Беспалый как ни в чем не бывало. — Мне надо составить более подробное представление об обстоятельствах поимки Варяга... А Николай Иванович сказал мне, что от вас я могу узнать много полезной информации. Его же взяли у вас... в Питере... перед тем как его доставили ко мне на зону. Вы с ним случайно не встречались накануне ареста? Насколько мне известно, его захватили на квартире одного из здешних авторитетных людей... Михаила Пузырева, кличка — Пузырь. Так?

Но Шрам не отвел взгляда.

— Понятия не имею. Я ни с каким Варягом не виделся. У него тут были, наверное, свои дела. У меня свои. Зачем мне было бросать на себя тень? А арестовали его действительно на квартире Пузырева. Это ни для кого не секрет.

— А кроме Пузыря, никто не знал, что он тут делал, с кем встречался?

— Не знаю. Я не в курсе. Да и честно говоря, это меня мало интересует.

— Но вы же не могли не знать о его убийстве в колонии?

Шрам заколебался обдумывая ответ.

— Конечно. Газеты ведь писали...

— Нет, я имею в виду — из первых рук. Разве... наши общие знакомые вам ничего о нем не сообщали?

— А разве у нас есть общие знакомые? — холодно спросил Шрам.

Тут настал черед Беспалого забеспокоиться. Каков шельма! После такого хладнокровного отлупа Александр Тимофеевич засомневался, стоило ли ему выкладывать Шраму сверхсекретную информацию, которую он скрыл и от Калистратова, и от Коли. Ведь Шрам имеет контакт с ними обоими. А что, если он им проговорится? Будет скандал — в Москве ему не простят.

Но с другой стороны, Беспалый четко понял, что как раз Шраму-то и надо было сообщить о возможном побеге Варяга. В случае чего, если Варяг и впрямь сбежал и жив, — тот же Шрам поможет ему найти беглого зека...

* * *

Известие, сообщенное подполковником Беспалым, повергло Шрама в шок. Если это правда, что Варяг жив, он обязательно нагрянет в Питер, стянет сюда верных людей и расставит свои капканы. Шрам знал, что когда Варяг объявит на него охоту, то наезды Придана покажутся ему детскими шалостями.

Вернувшись к себе в офис в «Прибалтийскую», Шрам первым делом позвонил Моне. Он узнал у него, есть ли новые сведения о Сержанте. И дал команду: если Сержант выйдет на связь, отложить заказ на Придана и посулить ему любой гонорар за устранение Варяга. Шрам надеялся на то, что давняя вражда Сержанта и Варяга окажет ему добрую услугу и что Сержанта не придется долго упрашивать.

ГЛАВА 34

Около трех часов дня из пятиэтажного кирпичного дома на Литейном проспекте вышел мужчина крепкого сложения, в темных очках, с усиками и в соломенной шляпе. В руке он держал черный пластиковый потрепанный кейс. Редкие прохожие не обращали на пешехода внимания. Но если бы внимательный наблюдатель присмотрелся к мужчине и к кейсу в его руке, то сразу бы отметил тяжесть ноши. Похоже, в кейсе лежали не бухгалтерские счета и даже не деньги.

Но наблюдать за ним сейчас было некому. Никто из его многочисленных недругов, да и немногих друзей, не знал, что суперкиллер Степан Юрьев по кличке Сержант находится в Петербурге. Скоро, кому надо, об этом узнают: покидая Лос-Анджелес, он сообщил Егерю, что едет в Россию. А где его найти в России, Егерь знал. Так что если он кому понадобится — его найдут!

Сейчас, конечно, Сержанту требовалась полная конспирация. Никто не должен знать, что он приходит сюда, на Литейный, берет из тайника в квартире кейс со снайперской винтовкой и идет на очередное дело.

Сержанта уже давно терзали мысли. Убивать людей — легко, особенно когда привыкаешь к этому, когда относишься к убийству как к ремеслу, за которое хорошо платят. Твоя задача — выполнить свое дело тонко, без изъяна. Он понимал, что занимается мерзким, кровавым ремеслом. Но ведь, черт побери, те, кого он убивал, ничуть не лучше его. Иногда свою профессию он сравнивал с работой патологоанатома, вспарывающего мертвую кожу и мертвые мышцы, собирающего мертвую кровь в судки. Иногда он представлял себя мясником на бойне, забивающим бессловесных тупых животных.

Когда-то он убивал по приказу командира, потом — за деньги, потом это вошло в привычку. Но кажется, впервые за долгие годы своего киллерского ремесла Сержант трудился бесплатно — из принципа. Предательство Шрама возмутило его до глубины души. Ладно, если он — мразь, то пусть его мерзкое ремесло послужит уничтожению всякой другой мрази. Так почему-то получилось, что Шрам, погубив Варяга и его корешей, словно нанес ему, Сержанту, смертельное оскорбление. И Сержант не мог ни снести этого оскорбления, ни простить его. Теперь, когда Варяг был мертв, обида и злость Сержанта на него куда-то улетучились, растворились бесследно. Наверно, Сержант ощущал себя отомщенным. Ему не было жалко Варяга. Но и радости от мысли, что Варяг сгинул, тоже не было. С его гибелью образовалась какая-то пустота. И тем острее ранило его гнусное предательство Шрама, который из своего властолюбия и жадности заманил смотрящего России в гибельную ловушку.

Сержант всегда был далек от внутренних разборок в российском криминальном мире, и ему по большому счету было наплевать на расстановку сил в воровской иерархии. А в истории с поимкой и гибелью Варяга его больше всего удручало то, что Шрам преступил, как говорится, артельные законы. Ведь что ни говори, а уголовный мир, или, как принято сейчас писать в газетах, мир организованной преступности, — такая же артель, как артель старателей или лесорубов, и все члены этой артели должны свято соблюдать правила общежития и ремесла, чтобы не развалить тесное сообщество изнутри и не дать его уничтожить извне...

Приняв непростое решение, Сержант как-то внутренне успокоился. Его тайное пребывание в Петербурге словно обрело смысл: он твердо пообещал уничтожить всю эту кодлу, окружающую Шрама, и его самого. А потом?.. Потом можно было и в Америку вернуться.

За последнюю неделю Сержант ухлопал двух людей Шрама — Сударика, его «кладовщика» из Колпино, и Шпилю, «контролера», снимавшего для Шрама дань с питерских казино и ночных клубов. На обоих Сержант вышел через Хитрю — давнишнего своего другана, который когда-то помогал ему в подготовке убийства Колуна. Хитря после лихой разборки на Васильевском три года назад потерял три пальца на правой руке и утратил квалификацию киллера, теперь он торговал газетами в подземном переходе перед «Гостиным двором». На самом же деле Хитря, отошедший от крупных дел, держал под контролем здешних попрошаек, аккуратно сдавая их выручку шрамовой братве. Хитря знал все связи Шрама и держал в голове все городские происшествия за последние три года. Словом, он был бесценным кладезем нужной информации. Хитря, целыми днями сидящий в самом центре питерской паутины слухов и сплетен, мог выведать едва ли не любые сведения о прошедших и готовящихся разборках, о конфликтах между группировками или ведущихся важных переговорах. От него Сержант узнал и о последнем горе Шрама — об объявленной ему беспредельщиком Придановым войне, о налете на колпинский склад и о перестрелке у обменного пункта на проспекте Металлистов. Не долго думая, Сержант решил воспользоваться этим как прикрытием. Он не сомневался, что Шрам воспримет убийство Сударика и Шпили как новый наезд Придана.

Сегодня ему предстояла самая важная акция из всех им задуманных. Он собрался за город, чтобы понаблюдать за дачей Шрама. Подстерегать его на городской квартире Сержант не счел возможным — слишком был велик риск: после всех этих разборок с Приданом, а тем более после убийства Сударика и Шпили, Шрам усилил охрану в городе. За глухим же забором дачи он, понятное дело, будет чувствовать себя куда надежнее.

Сержант уже установил, что Шрам до семи-восьми вечера сидит в своем офисе в гостинице «Прибалтийская», а на выходные почти всегда сваливает куда-нибудь за город — причем, как сообщил всезнайка Хитря, не обязательно к себе на дачу. Хитря добавил, что и туда вот уже добрых полгода он не особенно наведывается, предпочитая отдыхать после дел праведных либо в Колпино, либо в Петергофе. Может, на даче кто гостюет.

Сержант решил для начала найти дачу Шрама и обследовать прилегающую к ней местность, чтобы там устроить себе лежку. Он хотел замочить Шрама именно там, в его берлоге, чтобы в случае непредвиденного поворота событий ему под горячую руку не попалась какая-нибудь случайная жертва. Воспоминание об убитом им мальчике до сих пор пудовыми гирями висело на его душе...

По дороге Сержант заехал на почтамт. Там в окошке корреспонденции до востребования он справлялся через день о письмах для Виктора Синцова. Писем он ни от кого не ждал, но совершал эти регулярные ходки по привычке: педантичный Сержант не любил получать информацию с опозданием.

К его удивлению, ему пришел факс. Расписавшись в книге и отойдя от окошка, он бросил взгляд на шапку факса. Сообщение пришло из Канады от Роберта Шиэра.

Это был вызов.

* * *

Шрам заперся в офисе и никого не принимал. Секретарше приказал ни с кем не соединять — кроме Мони. На прошлой неделе он позвонил в Псков и вызвал бригаду бандитов, посулив «сто штук зеленью» за выполненное задание. Задание заключалось в устранении Приданова и его шайки. Но вот уже пять дней псковские стрелки находились в Питере, а все без толку. Придана не накрыли. Более того, Шрам, попытавшийся установить местоположение своего врага и дать координаты псковским, так и не смог вычислить его хазу. Придан как в воду канул.

Вчера, правда, Моня принес на хвосте хорошую весть: он все-таки дозвонился какому-то чуваку аж в Канаду, и тот пообещал связаться с Сержантом.

— Когда? — крикнул Шрам в мобильник.

— Не знаю, — откликнулась трубка далеким голосом Мони. — Обещал побыстрее.

— Сержант сейчас нужен как воздух! Эти е...ные псковские сидят в городе, а счетчик тикает, и бабки мои уходят в пустоту! Как только Сержант объявится, я псковских обратно отправлю!

Шрам не зря нервничал: по уговору с псковским смотрящим он обязался платить его «быкам» командировочные — каждому по штуке в день. Уже отдав за просто так двадцать штук баксов, Шрам занервничал — по-глупому с бабками расставаться он не любил. Он уже даже стал воображать себе, что псковские каким-то образом снюхались с Приданом, предупредили его, а тот залег на дно — и ребята преспокойно делят шрамовы бабки по-братски...

Беспокоиться Шраму было от чего. Чего он меньше всего ожидал от Приданова, так это убийства Сударика и Шпили. Эти убийства никак не вписывались в повадки питерского «отморозка», потому что были начисто лишены всякого смысла. Если Придан хотел припугнуть Шрама — что он, собственно, и сделал, совершив наезд на колпинский склад, — то ему не было никакого резона убивать его ближайших людей. Во всяком случае — Сударика, который был свидетелем «наезда» в Колпино. Хотел бы убрать — замочил бы сразу.

Вот эта загадка и беспокоила Шрама, у которого в глубине души зародилось холодное сомнение: а Придан ли это гадит? Но кроме Приданова, у Шрама в городе на сегодняшний день открытых врагов не было, и никто бы из местных не решился пойти против него, рискуя навлечь на себя его гнев и месть.

Никто — кроме пришлых, чужих. Но Шрам никому не перебегал дороги, никого не обидел, потому что был полновластным хозяином города после зимней облавы МВД на авторитетных воров, и уже никого не осталось, кто мог бы ему навредить. В Питере он давно со всеми конкурентами разобрался, разберется и с невесть откуда вылезшим Приданом. Но если это не Придан, а чужаки, то кто? И главное — за что?

А может, здесь что-то связано с Варягом. Но о его роли в аресте Варяга знал только Калистратов. И Варягова жена Светка. Но баба сидит под замком в надежном месте. Значит, остается генералишка. Кого этот мудак посвятил в свои питерские дела — неизвестно. Колю? Вряд ли. Не стал бы он кричать об этом направо и налево. Правда, учитывая, что МВД — это банка с тараканами, где идет постоянная борьба между враждующими лагерями, можно не удивляться, если кто-то воспользовался секретной информацией Калистратова в своих целях. И он, Шрам, вполне мог оказаться пешкой в большой игре — как когда-то такой пешкой стал Варяг...

Это маловероятно, но сбрасывать со счетов нельзя. Хотя вряд ли московские генералы стали бы в ходе своих политических интриг валить питерскую пирамиду, которую они фактически — через Шрама — контролировали. Тем более что многие имели от этого контроля неплохой навар. Нет, тут чья-то другая рука. Уверенная, расчетливая, умелая...

Без Сержанта не обойтись. Шрам сейчас почему-то уверовал, что только Сержант разберется с его, даже самым сильным и изворотливым, противником. Как было уже не раз. И теперь, когда ему сообщили из Канады, что Сержант нашелся, Шрам воспрял духом, опять понадеявшись на скорейшее разрешение всех возникших проблем.

* * *

Сержант вышел на улицу. Зайдя в небольшой сквер, присел на скамейку, положил кейс на колени и, развернув факс, прочитал короткий английский текст:

«Дорогой Виктор!

Надеюсь, у тебя все хорошо. В твое отсутствие со мной связался наш общий друг и просил напомнить тебе о сотрудничестве в Санкт-Петербурге. Там тебя ждут и надеются, что ты сможешь помочь им своей консультацией. Ты уже занимался аналогичным вопросом.

Будешь в Европе — попробуй связаться с Гербертом. Он сейчас в Австрии, кажется, в Зальцбурге.

Всех благ,

Джон».

Сержант не ошибся: это был вызов от Егеря — единственного, кто знал, где его искать. Ему предлагался заказ за очень крупное вознаграждение. И самое удивительное, что работа предстояла здесь, в Санкт-Петербурге. Сержант усмехнулся: забавно, ему предлагают, не отходя от кассы, нарубить капусты... Эти деньги были бы, конечно, сейчас очень кстати — учитывая его планы, на осуществление которых мог уйти и месяц и два. Неясно только, чей это заказ. Точные координаты, судя по ссылке на Герберта, придут завтра в зашифрованном тексте.

Впрочем, он почти не сомневался, что заказ поступил от Шрама. Поскольку в письме ясно говорилось о том, что аналогичные заказы в Питере уже были. И кто, как не Шрам, стал бы обращаться именно к Сержанту. Забавная ситуация: приехал мочить Шрама, а он и бабки обещает...

Ну что ж, пришло время решительных действий.

Сержант добрался до дачи Шрама к вечеру. Он приехал на своем неприметном желтом «Жигуленке»-пятерке, купленном им два дня назад. «Жигуленка» для него купил давний знакомый Ванька, который за солидное вознаграждение — Сержант в таких делах не любил мелочиться — помогал ему приобретать необходимый «инвентарь» на время его пребывания в Питере: подержанные тачки, краденые ксивы, оружие — словом, все, что могло понадобиться. Вот и сейчас Сержант отвалил ему три штуки баксов и приказал добыть надежную тачку, зарегистрированную в ГАИ как полагается, выправить доверенность на имя Виктора Синцова — и чтобы бегала резво.

Он знал, по объяснениям Хитри, в какой стороне искать дачу Шрама. Сначала он поехал следом за рейсовым автобусом до Мишкино. А от села свернул на грунтовку. Проехать предстояло как минимум пять километров.

«Жигуленок» весело мчался по грунтовке, отбрасывая в стороны случайные камешки. Сержант снял темные очки и сдвинул шляпу на затылок. Накладные усики щекотали кожу под носом. Он решил было содрать их, но передумал: мало ли что может произойти.

Проехав километра четыре, он свернул на лесную дорогу. И вовремя: скоро до его слуха донесся рев автомобильного мотора. Он всмотрелся. Мимо промчался черный «джип» с затемненными стеклами. Дождавшись, когда «джип» скрылся за поворотом впереди, Сержант выехал обратно на грунтовку. Интуитивно он понял, что цель близка.

ЧАСТЬ V

ГЛАВА 35

Даже прочитав страшную заметку в «Московском комсомольце» под аршинным заголовком, Светлана не поверила в гибель мужа. Глубоко в душе у нее теплилась слабая надежда, что это — ошибка. Или сознательный обман. Чей-то коварный умысел. Чья-то хитрая игра. И она продолжала надеяться, что Владик жив. Не могла не надеяться...

Владислав был смыслом ее жизни. Он — и его сын. Она не боялась за себя, не боялась за свою жизнь. Она могла все снести — любые унижения, угрозы, насилие. Ей важно было спасти сына и спасти мужа — если бы только это ей было под силу. Даже тогда, во время неудачной, так глупо сорвавшейся попытки побега она совершенно не думала о себе — ей важно было спасти сына, спасти Владислава.

Ведь все то время, что они с Олежкой пробыли на этой страшной даче, ее ни о чем не спрашивали, ничего от нее не требовали, но продолжали держать под строжайшим надзором. Понятно, что их держали как заложников — на всякий случай, чтобы в удобный момент сделать предметом торга, шантажа или обмана... Она ведь и решила сбежать отсюда, чтобы у *них* больше не было крючка, на который *они* рассчитывали поймать Владика.

Но странно: даже после известия о его гибели их все равно не трогали. Почему? Значит, Владик может быть жив.

Однако в последние дни Светлану стали посещать нехорошие предчувствия. Она и сама не могла понять, что происходит. Вроде бы все оставалось, как и прежде, хотя ее по-прежнему нервировала и пугала неизвестность и непонятность их положения.

И вдруг что-то явно изменилось. Вчера ее охватило тревожное сомнение. Утром, когда ее вывели в ванную, у Батона вдруг запиликал сотовый телефон в кармане. Он поспешно затолкнул узницу внутрь, закрыл дверь и гаркнул: «Алло!»

Она стояла под дверью ни жива ни мертва, прислушиваясь к тихому голосу Батона. Батон был мужик глуповатый, если не сказать тупой, поэтому он лепил все открытым текстом:

— ...Ну да, Шрам, сидят как мышки, тихо... Живы-здоровы. Малец в подсобке рядом, баба в той же. Ну да ты че? Нет, вроде не догадывается. Когда? Завтра к вечеру? А мы-то с мужиками куда?.. Так, сам-то управишься? Ну ладно... Хорошо, сегодня соберем манатки... Ага. Ну, все.

Светлана включила воду на полную мощь. Она словно старалась заглушить свои тревожные мысли. Что-то случилось. Что-то явно произошло. Иначе не стал бы этот самый Шрам звонить Батону и справляться о них. С чего бы это? Пять месяцев почти не интересовался — и вдруг такая активность. Неспроста.

Светлана постучала в дверь. Батон вывел ее из ванной и молча повел по коридорчику. Она впервые за все время решилась заговорить со своим тюремщиком. У двери в комнату повернулась к Батону и спросила подчеркнуто дружелюбно:

— Ну, не решили, что с нами делать дальше? Скоро полгода как мы тут.

Наглый Батон вопреки своему обыкновению на этот раз не стал ей грубить, а взглянул на нее как-то даже озабоченно и процедил сквозь зубы:

— Сегодня, кажись, дембель дадут — нам всем. А вас... — Он осекся. — Шеф решит, что с вами делать.

И по его неуверенному тону она вдруг поняла, что «шеф» уже все решил. И звонил Батону, чтобы сообщить о своем решении. И ей стало вдруг ясно, что раз охранники сегодня будут «собирать манатки», значит, срок ее заключения на этой проклятой даче подошел к концу.

И еще одна нехорошая мысль обожгла ее: а вдруг Влад все-таки погиб? И теперь они уже не нужны. Больше того, от них, вероятнее всего, постараются избавиться, как от лишней обузы. Пока Владик был жив, его семья еще могла представлять для кого-то интерес. Но если его больше нет...

Светлане стало страшно.

* * *

Издалека — метров за двести, Сержант увидел глухой зеленый забор. Грунтовка упиралась в ворота и убегала вдоль забора налево. Он проскочил мимо наглухо запертых ворот и, чтобы не привлекать внимания, проехал дальше. Минуты через три-четыре, когда дача уже давно осталась за спиной, лес поредел. Наконец он увидел, что грунтовка выходит на шоссе.

Теперь ему стало ясно, как отсюда уходить. Отлично. Он развернул «Жигуленок» и неспешно поехал обратно.

Часы показывали девять. Начало смеркаться. Сержант снял теперь уже бесполезные темные очки. Впереди замаячил знакомый зеленый забор. Он резко свернул в лес и остановился. Оставив дверцу открытой, подхватил кейс и двинулся по направлению к зеленому забору. Метрах в ста он стал выбирать огневую позицию. Оглядевшись по сторонам, приметил подходящее дерево — высокую ветвистую осину. В полуметре от земли осиновый ствол как по заказу раздваивался и бежал вверх вилкой. Сержант присел в кустах, раскрыл кейс и достал из углубления лазерный прицел. Даже в полной темноте, а не то что в сгущавшихся сумерках с таким прицелом можно было снять любую мишень. Сержант за полминуты — как на тренировке — собрал винтовку. В магазине было пять патронов.

Забравшись на осину так, чтобы просматривать территорию за забором, Сержант приложил прицел к правому глазу. Он сразу увидел черный «джип», который час назад пронесся мимо него по грунтовке. «Джип» был типичный для питерской братвы: «шевроле-турбо», мощный динозавр — в этом танке можно было форсировать Днепр по мелководью... Значит, точно по адресу пришел.

Он повел прицел правее. Возле «джипа» околачивались двое: один — тощий и длинный как жердь, другой здоровый, с торчащими в стороны ручищами. Фигура показалась Сержанту знакомой. Он подкрутил фокус, присмотрелся — и ахнул. Это был его старый приятель — толстомордый амбал из ресторана, который неделю назад наведался к нему в квартиру на Литейный.

Теперь Сержант уже ни капельки не сомневался, что попал в самое осиное гнездо. И как в прежние времена, его охватил азарт охотника.

Устроившись поудобнее в ветвях, Сержант первым делом нашел свою вторую мишень — бензобак «джипа». Потом стал искать амбала. Но пока Сержант устраивался на дереве, амбал пропал.

Снайпер чертыхнулся, но отпущенное ему время уже пошло. Он терпеливо затих в густых ветвях.

* * *

Митяй застегнул ширинку, спустил воду и вышел из сортира. «У Шрама даже сральник мраморный», — подумал он завистливо. Да, блин, везет же некоторым. Кому вершки, кому корешки, а этому борзому — сразу все в жизни досталось.

Митяй уже полтора года служил при Шраме контролером. Причем, по питерским меркам, занимался делом непыльным, даже почетным — он собирал дань с центральных торговых точек. Не только с ТОО, ООО и индивидуалов, но и с крупных универмагов, чья администрация ловко накручивала черный нал и поэтому волей-неволей должна была отстегивать Шраму. Митяй был жаден, но труслив. Другой контролер на его месте, может быть, и себя бы не обижал, но он опасался втихаря красть из шрамовой копилки, потому что знал, каков питерский пахан в гневе и ярости. Он знал про то, что Шрам подвешивал строптивых торгашей за ноги в лесу и стрелял им в глаз с тридцати шагов. Знал и про то, что Шрам одного барыгу закопал в землю по шею, продержал так сутки, а потом вылил на темя бочку жидкого цемента...

Страшен был гнев Шрама на тех, кто норовил залезть ему в карман или утаить что-то от его зоркого глаза. И Митяй не рыпался. Сдавал в копилку все до единого рублика. Получал свою зарплату — две штуки в месяц. И не жаловался. Вот только когда оказывался в шрамовых хоромах — тут ли, на даче, или в питерской его хазе, Митяем овладевала жуткая зависть.

Митяй вышел на веранду и поглядел на «джип». Классная тачка. Когда же он сможет себе насобирать хотя бы на крохотулю «Судзуки»? Ему хотелось заиметь непременно «джип». Он нащупал в кармане на груди свое недавнее приобретение — мобильник. Ну вот, потихоньку-полегоньку он становился человеком.

Митяй спустился с веранды и подошел к «джипу», положил жирную ладонь на его блестящий капот, провел по полированной поверхности. Он гладил эту тачку — как телку: нежно, блин, нежно. Митяй не удивился, что сегодня Шрам собрался снимать охрану с дачи. Давно пора. Хер его знает, кого он там держит, — Батон, сука, не колется, да и другие охранники молчат как рыбы. Видать, какой-то важняк. Ему, как и всем остальным, было только известно, что сидят там люди, за которых ожидается крупный выкуп. Но сегодня — шандец. Охрану Шрам вечером снимает, сам приедет через час разбираться с важняками. Как пить дать — отвезет в лесок, да и совковой лопатой по темени... А потом закопает на Финском заливе — червякам на пропитание. Как уже было не раз.

Митяй обошел «джип» и остановился перед задней дверью. Вдруг до его слуха донесся легкий, едва слышный хлопок со стороны забора. И в ту же секунду что-то очень тяжелое ударило его в затылок. Камень, что ли...

Это была последняя мысль Митяя. И он уже не увидел, как теплая и липкая жидкость выплеснулась ему на лицо, на рубаху и на полированную поверхность красавца «джипа».

* * *

Сержант увидел амбала на веранде и сразу вскинул свою «ижевку». Поймал пухлую морду в оптический прицел и осторожно навел крестик прицела на переносицу. Амбал положил руку на капот «джипа» и вроде как задумался. Сержант изготовился выстрелить, но тут амбал сдвинулся с места. Прошел несколько шагов, остановился спиной к лесу. Сержант навел крестик на затылок. Потом плавно дернул ствол в сторону и навел прицел на бензобак. Секунды две уйдет — не больше. Он снова поймал затылок и выстрелил. Пуля попала под основание черепа и взметнула кровавый вулкан. Пока амбал медленно оседал на землю, Сержант успел передумать и всадил две пули в заднее колесо. «Джип» просел на левый бок. Сержант решил не стрелять в бензобак, чтобы не создавать лишнего шума: на даче было как-то тихо, и убитого могли обнаружить не раньше, чем он на своем желтом «Жигуленке» будет уже далеко.

349

Сержант, как кошка, скользнул по стволу вниз, в считанные секунды разобрал винтовку, убрал в кейс и побежал к «Жигулю».

Вскочил за руль, врубил передачу и покатил по дороге.

Минуты через три, никем не замеченный, он уже мчался по шоссе в сторону Питера.

ГЛАВА 36

— Ну вот и все, — произнесла Елена таким печальным голосом, что у Варяга сердце защемило. Он обнял ее покрепче и прижал к себе.

— Нет, Леночка, не все. Слово даю — не все. Я тебя никогда не забуду. Не забуду того,   ты для меня сделала. Ты же меня с того света вытащила. Как фронтовая медсестра.

— Значит, я для тебя теперь — фронтовая подруга? — улыбнулась сквозь слезы Елена.

Он только рассмеялся.

— Больше! Гораздо больше. Ты ведь здесь у деда Потапа не всю жизнь собираешься провести. Ты же зимой вернешься в Питер — так? Я тебе телефон оставлю — позвони, тебе скажут, где меня найти. Позвони обязательно. Захочешь найти меня, найдешь. Ну, запоминай...

Елена нахмурилась и покачала головой.

— Нет. Ты мне лучше напиши его на чем-нибудь. И еще что-нибудь напиши. Чтобы память осталась.

Варяг погладил ее по волосам.

— Ладно, тащи бумагу!

Подошел старик Потап.

— Ну, собрался, Владик? Давай-ка, парень, поторапливайся. Машина ждать не будет. Путь не близкий — до Северопечерска два-три часа, да там еще лесом час с лишним.

Варяг кивнул.

— Сейчас. С Еленой только вот простимся.

Потап вздохнул тяжело и повесил голову.

— Не дело это, скажу я тебе, чтобы такой мужик, как ты, с девкой связывался. Ей только голову задуришь, да и тебе обуза. Таким, как ты, нельзя связываться с бабой. Вот что я тебе скажу.

— Это, дед, раньше нельзя было. Теперь другие времена, другие понятия.

— Да дело не в понятиях, Владик. Баба — она обуза, как ни крути... — Дед помолчал. — У вас-то, я чай, с Ленкой закрутилось. И было все... А что, если она забрюхатеет? Я так понимаю, ты же ее не бросишь? — последний вопрос старик задал с нескрываемым просительным выражением.

— Не брошу, отец, — серьезно ответил Варяг. — В любом случае не брошу. Не знаю, что меня ждет в Питере. Может, ничего хорошего. А к Лене я сердцем прикипел — честное слово. Так что сдохну — а ее не забуду и, даст Бог, еще свидимся... — Варяг кашлянул. Ему вдруг вспомнилась Вика — красивая добрая Вика, так долго и по глупости скрывавшая от него существование дочурки... Где же она сейчас? А Вика, бедная Вика, безжалостно убитая по наводке сук ментовских... — Если Елена родит ребеночка — так ей только благодарен буду по гроб жизни. Уж не знаю, жив ли мой Олежка...

Потап закряхтел. Вышла Елена из дома. Она принесла цветную открытку с изображением Медного всадника и ручку. Молча протянула Варягу.

Он положил открытку обратной стороной на колено и быстро записал петербургский номер. Потом подумал и приписал:

«Леночка! Помни обо мне, как я буду о тебе помнить — всегда. Спасибо за удивительные две недели, самые светлые в моей непутевой жизни. До встречи в Питере. Твой Вл.» Перечитав написанное, он пририсовал внизу двух ангелочков в мантиях, держащихся за громадный крест.

Протянув ей открытку, он встал.

— Вот, держи. Спрячь подальше.

Елена прочитала, улыбнулась краешком губ.

— Спрячу, не бойся. Никто не найдет.

Она обняла его, уже совсем не стесняясь деда, а тот отвернулся, не желая мешать им, и пошел в дом.

— Если у тебя что-то будет... Ну, ты понимаешь, что я имею в виду... — прошептал Варяг ей на ухо, — то непременно сообщи, поняла? Если ребеночек получится — я только рад буду. Ясно?

Она молча закивала, тыкаясь ему лбом в плечо.

Потап вынес из дома рюкзак с собранными для Варяга вещами. Варяг, уже переодетый в найденные Потапом в сундуке офицерские рубашку и брюки, подхватил мешок, забросил его за плечо и улыбнулся напоследок Елене. Потом повернулся и зашагал вслед за Потапом по тропочке.

Они шли с полчаса и скоро оказались на лесной дороге. Впереди стоял залепленный грязью древний «козел». Потап приблизился к окну водителя и о чем-то с ним пошушукался. Варяг забросил рюкзак на заднее сиденье и поздоровался с шофером — невзрачным мужичком в выцветшей рубашке цвета хаки. Потом подошел к Потапу, обнял его и сказал, глядя прямо в глаза:

— Жаль, что Егор Сергеевич мне про тебя, отец, ничего не рассказывал. А вот ведь как судьба распорядилась — ты со мной вроде как знаком был, а я тебя не знал совсем. Спасибо за все. Хороший ты человек.

— Прощай, Варяг. Не знаю, увидимся ли еще. Елену не забывай. Она девка светлая. Ее нельзя обижать.

Варяг серьезно посмотрел на деда.

— Не обижу. Можешь быть спокоен. Ну, прости, коли что не так было.

Варяг сел рядом с водителем, и «козел», взревев и дернувшись с места, поскакал по ухабам.

Часа через три они, объехав стороной Северопечерск, подкатили к огороженной колючей проволокой вертолетной площадке.

— Прибыли, — бросил шофер.

— Спасибо, — Варяг вышел из машины и забрал рюкзак. — Не знаешь, долго ждать?

Водитель пожал плечами.

— Обычно они прилетают в пять. Да после того как эм-чэ-эсный Ми-4 в прошлом месяце тут разбился, все расписание полетело к чертям собачьим. Если найдут «вертушку» исправную, то прилетают вовремя, а если нет — ждать приходится, пока с-под Перми прибудет, его и гонят сюда.

Отец Потап рассказал Варягу, что вообще-то эта площадка предназначена для вертолетов метеослужбы, но ею пользуются и «вертушки» МЧС, и даже местные военно-воздушные части. Но о том, кто прилетит забирать отсюда Варяга, Потап не сказал — то ли не знал, то ли просто не хотел болтать.

Варяг подошел к раскрытым воротам, у которых топтались двое солдатиков с автоматами, и присел на землю, не осмеливаясь переступать незримую границу вертолетного поля. Солдатики вроде бы даже не удивились появлению здесь странного незнакомца в выцветшей офицерской рубашке и офицерских брюках. Видно, они или привыкли к нештатным ситуациям, либо их предупредили заранее. Хотя это вряд ли.

Варяг вздохнул. Неужели — все? Неужели воля?..

* * *

Сначала послышался негромкий вибрирующий звук, отдаленно напоминающий безмятежное жужжание какой-нибудь кровососущей твари. Потом этот звук уси-

354

лился, и на светло-зеленой полоске горизонта показалась едва различимая движущая точка. Она казалась огромным шмелем, который скоро приобрел черты угловатой стальной вороны, с надоедливым неугомонным карканьем кружившей в небе.

Это был вертолет.

Вибрирующий несмолкаемый гул все приближался. Иногда он лишь слегка затихал, сносимый яростным северным ветром, но, видимо, лишь для того, чтобы в следующую секунду напомнить о себе с новой силой.

Через несколько минут вертолет завис над самой головой, порывы ветра едва не опрокидывали Варяга на землю. Он невольно заслонил рукавом лицо — вот сейчас самая удачная минута, чтобы накинуть на него ловчую сеть и трепыхающегося, будто неукрощенную добычу, поволочь в сучий лагерь. Но вертолет вдруг неожиданно завалился в воздухе набок и отлетел метров на тридцать. Он застыл над небольшой площадкой в точности, как это делает шмель, прежде чем опуститься на пахучий цветок, полный сладкого нектара. Колеса мягко коснулись площадки, поросшей густым багульником, металлическую животину слегка колыхнуло, и тотчас распахнулась низенькая дверь. В проеме показался генерал Артамонов — вот кого он не ожидал здесь увидеть. Он спрыгнул в траву и, сгибаясь под сильным ветром, словно былинка во время урагана, пошел навстречу Варягу.

— Вот и встретились, — сказал генерал, подойдя и остановившись в нескольких метрах от Варяга. — Не доверяешь?

— Не доверяю, — ответил Варяг.

Генерал пожал плечами:

— Ну, доверяй не доверяй, а прибыл же. Готов?

Варяг кивнул и без лишних слов пошел за Артамоновым.

Вертолет пролетел над полем по огромному неправильному эллипсу, напоминая крикливую злобную птицу: сейчас выпустит хищные коготки и устремится вниз за перепуганной добычей. Но вертолет неожиданно завис в воздухе, слышен был только рокот вращающихся лопастей и слабый голос Артамонова, пробившийся сквозь грохот турбины. Генерал наклонился к самому уху Варяга и проорал:

— Не думал, что буду помогать беглому вору!

Варяг только усмехнулся и уставился в иллюминатор, за которым рыжела летняя тундра: они летели на север.

— Мне нужно в Питер! — крикнул Варяг в самое ухо Артамонову.

Генерал понимающе качнул головой.

— Я организую тебе это. Но там уж — действуй сам. Я ведь, понимаешь, не господь Бог, а всего лишь милицейский генерал. Мои функции ограниченны. Поэтому я бы все-таки посоветовал тебе не попадаться на глаза органам. Пока мы все не расставим по местам, пока все не уляжется. Я совсем не исключаю такой возможности, что еще не до всех подразделений доведен новый приказ о гражданине Игнатове, после побега на тебя ведь была устроена самая настоящая охота.

— Вот как?

— Я могу только предполагать и не всегда точно знаю, чем занимаются мои коллеги из соседнего ведомства. Может быть, где-нибудь сейчас инструктируют целый взвод снайперов, чтобы пристрелить тебя, попадись лишь ты в оптический прицел. Они тебя и раньше опасались, а сейчас ты опасен вдвойне. Я даже могу предположить, что о твоих намерениях могут догадываться и на твоем пути уже выставили кордоны. К тому же есть такие ретивые менты, которые могут тебя шмальнуть, не зная о новом приказе.

— Что же в этом случае ты мне можешь посоветовать?

— Я бы мог тебе, Владислав, посоветовать зарыться куда-нибудь в нору и просидеть в ней тихой мышкой. Но ты ведь так не умеешь и совсем не для этого вырвался из зоны, чтобы прятаться, а потому советовать в твоей ситуации мне очень сложно. Впрочем, могу сказать одно — не доверяй никому! Особенно своему питерскому другану — Шраму.

— Ну этого ты, генерал, мог бы мне и не говорить. Без тебя знаю.

— Ты хоть понимаешь, как я рискую? — приложив ладонь рупором ко рту и приникнув к самому уху Варяга, спросил Артамонов.

Варяг насмешливо пожал плечами.

— Если ты, генерал, выполняешь чей-то хитрый приказ, то риска тебе никакого — все запланировано! В том числе и этот вертолет!

Генерал улыбнулся и покачал головой.

— А ты не изменился, Варяг. Все такой же недоверчивый. Ну ладно, я понимаю. И осуждать не могу. Последняя наша с тобой встреча была не из простых. Там Калистратов правил бал — я был при нем и не мог тебе даже ни слова сказать, ни предупредить. Ну а что, по-твоему, отец Платон мне звонил, просил тебя вызволять — это тоже было запланировано?

Варяг удивленно вскинулся на него.

— Платон тебе звонил?

— Мне-мне, брат. А мой телефон Платону знаешь кто дал?

И тут Варяг вспомнил. Все вспомнил. И понял, почему тогда, в Питере, когда его после ареста в квартире Пузыря привезли на беседу с двумя генералами, лицо Артамонова ему сразу показалось знакомым.

Они и были знакомы — Варяг вспомнил!

Это было года три, если не четыре, назад. Егор Сергеевич пригласил его посидеть в тихом ресторане — где-то в районе Садового кольца. Они попивали хорошее вино и вели неспешный разговор. Вдруг к их столику подошел высокий статный мужчина лет пятидесяти. Он тепло поздоровался с Егором Сергеевичем. Тот пригласил его подсесть, заказал ему бокал вина и представил Варягу. Мужчину звали Кирилл Владимирович. Варяг внимательно и как всегда с недоверием присматривался к нему, пока он рассказывал Егору Сергеевичу какую-то байку о Париже.

Кирилл Владимирович ему не понравился: держался как-то скованно, настороженно и время от времени бросал на Варяга пытливые взгляды.

Он быстро ушел, а Егор Сергеевич после непродолжительного молчания вдруг сказал:

— Это твоя «крыша», Владислав. Да-да, не удивляйся. И у тебя должна быть «крыша». Надежная «крыша». Если со мной что случится — он тебе поможет.

— И кто же он такой? — небрежно спросил Варяг.

— Большой человек, в МВД. Генерал. Идет на повышение, очень крупное повышение. Мы ему в этом помогаем...

Больше старый академик ничего не сказал, и Варягу оставалось только теряться в догадках.

Но вот теперь туман рассеялся. Артамонов вытаскивал его из трясины.

— А как же генерал... как его... Калистратов? — спросил Варяг, наклонясь к уху Артамонова.

Тот махнул рукой.

— Отыгранная карта. Его скоро провожают на пенсию. Сейчас самое важное понять, кто придет на его место. Предстоит немалая работа, сам понимаешь.

Варяг отвернулся к иллюминатору.

И все-таки после всех ужасных передряг и испытаний, которые ему пришлось пережить в последние полгода, он не мог вот так сразу раскрыться генералу. Даже при том, что Артамонов был долгое время доверенным лицом академика Нестеренко. Мало ли что было три года назад. Люди меняются, меняются обстоятельства, меняются приоритеты. Много воды утекло с тех пор, как они втроем сидели в том ресторане и мирно беседовали. Кто может поручиться за то, что генерал Артамонов давно не ссучился — как ссучился Шрам, падаль!

Но Потапу он доверял. Доверял безоговорочно. И одно то, что Потап вызвал Артамонова сюда, заставляло Варяга поверить в искренность слов генерала.

— Неизвестно, кто Егора Сергеевича? — начал было Варяг и осекся. Ему до сих пор было больно думать о том, что старого мудрого наставника уже нет в живых.

Артамонов отрицательно помотал головой.

— Кто отдал приказ, непонятно. Но одно ясно — это дело рук людей очень высокого уровня.

— Из комитета?

— Да нет, почему из комитета. Из нашего министерства.

— И кто же там сейчас рулит?

Взгляд Артамонова потяжелел.

— Нет, брат, ты это брось. Даже не думай! Туда тебе не добраться.

— Мне всюду добраться, Кирилл Владимирович! — жестко обрезал Варяг. — Дай вот с силами собраться, связи порушенные восстановить, и мы еще посмотрим, кто кого. — Варяг помолчал. — И за смерть Егора Сергеевича они еще ответят. Люто буду им мстить... Ладно. Вот только со Шрамом разберусь... С этим гадом мне надо лично встретиться. Его кто пасет?

Артамонов развел руками.

— Это твоя забота, Владислав. Узнаешь... — Он глянул на часы. — Ну, через пять минут будем на месте. Вот тебе камуфляж, — и с этими словами Артамонов незаметно сунул ему в руки небольшой газетный сверточек. — На земле мы расстанемся. Там во дворе найдешь туалет — темно-зеленый каменный домик — зайдешь, примеришь вот это. Про тебя кто нужно знает — вопросов задавать не станут...

* * *

Вертолет плавно развернулся, встретив металлическим корпусом боковой ветер. Пилот включил подъемную тягу, и машина, поколебавшись с секунду, стала медленно опускаться на бетонированную площадку. Легкое касание о твердую поверхность — умная машина как будто бы проверяла место посадки на прочность, — а потом тело вертолета грузно осело, примяв упругие рессоры. Винт описал медленный круг, заставив в последний раз всколыхнуться пласты воздуха, а потом неожиданно замер. После вибрирующего грохота установилась тишина, в которую трудно было поверить. Механик поспешно поднялся со своего места, повернул замок и распахнул люк. В разогретую утробу вертолета ворвался простуженный северный ветер, мгновенно застудив металл и сидящих людей; он принес с собой звуки тундры — вечно сердитый крик пролетающих бакланов, чириканье полярных сусликов и далекий плач разбуженного песца.

Варяг спрыгнул следом за механиком и в который раз удивился тому, что тундра, не стянутая тремя рядами колючей проволоки, представлялась ему неожиданно целомудренной. Такое перерождение бывает с распутными девками, когда они одеваются в наряд невесты.

— Где мы? — спросил Варяг у Артамонова.

— Это военная база, не волнуйся. Никто не будет спрашивать о твоих документах, вполне достаточно того, что ты прибыл со мной.

Артамонов посмотрел на часы.

— Через четверть часа прибудет военный самолет, который доставит тебя под Питер, ну а дальше поступай, как знаешь.

Варяг глядел на Артамонова и размышлял. Сейчас генерал выглядел совсем ручным и готов был едва ли не на собственных плечах доставить законного до Питера. Но Варяг подозревал, что участие генерала в его спасении носит временный характер — и чуть что изменится, как он сдаст его хищным охотникам. С этим генералом лучше было держать ухо востро.

* * *

Перелет на военном самолете «Руслан» до Санкт-Петербурга занял почти два часа. Вместе с Варягом летело еще человек десять, но никто из них не задал ему даже малозначащих вопросов, как будто они придерживались строгих инструкций свято оберегать его инкогнито.

Все пассажиры были в форме офицеров внутренних войск, и Варяг не мог отделаться от ощущения, что находится под охраной вертухаев.

Варяг забился в дальний угол гигантского крылатого ангара, заставленного здоровыми стальными контейнерами. На стенах были черной краской намалеваны пометки: «Не кантовать», «Осторожно: стекло». И еще что-то в таком же духе. С виду нельзя было определить, что в этих контейнерах. Но так оно было и задумано. «Руслан» явно перевозил какой-то секретный груз. Перед посадкой он прислушался к разговорам пассажиров и по обрывкам фраз понял, что груз прибыл откуда-то из Средней Азии. А везли его на военный аэродром под Питер, чтобы потом перебросить в Восточную Европу. Варяг растянулся на железном полу и закрыл глаза. Через минуту его сморил сладкий сон.

Он проснулся внезапно от сильного толчка: могучий, тяжелый самолет тряхнуло раз-другой. Где-то совсем рядом с ним шла беседа. Он чуть скосил глаза и увидел двух лейтенантов. Они оживленно беседовали. Их беседа его заинтересовала.

Насколько он понял, эти два лейтенанта сопровождали груз от места отправки в Афганистан. И сейчас обсуждали проблему переправки его через границу. До его слуха долетали только отдельные слова и куски фраз, но даже по ним Варяг смекнул, что груз не просто секретный, а стремный. Оружие! Да, похоже, в этих железных ящиках было оружие, тайно переправлявшееся через границу.

Он усмехнулся: генералы натырили втихаря излишки вооружений, а теперь загоняют их за нал. Лихо, суки, работают! Интересно, кому они отстегивают? Ладно, доберусь я до этих сучар, собственное говно заставлю перед смертью жрать!

Варяг повернулся на бок и теперь заснул по-настоящему.

* * *

Когда «Руслан» наконец, коротко пробежав по посадочной полосе, остановился, он испытал точно такое же ощущение, какое возникает, когда освобождаешься от тесных и тяжелых браслетов.

Это был один из военных аэродромов в окрестностях Санкт-Петербурга, не указанный ни на одной из топографических карт.

Покинув аэродром, Варяг предусмотрительно нацепил очки и приладил тоненькие щеголеватые усики. Этот маскарад, к его собственному удивлению, изменил его до неузнаваемости. В таком обличье он не опасался предстать даже перед Беспалым — от прежнего Варяга в нем ничего не сохранилось, вот разве что усмешка — холодная и быстрая, да и волосы уже успели отрасти...

В трех местах он заметил наряды ОМОНа. Сытые, чуть ленивые парни, небрежно сжимавшие автоматы, выглядели беспечно, но за этой показной неторопливостью Варяг отмечал интерес едва ли не к каждой приближающейся машине. Парни профессионально быстрыми взглядами оценивали пассажиров, уверенно рылись в документах и, убедившись в подлинности и возвращая их, огонек в их глазах тотчас затухал, и они невесело желали путникам счастливого пути.

Варяг вдруг подумал о том, что такого напутствия он может не услышать, если в охоту на него действительно включились «коллеги» Артамонова, о которых он его предупреждал. Ленивые парни бросят беглеца мордой в асфальт, позорно заставят раздвинуть ноги и, пренебрегая его воровским чином, вытрут подошвы о его коротко остриженный затылок. А это уже бесчестье...

До Питера Владислав добрался через пару часов. Над Питером сияло солнце. Варяг отыскал телефонную будку и уверенно набрал нужный номер.

— Слушаю, — раздался негромкий голос.

— Я от Потапа, священника. Он звонил...

— Давно жду.

— Скоро буду! Диктуйте адрес! — Варяг запомнил улицу, номер дома, квартиру и, не прощаясь, повесил трубку.

Через улицу хорошо просматривался нужный подъезд — он был пустынен. Только молодая мамаша без конца возила по тротуару пеструю коляску.

В трех метрах от подъезда стояли три парня. Они лениво цедили слова через плотно сжатые зубы. Держались хозяевами, как будто каждый из них приватизировал алюминиевый завод. Зная породу таких людей, Варяг был твердо уверен в том, что в карманах у них гремят одни пятаки, а если они и разъезжают на дряхлых «мерседесах», то им частенько не хватает даже на бензин.

Варяг неторопливо вошел в подъезд. На него никто не обращал внимания: ни в его одежде, ни во внешности не было ничего такого, что заставило бы задержать взгляд — обычный прохожий, каких на Московском проспекте сотни.

Владислав поднялся на лифте на девятый этаж, вышел, остановился на лестничной площадке и замер, прислушиваясь. Ничего настораживающего — никто не дышал ему в спину, не сбегал вниз, преодолевая в два прыжка по целому пролету, все было как обычно. Далеко внизу громко стукнула чья-то дверь и послышался младенческий плач.

Варяг поднялся еще на один этаж и трижды позвонил в тяжелую, массивную дверь, обширую толстыми металлическими листами. Дверь мгновенно распахнулась — его здесь ждали. Открывший ему человек отошел на полшага в сторону, пропуская Варяга.

ГЛАВА 37

Вернувшись в Москву, Беспалый первым делом связался с колонией. Все эти дни, находясь в Москве и в Питере, он постоянно теребил расспросами оставленного на период его отсутствия в качестве и. о. начальника колонии майора Кротова. Тот неизменно сообщал, что наряды лагерной охраны и омоновцы методично прочесывали прилегающие леса и поселки в радиусе пятидесяти километров от колонии, что по всем местным отделам ВД края, по всем железнодорожным станциям и путейским сторожкам, всем военным комендантам на местах были разосланы фотографии и подробное описание Варяга. Но все было тщетно.

Однако сейчас, похоже, что-то наклюнулось. Кротов срывающимся от волнения голосом доложил:

— Мы добрались аж до северной границы края. Там в тайге есть один удаленный хутор. Живет на хуторе бывший священник, некий отец Потап, настоящее имя — Платон Афанасьевич Токарев. Один местный житель показал, что в середине июня он был на том хуторе и видел пришлого человека. Как будто бы тот постоялец жил у Потапа недели две. Причем этот постоялец сильно смахивает на Варяга!

— В смысле? — дотошный Беспалый никогда ничего не принимал на веру, а любил троекратно проверять да перепроверять.

— Ну, рослый мужик, широк в плечах, волосы русые. Раненый! Вы понимаете, Александр Тимофеевич, раненый! Вроде Потап сказал, что его гость — охотник, его рысь в лесу порвала!

Рысь?! Беспалый крепко сжал телефонную трубку в мгновенно вспотевшей ладони. Точно ведь. Была рысь — в районе ограждения колонии, там, где беглый зек как раз уходил, нашли в лесу зарезанную рысь... Уже тепло!

— Майор, а с чего ты взял, что этот... пришлый — Варяг? Может, он просто родственник того священника...

— Да нет, товарищ подполковник. Проверяли. Нет у священника никакой родни. Кроме племянницы. Она, кстати, тоже на хуторе сейчас живет. Она вообще-то там, говорят, почти по полгода проживает. Сама — питерская...

— Питерская? — задумчиво переспросил подполковник. А что, почему нет? У Варяга в Питере, пожалуй, лежбище имеется. С чего это вдруг питерская баба поедет в глушь таежную — аккурат в тот момент, когда на хуторе у ее деда появляется порванный рысью гость? Все это выстраивается в интересную шараду...

Беспалый принял решение срочно вылететь к себе в Северный Городок. Ему, правда, еще предстояло написать отчет о командировке в Питер. Но, впрочем, как и командировка, устроенная ему Колей, была липовой, так и отчет можно состряпать липовый — ведь он же никакого дополнительного расследования не проводил. Не считая любопытной встречи со Шрамом...

Вечером он созвонился с Калистратовым, коротко рассказал о поездке в Питер и на следующее утро передал ему официальный рапорт о командировке. У генерала, который был в курсе того, что питерскую командировку Беспалому состряпал Коля, явно вертелись на языке разные вопросы. Но он все-таки смолчал. С Беспалым был весьма сух и холоден и, даже не взглянув на рапорт, сунул его в стол.

В самолете Беспалый напряженно размышлял о возможном бегстве Варяга, прикидывая все возможные варианты развития событий. Итак, в его отсутствие Кротов нашел в лесу подземный ход, который вел прямехонько на внутреннюю территорию зоны. В лазе обнаружили и полуразложившийся труп пропавшего младшего сержанта Шлемина. И все встало на свои места. Известие о подземном ходе разъярило Беспалого. И ведь как, сволочи, все втихаря сделали — землю вынимали и ведрами носили в подпол клуба, а там аккуратно рассыпали... Он понял, что, как ни старался наладить бесперебойную сеть лагерных осведомителей, все равно система дала сбой в самый ответственный момент. И не важно, чья это была вина — покойного ли Щеголя, или лично его, Беспалого. Одно ясно, что Мулла обдурил начальника колонии, обвел вокруг пальца, причем не единожды. Беспалый до сих пор не мог простить себе той оплошности, когда легко принял на веру слова старика татарина о смерти Варяга.

Наличие подземного лаза утвердило его в догадке, что Варяг каким-то неимоверным образом уцелел, совершил побег, а потом удрал на север, отмечая путь своего бегства кровавыми следами. В душе Беспалого бурлила неумная ярость. Теперь для него было делом принципа достать Варяга. И он теперь вынашивал план его захвата.

Известие о далеком хуторе какого-то Потапа — Платона его обрадовало. По крайней мере, это была зацепка. Лесные бродяги, которых он встретил в кабинете у Лукашенко, ни хрена не смогли рассказать. Зато, по словам Кротова, незнакомец напоролся на них как раз недалеко от хутора Потапа. Теплее! Уже теплее!

Как старая охотничья собака, перебывавшая во многих переделках, Беспалый остро почуял близость желанной добычи. Почуял свежепролитую кровь раненого зверя.

Едва прибыв в колонию, он вызвал майора Кротова на доклад. Никаких новостей тот ему не приготовил, и Беспалый огорошил своего верного заместителя:

— Завтра с утреца выходим на хутор. Вызывай вертолет и спецгруппу захвата.

— Кого ж вы хотите там захватить, Александр Тимофеевич? — изумился Кротов. — За тем хутором тамошние ребята по нашей просьбе ведут наблюдение. По последним данным, кроме старика да его племянницы там никого нет.

— Да что ты! — воскликнул Беспалый с азартом. — А если он все-таки там — тогда что?

Кротов смутился.

— Тогда не знаю. Но похоже, нет там никого.

— Что, блин, опять просрали! — последнее замечание Беспалого явно адресовалось и к себе самому. Но он не хотел верить, что Варяг и на этот раз оставил его с носом. — Нет, братец, не верю! Если его и впрямь рысь порвала, так что он чуть живой был, то куда это он мог деться в такой глухомани? Только разве что его на ковре-самолете друганы спасли... Поэтому, друг мой, советую почистить табельный ПМ — завтра может быть стрельба на хуторе у деда Потапа.

Наутро прибыл вертолет Ми-8 и три спецназовца. Беспалый взял с собой Кротова и пятерых самых надежных охранников из старослужащих. Пока летели на место, Беспалый молча взирал на зеленое таежное море внизу.

Посадку совершили на небольшой вертолетной площадке в глухой чащобе. Перед воротами на площадку уже ждал заранее вызванный ГАЗик. Чуть поодаль стоял древний «уазик»-козел.

— Это еще что за драндулет? — коротко спросил Беспалый у встречавшего их майора. — Никак мне лично — штабной?

Майор ухмыльнулся.

— Нет, товарищ подполковник. Это наш местный. Почту возит, гоняет по мелким поручениям в город.

Беспалый кивнул. Его кольнула какая-то смутная мысль по поводу этого «уазика», но голова у него сейчас была забита совсем другими заботами. Он легко запрыгнул в кабину ГАЗика, поздоровался с сержантом-водителем и молча впился взглядом в лесную дорогу. Сзади сели двое охранников, которых Беспалый взял с собой из колонии. «Уазик», где разместились майор и спецназовцы, рванул следом.

Через минут сорок ГАЗик остановился на просеке.

— Прибыли, — хмуро бросил водитель Беспалому.

Тот соскочил на землю, расправил китель и расчехлил полевой бинокль. Потом осмотрел омоновцев и своих бойцов.

— Так, ребята, хочу вас предупредить, что мы идем брать очень опасного преступника. Он вооружен. Возможно, автоматом. Будьте начеку. Кто зазевается — потом не жалуйтесь.

Беспалый блефовал: он знал, что лесной гость действительно пугал свердловских туристов «калашниковым». Но автомат оказался не заряжен, он его бросил, и приведенные туда Кротовым оба туриста сразу нашли автомат в кустах у охотничьего домика. Это, как и предполагалось, оказался пропавший автомат Шлемина. Но Александр Тимофеевич напряг омоновцев неспроста: в случае, если в доме засел тот, кого он рассчитывал там найти, то встреча обещала быть горячей... Но ежели там действительно никого не найдут, то ему предстояло допросить старика и женщину, чтобы получить от них все ответы на интересующие его вопросы.

Но вопрос фактически был один: кого они приютили у себя пару недель назад.

Во главе с Беспалым группа захвата двинулась по тропке. Когда за деревьями замаячил старый бревенчатый дом, Беспалый знаком приказал омоновцам рассыпаться редкой цепью и окружить хутор. Он вытащил из футляра бинокль и навел его на дом. Подполковник наблюдал минут пять, ничего подозрительного не заметил и махнул рукой: вперед!

Бойцы медленно сжимали кольцо вокруг дома. Скорее по привычке, чем из предосторожности Беспалый шепотом передал по цепи приказ приготовиться к бою. Тотчас сухо зачикали предохранители. «Хорошо, — подумал Беспалый, — не хрена вам, ребятки, расслабляться».

Омоновцы выскочили на полянку перед домом, держа свои хищные АКСУ на изготовке. Беспалый крикнул:

— Эй, есть кто?

В доме послышались шаги. На порог вышел старик в стираной-перестираной рубахе и черных штанах. На шее у старика болтался массивный медный крест.

— Здравствуйте, отец Потап! — бодро поприветствовал хозяина майор. Видно было, что он немного робел, ему было неловко оказаться в такой грозной компании. Потапа он, как и многие местные жители, знал с младенчества и понять не мог, за какие такие грехи на него наехал с омоновцами начальник далекой колонии. Но приказ есть приказ — его не обсуждать надо, а исполнять. Беспалый метнул на добряка майора свирепый взгляд: чего, мол, дружкуешься со стариком?

— У вас в доме находится человек! — обратился Беспалый к Потапу без приветствий и предисловий. — Мы его ищем.

Потап спокойно взглянул на свирепого подполковника.

— Был человек, верно. Но уж, почитай, неделю как попрощался.

Беспалый на мгновение задумался. Вряд ли старик врет. Но если гостя нет, тогда зря он суетился и эту операцию готовил.

— И куда же он делся, хотелось бы знать?

370

— Да кто его знает! — Старик не спускал глаз с подполковника. — Ушел. На восток куда-то.

— А кто он, откуда? Как сюда попал?

Старик отвечал без раздумий, точно по заученному — или по правде.

— Да он тут где-то на реке охотился. А его порвала рысь. Вот он ко мне и подался. Видать, знал, что в лесу обитает такой старичок — добрая душа. Ты ведь и сам знаешь, Витюша, — обратился старик к майору. — Как мать-то, Елена Егоровна, выздоровела?

— Выздоровела, отец Потап, спасибо, — совсем растаял майор.

Беспалый повернулся к нему и тихо сказал:

— Бери этих молодцов, майор, и иди в дом — погляди там да про чердак и погреб не забудь.

Он проследил, как омоновцы с майором резво вбежали в сени и исчезли в полумраке.

Старик забеспокоился.

— Там племянница моя, Елена... Она...

— Да ничего они с твоей Еленой не сделают, старик! — окрысился Беспалый. — А с ней я вот хочу потолковать. Зови давай свою Елену!

Но она и сама уже показалась в дверях, испуганная вторжением в дом солдат с автоматами. Беспалый окинул оценивающим взглядом молодую женщину. Красивая, в теле. Только вот смотрит настороженно и злобно. Ишь ты, шалава, ну, ничего, ты у меня запоешь!

— Я разыскиваю одного опасного преступника. Он две недели назад совершил дерзкий побег из колонии строгого режима. По некоторым данным, он мог оказаться в ваших краях... А у вас, я знаю, гостевал некий человек. Кто он?

На этот раз свой вопрос он задал женщине.

— Я обязана вам отвечать? — дерзко отозвалась она. Беспалый побагровел: он не привык, чтобы с ним так разговаривали.

— Обязана, обязана!

— Может быть, у вас и ордер на обыск имеется? — продолжала дерзить Елена.

Ах, ты еще и грамотная! Ну ладно, не хочешь по-хорошему, я с тобой поговорю по-плохому. Беспалый не удостоил ее ответом и стал ждать возвращения омоновцев.

Минут через пятнадцать из дома вышел майор и, стараясь не глядеть на старика и его племянницу, отбарабанил:

— Все осмотрели — ничего не нашли!

Беспалый повернулся к Елене и, насмешливо коверкая слова на деревенский лад, произнес:

— Слыхали, барышня, — это не обыск, а осмотр! А ежели вас документик на обыск интересует, то не сумлевайтесь — будет и документик. — Он обратился к омоновцам. — Так, ребята, ладно, отбой. Видать, опоздали маленько. Вы отправляйтесь обратно к вертолету, а я с моими молодцами пока тут еще побуду, поговорю с хозяевами. Гринько, Панаев — остаетесь здесь. Да, майор, — вдруг вспомнил он, — а нас пусть отвезет тот «уазик»... Мы быстро — через полчасика освободимся.

Проводив глазами омоновцев, Беспалый развернулся к Потапу и его племяннице.

— Ну вот, любезные мои, а теперь поговорим как следует, без энтих экивоков. Гринько, Панаев! Живо в дом — все там переверните вверх дном. Что искать — представляете себе?

— Так точно! — рявкнул за двоих верзила Панаев. — Помет звериный!

Панаев и Гринько были сверхсрочниками — тупыми, исполнительными вертухаями, которые беспрекословно выполняли приказы.

— Молодец! — ухмыльнулся Беспалый. Его школа! Он когда своих охранников учил вести шмон на зоне, любил повторять, что они ищут «помет звериный».

372

Спрятанные в тайниках заточки, наркота, «малявы» с воли — все это на языке подполковника Беспалого называлось «пометом звериным».

Ребята бросились в дом, а Беспалый подошел к старику и зажал его густую бороду в кулак.

— Вот что, дед, я вижу, ты с майором семьями дружишь. Может, ты ему еще и жопу подтирал в младенчестве, ну а мне с тобой вспоминать нечего. Так что я без церемоний... Говори, старый пень, кто у тебя гостевал?

И тут Елена бросилась к Беспалому и попыталась разжать ему пальцы. Тот, не повернув головы, левой рукой наотмашь врезал ей по щеке. Она так и отлетела в сторону. Глаза отца Потапа сверкнули.

— Не надо было, подполковник, так с ней. Меня бы пытал. Она-то тут ни при чем.

— Ах, вот как заговорил. Значит, соврал ты мне, дед! Божьего суда-то не боишься?

— Я не боюсь, — тихо произнес Потап. — Я уже свое отгрешил и за все покаялся. Моего покаяния на многих бы хватило.

— Так кого ты укрывал в своем доме, богомолец хренов?! — заорал Беспалый, теряя терпение.

Из глубины дома донесся радостный голос Гринько:

— Есть, товарищ подполковник! Есть!

ГЛАВА 38

Сержант Гринько высунулся из окошка и продемон-
стрировал Беспалому сапог. Подполковник сразу узнал
эту обувку: в таких кованых сапогах на толстой кожаной
подметке топтали зону его подопечные. Сомнений быть
не могло: этими сапогами его снабжал закрытый коже-
венный комбинат Министерства обороны, который уже
года три не получал госзаказ и тачал левые партии — в
том числе и беспаловские... К тому же каждая пара имела свой серийный номер.

— Проверь, Гринько, номерок — там, под стелькой!

После некоторого усилия сержанту удалось отодрать
накрепко приклеенную стельку.

— ПБ-5645-96!

— Ага, девяносто шестого года партия! — довольно
произнес Беспалый. — Я как раз этим субчикам их и выдал. Все сходится!

У него бешено заколотилось сердце. Горячо! Уже горячо! Он чуял свежую кровь раненого зверя! Отшвыр-
нув от себя Елену, Беспалый бросился к старику.

— Ну что теперь, старый хрен, будешь говорить? Здесь
был Варяг? Он у тебя, значит, залег — и ты его вылечил,
подлюка? Говори! — Беспалый вырвал из кобуры свой
старенький ТТ и сбросил предохранитель. — Я не шучу,
дед! Считаю до трех — если не скажешь, кто у тебя гостевал в доме — я... ее пристрелю. Прямо у тебя на глазах!

В глубоко запавших старческих глазах появились слезы.

— Боже ты мой, что же делать? — прошептал он. — Ну, хоть меня пристрели — ее не тронь.

— Уж нет, сука! — Беспалый понял, что нащупал слабую струну. — Тебя оставлю жить. А ее прямо на твоих глазах... прямо на твоих глазах... Скажу вон этим бугаям — они ребята горячие, у них увольнительных уже три месяца не было, по бабам изголодались. Я им кивну, и они твоей Елене юбку задерут до пупа и тут же на этом крылечке по очереди. А ты будешь на это смотреть, понял? Ты этого хочешь, дед?

По Потаповым щекам текли слезы.

— Грех беру на душу тяжкий. Грех тяжкий. Прости ты меня, Егор Сергеевич, малодушного, прости, родимый! — Он перевел дыхание. — Ладно, твоя взяла. Скажу. Да, был человек. Из колонии он бежал. Пожил, пожил и ушел. Куда — не знаю, вот тебе крест, не знаю!!!

Беспалый дрожал от возбуждения.

— Ни даже словом не обмолвился? В какую хоть сторону подался — на юг, на запад, на...

— На восток ушел, — прохрипел старик, присев на крыльцо. — На восток, в Сибирь подался.

Беспалый рассмеялся недобрым смехом.

— Ты мне мозги не крути, дед! Ни в какую Сибирь он податься не мог. Отсюда до Урала и после — сплошные ГУИНовские зоны да пограничные запретки. На каждом шагу — то база ВВС, то погранзаставы. Он же не мудак — на патрули переть!

— Ну, ей-богу, не знаю, полковник, вот тебе крест.

Беспалый глянул в окно, из которого все еще торчала голова Гринько.

— Дальше, ребята, там ищите. Еще что-то должно быть! Расковыряйте все — стены, пол!

Вдруг из леса на полянке перед домом показался мужичок в старенькой офицерской рубашке цвета хаки.

Став свидетелем непонятной сцены, он не знал, что делать: то ли броситься назад, то ли вмешаться.

— Ты кто? — пролаял Беспалый, наставляя на него свой ТТ.

— Я... это... за вами. Меня майор прислал... — пролепетал мужичок. — Я на «уазике» за вами приехал с вертолетной площадки...

— А! — обрадовался Беспалый и тут вспомнил, что хотел выяснить. — Вот что — иди к своему «уазику» и жди нас. Мы мигом!

С криком: «Панаев! Выйди, пригляди за хозяевами!» — Беспалый ринулся в дом, бегло оглядел переднюю горенку, понимая, что тут на виду он вряд ли что обнаружит, вбежал в спальню и там уж сам, точно вшивый сержантишка-срочник, стал ворошить девичью постель, щупая подушку, пододеяльник, потом сдернул простыню и вдруг увидел на матрасе несколько желтоватых клякс с четко очерченными краями — аккурат в середине, под жопой. «Она с ним еще и е...лась!» — злобно подумал Беспалый, полез под матрас, пошарил там, потом повернулся к полкам с книгами и принялся шуровать там...

За спиной послышались шаркающие шаги.

— Ну что ты лазаешь? — печально спросил отец Потап. — Ничего же нету!

Тут Беспалый не выдержал и, достав из кобуры ТТ, дважды выстрелил в деда. Два кровавых фонтанчика плеснули из груди старика, и на его серой рубахе тотчас расползлось темное пятно. Отец Потап осел на пол. Беспалый наклонился над ним. Старик был мертв.

На выстрел прибежали Гринько и Панаев. За ними — Елена. Женщина страшно закричала и упала на колени рядом с трупом. Не обращая на нее внимания, Беспалый прорычал:

— Ребята, обыскать тут все!

— Мы уже, — пробурчал Панаев, косясь на убитого.

— Еще раз! — гаркнул Беспалый. — Пока не найдем, отсюда не уйдем! В книгах смотреть! — Он схватил Елену за руку и, с силой дернув вверх, поднял ее на ноги. — А теперь ты, стерва, будешь говорить. Дед мне не все рассказал. Видно, память на старости лет затуманилась. У тебя-то, надо думать, с памятью полный порядок?

Тем временем сержант Панаев брал с полок книги одну за другой и перелистывал каждую страницу. И вдруг из томика Пушкина выпала открытка. Панаев нагнулся и поднял ее с пола: на цветной фотографии был изображен памятник Петру Первому в Петербурге. Сержант перевернул открытку — и ахнул.

— Что там? — заинтересовался Беспалый.

Панаев махнул открыткой.

— Вот, товарищ подполковник, у нее в книгах нашел! Елена с отчаянным криком бросилась было на здоровенного сержанта, но тот высоко поднял кулак с зажатой открыткой, так что женщина не смогла до нее дотянуться. Беспалый отбросил ее назад. Она споткнулась и с грохотом повалилась на дощатый пол.

— Открытка?

— Записка, товарищ подполковник!

— Читай!

Панаев кашлянул и громко продекламировал, точно читал со сцены:

— «Леночка! Помни обо мне, как я буду о тебе помнить — всегда. Спасибо за удивительные две недели, самые светлые в моей непутевой жизни. До встречи в Питере. Твой Вл.»... И еще тут телефончик, товарищ подполковник.

— Да что ты? — Беспалый прыгнул вперед и, выхватив у сержанта открытку, жадно перечитал текст. — «Вл.» — это кто еще такой — Вл.? — рявкнул он, впившись Елене в плечи. — Так он, значит, в Питер укатил? Леночка! Ленусек! Падла!

Беспалый только на мгновение пожалел, что угрохал деда на глазах у своих вертухаев — это лишнее, надо было сдержаться. Но уже поздно сожалеть. А вот наперед поберечься надо. Он сознавал, что разговор с Еленой выйдет крутой.

— Вот что, ребята, я тут с барышней побеседую, а вы топайте на просеку да там меня подождите!

Когда сержанты вышли, Беспалый осмелел. Он молча взял Елену за руки повыше локтей и прошипел ей в глаза:

— Видишь, блядища, твой дед отдал Богу душу — и ты, если дурить вздумаешь, вслед за ним отправишься. Так что советую отвечать на мои вопросы. Первый вопрос: чей это телефон? И второй вопрос: этот Вл. — это ведь Владислав Игнатов? Это он тебе написал? За то, что ты тут с ним трахалась на этой койке, — так?

Елена закрыла глаза. Ее глаза исказила гримаса боли, страха и омерзения. Она сжала губы и вдруг плюнула Беспалому прямо в глаза.

— Ах ты тварь! — заревел подполковник. Он с размаху ударил Елену кулаком в рот и рассек ей губы до крови. Вид крови, казалось, только распалил его, точно дикого зверя. Он швырнул женщину на распотрошенную кровать и несколько раз ребром ладони ударил ее по лицу, стараясь попасть в нос и по глазам.

Ее тело сотрясали беззвучные рыдания. «Какая же сволочь! Сволочь! Негодяй!» — стонала она. Беспалый перевернул ее обмякшее тело на живот и рванул на ней платье. Ткань треснула, показались белые трусики, обтягивающие плотные полушария ягодиц. Беспалый точно взбесился: тяжело дышал, с губ капала слюна. Он стал лихорадочно расстегивать пуговицы кителя. Скинув китель на пол, он расстегнул ширинку и стащил брюки, потом трусы. «С Варягом е...лась, блядь, ну а теперь я тебя вые...у!» — шептал он ей на ухо. Он приподнял ее зад и врезался в нее своим коротким толстым членом. Женщина истошно закричала, но он зажал ей рот растопыренной ладонью. Елена стала извиваться, пытаясь вытолкнуть его из себя. «Куда, сука, рыпаешься? Не рыпайся. Все равно я тебя вые...у!»

Через пару минут все было кончено. Беспалый испытал острое удовольствие, но потом ему вдруг стало противно. Он обтерся куском ее платья, быстро оделся и, сунув открытку во внутренний карман кителя, направил ТТ на затылок женщины и дважды выстрелил. Тело дернулось и замерло.

Беспалый спустился в погреб и после недолгих поисков нашел то, что искал. Он поднялся по шаткой лесенке и поставил на пол канистру с керосином. Потом тщательно разлил вонючую жидкость по всем комнатам, основательно окропив трупы. Выйдя на крыльцо, достал из кармана брюк спички, зажег одну и швырнул в сени. Там сразу же взметнулись языки пламени, и через мгновение весь дом запылал как факел.

Беспалый почти бегом вернулся на лесную дорогу и увидел залепленный грязью «уазик». Он сел вперед и коротко спросил у водителя:

— Так ты, значит, почту возишь?

— Ну так, — ни жив ни мертв ответил мужичок.

— Ты, братец, отсюда, с хутора, случаем, никого давеча не вывозил? — спросил Беспалый миролюбиво.

Мужичок испуганно глядел то на Беспалого, то на молчаливых солдат.

— Ты оглох, братец? — прикрикнул Беспалый.

— Это... да возил.

— Куда?

— Ну, на «вертушку»... На вертолетную станцию.

— Так. Парень лет тридцати пяти? Высокий, широкие плечи, волосы русые?

Мужичок закашлялся.

— Вроде тот.

— На груди наколка — два ангела с крестом?

Мужичок усмехнулся.

— Так он же не заголялся!

— Ладно, братец, а что он говорил — кто таков?

Водитель хмыкнул.

— Да сказал, что охотился в здешних лесах. Рысь его порвала. А он у Потапа отлеживался.

Беспалый кивнул.

— И как же он в такую глухомань забрался?

— Да он в отпуску был, — продолжал, осмелев, мужичок. — Сказал, что подполковник внутренних войск.

— Он — подполковник? — переспросил недоуменно Беспалый. — И ты поверил?

— Ну да, а что? За ним-то военный вертолет прилетал!

— За ним? — не понял Беспалый. — И кто же?

— Какой-то генерал. На базу полетели. В Верхний-13.

Ну дела... То, что Варяг совершил побег и отсиделся у деда Потапа, Беспалый еще мог уразуметь. Ясно, что Потап был связан с зеками каким-то образом и наверняка лагерный «телеграф» передал ему весточку загодя о приходе гостя. Но вот то, что за беглым зеком кто-то прислал военный вертолет, да еще и с генералом, да еще и переправили на военно-воздушную базу — это для Беспалого было загадкой. Не иначе как наверху кто-то за Варяга сильно переживает. Просто так дела не делаются: бродил-бродил по лесу и — шасть в военный вертолет!

Ну ничего, он все выяснит, все разузнает. Рано или поздно. В кармане у него лежала драгоценная улика. Открытка, где рукой Варяга был записан телефон в Петербурге...

Беспалый подготовил отчет о поисковой операции на хуторе деда Потапа, опустив все нелицеприятные детали. По его отчету выходило, что в доме Платона Токарева ничего не обнаружено. Накануне он созвонился с тамошним начальником райотдела внутренних дел, своим старинным приятелем Борей Шлыковым, и по-свойски попросил его «навести порядок» в сгоревшем доме. Боря понял его с полуслова — они не раз «наводили порядок» друг за другом, заметая следы своей топорной работы со свидетелями или подозреваемыми, чтобы нагрянувшая комиссия из центра не могла узнать лишнего. Например, что в ходе допроса некий свидетель почему-то умер от побоев... Боря Шлыков наводил порядок после визитов Беспалого на его территорию, точно так же, как Беспалый «прибирал мусор» после неаккуратных рейдов Шлыкова в Северный Городок.

Потом он написал рапорт в краевое управление с просьбой предоставить ему очередной отпуск. Ответ пришел быстро — отпуск ему дали. Он понял, почему генерал Брюханов оказался на этот раз таким сговорчивым: отпуск вообще ему давали крайне неохотно — тем более в летнюю пору. Но Брюханов, разумеется, прекрасно знал о недавнем вызове Беспалого в Москву, видно, до него дошли и слухи о его докладе на коллегии МВД и о московских встречах с высокими чинами. Не мог не знать старый лис и о внезапной поездке Беспалого в северную столицу... Словом, отпуск начальнику колонии дали безоговорочно.

Его путь вновь лежал в Петербург. Он ехал туда с четкой целью. И едва самолет приземлился в Пулково, как подполковник сразу из аэропорта позвонил недавнему знакомому.

* * *

Звонок опять возникшего в Питере подполковника Беспалого не удивил Шрама. Удивило его предложение. Он привык к тому, что все инициативы, исходящие из ведомства, по которому служил подполковник, не бывают самодеятельностью, а всегда обсуждаются и согласовываются коллегиально в важных кабинетах. И все контакты с такими большими людьми, как Шрам, решаются на очень высоком уровне. Подполковник Беспалый, хотя и водил знакомство с московским эфэсбэшником Колей, явно не имел отношения к высокому уровню. И, судя по всему, он действовал сам по себе. Тем удивительнее было его предложение.

Беспалый предложил Шраму объединить усилия — именно так он и выразился! — по поимке незваного гостя.

— Я не совсем понимаю, — произнес лукавый Шрам. Ему просто хотелось, чтобы Беспалый прямо выложил все. Но подполковник не хотел говорить по телефону.

— Ну тогда, может быть, встретимся в спокойной обстановке. Например, у... книголюбов? — Шрам посмотрел на свой «Ролекс» с бриллиантовой окантовкой. — Сегодня в семь вечера.

— До встречи! — Беспалый повесил трубку.

Ему вдруг нестерпимо захотелось выпить. Что было странно: Александр Тимофеевич пил редко и только в минуты крайнего нервного напряжения.

ГЛАВА 39

— Финской — литранец! И чтоб бутылек был с испариной, из морозильничка. Колбаски сырокопченой в нарезочку всем, да не бельгийскую хренотень, а нашу, питерскую, свиную! Ну там помидорчики, огурчики, зелени. И на горячее что-нибудь сообрази. Говядину не неси, а то мы еще взбесимся: мясцо у твоего повара, верно, английское, контрабандное? — пассажир с длинным шрамом через все лицо криво усмехнулся. — Свиные отбивные давай — тоже всем. И чай. Все.

Официант из вагона-ресторана кивал и быстро черкал ручкой в книжечке, едва поспевая записывать. Зловещая внешность и барственные манеры пассажира, как и угрюмое молчание трех его спутников, красноречиво предупреждали, что в полемику с этими ребятами лучше не вступать...

Шрам выехал в Москву, чтобы лично прощупать настроения московских после гибели Варяга и поговорить на предмет будущего схода. И даже себе он не смел признаться, что фактически совершил побег из своей вотчины, решив пересидеть подальше от Питера, пока уляжется буча, поднятая недавними убийствами.

Московских воров питерский пахан недолюбливал и в глубине души побаивался. Москва напоминала ему взбудораженный улей: куда подевался былой порядок и чинное почитание иерархии воровской власти! Враждующие группировки, точно злобные пчелиные рои, норовили столкнуться друг с другом в смертельной схватке за свою полянку, где росли душистые медовые цветы. Хуже всего то, что к извечным внутренним соперникам — тушинским, таганским, подольским, солнцевским, химкинским — в последние годы прибавились внешние — азербайджанцы и армяне, да азиаты-чужаки — китайцы и вьетнамцы, быстро набиравшие силу. Конечно, последних русские воры не признавали, на сходы, понятное дело, никто их не приглашал, но беда заключалась в том, что, придя в московский воровской мир, хитрые и злобные чужаки с раскосыми глазами и непроницаемыми лицами вносили смуту в некогда стройные ряды коренных столичных бригад.

Азиатские паханы, коварно играя на алчности и нетерпеливости желторотых «законных», купивших себе короны на сибирских зонах, сулили им немалые барыши за сотрудничество и охрану. И случилось невиданное в истории российского криминального бытия — русские бригады стали устраивать кровавые разборки со своими же соплеменниками ради вонючих китайских и вьетнамских долларов.

Но после исчезновения Варяга, Ангела и других авторитетных воров в законе, безвестно сгинувших в страшной пучине новогоднего ментовского шмона, не было в Москве никого, кто мог бы восстановить былой строгий порядок.

Шрам ехал в Москву с двумя целями. Во-первых, он хотел повстречаться с лидерами всех крупных столичных группировок и постараться выведать у них, где находится касса, куда стекаются бабки из региональных общаков. Ведь Варяг, подсев в Питере, должен был кого-то надежного оставить на кассе. И наверняка — в Москве. Во-вторых — и это было самое сложное и опасное, — он намеревался устроить встречи с лидерами азиатских бригад, чтобы уговорить их не мутить русскую братву и взамен пообещать им право на бизнес в Питере, а может, и на всей Европейской части России. Толку от успеха этой операции не было никакого, если не считать такой мелочи, что, разведя российских воров и азиатских бандитов, Шрам тем самым мог заработать себе колоссальный авторитет в преддверии сходняка.

Но была у Шрама и третья потаенная цель — он решил на время скрыться из Питера. После загадочных убийств в Колпино, а особенно после убийства Митяя на даче, он перетряхнул всю свою охрану, убрал молодежь за город, приблизив к себе старых верных псов вроде Батона. Ему он доверял безоговорочно. Теперь, когда его война с придановской бандой закончилась, Шрам целиком сосредоточился на поисках таинственного «Робин Гуда», как он его окрестил, который методично отстреливал его людей. Конечно же Шрам был не дурак и прекрасно понимал, кто основная мишень...

С собой в Москву Шрам взял трех самых верных своих телохранителей.

Невозмутимый Батон, которого он временно поставил охранять дачу, уже два года был при нем неотлучно и сопровождал на самых ответственных сходках. Трижды он спасал своему хозяину жизнь, в последний момент отводя предательскую руку с «пером» или стволом.

Вторым был жилистый одноглазый Лиха, который, несмотря на увечье (глаз ему выбили в страшной драке три года назад под Нарвой, когда питерские учинили решающую разборку с новгородскими), имел увесистые кулаки и точно палил из своего «ТТ» из всех положений.

Третьим ехал двухметровый Шкив — бывший десантник Тульской дивизии, побывавший и в Приднестровье, и в Карабахе, и в Чечне, но заслуживший за годы безупречной службы лишь жалкую комнатушку в общаге да сладкие обещания военкома устроить его на хорошо оплачиваемую работу...

Они заняли четырехместное купе в пятом вагоне фирменного поезда «Северная Пальмира» и, попивая водочку, неспешно базарили ни о чем. Батон держал под рукой пухлый саквояж с «зеленью». Шрам прихватил с собой пятьдесят штук — на командировочные и еще четыреста штук — на представительские расходы. Пятьдесят тысяч баксов он решил просадить в московских кабаках и на блядей, а четыреста — отдать на прокорм жадным китайцам и вьетнамцам — если, конечно, удастся с ними сговориться.

В первом вагоне того же поезда в купе СВ ехал прилично одетый крепкого телосложения мужчина в темных очках, с усиками и в соломенной шляпе. В двухместном купе он ехал один, потому что предусмотрительно купил в кассе два билета. Поздоровавшись с проводником, он грустно заметил, что его дама, которую он ждал, так и не поспела к поезду и ехать теперь придется в одиночестве. Молодой проводник, мазнув взглядом по прилично одетому господину, расплылся в угодливой улыбке и пожелал ему счастливого пути.

На пустующей нижней полке лежал черный пластиковый кейс. Пассажир снял очки и соломенную шляпу и бросил их рядом с кейсом. У него были редеющие светлые волосы, большая залысина и внимательный взгляд. В очках он не нуждался, потому что последние двадцать лет идеальное зрение никогда его не подводило. А отличное зрение было одним из самых главных орудий его труда. Другое не менее важное лежало в черном кейсе.

Этот прилично одетый мужчина приехал на вокзал за полчаса до отхода поезда. До этого он почти полдня провел в скверике перед гостиницей «Прибалтийская», читал свежие газеты, поглядывал на прохожих. Когда к гостиничной лестнице подкатил синий «БМВ», мужчина отложил газету и уже не отрывал глаз от автомобиля. А как только на лестнице показались четверо парней — точнее, один, со шрамом во всю щеку, шел впереди, а за ним, чуть поотстав, шагали трое здоровяков-охранников — мужчина поспешно встал со скамейки и быстро направился к платной стоянке, с которой через пару минут он выехал на свежеокрашенном в желтый цыплячий цвет «Жигульке»-пятерке.

Четырехколесный цыпленок резво помчался за «БМВ», и очень скоро забавный сине-желтый кортеж притормозил у Московского вокзала...

Утром на московский перрон вылилась шумливая гомонящая толпа приехавших «Северной Пальмирой» питерцев. Ленивый милиционер-патрульный привычно следил за людским потоком, текущим на привокзальную площадь. Из толпы пассажиров он сразу выудил четверку наглых парней, которые, тихо переговариваясь, уверенно пошли к остановке такси.

Все четверо были облачены в импортные костюмы, на ногах дорогие кожаные полуботинки. Они были без багажа, только один из них, плечистый и крепкий, похожий на шкаф или, скорее, на батон формового хлеба, нес в одной руке одежный портплед, а в другой — тяжелый саквояж.

Патрульный сразу их вычислил: питерская братва прибыла на побывку в столицу. Эти были хозяева жизни. Они имели и делали все, что хотели. Им было море по колено — безбрежное «зеленое» море, что плескалось у их ног... Патрульный завистливо вздохнул и перевел взгляд на плотного господина в очках, с низко надвинутой на лоб соломенной шляпе. В руках черный чемоданчик. Видать, ученый, профессор, стал гадать патрульный. Доцент ленинградского университета. Четыреста рэ в месяц. На такие не разгуляешься...

И в следующую секунду он уже изучал загорелые стройные ноги брюнетки в коротком белом платье, которая торопливо цокала каблучками, вертя круглой тугой попкой.

А прибывшую четверку питерских гостей встречали долгопрудненские, с которыми у Шрама издавна сложились добрые отношения. Подвалили Гриня и Прыщ, только-только отмотавшие по «трешке» за хулиганство (долгопрудненский судья получил хорошую подмазку, а не то париться бы мазурикам по полной «десятке»), а в двух черных «джипах-шевроле» дожидались Бегемот Курский и Ванька-Борщ, с которыми Шрам еще пять лет назад ставил на счетчик челноков с вещевых рынков Подмосковья.

Загрузившись по «джипам», они рванули в ЦМТ — там долгопрудненские забронировали питерским корешам люкс в «Международной».

По пути Шрам коротко поведал Бегемоту и Ваньке о своих последних напастях, хвастанул своей победой над Придановым и его шоблой. Но на долгопрудненских этот рассказ не произвел впечатления: в Москве о Придане слыхом не слыхивали, так что эта победа была сугубо локальной и славы Шраму не прибавляла. Шрам это тут же смекнул, злобно прикусив язык, сменил тему и пустился выспрашивать о китайских и вьетнамских бригадах.

Бегемот знал общую ситуацию в Москве, а всего лучше разбирался в делах Северного округа. Тут, по его словам, китайцы вели невидимую войну с азербайджанцами за контроль над продовольственными рынками. Китайцы оказались на удивление настырными и проворными. Все началось лет семь назад с невинных челночных рейсов в Москву из Владивостока с пуховыми грузами. На «пуховиках» китайцы себе капитала не сколотили, зато обзавелись прочными связями: забили себе хазы, внедрили своих людей в торговые точки и на рынки, покорешились с ментами и таможней. А когда года три назад в Москве, как грибы после дождя, стали возникать китайские рестораны, китайские прачечные да китайские палатки на оптовых рынках, мало кто это заметил, мало кто обратил внимание.

Кроме азербайджанцев, конечно, которые уже контролировали практически всю московскую овощную торговлю — не только «колхозную», перекупая на дальних подъездах к столице и овощные и фруктовые обозы у липецких, смоленских, рязанских, тульских и волоколамских крестьян, но даже и государственную — через сеть магазинов «Овощи-фрукты». Мало-помалу азербайджанцы, пришедшие в Москву с арбузными КАМАЗами и перетянувшие потом за собой всю свою родню, наводнили столицу, так что никакие облавы и «зачистки» нового мэра не способствовали их искоренению.

И только пришлые китайцы — «золотодраконники» — начали их медленно выдавливать с насиженных мест. Сначала они перехватили торговлю морскими и рыбными консервами, потом наложили лапу на доходные сахалинские поставки (икра и морепродукты), потом подмяли под себя овощной импорт. Трения между «черными» и «желтыми» не раз выливались в последние годы в кровавые разборки, и после крупной драки, с резней и перестрелкой, на улице маршала Берзарина, возле «Шанхая» — одного из самых дорогих китайских ресторанов, азербайджанцы и китайцы объявили друг другу кровную месть.

Все это Шрам услышал за те двадцать минут, что они неслись по московским улицам. Но в этом рассказе для него также не было ничего нового. Он мало интересовался делами Москвы, но кое-какая информация до него, конечно, доходила, тем более что Калистратов и другие большие люди, с кем он тесно общался, пил водку, парился в бане, регулярно обрисовывали ему ситуацию в стране, намекая, а то и в открытую предлагая ему заняться «наведением порядка в России».

«Не отдавать же это важное дело на откуп всякой шантрапе вроде «Национального Единства» — там же одни дебилы! У нас там одна забота — только бы их в узде удержать!» — повторял ему в последнее время Коля.

Шрам понимал, что рано или поздно, особенно когда его — даст Бог! — выберут смотрящим по России, придется жесткой рукой поставить на место и азеров, и китайчат, и дагестанцев, и чеченов... И сейчас ему важно было показать в Москве, что он хочет — и главное, может — поставить всех на место в самое ближайшее время.

Он попросил Бегемота устроить встречу с китайцами и как можно побыстрее. Шрам знал, что Бегемот водит дружбу с химкинской братвой, а те контролировали весь московский северо-запад, в том числе и те микрорайоны, где промышляли китайцы.

Разместившись в трехкомнатном люксе на десятом этаже «Международной», Шрам сразу же стал названивать по всем имевшимся у него верным телефонам.

Первым делом он связался с Жорой-Грузином и после цветистых приветствий сразу взял быка за рога — попросил найти для него связь с китайским «папой» Юй-Цуном. Жору просьба несколько удивила: он сразу напрягся, заподозрив неладное. Но Шрам уклончиво сказал, что хочет разобраться с чужими в Питере. Жора согласился помочь, но с условием, чтобы Шрам на встречу взял и его тоже. Не иначе как хотел, собака, потом, если подфартит, войти в долю...

Через час Жора перезвонил и сообщил, что встречи с Юй-Цуном пока не будет, так как пахан московских китайцев должен со дня на день прилететь из Гонконга. Шрам только выругался: хрен ли ему тут торчать и ждать у моря погоды. Но делать было нечего.

Мысленно обматерив Жору, Шрам созвонился с Тофиком Бакинским — своим старинным приятелем по первой еще отсидке. Уже тогда пятидесятилетний Тофик, который отсиживал по «экономической статье», был большой человек в азербайджанской мафии: он контролировал все поставки в Москву овощей и фруктов с южных маршрутов. После выхода и реабилитации (он и этого сумел добиться!) Тофик стал официально числиться директором «Салюта» — крупнейшего в Москве универмага, продолжая крутить штурвал всего продовольственного рынка столицы. Тофик был большой человек и внешне — похожий на гигантский арбуз с налитыми щеками и узкими щелочками глаз под арочками черных бровей, он своей внушительной статью и громовым голосом производил неизгладимое впечатление на всех, с кем ему доводилось встречаться, — от региональных рыночных «контролеров» до членов городских властных структур.

Тофик шумно обрадовался звонку Шрама и через три минуты назначил ему встречу в ресторане «Акбар» на Комсомольской площади, посулив познакомить с двумя «харошими людьми, да? умними людьми, да? каторые фсе панимают, да?»

Шрам после разговора с Тофиком повеселел. Вот деловой человек — не то что Жора, интриган хренов: тот из любой пустяковины готов сделать китайскую церемонию — и Шрам усмехнулся придуманному им удачному каламбуру.

Но подготовленная Тофиком встреча сорвалась самым непредвиденным образом. Шрам уже облачился было в свою выходную форму — коричневый двубортный пиджак от Армани и песочные брюки от Кардена — как позвонил сам Тофик Байрамович и злобным голосом сообщил, что четверых его «людэй» повязала московская ментура за нарушение паспортного режима, хотя «я сам, да? дэлал им паспорты, да? аны два мэсяц жили в Маскве — фсе било нармально, да? Апят придеца в мэрии славэчко замолвить!» — кипятился человек-арбуз. Он попросил отсрочки до следующей недели.

Шрам бросил трубку. Ему фатально не везло...

ГЛАВА 40

Сержант знал Шрама как облупленного. Он прекрасно представлял себе, куда мог бы пойти Шрам, оказавшись в Москве. В столице у Шрама отношения были почти со всеми натянутые. Не то чтобы плохие — нет, но натянутые. Возглавив питерских воров, Шрам в Москве появлялся редко, а когда наезжал, то обычно ходил в «Арагви». Он сильно уважал «Славянский базар», но с тех пор, как знаменитый купеческий ресторан сгорел, больше в Москве Шраму, обожавшему широкий, лихой разгул, податься было некуда.

Сержант был уверен, что раз Шрам в Москве, то как-нибудь вечером он непременно появится в «Арагви». И с этим расчетом Сержант, остановившись в гостинице «Центральная», решил в первый же вечер отведать шашлык под бутылку цинандали.

Он заказал себе отдельный кабинет наверху, рядом с большим банкетным залом — «кабинетом Берия», и в семь часов занял свой пост. В «Арагви» он пришел с неизменным черным кейсом, но сейчас в нем лежала не винтовка — он не мог бы воспользоваться ею в столь шумном людном месте, а небольшой пистолет с лазерно-оптическим прицелом, сделанный для него на заказ в Румынии лет пять назад. Короткий бочкообразный глушитель, намертво приваренный к стволу, почти полностью гасил звук от выстрела, и это было незаменимое оружие для незаметного устранения «клиента» с относительно близкого расстояния.

Сержант караулил Шрама уже третий вечер и начал немного волноваться — уж не упустил ли часом питерского вора, который по делам вполне мог смотаться в Москву со своими ребятами и на одну ночь. Где остановился Шрам, Сержант не узнал, да и не особенно старался узнать, хотя старые контакты в Москве у него остались и при сильном желании напасть на след Шрама он мог бы это сделать без проблем. Сержант знал, что Шрам падок на роскошь и предпочитает останавливаться в престижных, самых дорогих отелях. Но сейчас он мог урезать срок своего пребывания в Москве до минимума — и тогда выходит, что вся уже длящаяся несколько недель охота на Шрама опять закончится ничем и, соответственно, продлится в Питере еще неизвестно сколько.

* * *

Шрам три дня безвылазно сидел в гостинице в окружении телохранителей и даже девок не хотел зазывать в номер. С утра он смотрел по гостиничному кабельному ТВ какую-то скандинавскую порнуху, потом в течение пяти-шести часов принимал гостей, всевозможных московских и подмосковных пацанов, у которых к Шраму были вопросы, просьбы, предложения. А после обеда, к вечеру, он отправлялся в бассейн или в боулинг, не расставаясь при этом с сотовым телефоном.

На чертвертый день, как обычно, после позднего обеда в «Континентале», он отправился в бассейн. В бассейне Шрам облачился в синий махровый халат. Сжимая в пальцах обжигающе-холодный бокал с пенящимся пивом, уже подойдя к свободному шезлонгу у кромки воды, Шрам услышал знакомое пение своего мобильника. Выудив телефон из кармана халата, он от-

кинулся на упругую парусину и лениво бросил в трубку:

— Але!

— Саша, это Жора. Ты в дамках, брат. Можешь встретиться с папой Юй-Цуном сегодня вечером в «Золотом
драконе».

— Это в котором? — недовольно отозвался Шрам. В
Москве было по меньшей мере три «Золотых дракона» —
китайских ресторанов, где одновременно с утолением
голода местная косоглазая шушера обсуждала свой бизнес.

— В самом новом, — усмехнулся Жора, — на Паве-
лецкой.

Шрам призадумался. Идти к китайцам сразу в их ло-
гово? Нет, Шрам, будучи в гостях, больше любил сам
назначать места встречи там, где он ориентировался как
у себя дома. В Москве было два таких места, вернее, после пожара в «Славянском базаре» одно — ресторан
«Арагви», с которым у Шрама было связано множество
приятных воспоминаний его беспутной юности.

— Пускай в «Арагви» привалят — к восьми.

— Погоди, Шрам, — запнулся Жора. — Но Юй-Цун
сам назначил встречу. Так нельзя...

— А ты, Жорик, сделай так, чтобы можно! — отрезал
Шрам, поглядывая на оседающую пивную пену в своем
бокале. — Скажи, мол, у меня в «Арагви» в полседьмо-
го еще одна встреча, я не успею к нему на Павелецкую.
Скажи, я угощаю. Скажи, я ему гарантирую безопасность грузинской кухни... — Шрам расплылся в доволь-
ной улыбке.

Отключившись от Жоры, Шрам залпом выпил бокал
пива и, глянув на «Ролекс», кивнул Батону. Тот подошел
и наклонился к шефу.

— Батон, ты это поди в номер, прихвати десять штук.
Сегодня вечером, может быть, подарок надо будет пода-
рить. Уже четыре, начало пятого. В шесть рванем. В

«Арагви». Ты один поедешь. Ребята в гостинице побудут, из номера пускай по одному выходят. Тут горничные, суки, воруют почем зря. Если наш чемоданчик с баксами спи...ят, я пацанам бошки пооткручиваю.

— Так, может, с собой возьмем? — рискнул проявить инициативу обычно бессловесный Батон.

— Ага, чтобы китайцы их спи...ли! — расхохотался Шрам. — Помнишь, как говаривал группенфюрер Мюллер: верить нельзя никому. Только мне!

* * *

Сержант выпил бокал цинандали и выглянул за балконные перила вниз. Сердце екнуло от долгожданного и неожиданного зрелища: в зал вошел Шрам в сопровождении двух ребят — один из них был его телохранитель — и какого-то престарелого китайца.

Незримый наблюдатель внимательно следил за тем, куда направится группа вошедших.

...Он вспомнил, как пять лет назад сидел примерно в такой же засаде в брюссельском ресторане. Ему надо было убрать синьора Берлускони, главу одной из сицилийских «семей», который пытался влезть в бизнес с «Кремлевской» водкой и оттеснить русских производителей. Сержант получил заказ на отстрел. Он сидел в бельэтаже ресторана и выжидал удобный момент. У самого сердца во внутреннем кармане пиджака лежал румынский пистолет с глушителем и лазерно-оптическим прицелом. Берлускони сидел за большим столом в окружении трех телохранителей. Стрелять в зале было невозможно, и Сержант решил дождаться, пока Берлускони выйдет в сортир. Он сидел часа два. Наконец его клиент поднялся со стула и незаметно кивнул своим двум амбалам. Сержант спокойно спустился вниз и медленно пошел по коридору к мужскому туалету. У дверей стояли два охранника с явным намерением никого не пускать. Сержант скорчил виноватую улыбку и попытался протиснуться в дверь. Его вежливо, но твердо отстранили. Тогда он сделал вид, что у него потекло из носа, он запустил руку во внутренний карман пиджака — якобы за платком — и, выхватив «румына», произвел два бесшумных выстрела-хлопка. Амбалы, как загипнотизированные, сползли по стене на пол. Путь был свободен. Сержант открыл дверь туалета и с порога выпустил две пули в затылок синьору Берлускони. Сержант был отменным стрелком, и ему не надо было проверять состояние клиента. Он и так знал, то клиент больше не дышит. Сержант, тихо прикрыв дверь, переступил через оба трупа и рысцой припустил к служебному выходу за кухней. Через минуту он уже сидел за рулем своего неприметного «опеля», который со скоростью сто километров в час уносил его от испуганных криков и далекого воя полицейских сирен...

Теперь все было иначе. Шрам — не Берлускони, который ни сном ни духом не подозревал о слежке и о направленном в его затылок стволе. После двух неудачных для Сержанта вылазок на Шрама, закончившихся убийством трех его приближенных, питерский пахан конечно же изготовился и, как старый загнанный волк, стал особенно чуток. Он все время был собран и — настороже. К такому из-за спины не подойдешь. Надо было бить наверняка — прямо в этом зале. Времени на раздумья не оставалось.

Сержант тихо встал и, подойдя к двери кабинета, слегка ее приоткрыл. Коридор был пуст. Но это была обманчивая пустота. Сержант не исключал, что Шрам, давно облюбовавший «Арагви» для своих неформальных встреч, купил здешнюю обслугу, а то и внедрил своих людей — и кто знает, вон тот официант, торопливо несущий поднос с шампанским и осетриной, — не человек ли Шрама, готовый в любую секунду выхватить из-за пояса ПСМ...

Накануне он несколько раз обследовал обе лестницы, ведущие из этого коридора вниз на первый этаж: одна выходила в холл, а другая в коридорчик, ведущий в общий зал. Правда, в конце этого коридорчика была служебная дверь, за которой находился склад ненужного хлама. Единственным выходом из кладовки было закопченное окошко во внутренний двор. Это был путь к бегству...

Сержант вернулся на огневую позицию. Он был в черном парике и затемненных очках. Тонкие усики скрывали верхнюю губу. Его трудно было узнать.

Войдя в зал, Шрам глазами привычно обежал лица вокруг и удостоверился, что никому из присутствующих в ресторане до него нет дела. Метрдотель провел их в занавешенный портьерой кабинет в углу. Уже занеся ногу, чтобы переступить невысокий порожек, Шрам глянул вверх, и тут же его взгляд уткнулся в брюнета с усиками. Хотя глаза брюнета скрывали затемненные очки, Шрам почуял на себе его сверлящий взгляд. Странно...

Сев за столик, Шрам откинул занавеску, чтобы видеть брюнета на балконе. Что-то неуловимо знакомое проскальзывало в этом брюнете. То ли посадка головы — чуть склоненная к правому плечу. То ли плотное крепкое телосложение. То ли сильная рука, вцепившаяся в плюшевые перила. Рука! Шрам мысленно представил себе эту руку. Перстень! На мизинце бликовал матовым золотым переливом перстень.

Такой он точно у кого-то видел.

Юй-Цун что-то тихо говорил вежливым голосом, но Шрам уже его не слушал, а только кивал головой и натужно улыбался. Речь, кажется, шла о привлекательности для китайских торговцев российского Северо-Запада. Шрам покосился в сторону. У дверей в зал, в самом проходе замерли два здоровенных китайца — охрана Юй-

Цуна. Шраму нестерпимо захотелось уйти. Немедленно, сейчас же.

Он наклонился к старому китайцу и тихо сказал:

— Извините, уважаемый, но мне кажется, нам лучше отсюда уйти. Что-то мне здесь не нравится.

Обрамленные морщинами губы перестали улыбаться. В узких глазках сверкнула недобрая тигриная тревога.

— Сто такое? Опасность? Посему зе вы меня сюда позвали? Вы зе гарантировали мне безопасность!

— Я и себе хотел бы гарантировать безопасность, уважаемый Юй-Цун! — проскрежетал Шрам в бессильной злобе. — Жора! На выход. Батон! Возьми на мушку вон того, на балконе. Брюнет в темных очках.

Он поднялся и тоном, не терпящим возражений, приказал китайцу:

— Предлагаю перенести встречу. Можем продолжить в машине. Я очень извиняюсь, но что-то мне тут не нравится.

Шрам вышел — нет, выпрыгнул — из кабинета, не уступив старому китайцу дорогу. И в этот момент у него за плечом ахнул Батон, и Шрам почувствовал, как его плечо стиснула стальная ладонь телохранителя, и Батон всем своим могучим весом навалился на него, пригибая к полу.

И тут же Шрам услышал хлопок — потонувший в реве оркестра и гуле веселящегося зала, а за ним еще один хлопок, точно где-то наверху упали подряд две тяжелые книжки. Батон лежал на шефе, прикрыв его двумя центнерами мускулов. На щеку Шрама капало что-то теплое и липкое. Кровь Батона...

Два здоровенных китайца уже суетились рядом, ощупывая и осматривая своего подопечного и, убедившись, что он цел и невредим, потащили его к выходу. Шрам выполз из-под неподвижного Батона и бросился за китайцами. Жоры уже и след простыл.

Жрущие, пьющие и танцующие завсегдатаи знаменитого грузинского ресторана продолжали веселиться. Если кто и заметил суматоху у приватного кабинета в углу большого зала, то упавшего на пол здоровяка скорее всего приняли за хватившего лишку гостя, который полежит-полежит, да и оклемается — с кем не бывает...

Шрам догнал китайцев и, крикнув на ходу Юй-Цуну, что он ему позвонит завтра, побежал к ожидающему на парковке такси.

Только захлопнув дверцу, Шрам вспомнил, что в пиджаке у Батона, в потайном внутреннем кармане, остался лежать толстый конверт с десятью тысячами баксов.

ГЛАВА 41

Теперь бы только никто не позвонил, не помешал. Надо было телефон к едреной матери отключить. Ну да ладно — поехали! Он взял из пластиковой коробки новый шприц, надорвал полиэтиленовую упаковку и снял колпачок с иглы. Потом бросил в железную ложку горсточку белого порошка и поднес к пламени свечи. Белый порошок зашипел, пошел пузырьками, покоричневел и расплавился. Он положил ложку на стол и погрузил кончик иглы в коричневую горячую лужицу. Набрал полшприца и блаженно закрыл глаза в предвкушении кайфа.

Придан сидел на игле уже два года. Его посадил на дурь Дуршлаг, который помогал ему совершать лихие налеты на водил-дальнобойщиков вблизи Новгорода. Придан не считал себя наркоманом, мог неделями обходиться без героина, но наступали периоды, когда он не мог удержаться — и при любом удобном случае всаживал дозу и тонул в расслабляющем, пьянящем, гибельном восторге «путешествия в рай».

В последние дни, когда ему пришлось залечь на дно, спасаясь от бойцов Шрама, Придан снова пристрастился к зелью. Оно помогало ему переносить унылые часы вынужденного простоя. Он знал, что этот простой долго не продлится, надо только немного выждать. Ему не терпелось снова учинить очередной хипеш — вроде того дерзкого ограбления обменного пункта, которое со-

401

рвалось лишь по нелепой случайности. У него уже и новый план был готов: он собирался грабануть отделение коммерческого банка «Зодчий» на Мойке.

Придан знал, какая о нем ходит слава по Питеру — беспредельщик. А ему было наплевать. Придан жил так, как хотел, ломал банки, чистил купцов, не считаясь с тем, что они отстегивали Шраму, терроризировал иностранцев, залавливая их в притонах, у проституток на окраине, угонял от крутых кабаков шикарные тачки и по дешевке продавал их в Мурманске местным морячкам. Это был кайф...

Он впендюрил все содержимое шприца в вену и, выдернув иглу, прилег на кушетку.

И тут затрезвонил дверной звонок. Опять соседка, дура, пришла за спичками. Ну ее к лешему.

По телу поползла приятная теплая волна. Сейчас начнется...

* * *

— Сейчас и начнем! — прошептал Лось, прислушиваясь к звукам за дверью. В квартире стояла гробовая тишина. Видимо, постоялец был один. — Приготовься, Шика! Родик, пушку подними! Что ты ею машешь, как осел мудями?

Родик поморщился, но послушно навел ствол миниатюрного «узи» на дверь. Лось позвонил в звонок. Они подождали несколько минут. Лось позвонил еще раз. Никакого эффекта.

— Ломай на х...й эту е...ную дверь! — прошипел он здоровяку Шике.

Двухметровый амбал, бывший борец-классик, почти без разбега врубился могучим покатым плечом в дверь. Хлипкий деревянный косяк зашатался, посыпалась штукатурка.

— Давай еще! — скомандовал Лось, вскинув свой АКСУ с глушителем.

Шика недовольно крякнул и отошел на пять шагов. Теперь он глубоко вздохнул и, снова крякнув, рванул вперед, поднял правую ногу-столб и впечатал подошву кроссовки в дверь.

Щелкнул выбитый замок, косяк превратился в щепы, треснула дерматиновая обивка двери. Бойцы вбежали в коридорчик и ринулись по разным углам — в кухню, ванную, в комнату...

Год назад двадцатисемилетний Павел Курицын по кличке Лось, отсидев положенный срок за кражу, вышел из тюрьмы и вернулся в родной Псков. В колонии он познакомился с Михаилом Грачевым — знаменитым питерским вором в законе Грачом, который посоветовал ему покорешиться с новым смотрящим Питера Сашкой Степановым — Шрамом. Лось так и сделал. Шрам без долгих рассуждений предложил ему создать в Пскове «летучий отряд» для наведения порядка в коммерческой сфере. Лось сколотил бригаду, куда в основном вошли недавно уволенные из милиции ребята. Поначалу они специализировались в примитивном вымогательстве, но, когда выполнили два серьезных поручения Шрама — выбили долги из крупных псковских коммерсантов, питерский пахан стал доверять им вообще все карательные операции в Псковской и Новгородской областях, а иногда и в самом Питере. Бригада Лося имела идеально отлаженную организацию и материально-техническое обеспечение, о чем заботились бывшие менты. Не испытывая дефицита ни в оружии, ни в средствах спецсвязи, псковская бригада очень грамотно разрабатывала намеченную жертву, устанавливая за ней постоянное наружное наблюдение и прослушивая все телефонные разговоры. Для конспирации члены бригады, приезжая на новое место, снимали сразу несколько квартир, которые через два-три дня меняли. Сам Лось осуществлял лишь общее руководство операцией и присоединялся к своим бойцам только на последнем этапе: когда «клиента» надо было брать тепленьким или — мочить.

Псковские вели поиски Придана уже две недели. Лось не терял оптимизма и успокаивал Шрама, который, напротив, страшно нервничал и требовал «поднажать». И вот наконец им подвалила удача.

Все выяснилось только вчера вечером. Три дня назад верный человек навел их на «пятачок» у Исаакиевского собора, где тусовались наркодельцы. По словам верного человека, здесь, на этом пятачке, в прошлое воскресенье вдруг заметили Шоколада — шофера Приданова. Шоколад брал товар, причем явно не для себя: было известно, что он не употребляет.

Лось тут же отрядил двоих ребят дежурить на «пятачок», и как раз вчера они взяли там Шоколада. Придановского водилу доставили на квартиру к Лосю. Тот не стал пускаться с Шоколадом в долгие разговоры, а подошел и молча ударил его в зубы два раза. Удар у Лося был знатный — Шоколад потерял левый клык. Это был веский аргумент в их предстоящей дискуссии.

Но Шоколад оказался крепким орешком. Он молчал. Тогда Лось позвал Ерофеича — бывшего майора псковского ОМОНа, который в бригаде пользовался печальной известностью костолома. Уволенный из рядов МВД за пьянство с формулировкой о «неполном служебном соответствии», он затаил злобу на весь белый свет и, кажется, находил особое удовольствие в истязании беззащитных жертв. Когда надо было нагнать страху на несговорчивых коммерсантов-должников, Лось всегда брал на «профилактическую беседу» Ерофеича. И у того все беседы без исключения выходили очень убедительными.

Вот и теперь Ерофеич, скинув куртку, завалил Шоколада на пол и двумя пальцами стал выдавливать ему глаза, одновременно стальной хваткой сжав глотку. Придушенный Шоколад захрипел и начал извиваться от невыносимой боли. Ерофеич встал, дал ему отдышаться и немного прийти в себя и снова взялся за дело. На этот раз он дважды с силой ударил Шоколада по яйцам каблуком кованого ботинка.

— Ну, вспомнил адресок? — иронически осведомился Лось, чуть морщась.

Теперь Шоколад не заставил себя упрашивать и, утирая хлещущую изо рта кровь, назвал адрес, где сидел Придан. Панферова, 26, квартира 14.

— А когда бывает?

— Сидит всю дорогу там.

— Остальные где? — коротко спросил Ерофеич.

— Колись, парень, все равно уже начал... — подбодрил его Лось.

Шоколад шумно всхлипнул. Ему было страшно и противно. Он боялся этих крутых мужиков, которые были готовы на все. И ему было мерзко оттого, что он сдал шефа.

— В сауне они каждый вечер, на Гатчинской. Там оздоровительный клуб «Огонек», — тихо, сквозь зубы, пробормотал он.

— И что же, с Приданом никто не остается?

— Не знаю... — выдавил Шоколад, сплевывая кровь.

— Херовый ты товарищ, — насмешливо покачал головой Лось. — Тебя, падлу, пугнули разок, а ты и в штаны наклал. Вот поеду к Придану и скажу, чтоб избавился от тебя к едреной бабушке.

Но Лось соврал. Он ничего не собирался говорить Придану, потому что Шрам дал ему однозначное поручение — убить всех. А судьба Шоколада была решена еще до того, как его привезли к Лосю. Ерофеич, по знаку Лося, ударил придановского шофера по голове табуреткой, а потом придушил. Бойцы повезли труп за город и бросили в лесу, даже не удосужившись присыпать его землей или прикрыть ветками.

...Лось сразу заметил валяющегося на кушетке Придана. Рука его безвольно свисала до пола. На полу валялся пустой одноразовый шприц и железная ложка с темными потеками. Рядом тлела свечка в стакане.

— Этак и дом можно спалить, — насмешливо произнес Лось и кивнул своим ребятам.

Придан приоткрыл замутненные глаза. Он смотрел на плавающие силуэты и не узнавал никого.

— Можешь привести его в чувство? — обратился Лось к Шике.

Здоровяк подошел к кушетке, сгреб Придана за плечо и сильно тряхнул.

— Здесь его кончить или вывезти? — спросил Шика, видя, что Придан в глубокой отключке.

— Вот что, раз он все равно кайфует, надо бы все изобразить так, как будто он перегрузился, — поднял палец Лось. Он повернулся к Родику, который сжимал в кулаке рожок «узи». — Что, больше нет никого? Ну и ладушки. Убери свой хобот, не мозоль глаза. И посмотри тут, нет ли еще зелья... Шика, надо будет влить в него кубиков двадцать — чтоб с гарантией.

После недолгих поисков Шика обнаружил в кухонном серванте десять граммовых пакетиков героина. Порошок расплавили на свечке, и Шика, вооружившись новым шприцем, вколол бесчувственному Придану смертельную дозу.

— Уверен? — недоверчиво спросил Лось.

— Голову даю на отсечение! — заверил его Шика.

— Смотри, — усмехнулся Лось, — как бы не пришлось головку отсекать.

Шика осклабился и махнул рукой.

Оставив Придана умирать, бригада отправилась на Гатчинскую.

В сауне было душно. Черноволосая и черноглазая хохотушка Мила, широко развалив стоящие торчком груди, покрытые капельками испарины, блаженно полулежала на самой верхотуре. Блондинка Аллочка сидела, выпрямив спину, внизу.

— Сколько там? — томно спросила Мила. Аллочка глянула на термометр.

— Сто двадцать.

— Сдохнуть можно... — Мила вытянулась на спине во всю длину доски. — Еще пять минут и выходим.

Девчонок придановские ребята сняли на Невском неделю назад и привозили сюда в сауну каждый вечер. Девки не возражали. Тут было клево, спокойно, ребятки ставили выпивон, кормили, ну, и, понятное дело, трахали по мере сил и возможностей.

Сил и возможностей в избытке было только у Лучка — худощавого грузина, обладавшего классной фигурой и длинным «шпингалетом». Кличка «Лучок» к Георгию прилипла еще два года назад, когда он торговал луком на базаре. Остальные — тоже какие-то чернявые, но вроде не грузины — оказались трахалями так себе: после одного раза надолго спекались и отсиживались в парной. А Гога-Лучок мог обработать обеих по два раза подряд. Девкам это нравилось.

Сауну в клубе «Огонек» придановские бандиты облюбовали давно — еще с мая, когда они подкараулили тут каких-то сибирских лохов-оптовиков и взяли их за яйца. Тогда с них сняли аж двадцать кусков «зеленью» — эти мужики ходили с бабками даже в баню! «Огонек» придановским понравился, и они стали сюда наезжать с подругами. Дирекция клуба не возражала: ребята платили щедро, не безобразничали, а уж что там творилось за закрытыми березовыми дверьми сауны, никого в «Огоньке» не волновало. Сам Венька Приданов сюда приходить не любил — не терпел парную баню. Так что его бойцы могли тут расслабиться. Тем более что Придан объявил на прошлой неделе временный отбой.

Лучок вошел в кабину, схватил в охапку Милу и понес ее в бассейн. Та для виду отбивалась, хотя уже предвкушала удовольствие: она знала, что Лучок сейчас устроит в бассейне сеанс «фигурного плавания».

— А Алку-то не забудь! — хохоча, крикнула она ему в самое ухо.

— Лэвончик пусть ее лубит, — ответил Лучок. — Алка дэвка харошая, но вялая какая-то. Ее е...шь и нэпонятно, то ли она мертвая, то ли спит...

Мила заливисто расхохоталась. Лучок донес ее до кромки бассейна и сбросил вниз. Девушка, подняв шумный веер брызг, ушла под воду. И тут Лучок заметил у противоположного края бассейна двух мужиков. Оба были в широких плащах. Значит, прошли через служебный вход. Лучик от неожиданности прикрыл ладонью срам и, предчувствуя нехорошее, с наигранной суровостью поинтересовался:

— Вам что тут надо, пацаны?

— Мы тренеры по плаванию. Пришли осмотреть бассейн — не возражаешь?

— Эй, Лэвон! — сорвавшимся голосом проорал Лучок. То, что он увидея в следующую секунду, повергло его в шок. Двое «тренеров» одним рывком, как по команде, выхватили из-под своих плащей автоматы — АКСУ и «узи», как он сразу распознал. Стволы с навинченными глушителями хищно нацелились прямо на него. Лучок развернулся и побежал. И сейчас же за спиной захлопотал автомат — но Лучок, прошитый очередью навылет, уже не успел догадаться, какой из двух автоматов — российский или израильский — выплюнул в него смертельную харкотину...

Трое попивающих пивко в комнате отдыха услышали крик Лучка и, не успев даже сообразить, что там могло случиться, услышали характерный приглушенный треск. Беслан кинулся к своим джинсам и вырвал из-за пояса «беретту». Он кивнул Левону и Шамилю, и те тоже поспешили взяться за оружие. Но не успели. Распахнулась входная дверь, и в помещение ввалился двухметровый великан. За дверью бассейна послышался топот бегущих ног.

Великан, ни слова не говоря, дважды выстрелил в Беслана, не вынимая руки из кармана куртки. Беслан, не выпуская из руки «беретту», повалился на деревянный пол.

— Не дурите, суки! — пророкотал великан. — Все равно всем п...ц!

И с этими словами он вынул из кармана куртки ТТ и молча выстрелил в замерших на месте Левона и Шамиля.

В комнату отдыха вбежали Лось и Родик с автоматами.

— Готовы? — деловито спросил Лось. — Больше нет никого?

— Директор клуба, сучонок, сказал, что их тут четверо и две девки, — отозвался Шика.

Лось по очереди подошел к каждому из лежащих на полу придановских бойцов, перевернул каждого вверх лицом и заглянул в глаза.

— Нужен контрольный выстрел? — тихо обратился к нему Шика.

— Да, надо бы. Для порядка. — Лось аккуратно приставил ствол к виску одного. Хлопнул выстрел — АКСУ дернулся. Лось спокойно проделал то же самое со вторым и третьим.

— Что с девкой? — спросил, криво ухмыляясь, Родик.

— А что с девкой? У тебя уже встал? — Лось погрозил ему пальцем. — Сваливаем — быстро. Девки пусть живут. — Он огляделся. — Тут вроде еще вторая долж-

409

на быть. Он решительно направился к парной и рванул дверь. Дверь не поддалась. Из сауны доносилось тихое монотонное завывание — женский перепуганный плач.

Лось удовлетворенно кивнул.

— Тут она. Все — поехали.

Они вышли из клуба и спокойно сели в припаркованное такси.

— Ну что? — весело спросил у Лося водитель. — Не понравилось?

— Нет, — отрезал Лось. — Тут у них только сауна, а русской бани нет. Поехали, шеф, в другое место...

ГЛАВА 42

Шраму захотелось схватить стул да и шваркнуть им по зеркалу, по окну, по огромному экрану телевизора «Сони». Дела обстояли хуже некуда. Мало того, что московская братва встретила его не шибко радушно, так еще и чуть пулю не схлопотал... А самое главное, непонятно от кого.

Он величайшим напряжением воли заставил себя успокоиться и стал прикидывать, кто бы мог его заказать. Теперь он не сомневался, что заказан. Неужели подполковник Беспалый прав, а генерал Калистратов и вся эта эмвэдэшная шушера ни хера не знали, что смотрящий по России вовсе не сгинул на зоне, куда они его так лихо упрятали, а смылся — да объявился в Питере и развернул охоту за ним, Шрамом?!

Ну сука, подумал он, если это Варяг, то нужно срочно отыскать другана Сержанта, он-то с ним в два счета разберется — за старый должок.

Шрам намылился звонить в Питер. Если Сержант под видом Виктора Синцова находится в России, то нужно срочно дать команду прочесать все гостиницы, узнать, где он. Шрам уже хотел было набрать код Питера, но вдруг понял, что это все пустые хлопоты. Сержант в гостиницах не останавливался никогда — это во-первых, а во-вторых, въехав в Питер по паспорту Синцова, он

411

вполне мог жить там — или в любом другом городе — по другому паспорту...

Сержант всегда был неуловим.

Поздно вечером позвонил Ванька-Борщ.

— Я все знаю, Шрам, про «Арагви», — сразу заявил он. — Но не понял, кого хотели замочить — китайца или тебя?

— Так думаю, что меня, — коротко ответил Шрам.

— А кто шмалял, известно?

Шрам мысленно представил себе лицо в затемненных очках, золотой перстень на мизинце.

— Вроде, известно. Хотя я не уверен.

— Мы его знаем?

— Вряд ли. Если это тот, о ком я думаю, то он мой старый знакомый.

Ванька, конечно, звонил не за тем, чтобы выразить соболезнование. Он сообщил, что московские положенцы в принципе готовы встретиться со Шрамом на этой неделе и обсудить предстоящий сход. Шрам просто рассвирепел, узнав, что ему опять придется ждать встречи целых четыре дня.

— Вот что, Ваня, ты можешь мне устроить *срочную* встречу с коптевскими и солнцевскими? Только с ними. И только завтра — либо утром, либо днем. Ждать неделями я не могу. У меня в Питере дел до х...я и больше.

— Саша, — обескураженно протянул Ванька, — так же дела не делаются, ты сам знаешь. Людям надо заблаговременно...

— Мать твою, так ведь сколько уже этот разговор тянется, Ваня? — взбесился Шрам. — Я тут уже почти неделю торчу, а дело все стоит! Неужели за неделю нельзя было договориться? Тем более я заранее предупредил всех...

Ванька-Борщ шумно вздохнул. Видно, ему не очень-то хотелось говорить то, что он вынужден был сказать.

— Понимаешь, Шрам, народ что-то не **очень** настроен на сход.

— Это еще почему? — опешил Шрам. — Что это еще за новости?

— Да знаешь, тут же слушок прошел, что вроде как Варяг живой-здоровый. А раз так, так пусть он и решает, когда сходу быть.

Шрам напрягся.

— Варяг убит!

— Да нет, вроде живой, вроде как он «малявы» пустил по сибирским лагерям. Верные люди передали.

— Да это когда было!

— А у тебя верные сведения, что он убит? — вдруг спросил Ванька.

Шрам быстро стал соображать. Если сказать, что он не в курсе, — тогда Ванька может усомниться в его, Шрама, информированности и могуществе, а это совсем ему не на руку. Но если сказать, что сведения у него верные, то он начнет копать откуда. К тому же неизвестно, что там было, в этих е...ных «малявах». А вдруг Варяг там что сболтнул про него?

Но Шрам решил блефануть.

— Я в курсе всего, Ваня. И самое главное, я точно знаю, что Варяга шлепнули на зоне.

— В газетах об этом писали — это факт, да почему-то люди в Москве не слишком этому верят.

— Отчего же? — Шрам впервые завел с посторонним разговор о смерти Варяга и невольно заволновался.

— Да первыми об этом растрезвонили ментовские подголоски — вот отчего. А им верить можно ровно так же, как пресс-службе МВД. У них информация не оперативная, а политическая — что им выгодно, то они и распускают. А что невыгодно — о том молчат. Так что очень даже может статься, что смотрящий жив и здоров.

Шраму осталось только усмехнуться. У него-то сведения на этот счет были из верных источников.

— Ладно, Ваня, вернемся к нашим баранам. Скажи ты мне, все-таки встречу можешь устроить? До завтрашнего вечера?

— Шрам, ну куда спешить? Ты же сам сказал, что собираешься тут пробыть до конца недели.

— Собирался, но в Питере дела неотложные обнаружились, Ваня! Да и сегодня меня чуть не ухлопали у вас тут в вашей Москве. Кому-то, видно, очень хочется очистить место питерского смотрящего. Ну так что?

— Попробую.

— Пробуй, Ваня, да только поторопись.

* * *

Сержант вернулся к себе в номер глубокой ночью. После стрельбы в «Арагви» он ушел темными переулками и подворотнями, оказался на Петровке и спокойно поехал на метро на Ленинские горы. Неудача его не обескуражила.

То, что он угрохал не Шрама, а его телохранителя, было не так уж и плохо. Батон — а то, что этот здоровяк был именно Батон, он не сомневался — оставался одним из последних старых гвардейцев Шрама.

Теперь вокруг питерского смотрящего образовалась пустота. Он был как на ладони.

Теперь его можно было брать голыми руками.

Сержант решил сегодня же вечерней «Стрелой» вернуться в Петербург. Он был уверен, что после потери Батона Шрам тоже не задержится в столице. Рано или поздно он объявится у себя или на даче, или в офисе — а там уж его наконец-то настигнет неумолимая пуля снайперской винтовки ижевского производства.

* * *

Шрам не знал этих людей. И они его не знали. Только в этом баре и познакомились. Это-то его и смущало.

Когда-то Шрам свел дружбу с Фролом, знаменитым лидером балашихинской группировки, и тот представил его столичной братве — в том числе и коптевским, контролировавшим московский север, и солнцевским, облюбовавшим юго-запад. С тех пор Шрам испытывал и к тем, и к другим, и к третьим уважение и даже некоторую робость, в чем себе признаться боялся.

Но за последние пару лет многие московские авторитеты давно уже разлетелись из столицы — кто за бугор, кто на нары, а кто и на погост. Этих, пришедших на встречу с ним и назвавшихся коптевскими и солнцевскими, он раньше не видел, и в глубине души у него возникло столь свойственное ему подозрительное опасение — а вдруг это подстава? Но разговор пока шел деловой.

Они сидели за столиком в пивном баре гостиницы «Международная» в Совинцентре. Двое гостей — Шрам и Ванька-Борщ, устроивший им встречу, — сидели за одним столиком. Охрана с одной и другой стороны расположилась за двумя соседними столиками.

— Мы про тебя, Шрам, конечно, много чего знаем, — спокойно говорил худощавый парень лет тридцати пяти—тридцати семи. Он представился как Юрий Малышев из Солнцева. — Знаем про твои заслуги и в тебе не сомневаемся. Но ходит слух, что Игнатов жив. А пока есть сомнения, что смотрящий жив, было бы неправильно устраивать выборы нового. Ты как считаешь?

Он ввинтил взгляд в питерского гостя и продолжал:

— Но это полбеды. Рано или поздно тут все прояснится. Если он умер, помянем его да поставим смотрящим нового. Но самое-то интересное — где общак? Он же его сховал где-то в укромном месте, а про это место, кроме него и его верных людей, никто не знает. Ты вот, например, не в курсе?

Шрам был в замешательстве. Он, конечно, не знал, где хранится воровская казна.

— Юра, этого я, конечно, не знаю. На то Варяг и смотрящий, чтобы положить казну в надежном месте. Одно только я могу сказать, что он держал общие бабки не в бабушкином сундуке. У него за кордоном крупная фирма есть, он туда вкладывался, и тут у него с десяток фирм — там деньги крутятся, ну и конечно, живые бабки где-то лежат. У него же тут, в Москве, верные люди есть.

— Да вот в том-то и загвоздка, — перебил Шрама Юра, — что верных его людей выкосили. И очень странно, как все это произошло. В один-два дня буквально. Графа, Ангела, помнишь? Да и других тоже: раз — и всех в одночасье не стало. Как будто кто-то шибко умный затеял карательную операцию и одним махом всех поуничтожал. Не знаешь, кто бы это мог быть?

Шрам неопределенно мотнул головой: мол, не знаю, но догадываюсь.

— Может, ментура наехала?

Юра пожал плечами.

— Ментура наехала — это факт. Но надо же было их навести! К тому же менты бы сначала всех повязали, на Петровку повезли, а тут кому-то понадобилось выкосить полянку вокруг Варяга. Чтобы его потом взять легко было. Контакты его в Москве подрубили, а через несколько дней и Варяг в Питере погорел. У тебя, в Питере, погорел! — со значением повторил Юра.

Шрам глянул на Лиху и Шкива, своих телохранителей. После убийства Батона они заметно сникли. Им очень не понравилось, что Шрам бросил Батона умирать в ресторане, даже не предприняв попытки вытащить его оттуда. Шрам, почуяв, что на его корабле зреет бунт, не стал идти на обострение и миролюбиво убедил ребят в том, что Батона уже было не спасти и что в тех условиях важнее было вывести из-под пуль старого китайца, иначе проблемы бы возникли неразрешимые...

— Ладно, Юра, не будем сейчас это обсуждать — все равно убитых не воскресить, а Варяг, даже если он и жив, пока не объявился. — Шрам помолчал, раздумывая над дальнейшими совами. — Не знаю, что у вас тут толкуют, но, по моим сведениям, Варяг, царствие ему небесное, отошел от дел праведных. Что же до общака — не может касса сгинуть бесследно. Надо искать.

— У Варяга семья есть, — вступил в разговор Витя Коптевский, благообразный мужик лет пятидесяти, до этой минуты молча слушавший беседу Юры и Шрама. Голос у него был глубокий, рокочущий — точно тракторный дизель на холостом ходу. — Жена, конечно, вряд ли знает, где он хранит кассу, но может, и надоумит, где ее искать. Не знаешь, Шрам, что с ними? Они вроде как в Америке остались...

Это был опять трудный вопрос. Не мог же Шрам им прямо сказать, что он приложил руку к убийству Графа и Ангела, и что это он подставил Варяга на квартире у Пузыря, и что похищение Светки с сыном и их переброску в Россию организовал тоже он... Но отвечать что-то надо было.

— По моим сведениям, — веско произнес Шрам, — они исчезли. Не исключено, что жена с сыном сбежала. А если она знала, где Варяг прячет кассу, не исключено, что она с этой кассой и сбежала.

— Исключено, Саша, — пророкотал Витя. — Жена смотрящего не могла знать про кассу. Да и если бы знала, как бы она ее увезла? Люди говорят, там на двести лимонов. Баксы в банковских пачках. Брюлики, алмазы заводские, ценные бумаги. Это же несколько сейфов. Как она их попрет? Кому доверит? Нет, Саша, ерунда это. Словом, пока общака не найдем, говорить о новом смотрящем опять же бессмысленно. Вот найдется касса — тогда и потолкуем.

Шрам понял, что разговор окончен. Вернее, разговора не получилось.

Ему дали понять, что местонахождение кассы неизвестно. Или — что ему об этом никто из московских не скажет... Шрам не стал мельтешить, показывать норов. Он решил на время затаиться. Тем более что Витя Коптевский подсказал ему интересную мысль.

Надо самому искать кассу. И даже если предположить невероятное — что Варяг жив — надо найти общак до того, как Варяг вынырнет из небытия и заявит свои права на воровскую казну. А если вынырнет — то одним ударом отправить его туда обратно. На сей раз навсегда.

Надо спешить! Надо действовать! Еще день-два прокантуюсь в Москве — и к себе, в Питер, заниматься делами...

А пацаны ведь правы, убивать Варягову Светку в любом случае не имело смысла: если Варяг жив, то его близкие становились важным аргументом в руках Шрама. Если все же подох смотрящий, то все равно их пока убивать глупо: а вдруг она действительно что-нибудь да знает о местонахождении общака, тогда эту сучку надо холить и лелеять. Она может и не знать, где Варяг хранит кассу, ей он конечно же об этом не обязан был докладывать — но она вполне может навести на место...

Шрам вспомнил, как несколько лет назад в Москве брали Цируля — казначея московских воров. Взяли его на даче под Москвой, и руоповцы так, бедные, обрадовались своей офигенной удаче, что обыск провели очень хреново. А может, просто представить себе не могли, что такой опытный авторитет, как Цируль, кассу хранит у себя под боком. Менты уехали оттуда вместе с арестованным Цирулем около полуночи, а ровно через два часа туда набежала братва. Час им понадобился всего на то, чтобы отрыть в подполе пять восьмипудовых сейфов и перепрятать в укромное место. На следующий день на дачу вернулась ментура — да только отсосать им пришлось...

У Варяга, насколько знал Шрам, в России никакой дачи не было. Но тайник мог находиться где угодно — хоть в Алмазном фонде, хоть в подвалах Центробанка, где у хозяина российского общака тоже имелись свои верные люди...

В общем, надо спешить!

ГЛАВА 43

Варяг прошел в комнату. Скромная холостяцкая обстановка, ничего лишнего — старенький диван, шкаф, несколько книжных полок, два кресла, стол.

Хозяин квартиры накрепко закрыл дверь и, подойдя к Варягу, протянул руку:

— Егор.

— Владислав.

Рука у Егора была сильная и сухая, рукопожатие — крепкое. Смотрел он прямо в глаза, без улыбки и особого радушия, внимательно, изучающе. Невысокий, худощавый и подвижный, он напоминал какого-то зверя из кошачьей породы. Грациозный и в то же время опасный.

— Егор. А дальше? — дружелюбно спросил Варяг. Егор усмехнулся:

— Гепард.

— Это что же, фамилия?

— Спецназовская кличка, — пожал плечами Егор. — Есть будешь?

— Можно. Но сначала — о деле. Потап сказал: ты все сделаешь в лучшем виде.

— Что смогу — сделаю. Ну а чего не смогу — так уж извиняй...

— Тогда слушай, спецназ, раз уж ты такой крутой — вот что я тебе скажу. В Питер я прибыл тайно и пока мне придется сидеть, не высовываться. Мне понадобится тройка ребят надежных, таких, которые лишних вопросов не задают. Стволы чистые. Желательно с военных складов. Тачка. И еще. С фапсишниками не корешишься, случаем?

— А на что тебе фапсишники?

— Думаю, мне потребуется кое-какая спецаппаратура...

— Прослушка-пронюшка? — усмехнулся Гепард. — Жучки-паучки? Так ты, брат, прямо по адресу пришел. Я же после спецназа как раз на спецсвязи сидел. В «ящике» работал. Специализация у меня, знаешь, какая была? Несанкционированное подключение к линиям связи.

Варяг улыбнулся.

— Ну, значит, не промахнулся. Давай, Гепард, рви когти! Время не ждет.

Хозяин квартиры набрал номер и, понизив голос, стал с кем-то разговаривать. Положив трубку, он обратился к Варягу.

— Так, через пару часов я поеду на встречу со своим человеком. Все сделают в лучшем виде. А пока давай-ка на стол соберем.

За несколько минут на столе образовалась нехитрая закуска с бутылкой водки. Они выпили.

— Ну как дорога — не утомительно? — спросил Гепард, насмешливо прищурив правый глаз.

— Нормально. На военном транспорте добирался...

— Да ну? Видно, большой ты человек... — Гепард вопросительно посмотрел на Варяга.

Но тот понимал, что Потап конечно же не сказал бывшему спецназовцу, что за птица залетит к нему в питерскую квартиру. И сам решил до поры до времени не раскрывать карты. Да и вряд ли, подумал Варяг, этому парню нужно знать больше, чем требуется.

— Военный «Руслан» — это ведь не персональный самолет. Тем более лететь мне пришлось среди деревянных ящиков, — отшутился Варяг.

— Деревянные ящики, говоришь? Гробы, что ли? — в тон Варягу шутливо ответил Гепард.

— Да нет, почему же гробы, дерево не только на гробы идет. Ящики, контейнеры, груз они какой-то гнали. — Варяг подхватил шпротинку на вилку и сунул себе в рот. — Офицерики там базарили. Куда-то под Питер, а оттуда в Западную Европу. Оружие, похоже.

Гепард мотнул головой.

— Оружие, говоришь? Да нет, брат, оружие с Севера через Питер в Европу не возят. Его через Белоруссию в Болгарию гонят. Брест — Пловдив.

— Ну а что тогда? — Варягу хотелось поддержать разговор хотя бы ни о чем — чтобы успокоить душу и мозг после всех недавних приключений.

— А откуда летел-то груз?

Варяг пожал плечами.

— Вроде как из Средней Азии. — Он припомнил разговор двух лейтенантов. — Или из Афганистана. Да, кажется, из Афганистана.

Гепард присвистнул.

— Из Афгана, говоришь? Ну тогда там могло быть и не только оружие.

— А что же по-твоему?

— Сам знаешь, чего возят из Афгана.

— Думаешь, наркота? Это в военно-транспортном самолете-то? — усмехнулся Варяг.

— А ее только так и гонят, — кивнул Гепард. — Минобронщики.

Хозяин налил еще по одной, они чокнулись и выпили.

— Я тебе сейчас байку расскажу, брат, — продолжал Гепард. — Я ведь в Афгане служил. Призвали меня, сосунка зеленого, в восемьдесят четвертом, подписочку взяли, что, мол, по собственному желанию, и тут же в Герат отправили. Я много чего повидал тогда. Год я там пробыл. Да. Так вот, брат, в Союз гнали оттуда гробы, как ты, наверное, еще помнишь. Груз 200, мать его... Цинковые ящики штабелями. Тоже, заметь, военно-транспортными самолетами. Перевалочный пункт — Душанбе. Потом Ростов-на-Дону, далее везде — Сверд-ловск, Горький, Пенза, Новосибирск. Карту страны помнишь? Ну вот. Но некоторые рейсы, я точно знал, шли дальше — на Ленинград. А что, спрашивается, им там делать, в Ленинграде-то? Ведь известно, что из Москвы и Ленинграда в Афган не так сильно брали, как из глу-бинки. Неужели сотни цинковых ящиков — это все ле-нинградские мальчики?

Гепард налил по третьей. Варяг выпил и наконец-то приятно захмелел: голова очистилась, тело стало лег-ким. Варяг не заметил, что отвлекся от рассказа Гепар-да.

— ... назначили меня в сопровождение рейса. Заодно и увольнительную дали на пять суток. Погуляешь, ко-мандир сказал, дядя Петя, по городу на Неве, на «Авро-ру» сходишь, в Эрмитаж... Ладно, поехали. И тут я смо-трю: в самолете что-то не наши мужики. Из наших только я да Генка Шмаков остались. Он ленинградский как раз, дембель получил досрочный по ранению. Что за черт! А все рожи серьезные и на погонах по две-три звездочки. Лейтенанты. Даже майора заприметил одно-го — он у них командиром был. Словом, прибыли в Ду-шанбе. Часа три постояли, самолет разгрузили — да не весь. Осталось гробов двадцать. Причем суровые лей-тенанты к этим гробам на десять шагов не разрешают подойти. Хрень какая-то. А кто, спрашивается, их будет из самолета потом выносить — сами, что ли? Вносили-то мы их. В общем, заснул я. Летим из Душанбе в Ле-нинград через Ростов — там километров три тыщи, на-верное. Сплю себе. Потом болтанка началась над Уралом, я проснулся — гробы наши все разъехались. А с одного вообще крышка чуть сдвинулась. Тут меня и одолело любопытство: дай, думаю, гляну — что там. Уж больно загадочный груз. И что ты, брат, думаешь я там увидел?

Гепард сделал эффектную паузу.

— Гранатометы? — лениво высказал предположение Варяг, блаженно улыбаясь.

— Хрен! Старое обмундирование. В навал. Гимнастерки, бриджи, сапоги. А под низом мешочки белые, — Гепард поднял палец вверх. — Чуешь, брат?

Варяг нахмурился.

— Ну-ну?

— Наркота, брат, чистой воды наркота там была. Не сырец какой-нибудь сраный, а чистяк! Готовый к употреблению. И везли его сюда, в Ленинград, а потом, как я уже выяснил, — через северную Польшу дальше... Понимаешь, чем это пахнет?

— Что-то не совсем.

Гепард даже кулаком об стол шарахнул.

— Ну, брат, видать, тебе на зоне думалку совсем отшибло. Это пахнет тем, что в Афгане колоссальные плантации мака и конопли — ну, про это все знали. Но там же ее на месте и перерабатывали, перегоняли, очищали да расфасовывали, а потом гашиш, опиум и героин на наших военно-транспортных самолетах гнали в Европу. Вот!

Варяг махнул рукой и потянулся к бутылке.

— Ну и что?

— Как что? — Гепард даже вроде как обиделся на непонятливого гостя. — Сколько времени прошло — без малого десять лет? А маршрут все еще в действии. Ты думаешь, что за груз с тобой летел? Из Афгана — через российский Северо-Запад? То самое и летело! Я уверен в этом!

424

И тут Варяг все понял. Он и впрямь после трех согревающих рюмок водяры как-то отключился. Теперь он собрался и сосредоточился.

— Погоди, но я-то был уверен, что там стволы да боекомплекты.

— Если бы так, все бы ничего. Торговля оружием, брат, которое осталось после Афгана, и после Чечни, и после Приднестровья... Торговля этим оружием хоть и ведется тайно, но официально. И этой тайной торговле наверняка в Москве, в Минобороны, дают санкцию. Но вот чтобы сегодня караваны с наркотой гнали по тем же минобороновским каналам — для этого, брат, нужны другие санкции. Я так думаю, что когда Кремль завязал с Афганом, людей, которые занимались теми караванами, давно разогнали. Но если торговля продолжается, значит, новые люди все взяли в свои руки. Вот какая получается штука.

Варяг внимательно посмотрел на хозяина квартиры.

— А что ты это так близко к сердцу принимаешь? Может, сам балуешься?

Глаза Гепарда недобро сверкнули.

— Ты имей в виду: мой брательник младший, Гешка, от этой афганской дури на тот свет отправился. Три года назад. Так что я не балуюсь, другим не позволяю. Надеюсь, ты сам-то...

Варяг отрицательно помотал головой.

— Не поклонник. — Помолчав, он спросил. — Ну а как ты с Потапом-то сошелся?

— Долгая история. Я у него пять лет назад отсиживался в скиту.

— Бежал? — изумился Варяг.

— Нет, после отсидки. Попался по глупости. Дали «трешку». Два оттянул — выпустили. Вот к нему и попал. Хороший дед. Душевный. И племянница у него славная деваха.

Варяг, вспомнив Елену, почувствовал вдруг укол ревности.

— Да. Славная. А сидел за что?

— С местными питерскими торгашами связался. Шрам! Известная сука. В охране служил у одного купца. А на него Шрам наехал, а я, дурак, выступать стал. Ну, меня этот Шрам под суд и подвел. За незаконное хранение оружия. А ты Шрама знаешь?

Варяг так сжал кулаки, что хрустнули костяшки пальцев.

— Встречались.

— Но любви, видать, не получилось... — усмехнулся Гепард. — Тогда мне тебе не надо рассказывать — сам знаешь, что за фрукт.

— Шрам в Питере? — сразу перешел к делу Варяг.

Гепард кивнул. Откинувшись на спинку стула, он с интересом смотрел на Варяга.

— Какая у него сейчас охрана? — спросил снова Варяг, заранее зная ответ.

— Стена непробиваемая — три кольца.

— Питерские или пришлые?

— И питерские, и пришлые...

Варяг неожиданно рассмеялся:

— Что-то ты вдруг стал таким неразговорчивым...

— Да и ты не краснобай, — усмехнулся в ответ Гепард. — А почему интересуешься — требуется новая встреча?

— Очень короткая — чтобы зачитать ему, суке, приговор! — брякнул Варяг.

Гепард поднял брови.

— Вон оно как у вас! Ну-ну...

Варяг вдруг почувствовал симпатию к этому странному парню. И дело вовсе не в том, что он был человеком Потапа. Просто они оказались с Гепардом родственными душами — волками-одиночками, только этот, пожалуй, еще больше одиночка, чем сам Варяг. Чем сейчас занимался этот бывший спецназовец, Варяг не знал — он мог быть и торговцем, и охранником, и даже наемным киллером. Ясно лишь то, что работает он только на себя. И хотя этот парень не был вором, Варяг чувствовал, что оба они сделаны из одного и того же теста.

— Достать-то его все равно можно, — положив в рот блестящую маслину, лениво сказал Гепард. — Хоть сто человек его охранять будут. Снайперская пуля, она, знаешь ли, охраны не боится... Или ты предпочитаешь лично?..

— Желательно, — кивнул Варяг.

— Это другое дело. А что, если не секрет?

— У него моя жена и сын, — коротко сообщил Варяг. — Он их в заложниках держит. А может, уже...

— А... — только и сказал Гепард.

— Это еще не все: на нем кровь моих подельников самых верных моих друзей. Зимой он сдал меня мен там... Могу продолжать, Егор, но всего не перечислишь.

Гепард перестал жевать, взгляд его стал колючим и жестким.

— Сколько у нас времени? — глядя на Варяга, спросил он.

Варяг пожал плечами.

— Ну пара дней есть? — настаивал Гепард.

— Не знаю, Гепард, ей-богу, не знаю, — отозвался Варяг. — Наверняка он уже знает, что я на свободе. Одно ясно: их он не тронет, пока я не появлюсь, — это его козырь. Боюсь только, что выяснять, где она, мы долго не сможем. Как только Шрам почувствует слежку, может впасть в истерику. А интуиция у него волчья. И тогда неизвестно, чем это для моих обернется...

Было видно, что, слушая Варяга, спецназовец думает о чем-то своем.

— Грешки у него есть? — вдруг спросил он. — Я имею в виду — пристрастия? Ну, наркотики там и все такое.

427

— Наркотики? — Варяг задумался. — Да нет. И пьет он не особенно. Во всяком случае, не забывается. Скорее, бабы...

Он замолчал, уставившись взглядом в одну точку. Потом посмотрел на Гепарда. Тот сиял, как новый гривенник.

— Есть у тебя красивая девка? — спросил Варяг. — Но только такая, каких не сыскать?

— Имеется, — был ответ. — Отпадная телка...

— Да тебе цены нет! — воскликнул Варяг, хлопнув Гепарда по плечу. — А что насчет ребят?

— Найдутся и ребята. Я же человеку уже дал команду! Вот сейчас поеду, встречусь с кем надо. Все будет, Владислав!

— Ну, действуй, брат!

После беседы Гепард ушел, оставив Варяга отдыхать. Он улегся на диван перед телевизором, захотел было включить его, передумал и, повернувшись на бок, прикрыл глаза.

Наркотики из Афганистана через Россию — на Запад... Лихо придумано. Но рискованно, очень рискованно. А раз их гонят на военных самолетах, значит, операцию прикрывает высокая крыша, очень надежная крыша... Но кто сказал, что в «Руслане» в деревянных ящиках перевозили именно наркотики? Там же могло быть все что угодно — пулеметы, противотанковые ракеты, девки-проститутки... Все что угодно. Но Гепард почему-то ни на секунду не усомнился, что там была наркота. Неужели всем этим заправляют генералы из Министерства обороны? Хотя если генералы МВД держат под своей крышей столичных воров и снимают свой процент с теневого бизнеса, который весь под ворами, то неудивительно, что и в Министерстве обороны тоже нашлись ушлые ребята в лампасах... Вон хлопнули же мальчишку-журналиста, докопавшегося до тайны распродажи военного имущества.

Варяг открыл глаза и присел. Ему в голову пришла неожиданная мысль. А что, если подмять под себя этот «золотой треугольник» — там же сумасшедшие бабки! Да и не только в бабках дело — так же можно взять за жопу генералов и заставить их плясать под мою дудку! Вот это будет бизнес —   чета импорту-экспорту концерна «Интеркоммодитис». Об этом стоило подумать.

Но не раньше, чем ссучившегося Шрама настигнет справедливое возмездие.

ЧАСТЬ VI

ГЛАВА 44

Варяг лишь изредка покидал свое надежное убежище у Гепарда, наслаждаясь непродолжительным покоем, сытной вкусной едой, водочкой и греющим душу ощущением воли. Ему сейчас незачем было выходить на улицу: всю нужную информацию он получал по телефону и через Гепарда. Правда, информация была пока что не слишком обнадеживающая.

После зимнего шмона, который устроили менты в Москве и Питере да и по всей России, воровская братия пребывала в некотором оторопении. В крупных городах с самой зимы вдруг заважничали и стали задирать нос вчерашние бандиты-одиночки и зеленые беспредельщики, возвысились «шестерки», служившие на побегушках у старых законных воров, без следа сгинувших в сибирских и северных лагерях в начале года. Новые паханы беззастенчиво прибирали к рукам местный общак, подминали под себя обезглавленные бригады, стравливая друг с дружкой бывших партнеров, сея раздоры и взаимное недоверие.

Надо было срочно собирать сходняк. Но как это сделать теперь, когда нельзя опереться на верных людей-подельников, Варяг пока не знал. Да и светиться раньше времени ему не хотелось. По словам Гепарда, все газеты давно уже раззвонили о гибели в колонии знаменитого вора в законе Варяга, и он считал, что, может быть, так оно и к лучшему. Возможно, МВД давно уже дало отбой, он больше уже не числится в федеральном розыске, и ему нечего опасаться, что какой-нибудь шибко ретивый лейтенантишка-участковый будет присматриваться ко всем незнакомым лицам, появившимся в последний месяц на его участке. Считаться мертвым — это для Варяга сейчас было даже выгодно.

Но вот телефонная информация его удручила. Сколько он ни обзванивал своих московских корешей, все без толку. Либо там никто не подходил к трубке, либо подходили, но, заслышав запрашиваемое имя, бросали трубку (а это было верным признаком того, что человек арестован или убит). И здесь, в Питере, он сумел дозвониться только до одного старого приятеля Пузыря, Витьки Молоткова, который сам никогда особо в криминальные дела не влезал и был одноклассником Мишки Пузырева. Молоток сразу узнал его, хоть и виделись они всего два раза в жизни. Но, узнав, вроде бы даже и не удивился, только спросил, отчего это газеты писали, будто его убили на зоне.

— Хитрый ход придумали, — отшутился Варяг, — да сами себя и перехитрили. Я, как слышишь, жив и здоров и сейчас тут.

Молоток рассказал ему очень странную вещь. Пузыря недели две назад разыскивал какой-то мужик. Назвался одноклассником. Голос незнакомый, но, как сказала Мишина матушка, про Мишу он говорил очень складно, так что, похоже, и впрямь его знакомец. Сказал, что давно в Питере не был. А я таких наших одноклассников не знаю. Все, с кем мы в школе корешились, — все здесь, в Питере. В общем, мужик Мишкину маманю долго пытал — кто да как, по ее мнению, с ним поквитался. А в конце разговора пообещал этомстить за сына.

Повесив трубку, Варяг крепко призадумался. Кто такой? Кто мог не знать, что Миша Пузырев почти полгода назад как убит... Явно нездешний, не питерский, не московский да, пожалуй, и не российский. В России похоронки на воров разбегаются быстро... Значит, кто-то из-за границы. Хотя ведь и с Европой связи тесные: на Кипр или в Грецию, или в Италию воры наезжают чаще, чем к своим старикам-родителям в какой-нибудь Бердянск, и там информация циркулирует быстро. Откуда же незнакомец пожаловал? Пообещал отомстить — значит, не лох. Значит, человек серьезный.

Он стал перебирать в уме имена вероятных визитеров. И пришел к выводу, что кроме Сержанта быть некому. Сержант отлично знал Пузыря. И Питер для Сержанта был как родной. У него тут три скрытых хаты — если не больше. Впрочем, знали Пузыря и его, Варяговы, американские партнеры, но они после всей этой заварушки с его арестом в Сан-Франциско, тюрьмой и депортацией вряд ли помчались бы в Россию. У них там своих дел хватает.

Короче говоря, Варяга сильно взволновала последняя информация и он решил навести кое-какие справки лично. Тщательно загримировавшись, налепив купленные по его просьбе Гепардом пышные театральные усы а-ля молодой Никита Михалков, очки с простыми стеклами и взяв в руки хозяйственную сумку, он в таком камуфляже вполне мог слиться с массами в уличной толпе, в которой его теперь не различил бы даже наметанный глаз гэбэшного топтуна.

Варяг не спеша шел по Невскому. Он бродил по городу уже второй день по пять-шесть часов кряду, но так ничего и не разузнал. Он заходил во все злачные и питейные заведения. Прошелся по вокзалам. Побывал в самых популярных гостиницах, магазинах, заходил в известные ему сауны. Зашел даже в отреставрированный «Гостиный двор», но, увидев толпу молодцеватых охранников в черном обмундировании и с переговорниками в руках, понял, что тут ловить нечего. Многие злачные места, где раньше, он помнил, вечно отиралась знакомая братва, буквально за каких-то полгода перестроились: с удивлением увидел он, что кафе «Спорт» превратилось в фешенебельный стриптиз-клуб «Копакабана», а бар «Белые ночи» стал ночным китайским рестораном «Белый павлин». И вместо братвы у входа дежурили длинноногие большеглазые пышногрудые девицы, ласково приглашая зайти. «Ах, девицы-красавицы, поставить бы вас раком, трахнуть, а потом устрицей закусить», — вспомнил Владислав любимую присказку Мишки Пузырева.

Два дня бесплодных поисков вконец измотали Варяга. И вдруг в толчее перед Московским вокзалом он заметил знакомое лицо. Он устремился вслед за высоким бородатым парнем, сам не зная зачем. Парень торопливо шагал, помахивая зачехленной теннисной ракеткой. Варяг шел за ним и вспоминал, где он его мог видеть.

Уже зайдя следом за бородачом в привокзальный гастроном, он вспомнил. Этого парня он видел на зоне у Беспалого. Более того, они жили в одном бараке. Парень сидел за квартирные кражи и звали его, кажется, Серега.

* * *

Они сидели в уличном кафе гостиницы «Октябрьская» и потягивали пиво. Серега Гурьев признал в большеусом важном мужчине недавнего товарища по нарам только после того, как Варяг снял большие очки и шепнул, что усы накладные.

— Во, йо-ка-лэ-мэ-нэ! — обрадовался Серега. — Ты-то какими судьбами тут? Извини, забыл... Как тебя кличут?

— Да по болезни мне скостили срок, — ответил Варяг уклончиво, пропустив последний вопрос мимо ушей.

— Ага, я же помню, ты все время какой-то квелый был, не вставал, не работал...

— А сам здесь как? — Варяг быстро перевел разговор на интересующую его тему.

— Так меня же перевели в соседнюю колонию как раз перед бунтом. Ну а когда там шухер начался, я как раз бумагу получил из Москвы — о досрочно-условном освобождении. Меня недели две тому как освободили. У меня адвокат хороший — Юрка Соболев. Я с ним в школе в Москве учился, представляешь, а теперь он меня из зоны вытащил. Классный специалист. В школе был отличником. Я ему еще тогда говорил: далеко пойдешь, Юрчик! Кстати, если тебе понадобится, я телефончик дам, в Москве.

Но Варяг не слушал. Его так и подмывало спросить у Гурьева, как там все закончилось, много ли крови было. Но он опасался, как бы бородач-говорун чего не заподозрил.

— А ты слыхал про Муллу-то? — вдруг брякнул Гурьев, высасывая со дна стакана остатки «Балтики».

— Про какого Муллу? — на всякий случай спросил Варяг, внутренне напрягшись.

— Ну как же, про нашего старичка татарина, который у нас на зоне всеми командовал.

— И что с ним?

— Пристрелили Муллу! — трагически сложив брови домиком, выдохнул Гурьев. — Говорят, Беспалый, сучок, сам и пристрелил. Из автомата, почти в упор. А он... — Московский квартирный вор даже отшатнулся, увидев, как внезапно изменилось выражение лица его собеседника. — Ты че?

— Беспалый, говоришь, Муллу убил? — медленно проговорил Варяг. — А еще что тебе известно про бунт? Много там братвы полегло?

Серега Гурьев почувствовал, как по спине у него пополз холодок. Он был не из пугливых — мог в драке, если надо, и нос сломать, и ножичком ткнуть под ребра, но этот странный зек еще на зоне вызывал у него опасливую настороженность. Вот и теперь, увидев, как сверкнули его холодные глаза за фальшивыми стеклами очков, как угрожающе заходили желваки под кожей, Серега решил, что пора ему откланяться и отвалить подобру-поздорову.

— Ну, говорили, что еще там человек пять-шесть пристрелили. Кровищи много было, бронетехнику Беспалый вызвал, а на утро учинил шмон, по лесу вокруг потом рыскали, искали кого-то. Слушок прошел, что сбежал там кто-то. Я подробности-то и не знаю, брат, я же ведь тогда у нового барина парился.

Они помолчали.

— Ну, ладно, пора мне, — минуты через две заторопился Серега, вставая. — Так оставить тебе телефончик-то Юрки Соболева, моего адвоката? Точно говорю: хороший специалист.

— Спасибо, — жестко сказал Варяг, не глядя на Серегу. — У меня у самого этих адвокатов пруд пруди, да только когда они нужны — их не дозовешься.

* * *

Расставшись с Гурьевым, Варяг вернулся к Гепарду. Вечером он попросил его срочно связаться с Потапом и выяснить поточнее, что произошло в ко́лонии у Беспалого.

На следующий день Гепард отправил отцу Потапу в Северопечерск телеграмму с уведомлением с просьбой позвонить в Питер человеку, к которому в свое время так привязалась его внучка и которому не терпится узнать, как обстоят дела у него дома. Ответ пришел к вечеру. Из Северопечерского почтового отделения сообщали, что телеграмма не может быть вручена в связи со смертью Платона Афанасьевича Токарева.

Нехорошие мысли нахлынули на Варяга.

— Егор, — сказал он, кажется впервые обращаясь к хозяину квартиры по имени. — У меня к тебе будет очень важная просьба. Не знаю уж как — но надо узнать, что стряслось с Потапом. Мне это не нравится. Дед был, конечно, старый, но крепкий. Не верю, чтоб он вдруг умер ни с того ни с сего. У тебя есть там кто надежный?

Гепард отрицательно покачал головой.

— Разве что самому слетать.

— Егор, брат, прошу тебя — сделай это для меня. Найди кого-нибудь толкового, кто бы мог туда смотаться. Я бы и сам махнул — но ты же понимаешь, не могу.

— Ладно, есть у меня тут кореш. Тот самый, с кем мы из Афгана спецгрузы гоняли — я тебе про него рассказывал. Генка Шмаков. Он съездит.

Бывший однополчанин Гепарда прозвонился из Северопечерска через два дня к вечеру. Его рассказ потряс Варяга. Он, забыв про всякую осторожность, сам говорил с ним. Генка не поленился, добрался до сгоревшей избы в лесу, все там осмотрел, потом поговорил с местными, нашел даже мужичка-шофера, который подвозил Варяга от Потапа до вертолетной площадки, а потом и Беспалого с его бойцами возил. Мужичок и поведал Генке, что пожар на заимке у отца Потапа как раз произошел после шмона, который там учинил подполковник Беспалый, и что он не верит местному начальству, проводившему расследование пожара и все списавшему на несчастный случай... Наверняка старика и его племяшку убили: тот самый подполковник и его люди. Трупы, по словам шофера, похоронили там же в лесу, недалеко от пожарища.

— Вот что, Егор, мы сейчас со Шрамом разберемся, на это уйдет максимум неделя — не больше, больше никак нельзя. А вот потом не мытьем, так катаньем я должен буду этого подполковника из Северного Городка выковырять. Уж не знаю как, но я не успокоюсь, пока не найду его и не загляну ему в глаза. Не успокоюсь! — Варяг отвернулся и вытер накатившуюся на глаза слезу. Гепард сделал вид, что ничего не заметил.

Он давно понял, что его гость — крупный воровской авторитет. С таким ему пришлось в первый раз в жизни делить крышу и стол. Он поражался силе, уверенности и выдержке этого человека. И теперь, видя, как тяжело Владислав переживает гибель людей, спасших его от верной смерти, вдруг еще больше зауважал этого беглого уголовника. И вдруг понял, что попроси его сейчас Владислав о любой помощи, он ему ни в чем не сможет отказать. Больше того, пойдет за ним, если понадобится, хоть в самое пекло...

— Выпьем, Егор, за упокой души Потапа и внучатой племянницы его Елены. Светлые были люди, — глухо сказал Варяг, повернувшись к Гепарду. Он вдруг невесело улыбнулся. — А знаешь, у меня был один человек, нужный мне человек, самый дорогой для меня человек, его тоже Егором звали. Егор Сергеевич... Давай-ка и его помянем.

Они выпили, не чокаясь. И потом Варяг коротко рассказал Гепарду о своем плане поисков Шрама.

— Ты нашел девицу? — спросил напоследок Варяг.
— Я же сразу сказал — есть девица, — кивнул Гепард.
— Надежная?
— Не подведет.
— Учти, Егор, Сашка Шрам — зверь хитрый и подозрительный. Если почует опасность или усомнится в чем — сразу ее грохнет, раздумывать не станет.

Гепард развел руками.
— За риск и платим соответственно...

Варяг кивнул.

— Запиши расходы мне в счет. Разберусь маленько с делами здесь, в Москву сгоняю и все верну.

— Что, в Москве ты чулок с золотыми червонцами заховал? — пошутил Гепард.

— Как в воду глядишь, — загадочно заметил Варяг. — Есть там один чулочек.

А вечером раздался странный звонок.

* * *

Запиликал мобильный телефон, и Шрам, оторвавшись от телевизора, нажал кнопку.

— Але?

— Александр Алексеевич? — раздался в трубке знакомый голос издалека. — Приветствую вас. Беспалый. Я звоню из Петербурга.

— Узнал! — рявкнул Шрам. — Что, неужели наш общий знакомый уже в Питере? Неужели нашелся?

— Нет, пока не нашелся. Но он наверняка тут. И мне требуется ваше содействие...

Беспалый, безрезультатно проведя в Петербурге уже три дня, в конце концов понял, что без надежного помощника, каким был Шрам, ему не обойтись. У него имелась только одна зацепка — номер телефона, написанный на художественной открытке рукой Варяга.

Он позвонил по этому телефону в первый же день, сразу после приезда в Питер. Телефон молчал. Он позвонил на следующий день — опять без толку. Но вчера вечером к телефону подошел мужчина с незнакомым резким голосом.

— Я ищу своего приятеля, — начал Беспалый, закрыв глаза и плотно прижав к уху трубку, точно собирался телепатическим образом увидеть незримого собеседника, комнату и присутствующих в ней людей. — У меня есть вот этот телефон, может быть, я смогу его отыскать...

— Какого приятеля? — лениво поинтересовались на другом конце провода.

— Его зовут Владислав. К сожалению, фамилии я не знаю. Меня просили ему кое-что передать.

После довольно долгой паузы (если там Варяг, значит, этот хмырь с ним тихо переговаривается, советуется, подумал Беспалый) мужской голос произнес:

— Владислав? Да Владиславов в Питере пруд пруди Какой именно?

— Игнатов, — рискнул Беспалый.

Опять пауза. Снова, суки, советуются. Беспалый и сам не мог бы себе объяснить, с чего это он был так уверен в том, что рядом с его незримым собеседником сидит Варяг и контролирует беседу. Но он почему-то в этом не сомневался...

— Да нет, уважаемый, вы, наверное, ошиблись. Нет тут никакого Владислава Игнатова. И никогда не было.

Только повесив трубку, Беспалый интуитивно понял, что попал в десятку. Теперь надо было срочно найти адрес и установить за домом слежку. Если Варяг там — а Беспалый почему-то был в этом уверен — то он выползет из своего логова, надо только набраться терпения.

Беспалый знал, что Шрам отъехал в Москву до конца недели, но терять время было нельзя, вот ему и пришлось потревожить питерского пахана прямо в столице.

— Александр Алексеевич, я без вас как без рук, — нарочито льстиво продолжал Беспалый. Он уже давно понял, что самодовольный Шрам покупался на лесть, как зеленый первоходок. — Мне нужны некоторые справки по городу — по адресу узнать номер телефона, по телефону — адрес.

— А в городской паспортный стол не хотите обратиться? Вы же подполковник вэ-вэ, покажите там свою ксиву — вам вмиг все сделают как надо.

— Нет, Александр Алексеевич, я ведь в городе как частное лицо, не в командировке, да и дело у меня — у нас — деликатное, и я бы не хотел подключать к нему местную милицию. Нужен надежный и конфиденциальный источник. Вы же меня понимаете?

Шрам, который как раз ждал звонка Ваньки-Борща и не собирался долго занимать свою мобильную линию, решил по-быстрому закончить этот разговор.

— Ладно, подполковник, свяжитесь с моим офисом, пусть вам Ленка, моя секретарша, найдет Моню... Монина Гришу. Оставьте свой контактный телефон, он вам позвонит, сошлитесь на меня, он все, что надо, сделает. Все — до связи! Скоро сам буду в Питере. Увидимся.

* * *

Моня пообещал Беспалому все разузнать к вечеру. Встречу назначили в холле «Прибалтийской»: Беспалый не хотел вести по телефону долгий разговор и попросил составить список адресов для передачи ему лично в руки. Без четверти шесть Беспалый уже стоял у подножия гранитной лестницы и ждал.

Он сразу обратил внимание на сутулого мужчину в очках, с палкой, который сидел на скамейке в сквере перед гостиницей. Профессиональная привычка вертухая все фиксировать взглядом и бессознательно отправлять увиденное в память сработала и на этот раз. Беспалый отметил про себя, что густые усы слишком нарочито закрывают чуть ли не всю нижнюю часть лица, но не придал этому особого значения. Он отвернулся и стал разглядывать виднеющиеся вдали портовые краны.

Когда Беспалый снова повернулся к скверу, сутулого мужчины уже не было. И он сразу забыл про усатого, потому что его внимание привлек спускающийся к нему по лестнице крепкий парень со сложенным листком бумаги в руке. Беспалый машинально взглянул на часы. Три минуты седьмого.

Чтобы не навести Шрама и его бойцов на Варяга раньше времени, хитрый Беспалый назвал Моне десяток питерских телефонов — их он просто выписал из справочника «Желтые страницы», среди которых был и контактный телефон Варяга. Теперь у него был нужный адрес.

Ехать пришлось на Московский проспект.

Беспалый быстро нашел дом номер 135. Но подниматься на четвертый этаж в 16-ю квартиру не рискнул. Оглядевшись по сторонам, он приметил на дворовой скамейке мальчугана лет двенадцати. Беспалый подозвал его к себе и достал из кармана десятку...

ГЛАВА 45

Милиционер мазнул взглядом по его лицу и, отделившись от колонны «Гостиного двора», уверенным шагом пошел на сближение. Варяг внутренне напрягся, готовясь к худшему.

Худшим было то, что мент мог прямо сейчас, на шумной питерской площади, попросить его предъявить документы и прицепиться к чему-нибудь. В Петербурге ретивая ментура на улицах свирепствовала не так, как в Москве — паспорт у первого встречного, козырнув издевательски, не требовали. Но с этим старшим сержантом сейчас, кажется, придется вступить в разбирательство.

Варяг, не глядя на приближающегося мента, привычно нащупал в кармане куртки пистолет. Он собрался уже было вбежать в поток людей, устремившихся в двери универмага, как милиционер его окликнул:

— Мужчина! Минуточку!

Старший сержант подошел вплотную и, козырнув, представился:

— Старший сержант Воробьев. Извините, предъявите ваши документы!

Сохраняя холодное спокойствие, Варяг осклабился в густые накладные усы и пошутил:

— Все сразу, товарищ сержант?

— Желательно паспорт, — не отреагировал на шутку мент.

Варяг полез во внутренний карман и выудил паспорт на имя Прошечкина Валерия Викторовича, 1959 года рождения, уроженца Москвы. Паспорт был чистый — его нашли в сумке пьяного владельца на Московском вокзале. Сумку «подобрали» вокзальные щипачи, которые загнали паспорт за полсотни баксов скупщику. От скупщика паспорт перекочевал к верным людям, а уже от них — к Гепарду, который позавчера и вручил Варягу потертую книжицу.

Старший сержант, с первого взгляда определивший, что слегка потертый паспорт — не фальшак, полистал его, проверил прописку и стал внимательно изучать три дня назад приклеенную фотографию Варяга в бутафорских очках и усах. Сержант кивнул удовлетворенно и вернул паспорт владельцу.

— Вы недавно в городе?

— Не так чтобы, — ответил спокойно Варяг. — В отпуск вот приехал, давно не был в городе на Неве. А что?

— Да вы похожи на одного деятеля, объявленного в розыск, — простодушно ответил старший сержант и откозырял. — Извините.

Варяг кивнул и быстро смешался с толпой. Итак, его побег все-таки скрыть не удалось — Беспалый объявил его в розыск... Значит, вся эта бутафория с усами и очками — не напрасная предосторожность, чутье опять его не подвело.

Он вошел в магазин и двинулся по длинному торговому ряду. Встреча с ментом несколько нарушила его планы. Сегодня он собирался отправиться к «Прибалтийской», где находился офис одной из легальных фирм Шрама и где ему надо было оставить «гостинец».

Гепард вызвался сам отнести «гостинец», но Варяг твердо отклонил его предложение. Он знал, что Шрама сейчас в офисе нет. По его просьбе Гепард еще вчера позвонил ему и секретарша привычно сообщила, что Александр Алексеевич в командировке и будет, скорее всего, через неделю. И Варяг решил, что самое время отправиться туда лично.

Слова старшего сержанта его озадачили. То ли мент так просто сболтнул, чтобы загладить свою оплошность — ну чего это он полез проверять документы у добропорядочного москвича-отпускника, — то ли по городским и областным УВД и впрямь уже пустили Варягову фотографию в анфас и профиль. Очки и усы, конечно, неплохой камуфляж, но ведь он не оборотень — внешность нельзя изменить до неузнаваемости, а на пластические операции, как когда-то, времени нет.

Варяг был вынужден действовать в одиночку, потому что он пока еще не понял, кто из надежных людей остался в Питере после зимнего разгрома воровской верхушки и после убийства Пузыря, которого он сам когда-то поставил здесь контролировать Шрама. Гепарда он пока тоже не хотел тягать без особой нужды. Тот по его просьбе проворачивал кое-какие подготовительные дела в городе, но его можно было непосредственно подключать к делу только после того, как он сам все разузнает.

Теперь Варяг решил не рисковать. Если он и впрямь объявлен в розыск, значит, питерская милиция наверняка получила особое предупреждение: они знали, что Варяг рано или поздно объявится в северной столице. И маскироваться надо теперь по-серьезному.

* * *

Из «Гостиного двора» вышел усатый мужчина в очках. Он сильно сутулился и приволакивал правую ногу, опираясь на полированную деревянную палку. На вид ему можно было дать лет сорок пять—пятьдесят. Неопределенного возраста мужчина вышел из переулка на

Невский и спустился в подземный переход. На противоположной стороне проспекта он сел в подошедший троллейбус.

Спустя без малого тридцать минут Варяг был на месте. Он приехал немного раньше времени. Часы показывали двадцать минут шестого. И у него в запасе было еще пятнадцать—двадцать минут. Он прошел в сквер и, сев на скамейку, стал с интересом наблюдать за голубями.

Ровно через двадцать минут Варяг встал и направился к лестнице. Он заметил боковым зрением плотного, крепкого мужчину в неприметном сером пиджаке и темных брюках. Мужчина стоял к нему спиной и читал газету.

Варяг, не останавливаясь, стал подниматься по гранитным ступенькам. Но где-то в глубине души прозвучал сигнал тревоги. Он пока не понимал, с чем это связано, чем так его заинтриговал незнакомец в сером пиджаке. Варягу надо было торопиться. И он отогнал от себя ощущение мимолетной тревоги.

Войдя в «Прибалтийскую», он уверенно подошел к молодому охраннику в черной униформе, вальяжно восседавшему за длинным полукруглым столом.

— Мне нужно попасть в «Петроконцерт», — обратился к дежурному усатый мужчина в очках. Наверное, композитор или дирижер, подумал охранник, привычно оценивая нового посетителя по внешнему виду.

—Пятый этаж, лифт вон там слева. Оставьте какой-нибудь документ, любой...

Посетитель порылся по карманам и выудил замусоленную инвалидную книжку. Охранник бросил на посетителя недоверчивый взгляд — уж совсем не похож на беспомощного старичка — и раскрыл книжку. Саврасов Петр Николаевич, 1952 года рождения. Первая группа инвалидности. Ну и дела... Может, где воевал?

Посетитель медленно прошел к лифтовому холлу.

Войдя в кабину лифта, он нажал кнопку вовсе не пятого, а десятого этажа, где, как известно, в двойном офисе 1020 и 1022 помещалась контора Александра Алексеевича Степанова. Самое забавное, если бы сейчас в лифт вдруг вошел Сашка собственной персоной — интересная была бы сцена.

Впрочем, понятно, что для Варяга такая встреча неминуемо окончилась бы очень печально — Шрам без охраны только в койку ложился. А уж по городу он перемещался в сопровождении не менее двух-трех дюжих телохранителей. Поговаривали, что особенно осторожен он стал после недавних загадочных наездов на его людей, завершившихся убийствами.

Эти местные разборки могли испортить Варягу все дело: если Шрам заляжет на дно — то шандец, его не найти. Да и теперь, пока он еще оставался на виду, подступиться к нему было нелегко. По сведениям Гепарда, Шрам возвел вокруг себя непробиваемую почти «китайскую» стену — потому-то пришлось отказаться от мысли решать вопрос о поисках и освобождении Светланы и Олежки силовыми методами.

Для их поиска и вызволения был придуман куда более хитроумный и изощренный план...

Двери лифта с шипением разъехались. Варяг вышел в холл и посмотрел на табличку первой двери: 1008. Он неторопливо двинулся дальше по коридору. 1010... 1016... А вот и двойной офис 1020 и 1022. Он подошел к закрытой двери, постоял, посмотрел на часы — ровно без шести минут шесть — и нажал на ручку. Дверь легко поддалась, и он вошел в приемную.

Ему нечего было опасаться — кроме отсутствующего Шрама его вряд ли кто здесь знал в лицо, да и загримирован он был неплохо. Газетные фотографии — не в счет. Есть хотя бы один случай, когда кого-либо нашли по газетной фотографии? Нет, конечно!

— Добрый день, — вежливо произнес Варяг, глядя сквозь стекла больших очков на девушку в алой мини-юбке и белой блузке с чересчур большим вырезом: девка явно во вкусе Шрама. — Мне нужен «Петроконцерт». Я правильно пришел?

Девушка нахмурилась.

— Нет, это не «Петроконцерт».

— Да? — разочарованно произнес сутулый мужчина и подошел поближе к столу. — А мне сказали — на десятом этаже.

— Нет, на нашем этаже нет «Петроконцерта», — с невольным раздражением сказала секретарша. В этот момент зазвонил телефон.

Варяг улыбнулся: без пяти шесть — это звонил пунктуальный Гепард.

— Нет, Александра Алексеевича пока нет, — ответила девушка, чуть отвернувшись от докучливого посетителя. — Он в командировке...

Но Варяг не слушал. Он попросил Гепарда подержать девицу у телефона хотя бы минуты три, чтобы ему хватило времени сделать то, ради чего, так рискуя, он сюда пришел.

Покосившись на девушку и заметив, что она уже совершенно забыла про него, Варяг как бы невзначай подошел к окну. Внизу гранитная лестница сбегала от главного входа вниз на площадь, справа виднелся сквер, а чуть дальше платная автостоянка.

Тут внутренняя дверь раскрылась и из кабинета вышел, держа в руке сложенный листок бумаги, Гришка Монин. Черт возьми! Варяг поспешно отвернулся, хотя знал, что Моня его не узнает — ведь они виделись лишь раз, мельком, года полтора назад в ресторане, где было полно народа и Моня был шестеркой при Шраме...

Моня недовольно посмотрел на сутулого мужчину, потом перевел недовольный взгляд на секретаршу. Та скроила ему гримаску — мол, сейчас я этого выпровожу — и продолжала вести беседу с Гепардом, устало объясняя назойливому собеседнику, что Александр Алексеевич ничего не передавал для Ильи Моисеевича...

— Как, как? Да вот так — не передал, и все! Господин, извините... я действительно ничего не знаю... но даже если вы его друг детства... позвоните, когда вернется.

Моня плотно закрыл дверь кабинета и вышел из приемной. Секретарша продолжала беседу. У него оставалось секунд десять—пятнадцать. Варяг, все еще стоя у окна, незаметно вытащил из кармана небольшую коричневую коробочку и спрятал ее в ладони. Потом вдруг сел в кресло для посетителей и как бы случайно провел рукой по краю журнального столика. Коробочка прилипла к внутренней поверхности столешницы. Варяг стал поправлять шнурок ботинка.

Секретарша положила трубку и, уже не скрывая раздражения, заявила:

— Мужчина, пожалуйста, выйдите отсюда, вы мешаете мне работать. Я же вам сказала: «Петроконцерт» на другом этаже!

Сутулый усач поспешно встал. Он испуганно глядел на суровую секретаршу сквозь плоские стекла очков.

— Извините, ради Бога, я, верно, ошибся. До свидания!

Он вышел из приемной. За его спиной щелкнула закрывшаяся дверь.

Эту прослушку, которую невесть где раздобыл Гепард, рано или поздно обнаружат. Надежда была лишь на то, что до ее обнаружения Варягу удастся выяснить одну маленькую, но очень важную деталь: где? Где Шрам содержит его жену и сына?

Капканы на Шрама были расставлены.

* * *

По просьбе Егора Люба неделю назад устроилась в «Прибалтийскую» уборщицей. Люба не могла отказать Егору в просьбе. Егор, с которым она жила уже полтора года, был парень во всех отношениях положительный: выпивал, но не пил по-черному; нигде не работал, но всегда был при деньгах, вел себя прилично. Они жили на два дома — Егор то к ней наезжал с ночевкой, то к себе звал. Вот только в последний месяц отношения у них что-то немного поостыли.

К Егору пришел жить какой-то парень, как он сказал, старый знакомый еще по армии, и он теперь ее к себе не пускал — временно, по его словам. А потом вдруг позвонил и ни с того ни с сего попросил устроиться уборщицей в «Прибалтийскую», в офисное крыло. Да не просто попросил — наказал: «Так надо, Любаша. Сделай для меня».

И вот она уже целую неделю каждое утро возила по длинным коридорам урчащий пылесос «Самсунг», вытирала пыль с мебели в холлах, мыла пепельницы в курительных отсеках.

Но не за этим Егор ее сюда назначил.

Каждый вечер она приходила в служебную подсобку на десятом этаже, лезла на этажерку с инвентарем и доставала сверху, из-за горшка с гарденией, маленький магнитофончик. Крохотную — с коробочку из-под конфеток «Тик-так» — кассету с записью она вынимала и новую, чистую вставляла.

Что все это значит, она не понимала — Егор не рассказывал, а сама она ничего вызнать не могла: магнитофон был хитрый и на воспроизведение записи не работал. И включался когда хотел — Егор объяснил, что аппарат работает «с голоса». Одного только она понять никак не могла: с чьего такого голоса и каким образом эта машинка, лежа на этажерке за цветочным горшком, может записывать...

«Так надо, Любаша. Сделай это для меня», — не уставала повторять про себя слова Егора влюбленная женщина...

ГЛАВА 46

Шрам почуял смертельную опасность. И что было на него совсем не похоже — занервничал.

Встретившись вчера утром с подполковником Беспалым на Васильевском острове, Шрам услышал то, чего боялся и не желал услышать: Беспалый твердо заявил ему, что Варягу удалось все же бежать из колонии, что он жив, здоров и сейчас находится на пути в Питер, а может быть, уже и здесь.

— С чего это вы решили, что он в Питере? — спросил как ни в чем не бывало Шрам, стараясь не выдать шевельнувшегося глубоко в душе предательского страха.

— А с того, — ответил Беспалый, похлопав себя рукой по нагрудному карману, — что у меня есть улика — собственной рукой Владислава Игнатова написано, что он направляется в Петербург.

— Что за улика? — не спросил, а выкрикнул Шрам.

Беспалого, кажется, забавляла бурная реакция питерского пахана.

— Верная улика... Нашел я эту улику в далеком таежном доме. А потом в этом самом доме пожар случился и все его обитатели сгорели, царство им небесное... Владислав Игнатов там прятался, в том доме. Но теперь это уж дело прошлое. Вот я и предлагаю, Александр Алексеевич, объединить наши усилия. Я так понимаю, вам не шибко на руку, чтобы Варяг появился в городе...

— Ничего! Ничего! — перебил его Шрам. — У меня для него тут, за городом, гостинец припасен. Так что мы с ним еще потолкуем...

Беспалый взял эту обмолвку на заметку и продолжал:

— Да и у меня к нему есть свои претензии. Так отчего бы нам с вами не посотрудничать?

* * *

В последнее время Шрама преследовали неудачи одна за другой. Вернувшись в Питер, ничего не добившись в Москве и едва не попав под пули, Шрам понял, что Беспалый не соврал. Смерть верных телохранителей и особенно стрельба в «Арагви» укрепили его в мысли, что Варяг не просто выжил, а нагрянул в Питер и тайком руководит действиями своих невидимых бойцов, которые со всех концов начинают посягать на его, Шрамовы, владения, да и на него самого. После долгих раздумий Шрам все же приказал Моне связаться по канадской цепочке с Сержантом и сообщить ему о новом предложении по совместной работе — ликвидации Варяга. Эта приманка должна стать для Сержанта желаннее всяких гонораров, рассудил Шрам. Хотя и на гонорар за голову Варяга он тоже не поскупится.

После очередного разговора с Беспалым Шрам окончательно потерял покой. Впрочем, как матерый хищник в минуту опасности, он не только не утрачивал присутствия духа, но, наоборот, становился еще злее, еще собранней и сильнее — готовый клыками и когтями рвать противника, защищать свою жизнь, свою территорию.

Шрам был готов к драке. Но он все равно страшно нервничал и ничего с этим не мог поделать. Чтобы сейчас успокоиться, Шрам долго и тупо глядел на белый циферблат своего «Ролекса» в бриллиантовой окантовке. Он обожал дорогие часы. Ему было наплевать на время — время всегда работало на него, но он упивался

452

благородным блеском золотого корпуса, сверканием вмурованных по ободку бриллиантов, изящными платиновыми стрелками и тяжелым, червонного золота браслетом. Стоили эти часики под сто штук баксов.

Но теперь Шрама не радовала даже эта дорогая игрушка. Все его мысли были прикованы к ветхому трехэтажному домишке на Васильевском острове, где ему сегодня предстояла встреча с генералом Калистратовым. Последняя встреча. К ней он подготовился основательно.

Сразу же после вчерашней беседы с Беспалым он позвонил в Москву и попросил Калистратова срочно приехать в Петербург ночным экспрессом. Сегодня он уехал из своего офиса в «Прибалтийской» сразу после обеда, попросив секретаршу не соединять его ни с кем, и для пущей убедительности отдал ей свой мобильник.

Этот домишко на Васильевском играл для него какую-то, едва ли не мистическую, роль. После той первой встречи с Калистратовым год назад Шрам облюбовал дом «Леноблкниги» для незапланированных тайных встреч с людьми, которых не должны были видеть ни его телохранители, ни секретарши, ни ближайшие сподвижники — никто. Здесь он встречался с переодетыми в штатское высокопоставленными эмвэдэшниками и другими высокопоставленными чиновниками.

Он чувствовал, что его влечет сюда даже тогда, когда встречаться-то ни с кем не надо. Шрам догадывался — почему, но не мог, не осмеливался себе в этом признаться.

Причина же была проста. Его влекла сюда давно высохшая и отмытая кровь трех верных телохранителей, убитых на его глазах. И это уже не было мистикой. Это был страх, глубокий, подспудный страх, который он старался заглушить. Страх, что рано или поздно, но неминуемо эта кровь проступит на его ладонях и лбу, и его мрачная тайна станет известна всем...

Шрам давно уже отгоревал по тем троим. Ему часто приходилось терять людей, но он не привык долго пребывать в трауре. На смену одному убитому бойцу приходили два-три новых. Бравые, мускулистые, отчаянные ребята со стиснутыми зубами, которым грела душу мысль, что они будут работать на самого Шрама, «папу санкт-петербургского». И бойцы нового призыва оказывались не хуже прежних.

Но сейчас тревожные мысли просто захлестывали Шрама. Если Варяг жив и бежал, значит, рушились все планы насчет сходняка, на котором надо ставить вопрос о выборах нового смотрящего. Да что там выборы смотрящего? Само существование Шрама становилось настолько сложным и опасным, что впору шкуру спасать. Немедленно нужно заняться уничтожением свидетелей, всех тех, кто мог хоть как-то догадываться о причастности Шрама к убийствам Ангела, Графа, кто мог сболтнуть, что именно он, Шрам, сдал сначала Варяга ментам, а потом и многих других. И конечно, перво-наперво ему предстояло убрать главного свидетеля — генерала Калистратова.

* * *

Въехав во двор трехэтажного домика, Шрам свернул за угол и поставил машину у заколоченной двери в подвал. Сегодня он приехал на невзрачной «Ниве», взятой в Колпино. Он открыл багажник и вынул оттуда объемистый коричневый баул. Баул был тяжелый. Быстро оглядевшись по сторонам, Шрам подошел к двери в подвал и сильно рванул дверь, так что хлипкие гвозди, которыми она была приколочена, сразу выскочили. Он вошел в кромешный мрак, прикрыл дверь и, посветив заранее припасенным фонариком, поставил баул в пыльный угол. Потом подошел к двери, ведущей на лестницу. Проверил — дверь была не заперта. Он потушил фонарик и выбрался наружу.

Калистратов начальственно хлопнул ладонью по столу.

— Да ты хоть понимаешь, Саша, что это значит? Если он жив, если ему удалось бежать из колонии, то тогда и ты, и я, и еще Бог знает сколько людей оказываются под ударом... А кстати, у тебя откуда такие сведения?

Шрам хмуро усмехнулся, глянув на часы. Восемь уже...

— Телеграф работает, исправно работает. Не хуже вашей фельдсвязи.

— А ты ни с кем не встречался... оттуда? — подозрительно поинтересовался Калистратов.

Шрам коротко мотнул головой: нет, мол.

— Тогда я что-то не понимаю, ты меня с места сорвал только за этим — сказать, что Варяг бежал? Что, об этом нельзя было по телефону сообщить?

— Да не за этим, совсем не за этим, — Шрам поднялся. — Разговор тут один наметился. Зайдем? — Он быстро прошел к внутренней двери, ведущей в соседнюю комнату. Ту самую комнату.

Калистратов нахмурился, но возражать не стал. Он не боялся этого, с позволения сказать, законного вора, потому что даже мысли не допускал, что тот может пойти против своей московской крыши.

Когда они вошли в темное тесное помещение с занавешенными окнами, Шрам тихо спросил:

— Я все понять не могу, генерал, зачем вы меня тогда заставили смотреть. К чему тот спектакль понадобился? С ними нельзя было... разобраться в другом месте?

Калистратов хмыкнул.

— Да ведь в том и фокус состоял, чтобы ты, Саша, присутствовал. Мы ведь с тобой тогда заключили сделку. Ее требовалось обмыть. На всякий пожарный случай.

— На какой?

— Да чтобы ты, не дай Бог, не передумал. Потом.

Шрам исподлобья посмотрел на генерала злым взглядом.

— А если вдруг я теперь передумал?

Калистратов вмиг посерьезнел.

— Ну это зря. У меня на тебя, Саша, во-от такое уже досье собрано. Ему, Саша, цены нет. Кто бы его ни увидел, сразу бы захотел приобрести. Хоть наши, хоть ваши.

— И кто же из ваших с ним уже ознакомлен? — с издевкой спросил Шрам, чувствуя, как в нем закипает злоба.

Его по-детски наивный вопрос, кажется, озадачил старого эмвэдэшника.

— Да ты не волнуйся, милый, кому надо, тот узнает.

— Ты, блядь, не забывайся, с кем говоришь! — взорвался Шрам. — Со мной так не надо! Я тебе не московский хозяйственник — за слово могу глотку порвать!

Калистратов понял, что переборщил.

— Ну, ну, не горячись, мы же свои люди, не чужие, что ты... — Калистратов направился к двери. Но Шрам загородил ему дорогу.

— Ты правильно сказал, гражданин генерал, не за тем я тебя сюда вызвал. У меня к тебе важный разговор наметился, и я хочу сейчас все обсудить.

— Здесь? — заволновался Калистратов.

Шрам заколебался.

— Нет. В другом месте. А привел я тебя сюда для того, чтобы напомнить... А теперь пошли!

И, к удивлению Калистратова, Шрам пошел к угловому шкафу и легко его отодвинул. За шкафом обнаружилась темная дверка.

— Комнатка с секретом, — криво улыбнувшись, сказал Шрам, жестом приглашая генерала войти.

— И куда эта дверь?..

— На заднюю лестницу, в коридор. Там спереди одна лестница — для всех, а тут другая — для своих. Что, интересный домик?

Они стали спускаться в кромешной тьме. Лесенка привела их в коридор первого этажа. Шрам уверенно шел впереди, освещая дорогу фонариком. По той же лесенке они спустились в подвал.

Плотно закрыв дверь, Шрам почувствовал, как вспотели ладони. Он опять занервничал. Лица Калистратова он разглядеть не мог.

— Вот что, генерал, — начал Шрам глухо. — Я пришел к выводу, что ты стал представлять для меня опасность. Ты и сам сейчас об этом мне сказал, даже стал угрожать. Своим досье.

— Ты хоть отдаешь себе отчет в том, что может случиться? — сдавленно прошептал генерал, который все понял. — Неужели ты думаешь, что, убив меня, ты останешься неуязвимым. Да ведь в Москве прекрасно известно, что я тебя разрабатываю уже год. И известно, куда я уехал...

— Плевать! — жестко произнес Шрам. — Ты, генерал, уже отыгранная карта. Неужели ты не отдаешь себе отчет в том, — продолжал он, насмешливо передразнивая Калистратова, — что кроме тебя меня разрабатывают и другие люди, из другого вашего ведомства?

Это была его козырная карта. И по реакции генерала он понял, что выиграл.

— То есть как? Что ты имеешь в виду? — Голос Калистратова прозвучал глухо, убито.

— То, что Варяг — неважно, жив он или убит — уже никого не интересует. И ты, генерал, тоже никого не интересуешь. Ни ты, ни твое досье. А вот меня ты сильно интересуешь.

Шрам достал из внутреннего кармана нож с коротким зазубренным сверху лезвием. В подвале был кромешный мрак. И Калистратов, конечно, ничего не увидел. Но услышал. Когда Шрам размахнулся, крепкая золингенская сталь с характерным свистом рассекла воздух. Генерал попытался в последнее мгновение отступить. Но Шрам, сделав шаг вперед, шумно выдохнув, вогнал нож точно между ребер, в левую часть груди, и дважды резко повернул лезвие по часовой стрелке.

Он вырвал лезвие из груди лишь тогда, когда убедился, что генерал перестал сопротивляться и, хрипя, рухнул на кучу строительного мусора.

Шрам хладнокровно выждал пару минут, и только потом, острожно обходя Калистратова, чтобы не наступить в кровавую лужу, нагнулся над неподвижным телом. Он прислушался. Генерал не дышал. На всякий случай Шрам приложил пальцы к шее. Пульс также не прощупывался. Калистратов был мертв. Теперь надо спешить. Шрам включил фонарь и в его тусклом свете осторожно скинул ботинки, снял пиджак и брюки, повесил их на гвоздь в стене, нашел оставленный час назад баул, раскрыл молнию, вынул электропилу. Пила была немецкая, аккумуляторная, перед поездкой он ее полностью перезарядил. Положив пилу под ноги, он достал толстый рулон полиэтилена, раскатал его на неровном замусоренном полу и с усилием перекатил на него тело. Взяв в руки пилу, Шрам после секундного колебания нажал кнопку. Раздалось ровное тихое жужжание. «Хорошо, — подумал удовлетворенно Шрам, — тихо».

Сначала он отрезал руки, потом ноги, потом голову. Кровищи было до хрена... Туловище кромсать он не стал — решил, что и так сойдет. Все это он аккуратно завернул в полиэтилен: по отдельности каждый кусок.

Осмотрев шесть разных по объему полиэтиленовых свертков, он разложил их по трем отдельным сумкам. Потом внимательно осмотрел пол и, взяв лопату, собрал с него кровавые пятна вместе с землей, бросив ее в одну из сумок. Осмотревшись еще раз, Шрам удовлетворенно крякнул и, выскользнув из подвала в коридор, тихо проследовал в туалет. Там он тщательно вымыл руки, смыл кровавые кляксы с лица, снял окровавленные трусы и майку, свернул их и нагишом быстро вернулся в подвал.

Из баула Шрам достал свежие трусы, майку и пятилитровую канисτρочку с бензином. Переодевшись в чистое, надев ботинки и верхнюю одежду, он выбрался на свежий воздух и осмотрелся по сторонам. Не заметив ничего подозрительного, сел в «Ниву» и подогнал ее задом вплотную к двери подвала. Погрузка расчлененного трупа заняла минут пять — особенно тяжко ему пришлось с обезображенным туловищем.

Вернувшись напоследок в подвал, Шрам разлил содержимое канистры по полу, встал на пороге, чиркнул спичку и, бросив ее во мрак, тут же захлопнул дверь. Он услышал шумный вздох бензинового пламени. Скоро огонь сотрет дотла все следы кровавой разборки.

Урок подполковника Беспалого пошел Шраму впрок.

ГЛАВА 47

Гепард с особым усердием чистил ствол «макарова» жестким ежиком на длинной витой ручке. «Макаров» был его, боевой, 1994 года выпуска. Пистолет уже года два лежал без употребления, но по старой спецназовской привычке Гепард регулярно раз в неделю вынимал его из черной промасленной ветоши, разбирал, чистил ствол и снова собирал. Сегодня он это делал с пониманием того, что скоро, по словам Варяга, предстояла серьезная работа, во время которой без «макарова» явно не обойтись.

Раздался звонок в дверь. Гепард привстал с табуретки и выглянул на улицу. Кухонное окно выходило во двор. Там никого не было, если не считать какого-то мужика на скамейке. Мужик был чужой — не из их дома. Он читал газету. Гепард подозрительно посмотрел на часы. Пора было возвращаться Владиславу. Но тот никогда не звонил — всегда стучал условным стуком: два раза и третий короткий. А Любке он строго-настрого запретил приезжать без звонка. Гепард завернул «макарова» в тряпицу, убрал поглубже в ящик со столовыми приборами и пошел открывать.

На пороге стоял мальчик. Гепард сразу же узнал его. Витька из пятого подъезда.

— Тебе чего, Витек? — миролюбиво спросил Гепард.

— У вас живет Владислав Игнатов? — выпалил мальчик.

Гепард даже вздрогнул. Второй раз за последние два дня он услышал имя и фамилию, которую, по его разумению, не должны были знать посторонние. Но сначала позвонил какой-то мужик. А сейчас мальчишка...

— Ты что, Витек, ты же знаешь: кроме меня да тети Любы тут никого нет. А кто тебе сказал, что тут есть... как его? Вячеслав?

— Да дядька на улице просил подняться к вам узнать. Он его приятель, приехал в Питер на днях, ищет. Ему надо что-то передать этому приятелю.

— Не тот ли дядька, который сидит во дворе на скамейке и газету читает?

— Наверное, — кивнул мальчик. — У него была в руках газета.

— Знаешь, Витек, ты погоди. Я сейчас переобуюсь, мы вместе спустимся, поговорим с этим дядькой.

Гепард скинул тапки, надел кроссовки, и они, выйдя на лестничную площадку, вызвали лифт. Лифт как на зло был занят и долго не шел.

— Дядька обещал десять тыщ дать! — поведал Гепарду мальчик. — Чтобы я к тебе, дядя Егор, поднялся и про этого спросил... Владислава.

— Да? — без тени удивления отозвался Гепард. Он уже не сомневался в том, что пытливый дядька во дворе — тот самый, кто звонил вчера по телефону.

Минут через пять они вышли во двор. Скамейка была пуста, на земле валялась раскрытая газета.

Видно, дядька очень спешил.

* * *

Отправив мальчишку в 16-ю квартиру, Беспалый сел на скамейку и развернул «Московский комсомолец». Столичная газетка редко доходила до Северного Городка, а Беспалый любил ее читать, нередко выуживая из нее полезные сплетни о житье-бытье столичных «крутых» — в погонах и без.

Он на мгновение оторвал взгляд от страницы и вдруг увидел знакомую сутулую фигуру. Где он его встречал? Ах, ну как же! В сквере у гостиницы «Прибалтийская»! Так вот значит что — этот сутулый следит за ним! Мужчина шел уверенным шагом к нему. Но, подойдя к скамейке совсем близко, он уже больше не сутулился и не опирался на палку, которую крепко сжимал в руке. Очки, усы, низко надвинутая на брови шляпа. Мужчина молча сел на край скамейки, положив рядом палку, правую руку держа в кармане.

— Кого-кого ожидал встретить здесь, но только не тебя, — тихо, но твердо произнес усач в очках.

— Мы знакомы? — вздрогнув, резко спросил Беспалый, уже зная, с кем имеет дело. Он не верил своим глазам. Этого не может быть...

— На твою беду — да! И очень хорошо знакомы. Да ты не виляй, подполковник. Ты же меня сразу признал. На ловца и зверь бежит...

Да, он его узнал. Беспалый тоскливо подумал о своем табельном ТТ, по глупости оставленном в привокзальной гостинице. Он понимал, что Варяг подсел к нему не о погоде потолковать — разговор с беглым вором будет суровым и коротким. По-дурацки попался, промелькнуло у Беспалого в голове. В кармане конечно же у него пистолет. Надо было что-то предпринимать, и он решил потянуть время.

— Ты откуда здесь?

— С того света, подполковник. Привет тебе пришел передать от покойников, которых ты загубил... Пойдем, подполковник, прогуляемся, чего народ-то дивить, пойдем — обсудим общие дела в более уютном месте. — Варяг поднялся.

— Какие у нас могут быть общие дела? — не согласился Беспалый. — Ты — беглый зек, я — начальник колонии. Ты хоть понимаешь, что я сейчас могу подойти к первому постовому?..

— Ни хера ты не можешь, Беспалый! — тихо, с ненавистью прохрипел Варяг. — Я так думаю, раз ты, как последняя дворняжка, вокруг Шрама крутишься, вынюхиваешь, значит, плохи твои дела — иначе с чего бы бросать вверенную тебе зону и корешиться с питерским законным вором? Видать, у вас общий гешефт наметился — какой же? Я слыхал, ты там сильно наследил, Беспалый!

Эти слова озадачили бравого начальника колонии. Что этот чертов Варяг может знать о событиях последних дней в далеком Северном Городке? Об этом в «Московском комсомольце» не писали. О подробностях же подавления бузы на зоне да о карательной экспедиции в Северопечерск кто мог сообщать? Даже и по воровскому «телеграфу» навряд ли. Неужели у беглого есть какая особая связь? Ну, силен, если так, с невольным уважением подумал Беспалый и, стараясь выдерживать уверенный тон, ответил:

— Ну, что касается следов, то ты, Варяг, наследил себе на вышку. На тебе по крайней мере четыре убийства висят — не забыл? Моего охранника ты примочил, когда бежал из колонии, потом в лесу бродягу невинного убил. Да и прошлой зимой в московском аэропорту ты в милиционеров стрелял: не стали тогда на суде увязывать эти дела, для скорости.

— Ну за эти дела я отвечу тому, кто с меня спросит. А вот с тебя спрос посерьезнее, потому как я буду спрашивать.

Беспалый заволновался. В голосе Варяга зазвучал металл. И подполковник понял, что беглому вору известно нечто такое, о чем он, Беспалый, не догадывается, хотя догадаться-то можно было.

— Ты, сука, на днях звонил? Телефон-то этот в твоих краях знали только двое — дед Потап да племянница его. Но они по доброй воле никогда бы тебе телефон этот не дали. Значит, ты, сволочь, силой взял? А потом, чтобы следы своих кровавых дел замести, дом подпалил. Пошли, Беспалый, мне с тобой по-мужски нужно поговорить. Но не здесь, здесь говорить не будем. Глаз посторонних много. Вставай, сука! — Варяг поднялся, крепко сжав в побелевших пальцах толстую деревянную палку, на всякий случай он предупредил: — Только не дури, не вздумай бежать, не заставляй меня стрелять в спину, я этого не люблю.

Беспалый встал покорно, как во сне. Они двинулись по узкой асфальтовой дорожке в глубь квартала. Прошли гастроном, ателье по ремонту телевизоров, автомобильную стоянку. Издали их можно было принять за двух приятелей, молча топающих в ближний парк — посидеть у пруда, может, распить бутылек...

Варяг вел Беспалого прямо к новостройке, виднеющейся за некрашеным деревянным забором.

— Давай, Беспалый, во-он в ту дыру в заборе, — грозно процедил Варяг в спину идущему впереди Беспалому. Подполковник послушно повернул к пролому в дощатом ограждении и первым проскользнул между досок на территорию стройки.

Варяг протиснулся вслед за своим пленником сразу же, сбросив с себя бутафорские очки и усы. Они оказались на территории заброшенной, видать уже давно, незавершенной стройки: вокруг высились горы кирпичей, штабеля оконных рам, вдали черным долговязым скелетом торчал подъемный кран. Варяг подтолкнул Беспалого к зияющим провалам подвальных окон. Беспалый шагал медленно, изображая нерешительность на лице. На самом деле он выбирал удобный момент. Подойдя к зияющему провалу в кирпичной кладке, Беспалый взялся левой рукой за стену и, делая вид, что собирается

464

шагнуть внутрь, повернулся вполоборота к Варягу, скосил глаза и увидел, что его противник зажал палку под мышкой. Пора!

Беспалый перенес вес тела на отставленную назад левую ногу и одновременно оттолкнулся ладонью от стены. Оказавшись лицом к лицу с Варягом, он с силой выбросил вперед правый кулак: кулак с хрустом вонзился в челюсть Варягу. Не дав ему опомниться, Беспалый тут же нанес удар с левой руки, надеясь этим ударом свалить противника с ног.

Но Варяг устоял. В последнее мгновение он чуть отклонился назад, и кулак Беспалого только слегка задел кожу под глазом. Варяг же, выхватив палку из-под мышки, наотмашь нанес Беспалому страшный ответный удар палкой, метя в колено.

Он не промахнулся. Беспалый охнул, его лицо исказилось гримасой боли, и он припал на ушибленную ногу. В следующий миг Варяг бросился на него и втолкнул в подвал, устремившись за ним. Они покатились по заваленному щебенкой, щепками и строительным мусором полу. Беспалый захрипел и, превозмогая боль, вскочил на ноги, чтобы встретить Варяга мощным прямым ударом в лицо.

Варяг не издавал ни звука, дрался молча, точно матерый изголодавшийся волк. Его глаза горели ненавистью. Беспалый видел этот жуткий, пугающий блеск в его глазах. «Почему он не стреляет? — промелькнуло у него в мозгу, — неужели он безоружен, неужели этот... опять меня обманул, как последнего лоха?»

Беспалый озверел, он быстро огляделся по сторонам в поисках какого-то оружия и, чтобы выиграть время, решил пуститься на хитрость.

— А может, это я тебе уйти дал! — шумно дыша закричал Беспалый. — Ты же не знаешь, что это я дал команду выпустить тебя из подземного хода на волю? Что мне из Москвы сигнал поступил насчет тебя?

Беспалый лепил первое, что приходило в голову. Его обуял страх, животный страх смерти. И он сейчас готов был придумать любую чушь, лишь бы остановить озверевшего Варяга, убаюкать внимание этого страшного, сильного человека, заставить его хоть на миг помедлить...

— Ну, что скажешь, Варяг? Ты ведь не знал, что я выполнял приказ твоих доброхотов из Москвы?

— А сюда ты прибыл тоже по приказу? — и с этими словами Варяг вдруг замер, опустив руки, стоя напротив Беспалого и тяжело дыша.

Беспалый осторожно выпрямился. Сбоку, метрах в двух от себя, в полумраке, он заметил на пыльном полу кусок водопроводной трубы. Он решил сделать последний, спасительный ход.

— Ты прав, Варяг, я вступил в контакт с твоим старым корешом, Сашкой Степановым.

В глазах у Варяга промелькнула тень сомнения.

— А, кстати, у него в укромном месте под Питером хранится для тебя гостинец, — продолжал Беспалый. Он почувствовал, что находится на верном пути. — Не догадываешься какой? Александр Алексеевич сказал, что держит этот гостинец про запас, на самый критический момент.

Варяг с ненавистью смотрел на Беспалого.

Тот как бы невзначай сделал шаг влево, резко нагнулся, подхватил обрезок трубы и, раскрыв рот в страшном беззвучном вопле, высоко подняв трубу, кинулся на Варяга.

Варяг стоял неподвижно. Он хладнокровно выждал до последнего мгновения и, когда труба, со свистом распарывая воздух, уже летела ему прямо в голову, сделал неуловимое движение вбок. Труба, просвистев в двух сантиметрах от виска, со скрежетом ударилась о железобетонную стену. Беспалый не ожидал от Варяга такой прыти. Взбешенный, ревя как загнанный зверь, он снова бросился на Варяга, размахивая трубой. В этом противоборстве они напоминали двух хищников, вступивших в смертельную схватку. И ставкой в этом поединке была жизнь.

Когда Беспалый в очередной раз размахнулся трубой, Варяг опередил его на какую-то долю секунды и почти без замаха ударил Беспалого палкой по рукам. Труба выпала из рук противника и со звоном покатилась по бетонному полу, а Беспалый, по-собачьи взвизгнув, на какое-то мгновение потерял контроль и бухнулся на колени, инстинктивно прижав ушибленные руки к груди. Варяг тут же, отбросив палку в сторону, оказался рядом с Беспалым и нанес тому тяжелым кулаком страшный удар в затылок.

Беспалый повалился на спину, корчась от боли.

Варяг присел над ним и тихо, с расстановкой заговорил ему в ухо.

— Мои дела с Сашкой Шрамом тебя, сука, не касаются. У нас с тобой и у самих полно нерешенных дел. Ты сейчас сдохнешь, паскуда. Для этого я тебя сюда и привел. Я не убиваю, как ты, из-за угла. Я не убиваю беззащитных и беспомощных. Мне не в кайф биться с безоружным. И тебя, суку, я сейчас убью не за себя. Хотя ты, сволочь, надо мной в зоне поиздевался вволю. Уж не знаю, по чьей указке, но ты покуражился надо мной вволю, чуть на тот свет не отправил... — Варяг сглотнул слюну. — Но я тебя, запомни, убью не за себя. Я знаю: ты застрелил старика Муллу, ты убил священника Потапа и его внучку Елену. Вот за них я тебя приговорил к высшей мере наказания. А мой приговор окончательный и обжалованию не подлежит.

Беспалый застонал в бессильной злобе. Варяг достал из кармана платок, разодрал его надвое и взялся через ткань за выпавшую из рук Беспалого металлическую трубу. Он медленно поднял трубу и, не спуская глаз с корчащегося на земле тела, положил ее Беспалому на глотку. Тот задергался, вцепился в трубу скрюченными пальцами, пытаясь отодрать ее от шеи. Но Варяг сильно вжал толстую железную трубу в посиневшую кожу, передавливая трахею и кровеносные сосуды.

Через несколько минут все было кончено. С губ Беспалого сорвался последний всхлип. Варяг поднялся. Убрал в карман обе половинки платка. Теперь на трубе остались только отпечатки пальцев убитого.

Он обшарил карманы Беспалого. Нашел бумажник. Документы забрал, деньги — не тронул... Осмотрелся: все вроде. Местным сыскарям предстоит поломать голову над причинами гибели подполковника Беспалого Александра Тимофеевича.

Во дворе Варяг заметил мальчишку, который сидел на скамейке и читал брошенную Беспалым газету.

В квартире Владислава встретил взволнованный Егор и тревожно сообщил:

— Слушай, Влад, опять тебя какой-то хмырь разыскивал. Уже сюда заявился. Мальчишку из соседнего подъезда к нам в квартиру засылал!

Варяг недобро усмехнулся.

— Все, Егор, с этим покончено. Больше он меня не ищет.

Гепард бросил на него вопросительный взгляд.

— Вот что, Егор. Не сегодня-завтра по квартирам пойдут менты, будут опрашивать жителей. В строящемся доме найдут труп мужика. Ты ничего не видел, ничего не знаешь. Мальчишка наверняка даст показания, что этот мужик в твоей квартире кого-то искал — ты скажи, что да, искал, и про телефонный звонок расскажи. Но мужик, скажи, обознался, сюда не поднимался, ты его не видел. Все. А мне нужно менять дислокацию. Но это потом. Сейчас нам срочно нужно браться за Шрама. Ты все подготовил?

Гепард кивнул утвердительно.

— Тогда едем.

— Да. Пора, — ответил Гепард, взглянув на часы. — Надо выдвигаться на позицию.

Варяг тронул себя за верхнюю губу.

— Вот черт, усы эти чертовы потерял. И очки.

— Ну, для встречи со Шрамом тебе этот камуфляж ведь ни к чему, — улыбнулся Гепард.

— Он где сейчас?

— Наши маленькие ушки прослышали, что Шрам готовится к большому празднику, который состоится послезавтра, в воскресенье, в ресторане... Ладно, поехали, по дороге все расскажу. Кстати, помнишь сообщение о перестрелке в московском ресторане «Арагви»? Знаешь, на кого там покушались? На Шрама! Да он ушел, а вот его охранника убили.

Варяг даже присвистнул: похоже, кольцо вокруг Шрама сужается. Кому-то очень хочется отправить питерского пахана на тот свет.

Кому же?

ГЛАВА 48

«Нива» свернула с Каменноостровского проспекта на Приморский и рванула в сторону Сестрорецка. Шрам спешил. Ему надо было к одиннадцати вечера вернуться к Ирке. Он и теперь думал о своем алиби. Для своих же. Даже машину свою «бэ-эм-вуху» он поставил у дома. Никто не должен был узнать о том, что сегодня между семью и девятью вечера он находился на Васильевском острове.

Вдруг запиликал мобильный. Он даже в первый момент не понял, откуда идет тонкий мелодичный звук.

Звонил человек из таможенного комитета.

— Насилу докопался, Саша. Ты сейчас где?

Шрам выматерился про себя: вот чудак любопытный.

— На... Пионерской. А что?

— Ничего, так. Чужих ушей рядом нет?

— Только те, что слушают наш с тобой разговор, — усмехнулся Шрам, крепко сжимая левой рукой баранку «Нивы».

— А, ну этим можно. Так вот, твой дорогой друг приехал к нам в гости месяц назад. По тому самому документу.

Шрам едва не выронил мобильник из ладони.

— Синцов Виктор?.. — забыв про всякую осторожность, переспросил он.

— Он самый!

— В Питере?

— Где он сейчас, известно только ему. Но наверное. Въехал поездом. Из Хельсинки. Доволен?

— Спасибо, брат. За мной должок, — рассеянно пробурчал Шрам и вырубил телефон.

Итак, Сержант в России. В Питере! Значит, я не ошибся: там, в «Арагви», был именно он. Интересно, какого хера ему здесь понадобилось? В кого все же метил Сержант? В него или в китайца? И тут в голове у Шрама вспыхнула совсем шальная мысль. А что, если Сержант гоняется совсем даже не за ним, не за Шрамом? А если Сержант тоже прознал, что Варяг жив и сбежал из колонии? А что, если он приперся сюда, чтобы наконец-то завалить Варяга? А уж по ходу дела зарабатывает на всяких там китайцах?

Шрам даже повеселел. В таком случае надо срочно отыскать Сержанта и, чтобы поторопился, посулить ему за голову Варяга, которого он так и так ищет, хороший куш: пятьсот штук точно можно дать. Гадом буду. А по большому счету и «лимона» для «хорошего человека» не жалко! Бабки — вещь наживная. Башку бы сохранить в целости.

«Нива» неслась по пригороду. Шрам стал глазами искать грунтовку, бегущую от шоссе в лес. Он решил не забираться слишком далеко от города и закопать свой груз где-нибудь на подъезде к Сестрорецку. Теперь он обдумывал план подключения к своей сложной игре Сержанта. Он стал вспоминать, какие у Сержанта были в городе связи, с кем он мог бы сейчас войти в контакт.

И не вспомнил. Что и не мудрено. Сержант вообще вел образ жизни ночного хищника — таился до поры до времени в своей засаде, о которой никто не знал, а потом внезапно из нее появлялся, точно выныривал; наносил свой молниеносный удар, словно гремучая змея, и тут же исчезал, растворяясь во мраке.

То, что он вот уже в течение многих лет вел неустанную охоту на Варяга, было Шраму на руку. Он помнил, что Варяг вроде был повинен в случайном убийстве брата Сержанта: снайпер по ошибке подстрелил его, приняв за Варяга. Мало того, что брата пристрелил, да еще так непростительно для классного снайпера лопухнулся — есть отчего ненавидеть Владислава Игнатова!

Впереди показался проселок. Шрам бросил «Ниву» вправо, резко свернул, и «русский джип» запрыгал по ухабам. Скоро он углубился в лес.

Проехав метров триста, Шрам снова свернул — на этот раз прямо в заросли орешника. Метров через пятьдесят он заглушил мотор. Сразу нашел подходящее место для безымянной могилы — в сыром овражке под старой сосной.

Вооружившись саперной лопаткой, Шрам быстро вырыл яму: сырая земля податливо принимала в себя острое плоское лезвие. Потом он приволок сумку, в которой лежали кровавые свертки, и баул да так целиком все и сунул в яму.

Засыпав яму свежевыкопанной землей, он забросал ее сверху ветками и, для верности, сухими листьями.

Выехав на шоссе и развернувшись в сторону Питера, Шрам поймал себя на том, что никак не может успокоиться. Нервное возбуждение, охватившее его еще днем, никак не отпускало. Ну да ладно, самое главное, что с одним покончено. Теперь — черед Варяга.

Шрам вынул мобильный и набрал Иркин номер. Она не брала трубку. Либо дрыхнет, либо... шляется, курва! Шрам глухо матерился. Ну какова сука! Нет, пора менять. Пора. Задержался он с ней. Хоть она и трахательница знатная, но та еще стерва...

Он стал думать об Ирке и еще больше накрутил себя.

Поставив «Ниву» на стоянку около «Прибалтийской», Шрам пересел в свой синий «БМВ» и рванул к Ирке.

Ирка не спала.

Более того, несмотря на позднее время — было уже половина двенадцатого ночи, — она и не думала ложиться. Шрам сразу заметил на столе грязные бокалы, две пустые бутылки шампанского, вазу с недоеденным салатом «оливье».

— Гости были? — неприветливо бросил он Ирке, которая сидела перед телевизором и грызла соленые орешки.

Передавали городские новости.

— Да, Любаня забегала.

— И принесла две бутылки шампанского под мышкой? — с недоверием спросил Шрам.

— Так она не одна. С Колюней.

— Я тебе сколько раз говорил — не хера сюда этого студента водить!

— А что, ты ревнуешь? — огрызнулась Ирка. Она явно нарывалась на разговор. Ирка отлично знала, что Шрам ревнив и что он терпеть не мог, когда ему этим тыкали в рожу.

Шрам подошел к телевизору с намерением его вырубить, но в этот момент прилизанный диктор слащавым голосом сообщил о пожаре на Васильевском острове, во время которого полностью сгорела помещавшаяся в старом трехэтажном доме книготорговая контора. Шрам опять запаниковал. Он и сам не мог понять, что с ним происходит. Разозлившись еще больше, он резко выключил телевизор.

— Ну какого хрена? — завизжала Ирка. — Сейчас там будет «Эмманюэль»!

Он повернул к ней перекошенное от ярости лицо. Перерезающий щеку шрам побагровел.

— Так что вы тут с Колюшей делали? Почему молчал телефон?

— Да ты че, Саня? — перепугалась Ирка. — Шампань пили, языком трепали. Я тебя ждала.

Он схватил ее за руку и с силой рванул к себе. Она вскрикнула.

— Больно.

— Больно? А так? — Шрам ударил ее по роже.

— За что? — закричала она навзрыд. — Ты что, ошалел? Опять убил, что ль, кого?

Шрам глухо зарычал и толкнул девицу так, что она упала с дивана. Он подбежал к ней, одним рывком раздрал на ней платье и, грубо повалив на живот, сорвал бюстгальтер и трусики. Потом мгновенно содрал одежду с себя, поставил ее на колени и, раздвинув ей ягодицы, вонзился в ее задницу.

Он крепко прижимал ее плечи к полу и сильно, остервенело врезался в ее недра. Она только всхлипывала и шептала: «Больно, Саша, ну больно». Но ее жалобы только распаляли его еще больше. Он озверел. Он хотел причинить ей боль, хотел ее мучить, мять, царапать, рвать ногтями ее молодое аппетитное тело.

— С Колюшей, говоришь, шампань пила? — хрипел он ей в самое ухо. — А вот так он тебе не делал? Или так? В жопу?

Он выдернул набухший член, перевернул девушку на спину и, встав над ней как пес, стал засовывать головку члена ей в рот.

— Соси, сука! Соси, блядь! — орал Шрам и рукой раздвигал ее пухлые губы и разжимал зубы, втискивая член глубоко в глотку.

Ирка издала горловой звук, точно собиралась сблевать.

— Соси, сука! — повторял Шрам, двигая членом взад-вперед у нее во рту. Наконец он содрогнулся от захлестнувшего его сладостного наслаждения и устало, безразлично отпрянул от нее.

Ирка, постанывая, села и выплюнула изо рта густую белесую патоку.

— Все, я ухожу. Не могу больше! Ты просто зверь какой-то! — тихо рыдая, приговаривала она.

— Катись в п...ду! — прохрипел он и тяжело поднялся на ноги. — Чтоб через пять минут ноги твоей тут не было, шлюха.

Он не мог понять, что это на него нашло. Да нет, конечно, мог.

Ирка тут была ни при чем. Дело не в Ирке. Дело в том, что произошло сегодня. И что еще должно произойти в ближайшие дни.

На карту была поставлена судьба Шрама, а быть может, и его жизнь.

Все должно решиться послезавтра.

Когда за Иркой захлопнулась дверь, Шрам подошел к окну и выглянул на улицу.

Ночной проспект призрачно освещался жидким оранжевым светом фонарей. Мимо дома пробегали редкие в столь поздний час машины.

Из подъезда выскочила Ирка и, обиженно цокая каблучками, поспешила к перекрестку. Наверное, ловить тачку. Интересно, куда поедет?

Шрам вспомнил сообщение о пожаре на Васильевском. Будем надеяться, что на пожарище ничего не найдут. Да и что там можно найти? Капли крови — так они испарились, выгорели в огне.

Он бросил последний взгляд за окно и задернул занавеску. Но тут в голове у него точно щелкнул крошечный тумблер — раздался неслышный сигнал тревоги.

Он снова отдернул занавеску и внимательно осмотрел темный подъезд жилого дома напротив. Только что там под козырьком стоял человек. Он четко запомнил мужскую фигуру.

Теперь там никого не было. Видимо, мужчина вошел в подъезд. Куда же он делся? Может быть, он шел к себе домой? Или в гости? Может, курил? В два часа ночи — в гости? Курил? Странно?

Но самое странное было то, что мелькнувшая в подъезде напротив темная фигура напомнила Шраму фигуру одного хорошо ему знакомого человека.

Фигуру Сержанта.

ГЛАВА 49

— ...опознан труп, обнаруженный два дня назад в подвале строящегося дома в Петербурге, — сообщила молоденькая дикторша городской телестанции. — Убитый — подполковник внутренних войск Александр Тимофеевич Беспалый, начальник колонии строгого режима. По данным уголовного розыска, Беспалый был задушен железной трубой, обнаруженной рядом с трупом. Следствие разрабатывает несколько версий... Не исключено, что смерть связана с коммерческой деятельностью жертвы...

— Мудаки! — взорвался Шрам, вырубив телевизор пультом ДУ. — Какие же мудаки! Коммерческая деятельность! Какая может быть у начальника сраной колонии коммерческая деятельность! Ну сказали бы хоть — бандитские разборки, и то было бы ближе к истине. Что за брехуны в этой стране — ну просто не могут словечка правды сказать...

— Шеф, ну чего ты взъелся на них, — опешил Моня, не ожидавший такой бурной реакции.

— Слушай, Мончик! — Шрам выскочил из-за стола. — Вот ты с ним встречался, да? Твое впечатление — что за мужик Беспалый?

Моня пожал плечами и задумался.

— Ну, как сказать, вроде себе на уме мужик. Хитрый.

— О! Хитрый! И какого хрена он оказался на Московском проспекте? Ты же ему адреса выписал — помнишь? Может, там был и этот адрес?

Моня изобразил на лице напряженную работу мысли.

— Слушай, Шрам, точно там был Московский проспект. И вот что тебе скажу. Это был домашний адрес. Все остальные адреса были офисные, а этот — домашний: дом, квартира.

— Не помнишь поточнее? — оживился Шрам.

— Нет, не помню, — вздохнул Моня.

Шрам помрачнел.

— Ну не прочесывать же весь Московский проспект, в самом деле. Ладно, я тебе вот что скажу. Никакая это не коммерческая деятельность — это Варяг его пришил.

— Так ведь Варяг же на зоне... — начал оторопело Моня.

— Я когда-нибудь ошибался? — свирепо спросил Шрам и сам же ответил. — Нет, не ошибался. Это Варяг. И очень похоже на то, что и в «Арагви» Батона он уложил. То есть не сам, конечно, — Варяг мараться не станет. Но то, что он меня заказал, а его стрелок случайно Батона ухлопал — это факт. — Шрам стал нервно барабанить пальцами по столу, как делал всегда в крайнем раздражении. — И теперь я уже думаю, что и в Колпино, и на даче стрелял человек Варяга. Давай-ка, Мончик, еще раз вызванивай Канаду, или куда там нужно звонить, ты лучше меня знаешь, передай им, чтобы Сержант — раз он все равно в Питере уже ошивается — выходил со мной на прямой контакт, и побыстрее. Скажи: есть для него очень крупный заказ. Тянет на пол-лимона «зеленых». А клиентом он будет очень доволен. Его старый-престарый корешок.

— Ты хочешь, чтобы Сержант разобрался с Варягом? — хрипло спросил Моня.

— Давно пора. Сколько же можно ему, старому, опытному волку-одиночке, за Варягом бегать по белу свету... — и Шрам мерзко хохотнул.

Проводив взглядом Моню, Шрам позвонил в Москву китайскому «папе». Ему надо было извиниться за несостоявшийся разговор в «Арагви» и за внезапный отъезд из Москвы. Шрам рассудил так: до большого сходняка, может, оно и далеко, но собрать самых авторитетных воров все равно надо. И лучшего места, чем Питер, не найти.

Шрам умел организовывать сходняки. А уж в Питере — так и подавно.

В криминальных кругах России знали этот талант Сашки Шрама. Сходняки, которые месяцами планировались и готовились к проведению где-нибудь в Самаре или Ростове-на-Дону, в последние годы стали проваливаться. Менты и омоновцы наезжали взводами. И даже если никого не вязали, все равно ломали кайф...

Оттого-то братва и стала к сходам относиться с опаской. Можно было бы вернуться к традиции проводить сходы за кордоном — в Греции, в Австрии, в Италии. Но и там было неспокойно. МВД теперь активно контачило с «Интерполом», и даже при жирной подмазке местных правоохранительных начальников (особенно алчными и сговорчивыми были итальяшки) никто не мог гарантировать ворам на сходе полную безопасность.

А Шрам, в Питере, — мог. За ним ходила слава аккуратного, радушного и жесткого хозяина, который мог собрать в каком-нибудь роскошном ресторане едва ли не всю верхушку российского криминалитета да еще обеспечить своим гостям охрану из питерской милиции... В своей вотчине Шрам действовал нагло, широко и уверенно.

Тем более это было важно для него сейчас, когда он попал в огневое кольцо. Никто не должен был знать о его проблемах. Напротив, вся та невозмутимость, с которой он, Шрам, отнесется к этой недавней стрельбе в Питере, под Питером и в Москве, должна была стать доказательством несокрушимости его, Шрама, абсолютной власти.

И верным знаком этой абсолютной власти мог стать большой прием для лидеров крупнейших московских группировок — своего рода «малый сходнячок» для узкого круга воров, с которыми Шраму надо было поладить.

В следующее воскресенье у Шрама был день рождения. Ему исполнялось тридцать четыре. Некруглая дата, и он специально не готовился отмечать ее с размахом, как было четыре года назад, когда ему стукнул тридцатник.

Он планировал снять какой-нибудь классный кабак за городом, пригласить только своих верных бойцов, Ирку, еще каких-то баб. Но все внезапно изменилось. Ирка, сука, ушла, а он не привык бегать за телками. Ушла и х...й с ней. Другая найдется. Да и многих своих он за это лето потерял. Полегли Чушпан, Сударик, Батон, другие... Из старых верных псов один Моня остался. Да Шейх, который весь последний год по его указанию держал на контроле Кронштадт и которого Шрам после гибели Батона вызвал к себе. Шейх был классный стрелок, надежный мужик, и теперь он стал его главным телохранителем.

Шрам позвонил в Москву и через Жору и Ваньку-Борща пригласил к себе на день рождения всех, с кем встречался и не встретился в столице, в том числе представителей китайской и азербайджанской группировок. Это был крайне рискованный шаг, но Шрам знал, что делал.

Ему, в его положении, требовалось идти ва-банк. У него в гостях люди не станут ссориться и выяснять отношения, и Шрам намеревался посадить их всех за один стол с целью примирить и, возможно, обсудить совместные действия по пресечению взаимной вражды и конфликтов.

В глубине души Шрам мечтал сделать то же самое, что удалось сделать Варягу год назад — погасить пожар недоверия и междоусобиц, расколовших некогда крепкое и здоровое тело воровской России после ухода Медведя, Дяди Васи и других патриархов криминального мира... Это, в общем, неплохо удавалось академику Нестеренко и его выкормышу — Варягу.

Но теперь, когда один развеян в прах над Канадой, а другой тоже вроде бы как не существует, Шрам был готов взять на себя непростую, но почетную миссию собирателя российских воровских регионов...

Ему предстояли трудные дни. Надо было снять надежный ресторан, расставить охрану, предупредить своих людей в городском управлении внутренних дел, чтобы не совались и не мешали ему отметить свой праздник... Ну и конечно приготовить для дорогих гостей молодых грудастых девок «без комплексов»...

Он снял трубку и нажал кнопку вызова секретарши.

— Да, Александр Алексеевич? — отозвалась Лена.

— Слушай, узнай у кого-нибудь из наших, какой из новых ресторанов поприличнее? И чтобы с комнатами для отдыха, поняла?

— Поняла. Я слышала, Монин позавчера хвалил «Северную Венецию». Это гостиница, открылась в прошлом месяце. У них там есть ресторан с итальянской кухней.

— Итальянская кухня? — переспросил задумчиво Шрам. — А где это?

— Напротив «Авроры», на набережной, недалеко от Летнего сада.

— Годится. Соедини меня с директором. Но сначала найди Шейха, пусть зайдет.

Шейх появился минуты через три. Такая оперативность Шраму очень нравилась. Шейха не приходилось долго искать, он всегда был под рукой. И его не надо было просить дважды — он все запоминал с лёта и выполнял поручения мгновенно.

— Дружище, у нас есть кто-нибудь в ресторане «Северная Венеция»?

Шейх задумался на мгновение.

— Начальник охраны. Костик Фролов.

— Костик Фролов? — удивился Шрам. — А кто его туда поставил?

— Я поставил, — ответил Шейх, — а что?

— Когда это ты успел?

— На прошлой неделе.

— А мне почему не доложил?

— Вот докладываю. Костик Фролов — в «Северной Венеции».

— Свободен!

Шрам усмехнулся: ну и молодец этот Шейх. Напрасно его в Кронштадте держали. Его надо было сразу поставить начальником личной охраны.

— Лена! — Он снял трубку. — Соедини меня с директором гостиницы «Северная Венеция».

— Сейчас соединю, Александр Алексеевич! Тут вам просили передать из Канады, что клиент, которого вы искали, от сделки отказался.

— Как отказался? — в недоумении воскликнул Шрам.

Он просто не поверил, что кто-то мог бы отказаться от таких бешеных бабок, какие он предложил за голову Варяга.

* * *

Днем раньше Сержант отослал в Канаду короткий телекс следующего содержания:

«В Петербурге не задержусь. В ближайшее время буду занят другими делами».

Это означало, что заказ Шрама он взять отказался. Пусть подыскивает себе не киллера, а гробовщика, подумал Сержант, выходя из здания почтамта.

ГЛАВА 50

Огромный банкетный зал новенького пятизвездочного отеля «Северная Венеция» был полон гостей. Коммерсанты и политики, законные воры и артисты — все смешались в одной компании, собравшейся здесь чествовать Шрама, в миру крупного бизнесмена и уважаемого человека в воровской среде, хозяина Санкт-Петербурга.

Сегодняшний банкет устроили с особым размахом, хотя его хозяин отмечал вовсе не круглую дату. Но Шрам специально позаботился о том, чтобы все прошло с шумом и блеском. Сто шестьдесят приглашенных должны были замаскировать трех-четырех самых важных для Шрама гостей, которых он вызвал из Москвы.

Он уже успел переговорить в небольшой курительной комнате с прибывшим по его приглашению из Москвы Тофиком и Юй-Цуном. С добрейшим Тофиком, как всегда, хлопот не было никаких. Хитрый бакинец, двадцать лет назад ставший москвичом, как всегда, улыбался, соглашался, обещал и кивал. А вот разговор с китайцем получился особенно тягостным, потому что старый прохвост никак не мог простить Шраму происшествия в «Арагви», хотя Шрам уверял китайского пахана, что сам стал мишенью для неизвестного покушавшегося. Как бы там ни было, Юй-Цун молча глядел на Шрама непроницаемыми узкими глазами и без тени

484

улыбки встречал самые лестные предложения петербургского «папы». А обещал тот московским китайцам немало — не только охраняемые пятачки на рынках, но и содействие в растаможке, уход от налогов и даже личную охрану «по дружбе» (то есть без отстегивания обычной «десятины» с прибыли). В конце концов ему удалось вырвать у китайца обещание в ближайшие полгода не вступать в конфликты с московскими группировками и немного умерить аппетиты. Шрам, конечно, не стал рассказывать китайцу, что он ищет мира и покоя в столице только для того, чтобы подготовить благодатную почву для будущего сходняка славянских бригад.

На приватной встрече с Костей Минаевым — он представлял ореховских — Шрам, наоборот, посулил всяческую помощь в выдавливании из Москвы «узкоглазых» и «золотозубых». Особенно Шрам напирал на то, что у него есть налаженные связи в центральном аппарате МВД, и пообещал лично позаботиться о том, чтобы в случае чего муровцы не слишком ретиво расследовали заказные убийства лидеров этнических группировок. Конечно, Шрам был сильно разочарован тем, что к нему на переговоры прислали какого-то вшивого Костю — звал он, разумеется, китов, а этот чмыш был простым связным и не имел никакого особого веса в московском криминальном мире. Но приходилось хавать то, что дали.

Оставшись один, Шрам неторопливо выкурил сигарету. Рассудив, что, в общем, все три встречи хотя и не принесли ему оглушительной победы, но дали приемлемые результаты, Шрам повеселел. Тем более что у него сегодня еще было одно очень приятное дело...

Выйдя из курилки, Шрам ввинтился в гомонящую толпу разодетых мужчин и женщин. Он переходил от одной группы гостей к другой, чувствуя себя скорее влиятельным западным политиком, чем российским мафиозо. Настроение у него было прекрасное, он весело хохотал, вежливо раскланивался и с явным удовольствием принимал поздравления.

Снисходительно посмеиваясь над остротами московского эстрадного шута, специально приехавшего из столицы на его день рождения, Шрам шарил глазами по толпе, стараясь среди разряженной публики найти ту, при мысли о которой у него мурашки бежали по телу.

Держа тонкими пальцами хрустальный бокал с шампанским, она стояла на широкой террасе и милостиво слушала излияния какого-то рыжеватого хлыща, одетого в дорогой, с блестками, костюм.

Шрам, нахмурившись, сделал знак Шейху. Тот немедленно подошел к боссу и, наклонив к нему голову с той стороны, где ухо не было закрыто наушником для внутренней связи, тихо спросил:

— Проблемы, шеф?

— Что за фраер там возле нее трется? — раздраженно прошипел Шрам. — Выгони его к чертовой матери.

Шейх стрельнул глазами в сторону балкона.

— Это Кисловский. С телевидения. Большой человек...

— А, черт! — Шрам озабоченно прикусил нижнюю губу.

В этот момент женщина, с которой разговаривал Кисловский, посмотрела прямо на Шрама, и он почувствовал, как электрический разряд пробежал по его жилам. Чуть вздрогнув уголками губ, женщина повернулась к своему собеседнику.

— Да хрен с ним, — вдруг сказал Шрам телохранителю, который все еще стоял перед ним, почтительно наклонив голову. — Пусть живет!

Она была так хороша в своем золотом облегающем платье, так похожа то ли на змею, то ли на золотую кошку, что у Шрама захватывало дух всякий раз, когда он смотрел на нее.

Сейчас она была еще прекраснее, чем три дня назад, когда он впервые увидел ее в своем любимом ресторане «Александр Невский». Он поглощал сибирские пельмени, которые специально для него готовил шеф-повар, и когда эта богиня вошла в зал, чуть было не поперхнулся.

Все, без исключения, мужчины, сидевшие за ресторанными столиками, как по команде, повернули головы, и Шрам даже испытал нечто вроде ревности, хотя эта женщина ему не принадлежала.

Он невольно сравнил ее с капризной сукой Иркой и тотчас пришел к выводу, что та поблядушка и в подметки не годится этой богине. Он поймал себя на мысли, что именно о такой бабе и мечтал всю жизнь. С такой можно где угодно появиться — и в самом дорогом питерском кабаке, и на средиземноморском пляже, и в самом фешенебельном европейском отеле.

Высокая, с золотистой копной волос, замысловато поднятых вверх и открывающих точеную шею, с кошачьими зелеными глазами и яркими пухлыми губами, она просто гипнотизировала присутствующих — как мужчин, так и женщин. Когда Шрам увидел, как упруго колышется под платьем ее высокая грудь, он как завороженный встал и направился к ней, не отдавая отчета в своих действиях.

Шейх, неизменно бывший при нем, тут же оттер в сторону сопровождавшего ее высокого и крепкого на вид мужика, одетого в весьма скромный костюм. И хотя крепыш попытался протестовать, богиня отнюдь не выказала беспокойства. Напротив, она благосклонно посмотрела на Шрама, который, только что не щелкнув каблуками, поцеловал ей руку.

— Кто вы, прекрасная незнакомка? — спросил он, чаруюше улыбаясь.

Она не отвечала и, одарив его загадочной улыбкой, стала рассматривать шрам на его щеке.

— Это похоже на след от шпаги, — наконец произнесла она. У нее был грудной, глубокий голос и говорила она с убаюкивающими — или, точнее, возбуждающими — интонациями. Интонации профессиональной соблазнительницы.

«Да кто же она?» — подумал Шрам, не переставая улыбаться.

— Да, мадам, я дрался на дуэли...

— И победили? — Она тихо засмеялась.

— Я всегда побеждаю! — самодовольно заявил Шрам. Теперь он был вполне в своей тарелке.

— Мне нравятся такие мужчины. Мужчины-победители!

— Я бы хотел пригласить вас за свой столик. Но я вижу, вы не одна... — Шрам метнул презрительный взгляд в сторону крепыша, который растерянно стоял чуть поодаль, не смея вмешаться.

— Вы еще и джентльмен! — одобрительно заметила она.

— Могу я пригласить вас к себе на торжество? В это воскресенье. Банкетный зал гостиницы «Северная Венеция». В семь вечера.

— Какой вы стремительный!

Она заинтересованно повертела в руках его визитку с золотым тиснением, которая служила пропуском на торжество, и, деловито кивнув, сунула ее в сумочку.

Это было в духе Шрама. Болезненно подозрительный, осторожный, как дикий зверь, он, когда дело касалось женщины, забывал обо всем, доставляя лишнюю головную боль своей охране. И хотя Шрам боялся, что она может не прийти, все-таки удержался от того, чтобы установить за ней слежку. Он знал, что, если сделает это, любовная интрига потеряет для него половину своего очарования.

А когда она пришла, да еще одна, в потрясающем золотом платье, сверкая голыми плечами и каким-то немыслимым ожерельем из красных камней, Шрам понял, что приключение началось, и теперь весь трепетал, предвкушая сладость предстоящей ночи.

Как кот, кружил он весь вечер вокруг своей добычи, не приближаясь и не уходя слишком далеко, лаская ее глазами, проникая туда, в манящий золотой вырез, где покоилась слегка стянутая платьем великолепная грудь.

После полуночи гости, почти забыв о виновнике торжества, занялись друг другом, и Шрам направился к своей избраннице, по пути сделав знак Шейху. Тот, обогнав хозяина, быстро увел от красавицы небольшой рой мужиков, который жужжал возле нее, не переставая, весь вечер.

Женщина, все поняв, осталась стоять возле столика с холодными закусками, глядя на приближающегося Шрама загадочными зелеными глазами. Она не улыбалась, но в глазах ее посверкивали искорки, которые — Шрам знал это по опыту — появляются у женщины, когда она смотрит на заинтересовавшего ее мужчину.

— А я ведь даже не знаю вашего имени, — проговорил Шрам, галантно целуя ей руку.

— Далия! — Голос у нее был мелодичный и завораживающий, под стать внешности.

После секундного замешательства Шрам восхищенно прошептал:

— Ну, разумеется, у такой богини не может быть обыкновенного, «смертного» имени... А как вас называют близкие? — спросил он, беря ее под руку.

Женщина наконец улыбнулась:

— Даля.

— Замечательно. Я тоже буду вас так звать. — Шрам хищно посмотрел на ее декольте. — Вы знаете, кто я?

— О да! Уже наслышана. — В ее глубоком, грудном голосе послышались нотки восхищения. — Вы такая знаменитость, оказывается. Чуть ли не отец нашего города.

— Крестный отец! — вырвалось у Шрама. — Знаете, я хочу увести вас от этого шума и гама. К тому же я обратил внимание, что вы не курите, а тут так надымили. Пойдемте?

Даля не сопротивлялась.

— Вы меня хотите украсть? — лукаво прищурившись, спросила она и встряхнула золотистым снопом волос.

— Да. И не только.

— А что же?

Шрам подхватил ее под руку и властно повел в конец зала, туда, где в проеме арки темнела резная дубовая дверь в коридор. За ними бесшумной тенью заскользил Шейх.

— Я очень ждал вас, Даля, — прошептал Шрам ей на ушко и покосился на телохранителя, который взглядом доложил боссу: «Проверено. Все в порядке».

Когда за Шрамом закрылась дверь, Шейх задернул тяжелый бордовый занавес и кивком головы пригласил мордастого охранника занять вахту.

Теперь, когда шеф удалился с бабой в «комнату отдыха», и сам Шейх мог передохнуть. Он подошел к столу, налил себе водки из хрустального графина, опрокинул рюмку в глотку и закусил бутербродом с черной икрой.

«Неплохо бы и мне какую бабенку снять», — подумал Шейх, жадно поглядывая на голые плечи, шеи и спины. Он знал, что половина женщин в этом зале не прочь трахнуться и с ним, и с любым из присутствующих мужиков — за пару-тройку сотен баксов. Но, увы, все они были недоступны, потому что принадлежали кому-то из приглашенных. Вот этому чиновнику из мэрии, и вот этому замначальника какой-то таможни, и вон тому менту в штатском — ребята шепнули, что это крупная шишка в питерском УОПе.

Шейх вздохнул и налил себе еще одну.

Ничего, завтра, пока шеф будет кувыркаться в койке с этой рыжей, он, Шейх, свое возьмет. Скорее бы этот банкет свернули. Он посмотрел на часы. Половина третьего. Да уж пора бы...

ГЛАВА 51

— Пора! Пятиминутная готовность! — шепнул Варяг и, спрятав полевой бинокль в рюкзак, достал свернутый в плотное кольцо тридцатиметровый нейлоновый канат. Закрепив конец каната на торчащую из кирпичной кладки арматуру, Варяг сбросил канат вниз. Нейлоновая змея, стремительно распускаясь в воздухе, полетела с чердака к земле.

...Регулярно прослушивая кассеты с записями разговоров в офисе Шрама, «диверсанты» заранее узнали о месте проведения банкета и смогли хорошо подготовиться к сложнейшей операции. На их удачу, рядом с «Северной Венецией» оказалась стройка, и на чердаке возводимого здания они устроили себе наблюдательный пункт.

Так называемый «пентхаус» гостиницы — банкетный зал с примыкающими к нему апартаментами и комнатами отдыха — был полностью оккупирован людьми Шрама. Их одинаковые черные силуэты торчали не только во дворе отеля, но и — как уже было известно Варягу — внутри здания, на всех подступах к верхним этажам: в лифтах, у запасных выходов и в коридоре, ведущем в апартаменты на самом верхнем этаже, в «пентхаусе».

Всю подготовительную работу провел Гепард со своей командой — тремя бывшими сослуживцами-спецсвязистами, которые теперь, как и он, подрабатывали в охране разных коммерческих фирм. Один из них — Толик Бунин — устроился в «Северную Венецию», благо штат охраны новой гостиницы еще не был укомплектован. Толик и раздобыл подробный эвакуационный пожарный план гостиницы. И накануне сегодняшнего дня Варяг с Гепардом просидели над ним всю ночь, в деталях разрабатывая тактику своих действий.

Теперь и Варяг, и Гепард отлично представляли себе расположение помещений в «Северной Венеции», будто побывали там лично. План был простой, хотя и рискованный. Им надо было загодя залезть на чердак строящейся шестиэтажки, залечь с той стороны, где открывался вид на внутренний двор «Северной Венеции» — гостиница представляла собой П-образную постройку, — и неотрывно вести наблюдение.

За долгие часы томительного ожидания они успели рассмотреть самое главное: одна из трех пожарных лестниц вела прямехонько к окнам апартаментов в «пентхаусе». Наведя старенький полевой бинокль — гордость Гепарда — на окно, мимо которого пожарная лестница бежала на крышу, Варяг с удовлетворением увидел, что это окно ванной. Очень удачно! Теперь оставалось сообщить важные сведения Толику Бунину, который дежурил сегодня у главного входа и вместе с другими охранниками гостиницы и личной охраной Шрама встречал подъезжающих гостей.

О связи с Толиком позаботился Гепард. У Толика в правом ухе торчала антенна внутренней связи с гостиничной охраной, а в левом — незаметный крохотный «жучок» связи с Гепардом.

Варяг махнул рукой Гепарду. Тот с готовностью вынул из кармана бушлата небольшой переговорник, очень похожий на тот «жучок», который Варяг неделей раньше поставил Шраму в офис.

— Готов! — громким театральным шепотом произнес бывший спецназовец. Варяг указал рукой на «пентхаус».

— Передай: окно в ванной. Открывается внутрь. Там пожарная лестница.

Гепард кивнул и, приложив переговорное устройство к губам, зашептал. Под конец он тревожно спросил:

— Толик, успеешь шепнуть?

Стоящий на мраморных ступеньках под козырьком главного входа в гостиницу в трехстах метрах от Гепарда Толя Бунин нагнулся, как бы поправляя брючину, и тихо процедил в толстые наручные часы — там находился крошечный микрофончик:

— Как только выйдет из машины, сам подойду и на ушко шепну.

— О'кей! Конец связи!

Гепард положил переговорник в карман. Теперь вся надежда на Толика. Если он проколется, все полетит к чертям собачьим...

Окна банкетного зала были ярко освещены, занавесок не было, и все происходящее за стенами «пентхауса» являло взору невидимых наблюдателей увлекательный спектакль. Наблюдение вел Варяг, потому что Гепард не знал в лицо никого из главных фигурантов — ни Шрама, ни его людей.

Глаза Варяга зловеще сузились, когда он увидел в перекрестье линз увеличенные мощной военной оптикой лоб и глаза Шрама. Он перевел бинокль левее. Рядом со Шрамом стоял незнакомый парень с антенной связью в ухе. Глаза навыкате бегали из стороны в сторону. Наверное, личный охранник. Еще левее — ага, знакомая харя. Кажется, у этого кликуха Моня.

Варяг зажал пластиковым замком канат, крепко схватился за блокиратор, позволявший регулировать скорость спуска, и заскользил вниз, вдоль глухой стены недостроенной офисной шестиэтажки, стоящей почти впритык к темно-красной кирпичной громаде «Северной Венеции». Варяг бесшумно спускался, скрываясь за плотной завесой зеленой маскировочной сетки, которой были затянуты стены строящегося здания.

Разминая ноги, затекшие от длительного напряженного наблюдения, Гепард спустился следом. От внутреннего двора гостиницы их отделяли только пики металлической ограды и густые заросли кустовой акации.

Возле пожарной лестницы с внутренней стороны гостиницы дежурили два бугая. Поскольку изнутри здание все равно тщательно охранялось, эти двое были лишены переговорников внутренней связи и, хотя были при оружии, к обязанностям своим относились довольно прохладно. Один стоял, прислонившись спиной к стене, и курил, задумчиво разглядывая звездное небо. Второй сидел на нижней ступеньке лестницы и ковырял веточкой мелкий желтенький песок, специально завезенный во двор из каких-то тропических далей.

— Чего это? — вдруг поднял голову сидящий.

— Где? — отозвался другой.

— Да вон там, в кустах... — Он встал и, проверяя правой рукой пистолет в кобуре под мышкой, направился к аккуратно постриженным густым зарослям акации, плотной стеной облепившим невысокую металлическую ограду.

— Да нет там ничего. Разве что кошка, — лениво отозвался другой. — Кому охота тут среди ночи шастать. Шрам совсем сдурел. Нагнал охраны в кабак, словно президента в гости ждет. Слыхал, как он из Москвы ноги сделал?

Первый охранник вынул пистолет из кобуры и стал всматриваться в кромешную тьму за оградой.

— Ну что, нашел что-нибудь? — с усмешкой поинтересовался ленивый, но на всякий случай подошел к напарнику. Однако свое оружие он не стал доставать.

— Нет, вроде все тихо.

Но тут в тишине внятно послышался тихий шорох, похожий на вздох.

Оба молча переглянулись.

— Эй, хлопцы... — вдруг донесся из кустов приглушенный голос. Но хлопцы даже не успели удивиться, потому что, как только они оглянулись на зов, вылетевшие из зарослей акации два ножа, молнией сверкнув в фонарном свете, синхронно вонзились в обоих охранников.

Стоявший возле ограды охранник судорожно вздернул вверх руки — туда, где из горла торчал вогнанный по самую рукоятку нож, — захрипел и упал на землю. Второй, не успев издать ни звука, мешком повалился на песок.

— А ты — пижон, — шепнул Варяг, пока они с Гепардом оттаскивали в кусты оба трупа. — Как это у тебя ловко получилось — с двух рук!

— Мастерство не пропьешь, — отозвался Гепард.

Через несколько минут, ветром взлетев по пожарной лестнице, они уже оказались на крыше «пентхауса», приготовившись в нужную секунду быстро перелезть через широкий карниз крыши и добиться конечной цели своего трудного путешествия.

ГЛАВА 52

Ведя под руку Далию, Шрам миновал двух своих охранников в конце коридора и открыл дверь в апартаменты. Они оказались в просторном холле. Налево была спальня, прямо через холл за приоткрытой стеклянной дверью — ванная.

— Прошу, — протянул он руку туда, где в интимном полумраке белела шелковым бельем широченная кровать.

Женщина вошла, обворожительно ему улыбаясь, и Шрам плотно прикрыл за ней дверь. Взяв с журнального столика пульт дистанционного управления, он включил музыкальный центр. Полилась тихая, ритмичная музыка. Далия остановилась посреди спальни и посмотрела на него. Шрам подошел к ней, провел ладонью по ее щеке, потом — по нежной шее, затем коснулся высокой груди. Далия прикрыла глаза длинными ресницами и откинула голову. Шрам вдруг с силой сжал ее груди обеими руками и почти впился губами в ее рот. Она ответила ему страстным поцелуем, и Шрам, задыхаясь, рванул ее за руку в сторону кровати. Неожиданно он почувствовал сопротивление.

— Нет, — тихо сказала Далия.

— Что? — не понял он. — Как это — нет?

— Ты не понял, — засмеялась она и огляделась. — Где у тебя тут ванная?

— А, — понимающе улыбнулся Шрам, — пойдем — покажу.

Он повел ее в глубину холла, не забывая по пути ласкать ее голые плечи, плавные изгибы спины и упругие ягодицы. Он открыл узенькую дверь, за которой скрывалась большая ванна-джакузи, зеркальные стены и многочисленные цветочные гирлянды, украшавшие небольшое окно с матовым стеклом.

— Хочешь вместе?.. — спросил он, пропуская ее вперед.

— Нет-нет, — торопливо отозвалась Далия. — Я... сама.

— Ну, как знаешь. — Он явно был разочарован, но, не подав вида, ушел, прикрыв за собой стеклянную дверь.

Женщина, оставшись одна, быстро приблизилась к окну и остановилась, прислушиваясь. Потом, подумав, подошла к блестящей мраморной раковине и включила воду. Вернулась к окну, повернула шпингалет и несильно потянула окно. Оно с легкостью поддалось. Ее обдало ночной свежестью. Она чуть высунулась наружу и сразу заметила слева железные перильца пожарной лестницы.

Заслышав шаги за дверью, она отпрянула от окна и, намочив руки, стала протирать покрытое испариной лицо.

Дверь в ванную тихонько отворилась, и на пороге показался Шрам. На лице его было написано нетерпение. Ни слова не говоря, он подошел к ней, обхватил ладонями за талию, посадил на подоконник. Приподнял платье и, раздвинув ей ноги, прижался к женщине так, чтобы она чувствовала его желание, его каменную силу. Женщина застонала, схватила ладонями его лицо и впилась в его губы. Шрам, теряя голову, рванул золотое платье. Тугие груди освободились от плена, Шрам принялся целовать их, чувствуя, как долго сдерживаемое желание захватывает его целиком, заставляя забыть обо всем на свете. Левая рука женщины скользнула вниз, надавила на его возбужденный член; Шрам резко выпрямился, закрыв глаза от наслаждения. Правая рука женщины в это самое мгновение быстро нащупала шпингалет окна и, бесшумно повернув его, опустила вниз.

Шрам, вознамерившись овладеть ею тут же, на подоконнике, рванул ремень брюк.

— Какой же ты нетерпеливый — как школьник! — кокетливо хихикнула она. — Ну погоди же, я еще не привела себя в порядок. Или ты куда-то торопишься?

— Нет, Даля, я никуда не тороплюсь, — проговорил Шрам, стаскивая с себя брюки. — Я тороплюсь уложить тебя в койку, моя дорогая.

— Но ты же не даешь мне раздеться!

— Только не здесь. Раздевайся при мне — там, в спальне!

— Вот как? — Она закрыла воду и картинно вздохнула. — Ну и духота там! Ладно, пойдем. Я там разденусь — если ты этого хочешь.

Он подхватил ее на руки и понес в комнату. Исчезая за дверью, Далия бросила быстрый взгляд через его плечо. Оконная рама, отражая в себе свет матовых лампочек, дернулась и медленно отворилась.

Войдя в спальню, Шрам бросил женщину на постель и принялся спешно раздеваться. Она, неотрывно глядя ему в глаза, медленно стянула с себя платье, сначала спустив его на талию, потом — через бедра на пол. Под платьем у нее ничего не было.

Далия обладала просто обалденной фигурой — под стать ее изумительно красивому лицу. Широкие гладкие бедра, тонкая талия, подтянутый живот и великолепные высокие груди двумя дынями, с большими коричневыми кольцами вокруг крупных сосков. Она запустила руку за шею, к затылку, и через мгновение золотистый водопад пышных волос обрушился на ее голые плечи и поглотил под собой пышные груди.

Пожирая женщину жадным взглядом, голый Шрам, со вставшим орудием наперевес, хищно метнулся к ней. Даля призывно смотрела на него: на губах у нее играла шаловливая улыбка опытной распутницы. Шрам подошел к кровати, встал на шелковое белье коленями и властной рукой раздвинул ей ляжки.

И в это самое мгновение Шрам почувствовал, как что-то твердое и холодное коснулось его коротко стриженного затылка.

— А вот кончить-то тебе, Шрам, сегодня не удастся! — услышал он знакомый голос и похолодел.

Это был голос Варяга. Его Шрам не спутал бы ни с каким другим голосом.

Хотя Шрам не верил, ни на секунду не верил, что Варяг жив, он и сейчас вдруг подумал, что это никакой не Варяг, а призрак, явившийся с того света покарать его за все грехи. Он смотрел на исхудавшее лицо, на перекрашенные в черный цвет волосы — и узнавал Варяга только по глазам, по ненавидящему тяжелому взгляду, который не сулил ему ничего хорошего.

Шрам изумленно посмотрел на Далию, которая, прикрывшись простыней и перестав улыбаться, ответила ему жестким взглядом.

— Вот сука! — почти растерянно проговорил Шрам.

— Попрошу при женщинах не выражаться, — сказал другой голос — не Варяга. Шрам, как был в чем мать родила, покосился назад и увидел у музыкального центра мужика в спецназовском бушлате и с пистолетом в руке. В нем Шрам тотчас признал того самого крепыша, с которым он впервые увидел Далию.

Тем временем коварная искусительница уже ловко натянула на себя золотое платье и спрыгнула с кровати.

— Ты меня выведешь, Егор? А то скоро светать начнет — Золушке давно пора домой! — обратилась она к крепышу.

Тот кивнул и подошел к голому Шраму.

— Вот что, приятель, свяжись со своими молодцами там, в коридоре, и скажи им, пускай пропустят даму в зал. А сам, скажи, выйдешь чуть попозже. Ясно? — И для убедительности крепыш помахал у него перед носом черным стволом.

Шрам порылся в кармане пиджака и достал миниатюрный радиопередатчик. Варяг поднял палец к губам.

— Если вздумаешь дурить — грохну на месте! Встань на колени и руки держи у меня на виду! — жестко предупредил он.

Шрам повиновался: встал на колени и нажал кнопку вызова.

— Але, это я. Вы, ребята, мою даму пропустите... А я скоро выйду. Все ясно?

Он вырубил переговорник и вопросительно посмотрел на Варяга. Тот кивнул Далии:

— Спасибо, сестричка. Ты была великолепна. Тебе бы в ГРУ работать, а не в кабаке на сцене плясать!

— Может, поможешь устроиться? — сверкнула зелеными глазами соблазнительная красотка и поспешила к двери.

Гепард тем временем связался с Толиком Буниным и дал ему указание обеспечить Далии безопасный выход из гостиницы.

Шрам с сожалением проводил взглядом навсегда покидающую его великолепную женщину.

— Не кусай губы, Шрам, — насмешливо сказал Варяг, поймав его взгляд. — Сам же видишь, эта куколка оказалась тебе не по зубам.

— А ведь ты меня не убьешь, Варяг, — вдруг сказал пленник. — По крайней мере, сейчас...

— Убью, — как-то добродушно отозвался Варяг. — Обязательно убью.

Его напарник подошел к Шраму и, опустив взгляд, хихикнул.

— Что, Шрам, — издевательски спросил он, — отпала охота трахаться? Вот он, инстинкт самосохранения.

Шрам скрипнул зубами.

— Ты же понимаешь, Варяг, — процедил он, — случись что со мной, мои орлы твою жену с сыном в масло разотрут и с хлебом съедят... Забыл, почему вору нельзя семью иметь?

Варяг коротко, но сильно ткнул пистолетом в затылок Шрама.

— О том, что можно и чего нельзя, — сказал он спокойно, — мы еще с тобой, ссученный, поговорим. А сейчас у нас времени нет.

Напарник Варяга, заметив на столике у кровати мобильный телефон Шрама, взял его и протянул Варягу. Варяг, не глядя, сунул его себе в карман.

— Вот что, Шрам, сделай один звоночек. Звони Батону — он же небось Светлану сторожит — и прикажи ему забрать ее и мальчика и ехать... — Варяг осекся и взглянул на Гепарда.

— Старый цементный завод, не доезжая Петергофа.

— Старый цементный завод под Петергофом, — повторил Варяг. — Запомнил?

Шрам сглотнул слюну. Его настолько удивили слова Варяга, что он даже ушам своим не поверил.

— Погоди, какого Батона... Нет же никакого Батона. Ты разве не... — и только теперь Шрам с ужасом понял, что не Варяг отдал приказ стрелять в него в Москве, и не по приказу Варяга угрохали Митяя на даче, и ребят на колпинском складе положили тоже не по приказу Варяга.

Но у Шрама уже не было времени ни на раздумья, ни на страхи. Он уже вообще ничего не понимал.

— Переговорник дай, — хрипло попросил он. — Мобильный ни к чему.

— Да? — недоверчиво спросил Варяг. — Нет, Шрам. Звонить будешь по мобильному. И не отсюда. Одевайся, гнида!

Через полчаса они ехали по шоссе в сторону Петергофа. Шрам, запеленатый в веревки и альпинистский пояс, с помощью которого они спустили его из окна «Северной Венеции» во внутренний двор, злобно молчал на заднем сиденье. Варяг, все еще не веря в успех головокружительной операции похищения Шрама, сидел рядом с Гепардом, который управлял машиной.

— Девка и впрямь классная, — вдруг сказал Варяг.

Гепард хмыкнул:

— Не нервируй клиента, Варяг, — посоветовал он, — а то Шрам до собственной смерти не доживет. Умрет, так сказать, естественным образом.

— Где ты ее взял?

— Где взял, там уж нет, — уклонился от ответа Гепард. — Ты, брат, жену едешь спасать. Не время тебе о глупостях думать.

— Одно другому не мешает, — недовольно проворчал Варяг.

ГЛАВА 53

Шейх запсиховал. Ему сразу не понравилась вся эта история с зеленоглазой грудастой девкой, а уж когда босс вызвал его по рации внутренней связи, приказав выпустить ее из апартаментов, он заподозрил неладное. Приказ он выполнил и еще некоторое время подождал, надеясь, что Шрам сам выйдет. Но когда тот не появился через полчаса, Шейх, рискуя получить взбучку, тихо постучал в дверь. Вместо гневного окрика босса ответом ему была тишина. Шейх резко распахнул дверь и, окинув спальню быстрым взглядом, понял, что недооценил серьезность ситуации: Шрам исчез, испарился...

Шейх забежал в ванную. Окно было настежь распахнуто. Он подошел поближе и выглянул вниз. Шестой этаж. Не вылетел же Шрам из окна... И тут его взгляд упал на пожарную лестницу. В душе зародилось подозрение. Он впился взглядом во внутренний двор. Там, где должны были неотлучно находиться двое охранников, никого не было. Куда эти-то идиоты запропастились?

Шейх, прихватив с собой двоих мордоворотов, охранявших коридор в апартаменты, кинулся во двор. После недолгих поисков они обнаружили два трупа в кустах.

Ситуация начала проясняться. Шрама похитили!

Свою службу у Шрама Шейх начал три года назад, практически сразу после выхода из заключения. Поначалу в зоне ему пришлось трудно: его едва не опустили, узнав, что он угодил за «пушной разбой». Позорная статья усугублялась и тем, что два года Шейх прослужил в милиции. Хотя, если разобраться, работу в органах трудно было назвать службой — он, как специалист по стрельбе, мотался с одних соревнований на другие, честно зарабатывая баллы для своего управления.

В зоне подобные вещи не учитывались: легавый — он и есть легавый. Шейх уже было поставил на себе крест, но неожиданно в его судьбу вмешалось чье-то могущественное покровительство, которое уберегло его от всех этих неприятностей.

Лагерный пахан вызвал к себе Шейха и, коротко поговорив с ним и выяснив, где и как тот два года носил ментовскую форму, предложил ему стать смотрящим в бараках у «экономистов», осужденных за различные преступления по экономическим статьям. Шейх, не долго думая, согласился, не переставая ломать голову над тем, кому же он обязан такой прухой.

Имя своего благодетеля он узнал, когда вышел на волю и вернулся в Питер. Это был Шрам. Без долгих предисловий он сообщил Шейху, что наступило время отрабатывать схаванный на дармовщину хлебушек, и предложил место в своей бригаде.

Шейх стал выполнять отдельные поручения Шрама по выбиванию долгов. Платил шеф щедро, и Шейх, который поначалу насторожился, стал преданно ему служить. Через год Шрам посадил Шейха в Кронштадт — на контроль пункта таможенной очистки. В редких случаях Шейх продолжал выполнять разовые поручения босса, отстреливая неугодных.

Неожиданная и нелепая гибель Батона в Москве внезапно обернулась для Шейха крупным повышением — его назначили личным телохранителем шефа. С Батоном у него всегда были нормальные, даже приятельские отношения. Несколько раз он наезжал на дачу, где Батон командовал охраной какой-то бабы с мальчиком. А теперь ему в основном приходилось быть при Шраме, везде его сопровождая.

Шейх держался за свое место руками и ногами. Сидя в зоне, он даже предположить не смел, что судьба забросит его так высоко. Шрам доверял своему телохранителю, и Шейх отвечал ему собачьей преданностью. Сейчас, когда все вроде бы шло к тому, что шеф, как поговаривали в его окружении, мог стать смотрящим по России, Шейх с особенным тщанием следил за его безопасностью.

И вдруг такой прокол. Шейх знал, что вина за похищение ляжет на его плечи, и Шрам, оставшись в живых, оторвет ему башку. Он простит Шейха только в одном случае — если Шейх вырвет его из лап неведомых похитителей.

Он связался по рации с охраной в «пентхаусе» и приказал задержать всех оставшихся в зале гостей. У него на мгновение мелькнула мысль, что похищение могли организовать московские гости. Но он отогнал эту мысль как совершенно дурацкую.

И тут заголосил мобильный телефон. Шейх даже вздрогнул. Он носил эту престижную игрушку всего неделю и еще не успел привыкнуть к ее писку.

В трубке послышался глухой, как из колодца, голос Шрама, заглушаемый урчанием автомобильного мотора.

* * *

Когда Варяг отлепил пластырь от рта Шрама и вынул кляп, тот длинно и грязно выругался осипшим голосом. Варяг и Гепард терпеливо и даже с каким-то пониманием выслушали его тираду. Потом Варяг спокойно сказал:

— Ну, теперь можешь говорить.

— Что? — даже как-то удивился Шрам.

— Говори, — повторил Варяг.

— Чего говорить-то?

Варяг пожал плечами:

— А чего хочешь говори. Лишь бы для твоего здоровья было полезно. Можешь рассказать, как убил Ангела, к примеру. — Голос Варяга все еще оставался спокойным, но глаза угрожающе сверкнули. — Или — как убил Вику... Как Графа продал. И про Егора Сергеевича тоже можешь рассказать.

Он говорил совсем тихо, но в голосе его была такая ненависть, что Шрам поежился. Гепард с интересом смотрел на Варяга.

— Нестеренко не я уничтожил! — вдруг заявил Шрам. — Не те у меня, знаешь, полномочия...

— Не те? — удивился Варяг. — А какие у тебя полномочия?

Шрам вдруг сорвался.

— Ты что думаешь, ты такой крутой?! — заорал он. — Думаешь, меня связал — и все?! Ну, грохнешь ты меня, так они другого найдут на твое место!..

— Кто — они? — спокойно спросил Варяг.

— Все меняется, Варяг, — стараясь говорить убедительно, сказал Шрам. — Ты больше не нужен. Они создают свою систему, и ты в нее не вписываешься, понимаешь?!

— А ты — вписываешься?

— Я — вписываюсь! — снова крикнул Шрам. — Потому что мне насрать на то, кто именно стоит у руля, понимаешь?! Мне на это глубоко насрать! Мне личные амбиции ни к чему! Мне — лишь бы братва на зоне была сыта, и чтобы дело воровское...

— Заткнись! — негромко, но жестко сказал Варяг. — Ты, сука продажная, про воровское дело лучше молчи. Говори, где моих держишь?

Шрам все еще глотал слюну, силясь прийти в себя от едва не придушившего его кляпа.

— Ты что это шутки шутишь, Варяг? Будто сам не знаешь — на даче моей в... Разве твои люди туда не наезжали?

Варяг грозно посмотрел на связанного.

— Ты мне зубы не заговаривай. Я по твоей милости, сука, на сучьей зоне парился, где тебе самое место, чуть не подох, потом в такие передряги попал, что тебе, гаду, и не снилось. Так что мне недосуг было к тебе на дачу заезжать.

И снова Шрам прикусил язык, не понимая, то ли дурит его Варяг, то ли и впрямь не он развернул на него охоту...

— Вот теперь звони своей братве, — продолжал Варяг. — Скажешь — пусть привезут Светлану и сына к цементному заводу под Петергоф. Я тебя на них обменяю. И чтоб с ними был один человек и один водитель. Ясно?

— А где гарантии? — прохрипел Шрам. — Где гарантии, что твои шакалы меня не угрохают?

Варяг, с трудом сдерживая ненависть, бросил сквозь зубы:

— Гарантия у тебя одна — надежда на мое честное слово законного вора. Хотя тебе, падла, этого все равно не понять.

Шрам набрал номер Шейха.

— Але! Шейх!

— Я, шеф! — гаркнул телохранитель. — Что случилось? Ты знаешь, что во дворе тут двоих ребят замочили?

— Меня слушай!

— Да, шеф, слушаю.

— Вот что... — Голос Шрама был сиплый, он говорил с трудом, будто его кто-то держал за горло. — Поезжай сейчас на дачу, бери женщину и мальчика и рви в Петергоф. Там на въезде найдешь старый цементный завод. Понял?

— Понял, шеф. Только...

— Что-о?!

— Куда их там деть? Кому их сдать?

— Мне сдашь! Вытащишь их оттуда — обменяешь... — Тут он слегка запнулся. — ...на меня!

— Ага, ясно! Я так понимаю, там... без мочиловки не обойдется, а?

— Действуй! И чтоб в машине было не больше двух человек: ты и водитель. Такое условие. — Коротко приказал Шрам и дал отбой.

ГЛАВА 54

Светлана проснулась как от толчка. Вскочила, подбежала к окну. За лесом едва брезжил рассвет. Было часа четыре. Она услышала, как распахнулись ворота дачи и во двор въехала машина. Хлопнула дверца — из машины, по-видимому, кто-то вышел. Открытая форточка позволила Светлане услышать разговор.

— Все тихо? — раздался незнакомый мужской голос.

— Вроде как, — откликнулся сонный охранник.

— Иди, поднимай людей. И этих буди — бабу с пацаном. Поедем сейчас. Быстро!

— Куда, Шейх?

— Разговорчики! — строго прикрикнул тот, кого охранник назвал Шейхом. — Там узнаешь.

Захлопали дверцы, раздался топот бегущих ног. Топот, казалось, наполнил весь дом.

Светлана отпрянула от окна. Неужели все, неужели это конец? Куда их повезут?.. Она ощутила, как отнимаются от страха ноги. Но все же смогла добрести до двери и забарабанила в косяк.

Но дверь уже открывали снаружи. На пороге стоял незнакомый мужчина с пистолетом в руке. Видимо, тот, кого охранник назвал Шейхом.

—Поедешь с нами! — коротко сообщил он.

— А мой сын?

— Он тоже!

Ее вывели во двор. За ней вышел Шейх, держа на руках спящего Олежку. Там стоял черный «джип». Шейх передал ей мальчика, усадил назад, а сам сел рядом с водителем.

«Джип» с ревом развернулся и помчался по грунтовой дороге к шоссе. Скоро они выехали на автостраду и рванули к Петергофу.

Шейх сидел и хмуро кусал верхнюю губу. Он знал, где находится этот старый цементный завод. Но никак не мог понять, почему Шрам приказал ему ехать туда. Место было гнилое. Старый цементный карьер, окруженный гигантскими валунами, кругом ни души. Гиблое место...

Изредка он поглядывал в зеркало заднего вида. Женщина держала на руках спящего ребенка. Ее глаза были полны страха и слез. Шейх перевел взгляд на шоссе, пустынное в этот предрассветный час. Только вдали виднелся ярко-желтый «Жигуленок»-пятерка, четырехколесным цыпленком несущийся следом за ними.

Шейху почудилось, что где-то он уже видел этот желтый драндулет.

* * *

Единственная дорога, которая вела на территорию заброшенного цементного завода, расположенного в низине, была пустынна. Гепард остановил машину на склоне.

— Как на ладони, — удовлетворенно сказал он, осматривая завод, который отлично просматривался отсюда.

Это была его идея назначить встречу именно здесь.

— Неплохо, — оценил Варяг.

— Ну, я пошел, — сказал Гепард и достал из багажника винтовку с оптическим прицелом.

Варяг повернулся к Шраму, который внимательно наблюдал за их действиями.

— Ты все понял? — спросил Варяг.

Шрам что-то промычал — его рот снова был залеплен пластырем.

— Ну так я объясню, — невозмутимо продолжал Варяг. — Вот он, — качнул он головой вслед нырнувшему в кустарник Гепарду, — будет контролировать ситуацию. На случай, если кто-то из твоих вздумает что-нибудь испортить. Этот мужик — классный снайпер, так что первая же пуля будет у тебя в правом глазу... Теперь понял?

Шрам молча смотрел на него. Варяг тронул машину с места и покатил вниз.

— Ну, — говорил он, — молись теперь, чтобы твой Шейх не придумал какую-нибудь пакость...

...Варяг солгал насчет первой пули. На самом деле еще в лесу, выйдя из машины и обговорив с напарником свой план, он шепнул ему:

— Только... если что — Шрама не трогай. Остальных можешь снять, а этого оставь для меня. Он мой.

Гепард тогда понимающе кивнул, но теперь, занимая удобную для стрельбы позицию за огромным валуном, откуда была видна площадка перед зданием бывшего цеха, он ворчал:

— Шрам, Шейх... Всех угрохать на фиг — и дело с концом. Чего он с ними церемонится? Если их там будет максимум пятеро — минус баба с мальчонкой, то выходит трое. Ну, троих-то нам ухлопать — раз чихнуть.

Он видел, как медленно съехал вниз забрызганный грязью серый «джип», в котором остался Варяг и связанный Шрам. Скоро он услышал далекое урчание движка. Судя по звуку, сюда приближался тоже «джип». Гепард вскинул винтовку и прилип глазом к линзе. Восходящее на востоке солнце меняло краски пейзажа, обливая все вокруг нежным розоватым маревом. Гепард не видел солнца, но затылком чувствовал тепло его первых лучей.

Он навел оптический прицел на дорогу. Едут! По дороге мчался черный «джип». Примерно в полукилометре за ним крохотной желтой букашкой угадывался еще один автомобиль... Видать, какой-то ранний путешественник.

Два «джипа» — полированный черный «мицубиси» и грязно-серый «шевроле» — стояли на открытой площадке перед цементным заводом напротив друг друга. Их разделяло метров пятьдесят. Ровно в назначенное время двери в машинах одновременно распахнулись и наружу вышли люди. Из черного «джипа» — водитель, из грязно-серого — Варяг. Изучив ситуацию, Варяг вытащил с заднего сиденья связанного Шрама. Водитель, узнав шефа, вывел Светлану с мальчиком на руках. Не веря своим глазам, она дернулась вперед, к Варягу. Но водитель грубо остановил ее, схватив за руку повыше локтя.

— Давай! — крикнул Варяг и подтолкнул Шрама в спину.

Гепард напряженно вглядывался в прицел. «Как в шпионском боевике — обмен на мосту», — подумал он и сплюнул. Вдруг его внимание привлекла крыша цементного завода, на которой — или ему только почудилось? — что-то темнело. Он мог поклясться, что еще пять минут назад там ничего не было.

Гепард подладил фокус. Так и есть!

На крыше затаился снайпер. Позиция у него была не очень удобной — чтобы прицелиться в сторону площадки, ему приходилось почти свешиваться с крыши. Гепард хорошо видел его светловолосую голову на крепкой шее, плотную, коренастую фигуру, вжавшуюся в плоскость крыши.

— Вот это да! — приподняв одну бровь и взяв стрелка на прицел, пробормотал Гепард.

Он рассмотрел винтовку, которую снайпер положил себе под правую руку. Это была «ижевка» с лазерно-оптическим прицелом.

— Серьезный господин! — произнес вслух Гепард. Ситуация приняла совершенно неожиданный, непредвиденный оборот. Он вызвал по рации Варяга.

Шрам, медленно переступая по грязному песку, смешанному с цементной пылью, только сейчас заметил, что Светлану сопровождает не Шейх. Он повеселел. Значит, верный Шейх что-то задумал и прячется где-то рядом в камнях, чтобы в удобный момент нанести удар и пристрелить Варяга! Правда, напарник Варяга, оставшийся на холме, тоже держит площадку на мушке.

Боясь совершить какую-нибудь глупость, Шрам сбавил шаг...

Когда «джип» скрылся за гребнем холма и на мгновение исчез из поля зрения Гепарда, Шейх приоткрыл дверцу, кубарем выкатился под откос и, махнув водителю — мол, двигай дальше! — быстро заполз в кусты и стал продираться к каменистому подножию холма, возле которого тянулась полуразвалившаяся стена цементного завода. Оттуда открывался прекрасный вид на площадку перед заводом. К тому же идеальным прикрытием для Шейха была длинная тень, отбрасываемая в рассветных лучах покатой крышей.

Шейх был вооружен винтовкой-обрезом с отличным оптическим прицелом. Он находился метрах в ста от остановившегося на заводской площадке серого «джипа» — с этого расстояния, имея такой отличный прицел, он мог легко поразить любую мишень.

Когда из «джипа» вышел черноволосый водитель, Шейх изготовился. А когда рядом с ним появился

Шрам, он спокойно навел крестик прицела на висок водителя-брюнета и стал ждать.

— Ну же, Шрам! — шептал он в нетерпеливом возбуждении. — Ну что ты еле тащишься, прибавь ходу! Придумай что-нибудь! Неужели ты еще не понял, что я тут, рядом?

И Шрам придумал. Он повалился на землю и, точно гигантское насекомое, пополз к черному «джипу». В этот момент совсем близко, откуда-то с крыши, грохнул выстрел. И тут же вслед за ним грохнул еще один выстрел — но уже издалека, с вершины холма. Шрам, уверенный, что стрелял Шейх и что Варяг уже валяется с простреленной головой, вскочил на ноги и рванул к черному «мицубиси». Оглянувшись на бегу, он вдруг увидел, что Варяг как стоял, так и стоит около своего серого «джипа», держа в руках миниатюрную рацию и с кем-то переговариваясь. Шрам резко остановился, опасаясь получить пулю в затылок. Но Варяг, как будто забыв о его существовании, о жене с сыном, не отрываясь, из-за машины пристально вглядывался в крышу цементного завода.

— Света! Назад в машину! — Неожиданно закричал Варяг страшным голосом. — Быстро в машину! Прячьтесь!

Воспользовавшись всеобщим замешательством, водитель черного «джипа», выдернув из-за пояса пистолет, бросился к Шраму, но тут же, нелепо вздернув руками, осел на песок. Не успел он упасть, как с вершины холма донесся запоздалый звук третьего выстрела.

Светлана, уже скрючившись в три погибели на заднем сиденье «мицубиси», прижимая к себе сынишку, разбуженного стрельбой, увидела, как с крыши завода в песок ловко спрыгнул коренастый, плотный мужчина с винтовкой в руке. Внимательно всмотревшись, она в нем узнала своего старого знакомого, Степана, который уже спас ее однажды из рук американских мафиози. Выбравшись из машины вместе с Олежкой, она побежала, плача в голос, к Варягу. Тот обнял ее, сильно прижав к себе.

— Жив! — выдохнула она. — А я, знаешь, верила, Владик, верила, что ты жив! — и зарылась в его грязную, пропотевшую куртку.

Варяг обнял Светлану, поднял на руки сынишку и, радуясь, сказал:

— Как я счастлив, что вы тоже живы.

Шрам, ничего уже не понимая, во все глаза смотрел то на целого и невредимого Варяга, то на спрыгнувшего с крыши мужчину. Только теперь он распознал в нем того самого неуловимого Сержанта.

Варяг тоже с удивлением смотрел на словно упавшего с небес Сержанта.

— Я там снял одного, — просто сказал снайпер. — Он на повороте из «джипа» выпрыгнул и затаился в кустах. Тебе, между прочим, Варяг, готовился башку снести. — Сержант повернулся в сторону холма, на вершине которого залег Гепард. — А там у тебя, значит, подкрепление? Мое счастье, что твои снайперы не обучались в моей школе. Иначе я бы уже был трупом.

И Сержант криво усмехнулся.

— Выходит, Степан, ты меня опять сегодня от смерти спас? — серьезно спросил Варяг.

— Выходит, так. А ты удивлен?

— Удивлен, — усмехнулся Варяг. — Теперь я перед тобой дважды в долгу. Ты тут какими судьбами?

— Да вот, в «Жигуленке» мимо проезжал. Вон за тем черным «джипом» случайно от шрамовой дачи увязался. Если бы не этот «джип» — мы бы с тобой и не встретились.

Варяг улыбнулся и махнул рукой.

— Да нет, Степан, я не про то. В Питере ты как оказался? Ты же вроде в Лос-Анджелесе сидишь.

— Да знаешь, что-то домой потянуло. Вот узнал, что ты на зоне гигнулся — и приехал сюда справки наводить.

Светлана молча смотрела на Сержанта, вспоминая их давнюю встречу на тихоокеанском пляже, после которой утекло так много воды, слез и крови...

Сержант кивнул ей немного смущенно.

— Ладно. Кажется, моя миссия окончена. — Он помолчал, явно борясь с собой, добавил: — А знаешь, Владислав Геннадьевич, я почему-то рад, что ты жив.

Сержант хотел еще что-то добавить, но передумал и, развернувшись, быстро зашагал по дороге вверх.

Навстречу ему бежал Гепард, зажав под мышкой свою винтовку. Поравнявшись с Сержантом, Гепард на мгновение сбавил шаг, посмотрел на светловолосого крепыша, на его винтовку и, ничего не сказав, побежал дальше.

Варяг только теперь вспомнил про Шрама.

— Я же предупреждал тебя — без фокусов, — укоризненно сказал ему Варяг. — А ты, дурак, что натворил. Все испортил.

— Ты же мне гарантию дал! — набычившись, пророкотал Шрам. — Ты же...

— Я тебе, сука, никаких гарантий не давал. Я тебе сказал: твоя единственная гарантия — надежда. Но ты уговор опять нарушил. И опять показал свою ссученную сущность.

Обернувшись к Светлане, он крикнул:

— Светик, садись в машину. Егор нас отвезет. Егор! Поезжай и там, на повороте, остановись, меня подожди. Я скоро...

Оставшись наедине, Варяг и Шрам долго смотрели друг на друга. Потом Шрам сделал еле заметный шаг в ту сторону, где лежал пистолет, который выронил убитый водитель. Варяг преградил ему дорогу.

— Ну уж нет! — сказал он и носком ботинка отбросил пистолет далеко в сторону. — Давай-ка побеседуем как мужчина с мужчиной. Пошли! — Варяг кивнул в сторону полуразрушенного каркаса заводского здания. Не дождавшись ответа, он зашагал первым, как будто заранее знал, что Шрам послушно последует за ним, — никуда ему теперь не деться.

И Шрам действительно побрел следом — нехотя, через силу, но не смея ослушаться властного приказа. Он понимал, что находится теперь целиком во власти Варяга. У него никак не укладывалось в голове, что Варяг жив, что он вернулся и сейчас будет вершить над ним свой суровый суд.

Они зашли внутрь. Варяг повернулся к Шраму, устремив на него тяжелый взгляд.

— Я только одно хочу понять, Шрам. Кому ты продался? За что? Чего ты добивался?

Шрам сузил глаза и с ненавистью глянул на Варяга.

— Я тебя не продавал. Я тебя, можно сказать, спасал, — в голове у Шрама теснились бессвязные мысли, он вдруг подумал, что может еще выкрутиться. — Тебя менты замочить хотели...

— Ну, это я без твоей помощи просек, — насмешливо бросил Варяг. — Мне на зоне подполковник Беспалый очень прозрачно об этом намекал. Что это ты, Шрам, заволновался? Ты ведь и с Беспалым успел познакомиться?

— С кем, с кем? — Шрам шагнул назад и оглянулся: он все еще искал путь к отступлению.

— Опять врешь. Ну да это теперь неважно. Был у меня такой корешок на зоне. Беспалым звали. Недавно разошлись наши дорожки, навсегда. — Варяг наклонил голову и двинулся на Шрама. — Ошибся я в тебе, Шрам. Крепко ошибся. Много бед ты натворил. И за все сейчас ответишь.

— На сходняке отвечу! — вдруг с азартом вскричал Шрам. — Там меня и рассудят.

Варяг усмехнулся.

— Какой сходняк? У тебя что, Шрам, после бурной ночи мозги отшибло? Не видать тебе никакого сходняка. У тебя даже похорон не будет — как у любого нормального человека. Я тебе одно только скажу — ты ничем не лучше последнего вертухая на сучьей зоне. И смерть у тебя будет сучья!

Варяг вбил крепкий кулак Шраму в лоб, так что тот покачнулся. Шрам взмахнул правой рукой, намереваясь ответить, но не успел. Следующий удар пришелся ему в солнечное сплетение. Он закашлялся, теряя воздух, и согнулся пополам. Новый удар — на этот раз по артерии — уронил его на цементный пол. Шрам подтянул колени к животу, собрался и попытался подняться. Но не смог. Над ним грозно навис Варяг.

— Видишь, Шрам, я тебя даже ногами не бью. Я тебя даже лежачего не бью. Хотя ты этого вполне заслуживаешь. Жаль, что тебя сейчас не видят твои уличные шестерки. Они бы с интересом поглядели, как их пахан цементную пыль жрет!

Шрам приподнялся на колени, но не решался встать на ноги и выпрямиться во весь рост.

— Вставай, гнида! — приказал Варяг. — Я последние месяцы только и жил мечтой об этой минуте. Если бы тебя, не дай Бог, сегодня Сержант пришил, или ты бы с пожарной лестницы сорвался — я бы сильно переживал!

Варяг схватил Шрама за шиворот и, с силой встряхнув, рванул вверх. Прислонив его к бетонному столбу, подпирающему крышу, он вытащил из кармана короткий нож с костяной ручкой.

— Это исторический нож, Шрам. Он мне, можно сказать, жизнь спас. Но теперь он мне больше не понадобится.

Варяг подошел к Шраму вплотную и заглянул ему в глаза.

Шрам все понял. В его глазах затаился ужас.

— Я даже свои отпечатки пальцев стирать не буду, — прошептал Варяг. — Менты найдут — пусть знают: это Варяг тебя наказал. Варяг жив!

И он резким, коротким ударом вогнал стальное лезвие Шраму точно в самое сердце.

— Все, Шрам! — Варяг в последний раз взглянул в широко раскрытые глаза убитого им предателя, мазнул взглядом по багровому шраму, перерезавшему щеку, и разжал ладонь.

У Шрама подкосились ноги, и он рухнул на пол. Варяг брезгливо вытер ладонь о штанину, сплюнул и, повернувшись, не спеша побрел к машине.

* * *

...Спустя полчаса Варяг подошел к стоявшему на обочине грязно-серому «шевроле». Лицо его было окровавлено, одежда в пыли. В руке он сжимал пистолет.

— Что-то я выстрелов не слышал, — прокомментировал его появление Гепард.

— А не было никаких выстрелов, — устало ответил Варяг. — Зачем на такое дерьмо пули тратить?

Говоря это, он смотрел на жену, на ее залитое слезами лицо. Она сидела на земле возле машины, рядом с сыном.

— Мам! — тормошил ее Олежка. — Ты чего плачешь, мам?.. За нами же папка приехал!

— Да, — сказал Варяг. — Неужели ты меня узнал, сынок?

— Узнал, — расплылся в улыбке мальчик. — Только ты грязный весь. И старый какой-то. И волосы вон поседели...

— Ничего, — отозвался Гепард, садясь за руль, — отмоется, побреется — и будет твой папка опять молодой... Ну, поехали, что ли?

Варяг подошел к Светлане и, обняв ее, крепко прижался губами к ее соленому, заплаканному лицу. Не обращая больше внимания на родителей, Олежка сел на переднее сиденье машины, восхищенно глядя на Гепарда:

— Дядя, а ты — зеленый берет, да?

— Нет, — серьезно ответил тот, — я в крапинку.

Варяг взял на руки жену и посадил в машину. Захлопнул переднюю дверцу, сел рядом со Светланой и сказал:

— Давай поехали.

«Джип» тронулся и понесся по дороге, вздымая тучи пыли. Весело подпрыгивая на переднем сиденье, Олежка спрашивал Гепарда:

— Дядя, отгадай загадку: зеленое, а нажмешь кнопку — красное?..

— Не знаю, — честно признался Гепард.

— Эх ты! Это же лягушка в миксере!

ГЛАВА 55

— Ну вот мы и встретились, Степан, — произнес многозначительно Варяг, глядя Сержанту прямо в глаза. — Может, пора нам расставить точки над i, во всем разобраться.

— Давай попробуем, — кивнул Сержант.

Варяг с Сержантом сидели в ресторане аэропорта «Пулково» у огромного, во всю стену, окна, за которым ревели идущие на взлет и на посадку лайнеры. За соседним столиком, метрах в десяти от них, сидели Светлана с Олежкой — в компании Гепарда.

Всего лишь три дня назад недавние враги впервые за долгие месяцы столкнулись лицом к лицу на пустынной площадке цементного завода у Финского залива. Но невероятное нервное напряжение, спешка, сопровождавшая казнь Шрам, не позволили им тогда даже словом перекинуться. Впрочем, уже тогда Варяг почувствовал, что в душе у Сержанта что-то надломилось, он был уже не тем холодным, безжалостным снайпером, который преследовал его и других по всем странам и континентам, обуреваемый одной целью — пустить пулю в лоб. Сержант явно изменился и вдруг перестал представлять для него смертельную угрозу. Почему — сейчас это предстояло выяснить...

Варяг, желая спасти семью от возможных неприятностей, спешным образом отправлял их в Грецию, на Крит, где у него был надежный человек, бывший советский, а ныне греческий гражданин Константин Егоров, владелец большой сети курортных гостиниц.

— Ты охотился за мной два года, — продолжал Варяг. — Теперь, как я понимаю, запал твой иссяк. Неужели ты все это время не мог мне простить гибели брата? Неужели ты не понимал, что я в его гибели не виноват? Больше того, мы с ним в большой дружбе были. И его смерть, поверь, для меня была тяжелой потерей.

Сержант неопределенно мотнул головой.

— Да, я хотел отомстить за брата. Но не только. Иначе я бы из Америки сюда не вернулся.

Варяг недоуменно поднял брови.

— Загадками говоришь. Ты же на страшный риск пошел, когда сюда приехал. И сейчас, в эту минуту, тоже страшно рискуешь. Тебя же в России все кому не лень ищут — менты, бандиты, воры. Меня так не ищут, как тебя. Я что-то не пойму, Степан, зачем ты вернулся? Не для того же, чтобы убить Шрама. Ты же с ним был в одной упряжке, насколько я помню.

Сержант потрогал шею, точно она у него болела, и мрачно выдавил:

— Мне непросто это объяснить. Одно тебе могу сказать: я больше не вернусь в Америку. Я, если хочешь, оттуда совершил побег. Понял? Сбежал я. Как ты из лагеря. Только ты сбежал — потому что у тебя дело есть. А я сбежал — потому что ни хера у меня там нет. И не было.

Сержант вдруг весь собрался, напрягся, как тяжелоатлет, готовящийся взять рекордный неподъемный вес.

— Я, Владислав, совсем там завял. Не знаю, может быть, возраст уже. Скоро ведь полтинник. А чего я добился? Семь лимонов в трех банках лежат. Семь лимонов долларов! Для частного лица немало. Да что-то мне осточертело жить как частному лицу — понимаешь? Кто я, что я — перекати-поле. Когда я братана угрохал — так мне обидно стало! Так обидно! Кроме него, у меня же никого не было: ни жены, ни детей... — Сержант перевел взгляд на жену и сына Варяга. — Вон ты хоть и вор в законе, а старые правила нарушил. Семья у тебя. И вроде как дополнительный смысл жить есть... А у меня? Семь лимонов? Да вот оказалось, в жизни одних бабок — мало.

Варяг кашлянул. Ему стало вдруг неловко оттого, что этот немолодой, сильный, суровый мужчина вот так попростому, без надрыва, но с неподдельной искренностью раскрыл перед ним свою душу.

— Слушай, Степан, у тебя давно своя жизнь. Ты, наверно, ломать ее не сможешь, не захочешь. Но... Отчего бы тебе не пойти со мной?

— Пойти? Куда? — усмехнулся горько Сержант.

— Порядок наводить в России, — серьезно заметил Варяг. — Ты же сам видишь, что творится. Шрам со своей братвой — это не самое худшее.

— А что же?

— Беспалый! Ты его не знаешь. Я когда сидел в колонии — куда меня, к слову сказать, Шрам спровадил, ну да ладно, это особая история... Так вот, в этой самой колонии, где я сидел, начальником был подполковник Беспалый. Вот это страшный человек. Страшно сказать, какие он в колонии дела творил. Да и не только там... Этот мент под себя всех подмял, всех ссучил, натравил друг на друга, стукачами сделал, всех заставил дерьмо хлебать... Я до сих пор не верю, что оттуда вырвался.

Варяг сделал паузу.

— Ты знаешь, у воров беспредельщики не в почете. Законные в России всегда с беспредельщиками обходились круто и карали их сурово. Но мы-то худо-бедно со своим беспределом еще можем справиться. А вот такие беспредельщики, как Беспалый, самые опасные — и самые неуправляемые. Они к власти рвутся, напролом идут и ради этой самой власти готовы на все... Ты говоришь, я правила воровские нарушил — семью завел. Да это не шибко какая беда. Шрам в связке с Беспалым —

вот это настоящая беда. Эти беспредельщики ради своего интереса готовы мать родную продать, отца убить, сестру изнасиловать... Этих надо остановить. А лучше — каленым железом выжечь.

— И кто ж их выжигать будет? — спросил Сержант с усмешкой. — Не ты ли собрался?

— Кому-то надо. Если больше некому — то я, — жестко бросил Варяг.

— А я слыхал, за последние полгода в России много законных полегло, — осторожно сказал Сержант. — И я так понимаю — все твои бойцы.

— Людей потеряно много, верно. Это плохо, но поправимо. Остались старые контакты, старые связи, старые долги. Есть молодежь. Надо о себе напомнить. По всей России раззвонили, что я умер. А я вот жив. Ну так что, Степан, не хочешь со мной?

— А ты мне доверяешь? После всего, что было... — с иронией в голосе спросил Сержант.

— Знаешь, Степан, ты — человек. Я же о тебе много чего знаю. Ты не сука. Ты человек. Это главное. Заблудший. Потерявший ориентир... Но все же — человек.

И Варяг протянул Сержанту пятерню. Сержант долго рассматривал его руку, мучительно размышляя. Наконец он словно нехотя откинулся на спинку стула и медленно поднял лежащую на столе ладонь.

Они обменялись крепким рукопожатием.

— Ну вот и ладно, — повеселел Варяг и глянул на часы. — Пора. Скоро посадка. Подожди меня здесь, пока я своих отправлю.

Он встал и пошел к соседнему столику.

* * *

Варяг трясся в электричке на Звенигород. Он ехал в Мозженку, на дачу академика Нестеренко. Он опять был загримирован, а в кармане у него лежал паспорт на имя

Потапова Александра Петровича. Теперь он мог разъезжать по Москве и области в открытую: даже если Владислав Игнатов был объявлен в федеральный розыск, в этом высоком бородатом брюнете в очках и самый опытный руоповец не признал бы знаменитого законного вора.

Варяг немного волновался. Ему предстояла первая встреча с дочкой — их с Викой дочкой Лизой. Он ехал туда с тяжелым сердцем. Теперь, когда в живых не было ни Егора Сергеевича, ни Вики, он не знал, как встретит его, незнакомого дядьку, трехлетняя девочка, как он встретит ее, свою дочь, которую он никогда в жизни не видел...

Интересно, рассказывала ли ей Вика о папе? И кто там сейчас с ней? Домработница Валя, наверное, если, конечно, после гибели академика Нестеренко и страшной смерти Вики она не уволилась. Хотя как она могла уволиться и бросить трехлетнее беспомощное существо...

Варяг не знал, есть ли у Нестеренко близкие родственники, которые могли бы претендовать на нехитрое имущество академика — большую московскую квартиру, большую, хотя и старую, дачу... Он, Варяг, имел моральное право только на одно наследство академика — обширную и плотную паутину нужных связей в высших властных структурах страны, в крупном бизнесе, в финансовых кругах. Ему предстояло налаживать все заново — не с нуля, не с пустого места, но заново. О Варяге, конечно, слышали, многих нужных людей Егор Сергеевич успел с ним познакомить, но трудно было предсказать, как эти нужные люди обойдутся теперь с Владиславом Игнатовым, который стрелял в милиционеров, был осужден, а потом совершил побег из колонии... Да и можно не сомневаться, что многие чинуши, засевшие в министерствах, в правительстве, в советах директоров крупных компаний, с облегчением восприняли весть о кончине грозного академика, освободившись наконец от многолетнего перед ним страха... Егор Сергеевич имел над ними непререкаемую власть, которой он, Варяг, пока не обладает. Но которую он должен, просто обязан над ними получить.

Свою власть — над их властью.

Но об этом следовало крепко подумать потом. Сейчас ему предстояло другое, не менее важное и нелегкое испытание.

Варяг подошел к знакомому зеленому забору. Из глубины большого старого сада послышался детский смех. У него заколотилось сердце. Он толкнул калитку.

Он шел быстрым шагом по тропинке к дому. От крыльца к нему побежала девочка лет трех, в белом платьице, с двумя смешными косичками-колбасками.

— Папа! — закричала девочка на бегу.

Он вздрогнул. Откуда она может знать?

Девочка подбежала к нему и с интересом и удивлением стала разглядывать его бороду и очки.

— Я Лиза. А ты, дядя, мой папа? — бесцеремонно спросила девочка.

Варяг улыбнулся и присел на корточки.

— Здравствуй, Лиза. Ты тут одна?

— Нет, я с тетей Валей. Мы маму ждем...

Варяг встал. От волнения он не знал, что и сказать этой странной девочке-фантазерке.

На дорожке показалась Валя. Он сразу узнал эту седую невысокую женщину, которая лет двадцать вела хозяйство у вдовца-академика. У него отлегло от сердца. Хоть одна близкая душа.

Он шагнул ей навстречу и сказал:

— Здравствуйте, Валя. Вы не удивляйтесь и не бойтесь, это я, Владислав.

Валя остановилась как вкопанная, буквально раскрыв рот от неожиданности.

— Владик? Тебя не узнать — вон как тебя... Где ты пропадал?

Варяг махнул рукой.

— Потом, потом, Валя. Не обращайте внимания. Волосы, борода — это все на время, пока неприятности закончатся.

— Ты слышал? — спросила она, поджав губы, и ее подбородок задрожал.

Варяг кивнул и взглядом указал на девочку.

— Она знает?

Домработница покачала головой.

— Не могла я... Лиза, иди поиграй в огороде! — строго обратилась она к девочке.

— Валюша, а этот дядя — мой папа? — с вызовом крикнула девочка.

— Иди-иди! — повторила Валя. Дождавшись, когда девочка отошла на значительное расстояние, она продолжала: — Вот такие дела, Владик. Бедная Викушка, бедный Егор Сергеевич...

— Милиция была? — коротко спросил Варяг.

— Да. После того ужаса в квартире были следователи, искали что-то, снимали отпечатки пальцев, да ничего не нашли. Сюда приезжали.

— А сюда-то зачем? — нахмурился Варяг.

Они вошли в дом и сели на веранде.

— Не знаю. Меня допрашивали.

— Вас-то почему?

— Да ведь Егор Сергеевич завещание оставил — царство ему небесное — дачу эту мне завещал, а квартиру Вике с Лизонькой. Но после смерти Викушки... — У Вали в глазах стояли слезы, подбородок задрожал. — Я взяла Лизоньку под опеку, так что и квартира теперь вроде как моя. Только еще в собственность не успела оформить. А они приходили сюда документы опечатывать. Егора Сергеевича документы. Все перерыли. Весь дом вверх дном перевернули. Только что огород не перепахали.

— И что же они искали, рукописи его монографий? — насмешливо произнес Варяг.

— Не знаю, Владик, мне не говорили. Ты лучше скажи, что с тобой стряслось? Что давно не появлялся?

— Ох, Валя, если рассказывать — двух недель не хватит. Как Лиза? Она про меня откуда знает? Я же на себя не похож.

Валя внимательно его оглядела и усмехнулась.

— И то правда — не похож. Да нет, Владик, она всех мужчин, какие заходят, папами зовет. Даже милиционеров. Очень тоскует, бедняжечка.

— Ладно, я с ней потом сам поговорю. Наверху я устроюсь — можно?

— Можно, отчего же нельзя. Белье там есть...

Решив оставить разговор с дочкой на вечер, Варяг занялся делом, ради которого он и ехал сюда из Москвы. Он отправился в дальний угол сада, где стояла покосившаяся бытовка. Когда-то там Егор Сергеевич устроил баньку, но банька оказалась не паркой, а дымной — дым почему-то никак не желал выходить через трубу вверх и клубился в небольшом бревенчатом помещении. Постепенно банька превратилась в сарай, куда складывали инструменты, садовый инвентарь, старую мебель, ненужную посуду.

Варяг затворил за собой дверь. Над головой болталась лампочка, которую можно было включить легким поворотом по часовой стрелке, но он не стал этого делать. Вынув из кармана фонарик — тот самый, который освещал ему путь в зековском «метрополитене», — Варяг направил луч на старый кованый сундук, чуть не наполовину просевший в грунт. Сундук был знатный — метра полтора в длину, полметра в ширину. Со скрипом раскрылась тяжелая крышка, откинулась на стену. Он стал быстро выбрасывать из сундука ветхое тряпье, перемешанное с ржавыми гвоздями, топорищами, отвертками, сверлами и прочей ерундой. Наконец он добрался до дна. Осторожно отогнул ржавые крюки и, поддев с помощью старой отвертки срединную доску, поднял дно, как крышку люка.

Это и впрямь был люк. «Что-то я как крот — в последнее время все под землей колупаюсь», — насмешливо подумал Варяг и аккуратно прислонил поднятое дно к стене. Он залез в сундук и, склонившись над разверстой тьмой потайного люка, стал шарить руками.

Есть! Луч фонарика вырвал из тьмы дверцу массивного металлического сейфа с выпуклым рифленым диском кодового замка.

Заученным движением Варяг повернул диск влево на три шага, потом вправо на пять шагов и снова влево — на два. После этого он нажал три кнопки с цифрами — 6, 8 и 9 (свой день рождения: 6 августа 1959 года) — и мягко надавил на хромированную ручку. Сейфовая дверца беззвучно отворилась.

Он мазнул желтым лучом по пачкам долларов, туго перетянутых банковскими ленточками, и по черным пластиковым коробкам, где лежали полукилограммовые золотые слитки. Все было не тронуто. Все лежало точно так же, как он и положил в этот тайник два года назад — по совету Егора Сергеевича.

Он знал, что такие же тайники с воровскими кассами укромно хранятся во многих местах России, и за этими секретными закромами упорно охотятся и алчные менты, и нечистые на руку беспредельщики, и ссучившиеся паханы вроде покойника Шрама...

Здесь была незначительная — «живая» — часть общака, которая предназначалась исключительно для финансирования важнейших дел, поэтому Варяг фактически единолично пользовался этими средствами. Другие «живые» деньги общака Варяг распределил в равных долях и доверил на хранение верным людям в Воронеже, Самаре, Екатеринбурге и за Уралом.

Теперь ему было на что развернуть дело в России. В этом сейфе под старым сундуком лежали готовенькие уздечки для жадных и пугливых продажных душонок властителей России — маленьких властителей, норовящих урвать кусочек от необъятного российского пирога и поскорее заглотить его, не утруждая себя ни помыслом, ни потугой ради своей страны. Ей-богу, иные воры и те больше патриоты, чем эта гниль...

Ему предстояло извлечь из мрака эти увесистые пачки и слитки и бросить их голодной своре псов, которые окажут ему любую необходимую услугу, пойдут на любую подлость, продадут кого угодно, в первую очередь жертвуя своей честью.

Он еще не видел их лиц, не слышал их голосов, но уже презирал — этих подленьких маленьких людишек, волею случая вознесенных на самую вершину властных пирамид и получивших незаслуженное право распоряжаться судьбой России...

Вечером Варяг уединился с Лизой в ее спаленке. Он весь день репетировал свой разговор с ней, а оставшись один на один с веселой девочкой и глядя в ее круглое смешливое личико и огромные зеленые глаза, все сразу забыл и стал рассказывать ей о том, какая у нее замечательная мама Вика, которой пришлось уехать далеко-далеко, но она скоро вернется — обязательно вернется.

— Ты мой папа? — тихо спросила Лиза, натянув одеяло по самые глаза.

— Да, Лиза, я твой папа.

— Почему же тебя так долго не было?

— Я работал далеко отсюда.

— Там, куда уехала мама?

Варяг вздохнул.

— Примерно.

— А теперь ты не уедешь?

— Нет.

Он поцеловал ее, пожелал спокойной ночи и вышел, прикрыв дверь.

Валя собрала поужинать. Варяг спросил, не надо ли ей денег, сказал, что завтра утром уедет, но будет часто приезжать.

Он включил телевизор. Передавали новости. На экране появилась карта Чечни с маленькими трезубцами нарисованных взрывов.

— ... Колонна попала в засаду и была обстреляна боевиками из гранатометов. Среди погибших был и генерал-лейтенант Кирилл Артамонов, руководитель специальной комиссии МВД. По сообщению пресс-службы МВД, комиссия была направлена на Северный Кавказ для изучения каналов контрабандной переброски наркотиков через территорию Российский Федерации. Нападение боевиков произошло внезапно и явно было спланировано заранее, так как маршрут прохождения колонны был утвержден лишь накануне днем и о нем было известно только в штабе внутренних войск...

— Владик, тебе каши-то положить? — услышал он голос доброй Вали.

— Да-да, положите, — произнес он рассеянно, не отрывая взгляда от телевизора. Но диктор уже рассказывал о новостях из-за рубежа.

Убили генерала Артамонова! Невероятно! Но почему именно его назначили руководителем комиссии по наркотикам — он же не имел к этому направлению никакого отношения. Артамонов занимался внутренней безопасностью в Министерстве внутренних дел. По крайней мере, он успел ему шепнуть об этом в вертолете.

Варяг вдруг вспомнил свой разговор с Гепардом про переброску наркотиков из Афганистана в Европу через Северо-Запад на военно-транспортных самолетах. И про свой собственный рейс на «Руслане». Так, теперь он понял, почему Артамонов появился в далеком Северопечерске — ну конечно, он прилетел туда не беглого законного вора сопровождать, а самолично проверить тот самый рейс «Руслана». Видимо, на военном аэродроме под Северопечерском генерал выполнял какую-то секретную операцию. И его поездка на Северный Кавказ была из той же оперы. Да и проверял он вовсе не каналы поступления наркотиков в Россию, а... участие в этих поставках высоких чинов МВД! Отвечая за внутреннюю безопасность в МВД, он кому-то вдруг стал сильно мешать...

Да, это ясно как божий день. Если о маршруте следования эмвэдэшной колонны знали только в штабе внутренних войск, значит, оттуда, из штаба, и поступил сигнал боевикам...

В стекло веранды постучали. Валя пошла посмотреть, на ходу обернулась и тихо сказала:

— Может, ты это... в кладовку уйдешь? Мало ли кого тут черт принес...

Варяг улыбнулся и махнул рукой. Никому, ни одной живой душе не было известно, что он здесь, в Мозженке.

Он погрузился в невеселые раздумья о генерале Артамонове. Еще одна ниточка, связывавшая его с покойным Егором Сергеевичем, оказалась перерублена.

Впереди была полная неизвестность.

Вернулась Валя. Она тщетно пыталась унять дрожь в руках.

— Владик, тебя там спрашивают.

— Меня? — изумился Варяг и медленно встал со стула. — Кто же?

— Двое какие-то... Может, задней дверью уйдешь? Через огород к станции...

Взгляд Варяга потяжелел.

— Да мне как-то бояться нечего, Валя. Пойду погляжу. И что — прямо меня спросили, по имени-отчеству?

— Ну да... — голос у перепуганной женщины сорвался. — Владислава Геннадьевича Игнатова спросили.

Он решительно раскрыл дверь веранды и вышел на воздух. Перед ним стоял капитан в компании двух здоровенных сержантов, вооруженных автоматами АКСУ. Все трое были в форме областного ОМОНа.

Капитан, ни слова не говоря, шагнул вперед и тихо, но четко произнес:

— Вы — Игнатов Владислав Геннадьевич, 1959 года рождения?

Варяг нахмурился и, изобразив на губах удивленно-добродушную улыбку, покачал головой:

— Вы ошибаетесь, капитан, я Потапов. Александр Петрович Потапов. Если желаете, вот у меня тут... — Он полез в нагрудный карман и, вытащив потрепанный паспорт, протянул его капитану.

Капитан взял темную книжицу, повертел ее в руках, и, не раскрыв, вернул владельцу со словами:

— Вам придется поехать с нами.

Сержанты красноречиво повели стволами автоматов.

Вдали за забором Варяг заметил темнеющий в вечерних сумерках силуэт «уазика». Он прикинул, как можно будет сбежать: броситься в глубь дачного участка, миновать огород, выскочить на зады соседнего участка, перемахнуть через низкий заборчик и...

Он тяжело вздохнул, слегка нагнул голову и сошел по ступенькам веранды вниз. Теперь главное — быстрота и решительность. Эти бугаи вряд ли станут палить из автоматов. Хотя черт их знает...

Оставалось надеяться на судьбу. Пока что она обходилась с ним милостиво. Но как будет на этот раз, Варяг мог только догадываться.

Автор выражает благодарность
О. Алякринскому и С. Деревянко
*за помощь и творческое сотрудничество
при подготовке рукописи к печати.*

Е.С.

СОДЕРЖАНИЕ

Сухов Евгений Евгеньевич

Я — ВОР В ЗАКОНЕ
Побег

Литературная обработка *О. Алякринского,*
С. Деревянко, А. Данковцевой
Редакторы *О. Алякринский, С. Деревянко*
Дизайнер обложки *В. Пантелеев*
Технический редактор *Л. Стёпина*
Корректор *И. Дмитриева*
Компьютерная верстка *И. Белкиной*
Набор *Н. Балашовой, Н. Рыжих*

ИД № 02824 от 18.09.2000.

Подписано в печать 30.05.01. Формат 84 × 108/32.
Гарнитура «Таймс». Печать высокая. Бумага типографская.
Печ. л. 17,0. Тираж 25 000 экз. Зак. № 1259. С-154.

Налоговая льгота — общероссийский классификатор
продукции ОК-005-93, том 2 — 953 000.

ЗАО «КОМПАНИЯ «АСТ-ПРЕСС».
107078, Москва, ул. Новорязанская, д. 8а, корп. 3.

Отпечатано с готовых диапозитивов
в ГМП «Первая Образцовая типография»
Министерства РФ по делам печати,
телерадиовещания и средств массовых коммуникаций.
113054, Москва, Валовая, 28.

ЗАО «Компания «АСТ-ПРЕСС»:
Россия, 107078, Москва, Рязанский пер., д. 3
(ст. м. «Комсомольская», «Красные ворота»)
Тел./факс 261-31-60, тел.: 265-86-30, 974-12-76
E-mail: ast_press @ col.ru

По вопросам покупки книг «АСТ-ПРЕСС» обращайтесь

в Москве: «АСТ-ПРЕСС. Образование»

Офис: Москва, Рязанский пер., д. 3
Тел./факс: (095) 265-84-97, 265-83-29
E-mail: ast-pr-e@postman.ru

Склад

г. Балашиха, ш. Энтузиастов, д. 4
Тел.: (095) 521-78-37, 521-03-72

в Москве: «Клуб 36'6»

Офис: Москва, Рязанский пер., д. 3
Тел./факс: (095) 261-24-90, 267-28-33

Склад:

г. Балашиха,
Звездный бульвар, д. 11
Тел.: (095) 523-92-63, 523-11-10

Магазин (розница и мелкий опт):

Москва, Рязанский пер., д. 3
(ст. м. «Комсомольская»)
Тел. (095) 265-86-56

Переписка:

107078, Москва, а/я 245, «КЛУБ 36'6»

в Санкт-Петербурге и Северо-Западном регионе:
«Невская книга»

Тел.: (812) 567-47-55, 567-53-30

в Киеве: «АСТ-ПРЕСС-Дикси» Тел.: (044) 228-01-88, 464-08-74

Евгений Сухов
Я-ВОР
в законе
РАЗБОРКИ
АВТОРИТЕТОВ
Евгений Сухов
Я-ВОР
в законе
НА ЗОНЕ
МАФИЯ
И ВЛАСТЬ